American Tabloïd

James Ellroy

American Tabloïd

Traduit de l'américain
par Freddy Michalski

*Collection dirigée
par François Guérif*

Rivages/Thriller

Titre original : *American Tabloïd*
(Alfred A. Knopf, New York)

© 1995, James Ellroy

© 1995, Editions Payot & Rivages
pour la traduction française
106, boulevard Saint-Germain, 75006 Paris

ISBN : 2-86930-907-4
ISSN : 0990-3151

à Nat Sobel

L'Amérique n'a jamais été innocente. C'est au prix de notre pucelage que nous avons payé notre passage, sans un putain de regret sur ce que nous laissions derrière nous. Nous avons perdu la grâce et il est impossible d'imputer notre chute à un seul événement, une seule série de circonstances. Il est impossible de perdre ce qui manque à la conception.

La nostalgie de masse fait chavirer les têtes et les cœurs par son apologie d'un passé excitant qui n'a jamais existé. Les hagiographes sanctifient les politiciens fourbes et trompeurs, ils réinventent leur geste opportuniste en autant de moments d'une grande portée morale. Notre ligne narrative ininterrompue se dissout dans le flou, laissant de côté toute vérité, toute sagesse rétrospective. Seule une vraisemblance impitoyable, sans souci des conséquences, peut redonner la vision nette de cette ligne dans toute sa rectitude.

La véritable trinité de Camelot était : de la Gueule, de la Poigne et de la Fesse. Jack Kennedy a été l'homme de paille mythologique d'une tranche de notre histoire particulièrement juteuse. Il avait du bagou, il dégoisait des conneries et arborait une coupe de cheveux classe internationale. C'était le Bill Clinton de son époque, moins l'œil espion des médias envahissants et quelques poignées de lard.

Jack s'est fait dessouder au moment propice pour lui assurer sa sainteté. Les mensonges continuent à tourbillonner autour de sa flamme éternelle. L'heure est venue de déloger son urne funéraire de son piédestal et de jeter la lumière sur quelques hommes qui ont accompagné son ascension et facilité sa chute.

Il y avait parmi eux des flics pourris, des artistes de l'extorsion et du chantage ; des rois du mouchard téléphonique, des soldats de fortune, des amuseurs publics pédés. Une seule seconde de leurs

9

existences eût-elle dévié de son cours, l'Histoire de l'Amérique n'existerait pas telle que nous la connaissons aujourd'hui.

L'heure est venue de démythifier toute une époque et de bâtir un nouveau mythe depuis le ruisseau jusqu'aux étoiles. L'heure est venue d'ouvrir grand les bras à des hommes mauvais et au prix qu'ils ont payé pour définir leur époque en secret.

A eux.

Première Partie

EXTORSIONS

Novembre - Décembre 1958

1

PETE BONDURANT. *Beverly Hills, 22 novembre 1958.*

Il se piquait toujours aux lueurs de l'écran télé.

Des Espingos agitaient des flingues. L'Espingo en chef se cherchait des poux dans la barbe et complotait. Reportage en noir et blanc ; des gugusses de la CBS en treillis de jungle. Un journaliste disait, Cuba, c'est le mauvais ju-ju, les rebelles de Fidel Castro contre l'armée régulière de Fulgencio Batista.

Howard Hughes trouva une veine et injecta sa codéine. Pete reluquait en douce — Hughes avait laissé la porte de sa chambre entrouverte.

La came fit son chemin, toucha au but. Le visage du Grand Howard vira au tout mou.

Les chariots de service cliquetaient à l'extérieur de la pièce. Hughes essuya sa seringue et changea de chaîne. Le *Howdy Doody Show* remplaça les informations — truc classique du Beverly Hills Hotel.

Pete sortit dans le patio — vue sur la piscine, joli coin pour repérer le gibier. Un vrai temps de merde aujourd'hui : pas la moindre nana modèle starlette en bikini.

Il consulta sa montre, à cran.

Une opération divorce l'attendait à midi — le mari déjeunait à la gnôle en solitaire et se farcissait de la chatte jeunette. Trouver des ampoules de flash de *qualité* : des photos floues, et on se croirait alors devant un duo d'araignées en train de baiser. Au programme de la pointeuse de Hughes : Découvrir ceux qui offraient à la cantonade des citations à comparaître dans le cadre de l'affaire de dépossession de la TWA au titre de la loi antitrust et les acheter pour qu'ils déclarent que le Grand Howard s'était envolé pour Mars.

Howard l'ingénieux avait exprimé la chose en ces termes :

— Je ne vais pas me battre contre cette histoire de dépossession, Pete. Je vais me contenter de rester simplement *incommunicado* pour une période indéfinie et faire monter les enchères jusqu'à ce que je sois *obligé* de vendre. De toute façon, je suis fatigué de la TWA et je ne vais pas vendre tant que je ne peux pas réaliser *au moins* cinq cents millions de dollars.

Il avait dit ça un peu boudeur : lord Fauntleroy, camé sur le retour.

Ava Gardner se promenait au bord de la piscine. Pete la salua de la main. Ava lui adressa un doigt d'honneur en retour. Ça remontait à loin, tous les deux : il lui avait organisé un avortement en échange d'un week-end avec Hughes. Pete, homme très Renaissance : mac, fournisseur de came, nervi à tout faire et licence de privé.

Hughes et lui remontaient à *loin loin*.

Juin 52. Pete Bondurant, adjoint des services du shérif — comté de Los Angeles —, responsable de nuit à l'annexe de San Dimas. Et cette nuit, merdique entre toutes : un Négro violeur en cavale, la cage à poivrots bourrée d'engnôlés hurlant.

Un poivrot lui avait cherché des crosses :

— Je te connais, toi, le grand dur. Tu tues des femmes innocentes et ta propre...

Il avait tabassé l'homme à poings nus et il l'avait tué.

Les services du shérif avaient mis l'étouffoir. Un témoin oculaire mangea le morceau aux Fédés. L'agent spécial en charge (ASC) de Los Angeles avait collé à Joe le Poivrot l'étiquette de Joe, la Victime des Droits civiques.

Deux agents avaient fait pression sur lui : Kemper Boyd et Ward J. Littell. Howard Hughes vit la photo de Pete dans le journal et sentit en lui un grand potentiel de gros bras. Hughes avait fait enterrer l'inculpation et lui avait offert un boulot : grand arrangeur, mac, fournisseur de came.

Howard épousa Jean Peters et l'installa dans une résidence séparée où elle vivait seule. Ajouter « chien de garde » à ses diverses fonctions. Ajouter à ça la plus grande niche à chien à avoir jamais vu le jour, et pas de loyer à payer : la résidence voisine, juste la porte d'à côté.

Howard Hughes sur le mariage :

— Je trouve que c'est une institution charmante, Pete, mais je trouve également la cohabitation crispante. Explique ça à Jean, de temps à autre, tu veux bien ? Et si elle se sent un peu seule, dis-lui qu'elle tient toujours mes pensées, même si je suis très occupé.

Pete alluma une cigarette. Des nuages passèrent — autour de la piscine, ceux qui prenaient le frais se sentirent frissonner. L'interphone grésilla — Hughes se rappelait à son bon souvenir.

Il entra dans la chambre. Le capitaine Kangourou était sur l'écran, volume en sourdine.

Eclairage tamisé noir et blanc — et le Grand Howard au plus sombre de la pénombre.

— Monsieur ?

— C'est « Howard » quand nous sommes seuls. Tu le sais.

— Je me sens servile aujourd'hui.

— Tu veux dire que tu as la forme et que tu es requinqué avec la belle mademoiselle Gail Hendee, ta maîtresse ? Dis-moi, est-ce qu'elle apprécie la maison de surveillance ?

— Elle l'aime bien. Elle fait la fine bouche tout comme vous devant les ménages à la colle, mais elle dit que vingt-quatre pièces pour deux personnes, ça aide à aplanir les difficultés.

— J'aime les femmes indépendantes.

— Non, ce n'est pas vrai.

Hughes redonna un peu de gonflant à ses oreillers.

— Tu as raison. Mais j'aime *l'idée* de femmes indépendantes, que j'ai toujours essayé d'exploiter dans mes films. Et je suis sûre que Mlle Hendee est à la fois une complice en extorsion *et* une maîtresse merveilleuses. Maintenant, Pete, à propos de cette dépossession de la TWA...

Pete tira une chaise à lui.

— Ceux qui notifient les citations à comparaître n'arriveront pas à vous. J'ai soudoyé tous les employés de cet hôtel, et j'ai installé un acteur dans un bungalow à deux rangées d'ici. Il vous ressemble, il s'habille comme vous, et je fais venir des call-girls toutes les heures, pour perpétuer le mythe que vous continuez toujours à baiser des femmes. Je vérifie tous ceux, hommes et femmes, qui demandent à venir travailler ici, pour m'assurer que le ministère de la Justice ne glisse personne en sous-marin. Tous les chefs de poste ici jouent à la Bourse et, pour chaque mois écoulé pendant lequel vous ne vous êtes pas fait baiser par une citation à comparaître, je leur donne à chacun vingt actions de la Hughes Tool Company. Tant que vous resterez dans ce bungalow, personne n'arrivera jusqu'à vous et vous ne serez pas obligé de vous présenter au tribunal.

Hughes plumait son peignoir — à petits tics incontrôlés de paralytique.

— Tu es un homme très cruel.

— Non, je suis *votre* homme très cruel, ce qui explique pourquoi vous me laissez vous répondre.

— Tu es « mon homme » mais tu continues malgré tout à garder tes petits à-côtés ringards de détective privé.

— C'est parce que vous tenez trop les rênes. De plus, je ne suis pas aussi doué que ça pour la cohabitation.

— En dépit de ce que je te paie ?

— Non. A *cause* de ce que vous me payez.

— Par exemple ?

— Par exemple, j'ai une résidence à Holmby Hills, mais c'est vous qui avez le titre de propriété. J'ai un coupé Pontiac 58, mais la carte grise est à votre nom. J'ai...

— Ceci ne nous mène nulle part.

— Howard, vous voulez quelque chose. Dites-moi de quoi il s'agit et je le ferai.

Hughes tapota sur son machin de commande à distance. Le capitaine Kangourou disparut sur un déclic.

— J'ai acheté la revue *L'Indiscret*. Mes raisons pour acquérir un torchon à scandales fielleux sont doubles. La première, c'est que je corresponds depuis un moment avec J. Edgar Hoover et je veux renforcer l'amitié qui me lie à lui. L'un comme l'autre, nous adorons le genre de ragots hollywoodiens que *L'Indiscret* dispense, et donc le fait de posséder cette revue serait à la fois une source de satisfaction et un acte politique intelligent. La seconde, c'est la politique à proprement parler. Pour dire les choses crûment, je veux être à même de salir les politiciens que je déteste, tout particulièrement des play-boys dissolus comme le sénateur Jack Kennedy, qui pourrait bien être candidat à l'élection présidentielle contre mon bon ami Richard Nixon en 60. Ainsi que tu dois sans nul doute le savoir, le père de Kennedy a été mon rival en affaires dans les années 20, et, franchement, je hais la famille tout entière.

16

— Et... ? dit Pete.

— Et je sais que tu as travaillé pour *L'Indiscret* comme « vérificateur d'informations », aussi, je sais que tu comprends cet aspect de l'entreprise. Il s'agit quasiment d'extorsion par certains côtés et je sais, par conséquent, que c'est une chose pour laquelle tu as des talents certains.

Pete fit claquer ses jointures.

— « Vérifications d'infos », ça signifie « n'attaquez pas la revue en justice, sinon je vous fais mal ». Si vous voulez que je vous aide de cette manière, parfait.

— Bien. C'est un début.

— Finissez-en, Howard. Je connais les gens qui travaillent là-bas, alors dites-moi qui reste et qui part.

Hughes tiqua — rien qu'un chouïa.

— La réceptionniste était une Négresse avec des pellicules dans les cheveux, alors je l'ai virée. Le pigiste-dénicheur de scandales et soi-disant « remueur de boue » est parti. Je veux donc que tu m'en trouves un nouveau. Je garde Sol Maltzman. C'est lui qui rédige tous les articles depuis des années sous un pseudonyme, alors je suis enclin à le conserver au rôle, bien qu'il soit coco inscrit en liste noire et connu pour appartenir à pas moins de vingt-neuf organisations gauchistes, et...

— Et c'est là tout le personnel qu'il vous faut. Sol fait du bon boulot, et si les choses devaient empirer au dernier degré, Gail peut toujours prendre son relais — il y a deux ans qu'elle écrit plus ou moins régulièrement pour *L'Indiscret*. Vous avez votre avocat Dick Steisel pour tout le côté légal, et je peux vous trouver Fred Turentine comme poseur de mouchards. Je vous dénicherai un bon remueur de boues bien sales. Je serai discret et je vais me renseigner, mais ça pourrait prendre un moment.

— J'ai confiance en toi. Tu feras un travail superbe, comme à ton accoutumée.

Pete fit jouer ses jointures. Les articulations étaient douloureuses — signe incontestable de pluie.

— Est-ce bien nécessaire, ça ? dit Hughes.

— Ce sont ces mêmes mains qui nous ont conduits l'un à l'autre, Patron. Je me contente de vous faire savoir qu'elles sont toujours là.

La maison du chien de garde avait un salon de vingt-cinq mètres sur vingt-quatre.

Les murs du hall d'entrée étaient en marbre pailleté d'or.

Neuf chambres. Chambres froides, de plain-pied, sur neuf mètres de profondeur. Hughes faisait nettoyer les moquettes une fois par mois — un mal blanchi y avait un jour posé le pied.

Des caméras de surveillance étaient montées sur le toit et les paliers du premier, objectif pointé sur la chambre à coucher de Mme Hughes dans la maison voisine.

Pete trouva Gail dans la cuisine. Elle avait des courbes superbes et de longs cheveux bruns — son physique le faisait encore craquer.

— D'habitude, dit-elle, quand quelqu'un pénètre dans une maison, on l'entend. Mais notre porte d'entrée est à un kilomètre.

— Il y a un an que nous sommes ici, et tu continues à faire des vannes là-dessus.

— J'habite le Taj Mahal. Ça demande un peu de temps pour s'y habituer.

Pete s'assit à califourchon sur une chaise.

— Tu es nerveuse...

Gail fit glisser sa propre chaise. A bonne distance de Pete.

— Eh bien... comme extorsionniste, je serais plutôt du type nerveux. Comment s'appelle le gars d'aujourd'hui ?

— Walter P. Kinnard. Il a quarante-sept ans, et il trompe sa femme depuis leur lune de miel. Il a des gamins qu'il adore, et l'épouse dit qu'il s'écrasera si je le coince en le menaçant de montrer les photos à ses mômes. Il biberonne, et il s'enfile toujours une bombée au déjeuner.

Gail se signa, mi-frime, mi-sérieuse.

— Où ?

— Tu le rencontres chez Dale, au « Secret Harbor ». Il possède un baisoir à quelques blocs de là où il saute sa secrétaire, mais toi, tu insistes pour aller à l'Ambassador. Tu es en ville pour une convention, et t'as une chambre très frime avec bar et tout le tralala.

Gail frissonna. La tremblote du petit matin — signe incontestable qu'elle avait les chocottes.

Pete lui fit passer une clé.

— J'ai loué la chambre contiguë à la tienne, alors tu peux boucler la porte et faire ça bien. J'ai crocheté la serrure de la porte de communication, alors je ne pense pas que ça se passe trop bruyamment.

Gail alluma une cigarette. Les mains ne tremblaient plus — bonne chose.

— Distrais-moi. Raconte-moi ce que voulait Howard le Reclus.

— Il a acheté *L'Indiscret*. Il veut que je lui trouve un pigiste, ça lui permettra de se taper la queue devant les cancans d'Hollywood et de partager ça avec son pote J. Edgar Hoover. Il cherche à salir ses ennemis, comme ton ancien petit ami Jack Kennedy.

Gail sourit, avec chaleur, heureuse et bienheureuse.

— Quelques semaines n'ont pas fait de lui mon petit ami.

— Ce putain de sourire a bien fait de lui quelque chose, non ?

— Il m'a emmenée à Acapulco en avion un jour. Le genre de geste grand seigneur, style Howard Le Reclus, alors, ça te rend jaloux.

— Il t'y a emmenée en avion pendant son voyage de noces.

— Et alors ? Il s'est marié pour des raisons politiques, et la politique, ça te fabrique d'étranges compagnons de lit. Et par le Ciel, tu es un *tel* voyeur !

Pete dégaina son calibre et vérifia le chargeur, tellement vite qu'il ne comprit pas pourquoi.

— Tu ne penses pas que nous avons des vies bien étranges ? dit Gail.

Ils prirent des voitures séparées pour aller au centre-ville. Gail s'installa au comptoir ; Pete se prit un box non loin et bichonna son whisky à l'eau.

Il y avait foule dans le restaurant — ça marchait bien, les déjeuners chez Dale. Pete avait toujours droit à une place de choix, il avait mis un terme un jour à une tentative de chantage pédé sur le proprio.

Des tas de femmes dans la place : pour l'essentiel, de

l'employée de bureau, mi-chicos. Gail ressortait du lot : beaucoup d'un petit je-ne-sais-quoi en plus. Pete engloutissait amandes et noisettes par poignées, il avait oublié de prendre son petit déjeuner.

Kinnard avait du retard. Pete balayait la salle du regard, on aurait dit des rayons X.

Jack Whalen près des téléphones publics — ramasseur n° 1 pour les books de Los Angeles. Quelques huiles du LAPD[1] deux box plus loin. En train de murmurer, putain :

— Bondurant !

— Exact ! La femme Cressmeyer.

Il y a le fantôme de Ruth Mildred Cressmeyer au comptoir : la triste vieille avec la tremblote.

Pete se laissa glisser dans l'allée aux souvenirs.

Fin 49. Il avait quelques petits à-côtés qui marchaient bien : garde lors des parties de cartes et fournisseurs en avortements. Le cureteur de service était son jeune frère médecin, Frank.

Pete s'était engagé dans les Marines pour empocher une carte verte. Frank était resté avec la famille au Québec et il avait fait des études de médecine.

Lui s'était mis au parfum vite. Frank plus lentement.

Ne parle pas français, parle anglais. Perds ton accent et va en Amérique.

Frank débarqua à L.A., bandant de l'envie de faire fortune. Il réussit ses examens de médecine et accrocha sa plaque : avortements et vente de morphine.

Frank adorait les danseuses et les cartes. Frank adorait les truands. Frank adorait les soirées de poker de Mickey Cohen.

Frank se lia d'amitié avec un braqueur du nom de Huey Cressmeyer. La mère de Huey dirigeait une clinique de curetage à Nègreville. Huey mit sa petite amie enceinte et demanda de l'aide à Maman et à Frank. Huey perdit les pédales et braqua la partie du mardi soir — Pete n'était pas de garde, il était chez lui avec la grippe.

Mickey offrit le contrat à Pete.

---

1. Los Angeles Police Department. *(N.d.T.)*

20

Pete eut un tuyau : Huey se terrait dans une crèche à El Segundo. La maison appartenait à une gâchette de Jack Dragna.

Mickey haïssait Jack Dragna. Mickey doubla la prime et dit à Pete de tuer tout le monde dans la maison.

14 décembre 1949, frisquet, le ciel chargé de nuages.

Pete avait fait cramer la planque à l'aide d'un cocktail Molotov. Quatre formes jaillirent par la porte arrière en essayant d'étouffer les flammes. Pete les avait abattues avant de les laisser se consumer.

Les journaux les identifièrent :

Hubert John Cressmeyer, vingt-quatre ans.

Ruth Mildred Cressmeyer, cinquante-six ans.

Linda Jane Camrose, vingt ans, enceinte de quatre mois.

François Bondurant, vingt-sept ans, médecin et immigré franco-canadien.

Officiellement, les meurtres restèrent non résolus. L'histoire commença à filtrer jusqu'à des oreilles au parfum.

Quelqu'un avait appelé son père au Québec pour cafter Pete. Le vieux l'avait appelé à son tour en le suppliant de dire que ce n'était pas vrai.

Il avait dû commettre un impair, ou alors, c'est qu'il dégoulinait de culpabilité. Le vieux et la vieille avaient tété de l'oxyde de carbone le même jour.

Cette vieille poule au comptoir, putain, c'était la jumelle de Ruth Mildred.

Ça commençait à faire long. Il fit servir à la vieille une nouvelle tournée, aux frais de la maison. Walter P. Kinnard entra et s'assit à côté de Gail.

Début du quart d'heure poétique.

Gail fit signe au barman. Walter l'Attentif saisit le geste et siffla ; Joe, le barman, se précipita comme une flèche avec son shaker de Martini — Walt l'Engnôlé Habitué avait du poids dans la place.

Gail la Linotte fouilla son sac en quête d'allumettes. Walt le Serviable alluma son briquet et sourit. Walt le Sexy dégoulinait de pellicules sur tout le dos de sa veste.

Gail sourit. Walt le Sexy sourit. Walt le Bien-Sapé portait des chaussettes blanches avec un complet trois-pièces à fines rayures blanches.

Les deux pigeons s'installèrent devant leur Martini pour quelques échanges de banalités. Pete reluqua l'échauffement d'avant-pieu. Gail siffla son verre pour se donner du courage, ses nerfs à cran se voyaient comme un nez sur la figure.

Elle toucha le bras de Walt. Son cœur coupable se lisait net et clair — l'argent mis à part, elle détestait ça.

Pete alla jusqu'à l'Ambassador et monta à sa chambre. Le cadre était parfait pour le coup monté : sa chambre, la chambre de Gail, une porte de communication pour une entrée en douce et à couvert.

Il chargea son appareil photo et y fixa une série d'ampoules de flash. Il graissa le jambage de la porte de communication. Il cadra ses angles pour des gros plans du visage.

Dix minutes s'écoulèrent. Au ralenti. Pete prêta l'oreille, à l'affût des bruits de la chambre voisine. Ça y est, le signal de Gail :

— Bon Dieu, où est ma clé ?

Un tout petit peu trop fort.

Pete se plaqua contre le mur. Il entendit Walt l'Esseulé dans son baratin pleurnichard : Ma femme et mes gosses ne savent pas qu'un homme a certains besoins. Gail dit, pourquoi avez-vous eu *sept* gosses dans ce cas ? Walt dit, ça garde mon épouse à la maison, c'est la place d'une femme.

Les voix décrurent d'intensité, direction le lit. Bruit de chaussures qu'on laisse tomber — Gail libéra un haut talon qui cogna la porte —, son signal, trois minutes avant l'explosion.

Pete éclata de rire : des piaules à trente dollars la nuit et des foutus murs épais comme du papier à cigarettes.

Des fermetures à glissière qui coincent. Des ressorts de lit qui grincent. Les secondes qui font tic-tac. Walter P. Kinnard se mit à grogner — Pete le pointa en selle à 2 h 44.

Il attendit 3 heures pile. Il ouvrit la porte, dé-li-ca-te-ment ; avec la graisse sur le jambage, pas même un petit couinement.

Devant lui : Gail et Walter P. Kinnard en train de baiser.

Dans la position du missionnaire, leurs têtes collées l'une à l'autre — preuve d'adultère pour le tribunal. Walt adorait ce qu'il faisait. Gail feignait l'extase en se grattant une envie d'un ongle.

Pete s'approcha tout près, bon pour le gros plan, et lâcha la sauce.

22

Une, deux, trois — des éclairs de flash aussi rapides qu'une rafale de mitraillette. Toute la foutue pièce en fut illuminée comme sous des projos.

Kinnard hurla et se retira, mou comme une lavette. Gail dégringola du lit et courut vers la salle de bains.

Walt le Sexy à poil : un mètre soixante-dix-huit, quatre-vingt-quinze kilos, rondelet.

Pete laissa tomber son appareil et redressa le bonhomme par la peau du cou. Pete sortit son petit baratin, tout doux et tout doucement.

— Ta femme veut divorcer. Elle veut huit cents par mois, la maison, la Buick 56 et un traitement orthodontiste pour votre fils Tommy. Tu lui donnes tout ce qu'elle demande, sinon je te retrouve et je te tue.

Kinnard en fit claquer des ballons de salive. Pete admira ses couleurs : mi-bleu choc, mi-rouge cardiaque.

La vapeur s'échappait par la porte de la salle de bains : la douche post-baise habituelle ne traînait jamais avec Gail.

Pete laissa tomber Walt au sol. Il en avait le bras tout tremblotant de l'avoir soulevé : plus de deux cents livres, pas mal.

Kinnard attrapa ses vêtements, direction la porte, jambes coupées. Pete le vit trébucher le long du couloir, essayant d'enfiler correctement son pantalon.

Gail sortit d'un nuage de vapeur. Son « Je ne tiendrai plus le coup bien longtemps » ne fut pas une grande surprise.

Walter P. Kinnard transigea, sans litige ni tribunal. La filée de victoires de Pete, tous ses adversaires au tapis, monta à EPOUSES : 23, MARIS : 0. Mme Kinnard avait réglé rubis sur l'ongle : cinq bâtons immédiatement, et 25 p. 100 de sa pension alimentaire promise à perpétuité.

Etape suivante : trois jours au rôle de Howard Hughes.

Les poursuites sur la TWA fichaient la trouille au Grand Howard. Pete augmenta le nombre de ses diversions.

Il paya des racoleuses pour qu'elles aillent baratiner les journaux : Hughes se terrait dans ses nombreux baisodromes. Il bombardait de tuyaux téléphoniques les distributeurs d'assignations : Hughes était à Bangkok, Maracaibo, Séoul. Il installa une deuxième doublure de Hughes au Biltmore : un vieux vétéran de films de cul, monté gros calibre. Papy donnait dans le priapisme pour de bon — il avait fait venir Barbara Payton pour entretenir le bonhomme. Et Babs la Gnôleuse avait pris le vieux jeton pour le *vrai* Hughes. Ses quinquets s'étaient allumés grande largeur : Howard le Petit montait à quinze centimètres.

J. Edgar Hoover pouvait bloquer les poursuites facile. Hughes refusait de lui demander son aide.

— Pas encore, Pete. J'ai d'abord besoin de cimenter mon amitié avec M. Hoover. Et je vois dans la possession de *L'Indiscret* la clé pour y parvenir, mais j'ai besoin d'abord que tu me déniches un nouvel homme à scandales. Tu sais pertinemment combien M. Hoover aime à accumuler les renseignements croustillants...

Pete fit passer le mot par le bouche à oreille :

Ai besoin d'un nouveau remueur de boue pour *L'Indiscret*. Fouineurs de bas étage intéressés : appeler Pete B.

Pete resta collé au téléphone dans sa maison de chien de garde. Des gugusses appelèrent. Pete dit, offrez-moi un petit tuyau bien boueux et bien brûlant pour me prouver votre crédibilité.

Les gugusses s'exécutèrent. Visez un peu l'échantillonnage :

Pat Nixon venait de pondre le bébé de Nat King Cole. Lawrence Welk courait les prostits mâles. Un duo brûlant : Patti Page et Francis la Mule parlante.

Eisenhower avait du sang de Négro, preuves à l'appui. Rintintin avait mis Lassie enceinte. Jésus-Chris dirigeait un bordel de bronzés à Watts.

Ça empira. Pete nota dix-neuf candidats au total — tous des putains de pas-nets.

Le téléphone sonna — le pas-net n° 20 à l'horizon, comme une menace. Pete entendit des parasites sur la ligne, probablement un appel interurbain.

— C'est qui ?

— Pete ? C'est Jimmy.

HOFFA.

— Jimmy, comment vas-tu ?

— Pour l'instant, j'ai froid. Il fait froid à Chicago. J'appelle

24

depuis la maison d'un pote et le radiateur est en carafe. Tu es sûr que *ton* téléphone n'est pas sur écoute ?

— J'en suis sûr. Freddy Turentine fait une vérification anti-mouchards sur les téléphones de M. Hughes une fois par mois.

— Je peux parler alors ?

— Tu peux parler.

Hoffa lâcha le paquet. Pete mit le combiné à bout de bras et l'entendit au poil. Impec.

— Le Comité McClellan me tombe dessus comme des mouches sur une merde. Ce petit enculé de fouinasseur de Bobby Kennedy a convaincu la moitié du pays que le Syndicat des Camionneurs est pire que tous ces foutus cocos, et il ne nous lâche pas d'une semelle, mes gens et moi, à nous inonder de citations à comparaître, et il a des enquêteurs qui grouillent partout, dans tout le syndicat comme...

— Jimmy...

— ... des puces sur un chien. D'abord, il se prend Dave Beck dans le collimateur et, maintenant, c'est *moi* qu'il veut. Bobby Kennedy, mais c'est une putain d'avalanche de merde. Je suis en train de construire une station estivale en Floride. « Sun Valley », elle s'appelle. La Vallée du Soleil. Et Bobby essaie de retrouver l'origine des trois millions qui ont servi à la financer. Il s'imagine que j'ai piqué ça à la Caisse de Retraite centrale...

— Jimmy...

— ... et il croit qu'il peut se servir de moi pour faire élire son cavaleur de chattes fraîches de frangin président. Il croit que James Riddle Hoffa n'est qu'un putain de politicard qui lui mettra le pied à l'étrier. Il croit que je vais me plier en deux et me faire bourrer le troufignon comme le premier foutu pédé venu. Il croit...

— ... Jimmy...

— ... que je ne suis qu'une tapette comme lui et son frangin. Il croit que je vais m'allonger. Comme Dave Beck. Et comme si tout ça, c'était pas assez, je suis propriétaire d'une station de taxis à Miami. Et j'ai tous ces réfugiés cubains complètement allumés du ciboulot qui travaillent là-bas, et tout ce qu'ils font, c'est de discutailler, à choisir entre ce putain de Castro et ce putain de Batista comme... comme...

Hoffa en eut le souffle coupé, la voix rauque.

— Qu'est-ce que tu veux ? dit Pete.

Jimmy reprit haleine.

— J'ai un boulot pour toi à Miami.

— Combien ?

— Dix mille.

— Je prends, dit Pete.

Il prit un vol à minuit. Il se servit d'un faux nom et fit porter la douloureuse, première classe, sur le compte de Hughes Aircraft. L'avion atterrit à 8 heures du matin, sans retard.

Il faisait doux à Miami. Il n'allait pas tarder à faire chaud.

Pete prit un taxi jusqu'à une agence de location de voitures U-Drive, propriété des Camionneurs, et se choisit une nouvelle Caddy Eldo. Jimmy avait tiré quelques ficelles : On n'exigea ni caution ni pièce d'identité.

Un petit mot était collé à l'adhésif sous le tableau de bord. « Passe à la station de taxis : Flagler — N.W. 46ᵉ Rue. Parle à Fulo Machado ». Suivait l'itinéraire : voies surélevées puis rues marquées sur une petite carte.

Pete s'y rendit en voiture. Le décor s'évanouit vite fait.

Les grosses maisons se firent de plus en plus petites. Les blocs de Blancs cédaient la place à la racaille blanche, aux Négros et aux Espingos. Et Flagler n'était qu'une succession de devantures de boutiques à loyer minable.

La station de taxi : du stuc à rayures tigrées. Les voitures garées avaient été repeintes version tigrée. Reluquez-moi un peu ces Espingos en chemise tigre sur le trottoir, à s'empiffrer de beignets et de picrate.

Une enseigne au-dessus de la porte disait :

TIGER KAB. SE HABLA ESPANOL.

Pete se gara directement en face. Les hommes tigres le cadrèrent, et en avant les commentaires. Déplié, il dépassait le mètre quatre-vingt-douze, le pan de chemise flottant derrière lui. Les Espingos virent son calibre, et les commentaires passèrent la surmultipliée.

Il pénétra dans la cabane du répartiteur. Joli papier peint : des photos de tigres collées au mur sol-plafond. Droit sorties du *National Geographic* — Pete en hurla presque.

Le répartiteur lui fit signe d'approcher. Reluquez-moi cette tronche : défigurée de cicatrices, tac-tac-tac, restes d'un tailladage au couteau.

Pete se tira une chaise. Tronche-de-cul dit :

— Je suis Fulo Machado. C'est la police secrète de Batista qui m'a fait ça, alors rincez-vous l'œil maintenant, la présentation est gratuite, et oubliez ça, d'accord ?

— Vous parlez plutôt bien anglais.

— J'ai travaillé jadis au Nacional Hotel de La Havane. Un croupier américain m'a appris. J'ai fini par comprendre que c'était un maricon qui essayait de me corrompre.

— Qu'est-ce que vous lui avez fait ?

— Le maricon avait une cahute dans une ferme à cochons à l'extérieur de La Havane, où il amenait de petits Cubains pour les corrompre. C'est là que je l'ai trouvé avec un autre maricon et je les ai assassinés avec ma machette. J'ai volé toute la nourriture qu'il y avait dans les auges et j'ai laissé la porte de la cahute ouverte. Vous comprenez, j'avais lu dans le *National Geographic* que les cochons affamés trouvaient la chair humaine en décomposition irrésistible.

— Fulo, vous me plaisez, dit Pete.

— Réservez votre jugement, je vous prie. Je peux me montrer explosif lorsqu'il s'agit d'ennemis de Jésus-Christ et de Fidel Castro.

Pete étouffa un « beurk ! »

— Est-ce qu'un mec à Jimmy a laissé une enveloppe pour moi ?

Fulo la lui tendit entre deux doigts. Pete arracha l'enveloppe, pressé de se casser.

Joli — un simple mot et une photo.

« Anton Gretzler, 114 Hibiscus, Lake Weir, Floride (près de Sun Valley). OL — 48812. » La photo montrait un mec de haute taille presque trop gras pour vivre.

— Jimmy doit avoir confiance en vous, dit Pete.

— Il a confiance. Il m'a parrainé pour ma carte verte, alors il sait que je lui resterai loyal.

— C'est quoi, ce truc « Sun Valley » ?

— Je crois que c'est ce qu'on appelle un « lotissement ».

Jimmy vend des parcelles aux membres des Camionneurs.

— Alors, à votre avis, dit Pete, qui croyez-vous qui ait le plus de répondant de nos jours, Jésus ou Castro ?

— Je dirais qu'en ce moment, ça se joue à pile ou face.

Pete prit une chambre à l'Eden Roc et passa un coup de fil à Anton Gretzler d'un téléphone payant. Le gros lard accepta de le rencontrer : 15 heures, à l'extérieur de Sun Valley.

Pete piqua un roupillon et partit tôt. Sun Valley était une vraie merde : trois chemins de terre creusés dans la gadoue marécageuse à quarante mètres de la route inter-Etats.

C'était effectivement « loti et subdivisé » — en lots de la taille d'une boîte d'allumettes, où s'entassaient des cloisons de doublage camelote. Les marais formaient le périmètre — Pete vit des gators, de sortie, en train de prendre le soleil.

Il faisait chaud et humide. Un soleil malfaisant avait cuit la verdure couleur marron séchée.

Pete s'appuya contre la voiture et s'étira pour chasser quelques courbatures. Un camion se traînait sur la grand-route en crachant des rots de vapeur ; l'homme sur le siège passager fit signe, appelant à l'aide. Pete tourna le dos et laissa passer les clowns.

Une petite brise fit voler des nuages de poussière. La route d'accès se couvrit d'un brouillard. Une grosse berline tourna au départ de la route inter-Etats et cravacha en aveugle.

Pete s'écarta. La voiture dérapa jusqu'à l'arrêt. Le gros Anton Gretzler sortit.

Pete s'avança jusqu'à lui.

— Monsieur Peterson ? dit Gretzler.

— C'est moi. Monsieur Gretzler ?

Gros Lard tendit la main. Pete l'ignora.

— Il y a quelque chose qui ne va pas ? Vous avez dit que vous vouliez voir une parcelle.

Pete dirigea Bébé Dodu jusqu'à une trouée dans les marécages. Gretzler pigea vite le topo : Ne résiste pas. Des yeux de gator sortaient de l'eau.

— Regarde ma voiture, dit Pete. Est-ce que j'ai l'air d'un

28

quelconque taré du Syndicat partant pour une maison à se bricoler tout seul ?

— Bien... non...

— Alors tu ne penses pas que tu joues un tour de cochon à Jimmy en me montrant ces crèches de merde ?

— Eh bien...

— Jimmy m'a dit qu'il avait un joli petit bloc de maisons par ici toutes prêtes à partir. T'es censé attendre pour *les* montrer aux Camionneurs.

— Eh bien... je pensais que je...

— Jimmy dit que tu es un mec impétueux. Il dit qu'il n'aurait pas dû te prendre comme associé dans cette affaire. Il dit que tu es allé raconter qu'il avait emprunté de l'argent à la Caisse de Retraite des Camionneurs et qu'il en avait écrémé une partie. Il dit que tu la ramènes sur la Caisse de Retraite comme si t'étais un affranchi.

Gretzler se tortilla. Pete lui agrippa le poignet et le cassa — les os se brisèrent en esquilles qui percèrent la peau. Gretzler essaya de hurler et s'étrangla, muet.

— Est-ce que le Comité McClellan t'a assigné à comparaître ?

Gretzler hocha la tête en des « oui » frénétiques.

— As-tu parlé à Robert Kennedy ou à ses enquêteurs ?

Gretzler hocha toujours la tête en signe de « non », une trouille à chier dans le froc.

Pete inspecta la route. Pas de voiture en vue, pas de témoins.

— JE VOUS EN PRIE, dit Gretzler.

Pete lui fit sauter la cervelle, au milieu d'un rosaire.

2

KEMPER BOYD. *Philadelphie, 27 janvier 1958.*

La voiture : une Jaguar XR 140, vert-de-courses anglais et cuir beige. Le garage : souterrain, d'un silence de mort. Le boulot : voler la Jag pour le FBI et piéger l'imbécile qui payait pour le travail.

L'homme força la portière du conducteur et brancha les fils d'allumage. Le capitonnage des sièges sentait le riche : le tout-cuir, ça vous regonflait le prix de « revente » jusque dans la stratosphère.

Il remonta la rampe en douceur jusqu'à la rue et attendit pour céder le passage à la circulation. L'air froid embrumait le pare-brise.

Son acheteur se tenait au coin. Le genre Walter Mitty, amateur de crime et voyeur, qui devait être aux premières loges.

L'homme sortit. Une voiture de brigade lui coupa la route. Son acheteur vit ce qui se passait — et prit la fuite au pas de course.

Des flics de Philly chargés de fusils de chasse lui tombèrent dessus comme des mouches. En criant les ordres habituels réservés aux vols de voiture :

— Sors de la voiture mains en l'air !

— Dehors, tout de suite !

— Au sol !

Il obéit. Les flics lui balancèrent l'attirail complet : menottes, entraves, chaînes.

Ils le passèrent à la fouille et le remirent debout. Brutalement. Sa tête cogna le gyrophare rouge d'une rôdeuse...

30

La cellule avait un air familier. Il pivota sur sa couchette, lançant ses jambes au sol, et refit le point sur son identité.

Je suis l'agent spécial (AS) Kemper C. Boyd, FBI, infiltré, spécialiste des vols de voitures inter-Etats.

Je ne suis *pas* Bob Aiken, voleur de voitures free-lance.

J'ai quarante-deux ans. Diplômé de la fac de droit de Yale. Je suis un vétéran du Bureau, dix-sept ans de service, divorcé, une fille à l'Université — et je pique les bagnoles depuis bien longtemps avec l'assentiment du FBI.

Il cadra sa cellule : passerelle « B » de l'immeuble fédé de Philly.

Sa tête cognait. Ses poignets, ses chevilles lui faisaient mal. Il rectifia ses coordonnées d'identité d'un dernier petit cran.

Il y a des années que je magouille les pièces à conviction pour vols de voitures et que je m'écrème du pognon au passage. *S'agit-il d'une arrestation interne du bureau ?*

Il vit des cellules vides des deux côtés de la passerelle. Il repéra quelques papiers sur le lavabo, imitations d'articles de journaux avec titres sur cinq colonnes.

« Crise cardiaque pour le Voleur de Voitures en Detention federale — Le Voleur de Voitures expire pendant sa detention chez les Federaux. »

Le texte était tapé à la machine sous le titre :

« Cet après-midi, la police de Philadelphie a effectué une arrestation téméraire à l'ombre du pittoresque Rittenhouse Square.

« Agissant sur renseignements que leur avait fournis un informateur anonyme, le sergent Gerald P. Griffen et quatre autres agents ont capturé Robert Henry Aiken, quarante-deux ans, en flagrant délit de vol d'une automobile Jaguar de prix. Aiken se laissa mettre les fers sans opposer de résistance et... »

Quelqu'un toussa et dit :

— Monsieur ?

Kemper leva les yeux. Un mec au look d'employé déverrouilla la cellule et lui tint la porte ouverte.

— Vous pouvez sortir par-derrière, monsieur. Une voiture vous attend.

Kemper brossa ses vêtements et se peigna. Il sortit par la porte réservée aux livraisons et vit une limo du gouvernement bloquant l'allée.

Sa limo.

Kemper monta à l'arrière.

— Salut, monsieur Boyd, dit J. Edgar Hoover.

— Bonjour, monsieur.

Une cloison coulissa, fermant la banquette arrière. Le chauffeur démarra.

Hoover toussa.

— Votre affectation d'infiltration s'est vue mener à son terme de façon plutôt précipitée. La police de Philadelphie s'est montrée quelque peu brutale, mais elle a une réputation à soutenir, et c'eût manqué de vraisemblance si ses hommes avaient fait moins.

— J'ai appris à rester dans la peau de mon personnage dans ces situations-là. Je suis sûr que l'arrestation a été crédible.

— Avez-vous pris un accent de l'Est pour jouer votre rôle ?

— Non, un accent traînant du Middle West. J'en ai appris les inflexions et les expressions spécifiques lors de mon séjour au Bureau de St. Louis, et j'ai pensé qu'elles iraient mieux avec mon apparence physique.

— Vous avez raison, naturellement. Et personnellement, je n'aimerais pas vous faire la moindre recommandation sur tout ce qui touche à l'interprétation d'un personnage criminel. Cette veste de sport que vous portez, par exemple. Je ne l'apprécierais guère comme tenue habituelle d'un membre du Bureau, mais elle est tout à fait appropriée pour un voleur de voitures de Philadelphie.

Alors, ça vient ? Espèce de petit...

— En fait, vous êtes toujours vêtu avec distinction. « Sans compter à la dépense » serait peut-être plus approprié. Pour dire les choses sans ménagement, il y a eu des moments où je me suis demandé comment votre salaire pouvait vous autoriser une telle garde-robe.

— Monsieur, vous devriez voir mon appartement. Il lui manque tout ce que ma garde-robe possède.

Hoover gloussa.

— Cette éventualité acceptée, je ne pense pas vous avoir vu deux fois dans le même costume. Je suis certain que les femmes

32

dont vous êtes si friand apprécient vos talents en matière d'élégance.

— Monsieur, je l'espère.

— Vous supportez sans mot dire mes petites civilités avec un talent considérable, monsieur Boyd. La plupart des hommes se tortilleraient dans votre situation. Vous affichez quant à vous un panache personnel inimitable et, dans le même temps, un respect à mon égard que je trouve vraiment séduisant. Savez-vous ce que cela signifie ?

— Non, monsieur. Je ne sais pas.

— Cela signifie que vous et moi sommes enclins à pardonner des indiscrétions pour lesquelles je n'hésiterais pas à crucifier d'autres agents. Vous êtes un homme dangereux et impitoyable, mais vous possédez un certain charme, un charme d'ensorceleur. Cet équilibre entre vos qualités personnelles l'emporte sur vos tendances de débauché et m'autorise à vous manifester mon affection.

Ne dis pas « Quelles indiscrétions ? », il répondra et tu seras estropié.

— Monsieur, j'apprécie grandement votre respect et je vous le retourne pleinement.

— Vous n'avez pas inclus « l'affection » dans cet échange de bons procédés, mais je n'insisterai pas plus avant. Maintenant, aux affaires. J'ai l'occasion de vous faire profiter de deux salaires réguliers, ce qui devrait vous mettre aux anges.

Hoover s'appuya contre le dossier de son siège, style *Cajolez-moi très en douceur.*

— Monsieur ? dit Kemper.

La limo accéléra. Hoover assouplit les mains et rectifia sa cravate.

— Les récentes actions des frères Kennedy m'ont déprimé. Bobby semble utiliser son mandat de membre du Comité McClellan sur les rackets syndicalistes comme moyen d'éclipser le Bureau et de faire avancer les aspirations présidentielles de son frère. Ce qui me déplaît. Je dirige le Bureau depuis avant la naissance de Bobby. Jack Kennedy est un play-boy libéral desséché, avec les convictions morales d'un chien de meute renifleur d'entre-deux. Il joue le Grand Combattant du Crime au Comité McClellan, et l'existence même de ce comité est une gifle implicite à la face du Bureau. Le vieux Joe Kennedy est déterminé à acheter la Maison-Blanche à son fils, et je veux avoir en ma possession les renseignements nécessaires qui me permettront d'atténuer la politique de dégénérescence égalitariste du garçon, si ce dernier devait réussir.

Kemper saisit le signal au vol.

— Monsieur ?

— Je veux que vous infiltriez l'organisation Kennedy. Le mandat du Comité McClellan sur les rackets syndicalistes prend fin au printemps prochain, mais Bobby Kennedy continue à engager des enquêteurs-juristes. A dater de cet instant, vous n'appartenez plus aux cadres actifs du FBI, mais vous continuerez à toucher plein salaire jusqu'en juillet 61, date à laquelle vous atteindrez vos vingt années de service au Bureau. Il vous faudra préparer une histoire convaincante pour justifier votre retraite du FBI et obtenir un poste d'avocat auprès du Comité McClellan. Je sais que Jack Kennedy et vous avez tous deux connu intimement une assistante au Sénat du nom de Sally Lefferts. Mlle Lefferts est une femme bavarde, aussi je suis certain que le jeune Jack a entendu parler de vous. Le jeune Jack siège au Comité McClellan, et le jeune Jack adore les cancans sexuels et les amis dangereux. Monsieur Boyd, je suis sûr que vous trouverez votre juste place chez les Kennedy. Je suis sûr que cela représentera pour vous à la fois une occasion salutaire de mettre en œuvre vos rares talents de dissimulation et de duplicité, *et* la chance d'exercer vos goûts pour des activités plus dissolues.

Kemper se sentit en état d'apesanteur. La limo avançait sur des nuages.

— Votre réaction m'enchante, dit Hoover. Reposez-vous maintenant. Nous arriverons à Washington dans une heure, et je vous déposerai à votre appartement.

Hoover fournit un dossier d'études avec les toutes dernières informations — dans une pochette en cuir marquée « CONFIDENTIEL ». Kemper se prépara un carafon de Martini extra-sec et tira son fauteuil favori jusqu'à lui. Il était prêt pour sa lecture.

34

Le dossier se résumait à une chose simple : Bobby Kennedy contre Jimmy Hoffa.

Le sénateur John McClellan présidait le Comité choisi par le Sénat des Etats-Unis sur les Activités illégales du Patronat et de la Main-d'Œuvre, établi en janvier 57. Autres membres du comité : sénateurs Ives, Kennedy, McNamara, McCarthy, Ervin, Mundt, Goldwater ; conseiller en chef et responsable des enquêtes : Robert F. Kennedy.

Au rôle du personnel : trente-cinq enquêteurs, quarante-cinq comptables, vingt-cinq sténographes et employés. Adresse actuelle : Bâtiment des bureaux du Sénat, suite 101.

Buts avoués du Comité :

Mettre au grand jour la corruption dans les pratiques de l'emploi ; mettre au grand jour la collusion entre les syndicats ouvriers et le crime organisé. Les méthodes du Comité : assignation à comparaître de témoins, assignation à comparaître de documents, reconstitution des itinéraires empruntés par les fonds syndicaux détournés et affectés à des activités du crime organisé.

La cible de fait du Comité : la Fraternité internationale des Camionneurs, le plus puissant syndicat de transport de la terre, et — la question était ouverte — le syndicat le plus puissant et le plus corrompu à avoir jamais existé.

Son président : James Riddle Hoffa, âgé de quarante-cinq ans.

Hoffa : à la solde et à la botte de la pègre. Commanditaire de : extorsions, pots-de-vins en gros, passages à tabac, explosions à la bombe, petites affaires d'initié en à-côtés et abus de fonds syndicalistes en proportions épiques.

Holdings dont on soupçonne Hoffa d'être le propriétaire, en violation de quatorze articles de la Loi antitrust.

Entreprises de camionnage, casses de voitures, cynodrome, chaîne de location de voitures, une station de taxis à Miami avec, pour personnel, des réfugiés cubains aux casiers criminels longs comme le bras.

Les amis proches de Hoffa :

M. Sam Giancana, chef de la Mafia de Chicago ; M. Santos Trafficante Jr., chef de la Mafia de Tampa, Floride ; M. Carlos Marcello, chef de la Mafia de La Nouvelle-Orléans.

Jimmy Hoffa :

Qui prête à ses « amis » des millions de dollars, affectés à des activités illégales.

Qui possède une participation dans les casinos de la Mafia à La Havane, Cuba.

Qui finance illégalement, en liquide, le gros bras de Cuba, Fulgencio Batista, et le brandon rebelle, Fidel Castro.

Qui vole la Caisse de Retraite des Camionneurs, abreuvoir de liquide sans fin, dont la rumeur dit qu'il est administré par la pègre de Chicago aux ordres de Sam Giancana — système de prêts sur gages par requins organisés où puisent gangsters et hommes d'entreprise véreux à des taux d'intérêt usuraires, aux pénalités pour non-remboursement allant jusqu'à — et incluant — torture et mort.

Kemper pigea le topo : Hoover est jaloux. Il avait toujours dit que la Mafia n'existait pas — parce qu'il savait qu'il était incapable de requérir contre elle avec succès. Et aujourd'hui, Bobby Kennedy qui se permet l'outrecuidance de ne pas partager cet avis...

S'ensuivait une chronologie :

Début 57 : le Comité prend pour cible le président des Camionneurs Dave Beck. Beck témoigne cinq fois ; les piques impitoyables de Bobby Kennedy brisent le bonhomme. Un grand jury de Seattle l'inculpe pour vol simple et fraude fiscale.

Printemps 57 : Jimmy Hoffa prend le contrôle total des Camionneurs.

Août 57 : Hoffa fait le vœu de débarrasser son syndicat de toute influence des gangsters : mensonge énorme.

Septembre 57 : Hoffa passe en jugement à Detroit — l'accusation : mise sous écoute téléphonique de ses subordonnés des Camionneurs. Un jury partagé — pas d'unanimité —, Hoffa échappe à la condamnation.

Octobre 57 : Hoffa est élu président du Syndicat international des Camionneurs. Une rumeur persistante : 70 p. 100 de ses délégués avaient été illégalement sélectionnés.

Juillet 58 : Le Comité commence ses enquêtes sur les liens directs entre les Camionneurs et le crime organisé. Avec surveillance très rapprochée du conclave des Appalaches de novembre 57.

Cinquante-neuf dignitaires de la pègre se rencontrent dans le nord de l'Etat de New York au domicile d'un ami « civil ». Un policier des forces d'intervention de l'Etat, du nom d'*Edgar* Crosswell, relève leurs numéros d'immatriculation et les identifie. S'ensuit une descente de police — la position de M. Hoover, avec son sempiternel « La Mafia n'existe pas », devient intenable.

Juillet 58 : Bobby Kennedy établit la preuve que Hoffa met un terme aux grèves en soudoyant le patronat — une pratique qui remonte à 49.

Août 58 : Hoffa se présente devant le Comité. Bobby Kennedy passe à l'attaque, et le piège par d'innombrables mensonges.

Les notes arrivaient à leur conclusion.

Le Comité était actuellement occupé à mener une enquête de fond sur la station balnéaire « Sun Valley » de Hoffa aux abords de Lake Weir, en Floride. Bobby Kennedy avait obtenu de faire présenter les livres comptables de la Caisse de Retraite et s'était aperçu que trois millions de dollars avaient été investis dans le projet — un montant bien supérieur aux limites raisonnables des coûts de construction. Théorie de Kennedy : Hoffa s'était écrémé au passage au moins un million de dollars et vendait à ses frères syndiqués des matériaux préfabriqués défectueux et des terres marécageuses infestées d'alligators.

Ergo : Escroquerie immobilière et foncière.

Addendum pour terminer :

« Hoffa a un homme de paille pour Sun Valley : Anton William Gretzler, quarante-six ans, résidant en Floride, avec trois condamnations à son casier pour fraude. Gretzler avait été assigné à comparaître le 29/10/58 mais il semble avoir disparu.

Kemper consulta la liste des « relations connues » de Hoffa. Un nom grésilla dans sa mémoire.

Pete Bondurant, blanc, sexe masculin, un mètre quatre-vingt-douze, cent cinq kilos, DDN[1] : 16/7/20, Montréal, Canada.

Pas de condamnations. Détective privé et ancien adjoint des services du shérif, comté de Los Angeles.

Le Grand Pete : spécialiste en extorsion et nervi favori de Howard Hughes. Il l'avait arrêté un jour, en compagnie de Ward Littell — Pete avait tabassé à mort un détenu des services du

---

1. Date de naissance. *(N.d.T.)*

shérif. Commentaire de Littell : « Peut-être le plus effrayant et le plus compétent de tous les flics pourris de notre époque. »

Kemper se versa un nouveau verre et laissa son esprit vagabonder. Il se mit dans la peau du personnage : les aristocrates héroïques ont des liens communs.

Il aimait les femmes, et avait trompé son épouse tout le temps de son mariage. Jack Kennedy aimait les femmes, et respectait les vœux de son mariage de façon fantasque et opportune. Bobby aimait sa femme et lui faisait enfant sur enfant — les rumeurs très privées le donnaient pour fidèle.

Yale pour lui ; Harvard pour les Kennedy. Catholiques irlandais, riches à crever ; anglicans du Tennessee, riches à crever, avant de faire faillite. Leur famille : grande et photogénique. La sienne, fauchée, et disparue. Un jour, il irait peut-être jusqu'à raconter à Jack et Bobby comment son père s'était tiré une balle et avait mis un mois pour mourir.

Sudistes et Irlandais de Boston : les uns comme les autres affligés d'accents incongrus. Il allait faire ressusciter les intonations traînardes qu'il avait mis si longtemps à perdre.

Kemper inspecta son placard à vêtements. Les détails de son personnage se mirent en place.

Le gris anthracite à chevrons, pour l'entrevue. Un .38 sous étui, pour impressionner Bobby, le dur à cuire. Pas de boutons de manchettes à l'effigie de Yale — Bobby pourrait bien posséder quelques faiblesses prolétariennes.

Son placard avait quatre mètres de profondeur. Le mur du fond était mis en valeur par des photographies sous cadre.

Son ex-épouse Katherine — la plus belle femme qu'il y eût jamais sous le soleil. Ils avaient fait leurs débuts dans le monde au « Nashville Cottillion » — un rédacteur de rubrique mondaine avait écrit d'eux qu'ils étaient la « grâce sudiste personnifiée ». Il l'avait épousée pour le sexe et l'argent de son père. Elle avait demandé le divorce lorsque la fortune des Boyd s'était évaporée et que Hoover, s'adressant à sa promotion de la fac de droit, l'avait *personnellement* invité à s'engager au FBI.

Katherine, en novembre 40 :

« Fais bien attention à ce petit enquiquineur bégueule, tu m'entends, Kemper ? Je crois qu'il a sur toi des visées charnelles. »

Elle ne savait pas que M. Hoover ne baisait qu'avec le pouvoir.

Sous cadres assortis : sa fille Claire, Susan Littell et Helen Agee, trois filles du FBI acharnées à réussir leur carrière de juriste.

Les filles étaient les meilleures amies du monde, séparées par leurs études à Tulane et Notre-Dame. Helen était défigurée — il gardait les photos dans son placard pour étouffer les commentaires apitoyés.

Tom Agee était assis dans sa voiture — en planque de routine, à surveiller des braqueurs de banque à l'extérieur d'un bordel. Son épouse venait de le quitter — Tom n'avait réussi à trouver personne pour garder la petite Helen âgée de neuf ans. Laquelle dormait sur la banquette arrière lorsque les braqueurs étaient sortis en tiraillant.

Tom avait été tué. Helen, brûlée par les flammes au sortir du canon d'une arme et laissée pour morte. Les secours étaient arrivés, six heures plus tard. Des particules de poudre enflammée avaient cramé les joues d'Helen en la défigurant à vie.

Kemper sortit sa tenue pour l'entrevue. Il mit au net quelques mensonges et appela Sally Lefferts.

Le téléphone sonna deux fois.

— Euh, allô — le petit garçon de Sally avait décroché.

— Fils, va me chercher ta mère. Dis-lui que c'est un ami du bureau.

— Euh... oui, m'sieur.

Sally vint en ligne.

— Quel est le membre du personnel des bureaux du Sénat qui se permet de venir tarabuster une pauvre assistante surchargée de travail ?

— C'est moi. Kemper.

— Kemper, mais qu'est-ce qu'il te prend à me téléphoner avec mon mari dans l'arrière-cour au moment où je te parle ?

— Chut. Je t'appelle pour une recommandation d'emploi.

— Qu'est-ce que tu racontes ? Serais-tu en train de me dire que M. Hoover s'est finalement aperçu de tes manières infâmes à l'égard des femmes et qu'il t'a montré la porte ?

— J'ai pris ma retraite, Sally. Je me suis servi d'une clause dispensatoire pour service dangereux et j'ai pris ma retraite avec trois ans d'avance.

— Eh bien, par le Ciel, tu me la copieras, Kemper Cathcart Boyd !

— Est-ce que tu vois toujours Jack Kennedy, Sally ?

— A l'occasion, cher cœur, puisque c'est *toi* qui *m*'as mise à la porte. S'agirait-il d'échanger quelques petits secrets méchants et des fredaines de la vie étudiante, ou bien...

— Je pense à poser ma candidature au Comité McClellan.

Sally poussa un cri de joie.

— Eh bien, moi, je pense que tu devrais absolument ! Je crois que je devrais mettre un petit mot de recommandation sur le bureau de Robert Kennedy, et toi, tu devrais m'envoyer une douzaine de roses Southern Beauty[1] à longue tige pour la peine !

— C'est toi la vraie beauté sudiste, Sally.

— J'étais bien trop femme pour De Ridder, Louisiane, et ça, c'est un fait indéniable !

Kemper raccrocha sur des baisers. Sally allait faire passer le message : Ex-voleur de voitures du FBI cherche du travail.

Il raconterait à Bobby comment il avait démantelé le réseau des voleurs de Corvette. Il ne parlerait pas des Vettes qu'il déshabillait pour les revendre sous forme de pièces détachées.

Il passa à l'action le lendemain. Il pénétra dans le bâtiment administratif du Sénat, suite 101.

La réceptionniste l'écouta jusqu'au bout et appuya sur l'interphone.

— Monsieur Kennedy, j'ai avec moi un homme qui désire poser sa candidature au poste d'enquêteur. Il est retraité du FBI et a tous les justificatifs nécessaires.

Les bureaux s'étalaient derrière la réceptionniste, vaste espace sans cloisons, rangées de classeurs, cagibis et salles de conférences. Les hommes travaillaient au coude à coude, l'endroit bourdonnait comme une ruche.

La femme sourit.

---

1. Variété de rose, littéralement : Beauté sudiste. *(N.d.T.)*

— M. Kennedy va vous recevoir. Prenez la première petite allée vers le fond, tout droit.

Kemper entra dans la ruche. Le bureau avait l'aspect d'un entrepôt de récupération : bureaux et classeurs dépareillés, tableaux de liège surchargés de paperasses.

— Monsieur Boyd ?

Robert Kennedy sortit de son cagibi. Un cagibi de taille standard, avec bureau standard et deux fauteuils.

Il offrit une poignée de main standard — juste un peu trop forte — et totalement prévisible.

Kemper s'assit. Kennedy pointa le doigt sur le renflement de l'étui d'aisselle.

— Je ne savais pas que les retraités du FBI étaient autorisés à porter une arme.

— Je me suis attiré des ennemis au fil des années. Ce n'est pas ma retraite qui va les empêcher de me haïr.

— Les enquêteurs du Sénat ne portent pas d'armes au côté.

— Si vous m'engagez, je mettrai la mienne dans un tiroir.

Kennedy sourit et s'appuya contre son bureau.

— Vous êtes originaire du Sud ?

— Nashville, Tennessee.

— Sally Lefferts m'a dit que vous étiez resté au FBI quoi, quinze ans ?

— Dix-sept.

— Pourquoi avez-vous pris une retraite anticipée ?

— Ces neuf dernières années, on m'a assigné à des infiltrations de réseaux de vol de voitures, et les choses en étaient arrivées au point où j'étais trop connu des voleurs pour pouvoir travailler sous couverture de manière convaincante. Les conventions du Bureau contiennent une clause de retraite anticipée pour les agents affectés de façon prolongée à des missions présentant du danger, et j'en ai tiré grand parti.

— Grand parti ? Ces affectations vous auraient-elles amoindri les facultés d'une manière ou d'une autre ?

— J'ai posé d'abord ma candidature au Programme Grands Criminels. M. Hoover a rejeté ma demande personnellement, alors qu'il savait parfaitement qu'il y avait un moment déjà que je désirais travailler contre le crime organisé. Non, mes facultés n'étaient pas amoindries. J'étais frustré.

Kennedy dégagea une mèche de cheveux de son front.

— Donc, vous avez démissionné.

— Serait-ce une accusation ?

— Non, c'est une observation. Et franchement, je suis surpris. Le FBI est une organisation à la trame très serrée, et elle inspire à ses membres une grande loyauté. Et les agents ne sont pas du genre à prendre leur retraite pour une petite vexation.

Kemper leva la voix — à peine.

— Nombre d'agents prennent conscience que c'est le crime organisé, et non le communisme domestique, qui produit la plus grande menace pour l'Amérique. Les révélations du conclave des Apalaches ont forcé M. Hoover à constituer le PGC, Programme Grands Criminels, chose que naturellement, il a faite avec quelque réticence. Le programme est en train d'accumuler tous les renseignements anti-Mafia possibles, mais il ne cherche pas de preuves à conviction définitives en vue de poursuites de la part des autorités fédérales, mais au moins, c'est déjà quelque chose. Et je voulais en être partie prenante.

Kennedy sourit.

— Je comprends votre frustration, et je suis d'accord avec votre critique des priorités de M. Hoover. Mais je continue à être surpris par votre démission.

Kemper sourit.

— Avant de « démissionner », j'ai jeté un œil en douce sur le dossier très privé de M. Hoover sur le Comité McClellan. Je suis très au courant du travail effectué par le Comité, jusques et y compris Sun Valley et Anton Gretzler, votre témoin manquant. J'ai « démissionné » parce que M. Hoover concentre, de manière tout à fait névrotique, tous les efforts du Bureau sur des gauchistes inoffensifs, alors que le Comité McClellan s'attaque aux vrais méchants. J'ai « démissionné » parce qu'à choisir entre deux monomanes, je préférerais travailler pour vous.

Kennedy sourit de toutes ses dents.

— Notre mandat prend fin dans cinq mois. Vous serez au chômage.

— J'ai une pension du FBI, et vous aurez fait parvenir tellement de preuves aux grands jurys municipaux que ceux-ci vont venir supplier vos enquêteurs de travailler pour eux.

Kennedy tapota une liasse de dossiers.

— Nous travaillons dur ici. Nous avançons lentement. Nous distribuons des assignations à comparaître, nous essayons de retrouver la trace de l'argent et nous plaidons. Nous ne risquons pas notre vie à voler des voitures de sport ou à faire traîner les déjeuners en longueur ou à emmener des femmes à l'hôtel Willard pour un petit coup rapide. L'idée que nous nous faisons d'un bon moment, c'est de discuter entre nous de notre haine pour Jimmy Hoffa et la Mafia.

Kemper se leva.

— Je hais Hoffa et la Mafia à la manière dont M. Hoover vous hait, vous et votre frère.

Bobby éclata de rire.

— Je vous ferai connaître ma réponse dans quelques jours.

Kemper alla flâner près du bureau de Sally Lefferts. Il était 14 h 30 — Sally pourrait peut-être se montrer partante pour un petit coup vite fait au Willard.

Sa porte était ouverte. Sally était à son bureau, occupée à déchiqueter nerveusement des mouchoirs en papier — avec un homme assis à califourchon sur une chaise tout à côté d'elle.

— Oh, bonjour, Kemper, dit-elle.

Elle avait des couleurs : rosée, tirant sur le rouge. Et ces joues empourprées, trop brillantes, du *J'ai encore perdu au jeu de l'amour.*

— Tu es occupée ? Je peux repasser.

L'homme fit pivoter son fauteuil.

— Bonjour, Sénateur, dit Kemper.

John Kennedy sourit. Sally se tamponna les yeux.

— Jack, voici mon ami Kemper Boyd.

Ils se serrèrent la main. Kennedy lui offrit une demi-courbette.

— Monsieur Boyd, c'est un plaisir.

— Un plaisir entièrement partagé, monsieur.

Sally s'obligea à un sourire. Son maquillage était marquée de coulures — elle avait pleuré.

— Kemper, comment a marché ton entrevue ?

— Ça s'est bien passé, je crois. Sally, il faut que j'y aille. Je voulais simplement te remercier pour la recommandation.

Petits hochements de tête alentour, mais les regards ne se croisèrent pas. Kennedy tendit un nouveau mouchoir en papier à Sally.

Kemper descendit par l'escalier et sortit. Un orage avait éclaté — il courba l'échine, à l'abri d'un piédestal de statue, et se laissa effleurer par la pluie.

La coïncidence des Kennedy lui donnait une sensation bizarre. Droit sorti d'une entrevue avec Bobby, il était tombé sur Jack par le plus grand des hasards. A croire qu'on l'avait gentiment poussé dans cette direction.

Kemper réfléchit, passa en revue tenants et aboutissants.

M. Hoover avait fait état de Sally — comme son contact le plus spécifique avec Jack Kennedy. M. Hoover savait que Jack et lui avaient en partage un faible pour cette femme. M. Hoover avait pressenti qu'il irait rendre visite à Sally après son entrevue avec Bobby.

M. Hoover avait *pressenti* qu'il contacterait Sally immédiatement pour une recommandation. M. Hoover savait que Bobby avait besoin d'enquêteurs et recevait les candidats potentiels à une entrevue au gré de sa fantaisie.

Kemper passa à l'étape suivante, conclusion logique...

M. Hoover avait infiltré Capitol Hill. Il savait que tu avais rompu avec Sally dans le bureau de celle-ci — pour éviter une grande scène en public. Et avait reçu un tuyau comme quoi Jack Kennedy envisageait de faire de même, et tenté sa chance en te manœuvrant de manière que tu sois témoin de la scène.

Il sentit qu'en toute logique, le raisonnement était sans faille. Il sentait là la quintessence de Hoover.

M. Hoover n'a pas entièrement confiance dans tes capacités à établir un lien solide avec Bobby. D'un coup de dés, il t'a placé dans un contexte en symbiose avec Jack.

La pluie était agréable. Des éclairs craquaient, illuminant en arrière-plan le dôme du Capitole. Il avait le sentiment qu'il pourrait rester là et laisser le monde venir à lui.

Kemper entendit un raclement de pas dans son dos. Instantanément, il sut de qui il s'agissait.

— Monsieur Boyd ?

Il se retourna. John Kennedy serrait son imperméable contre lui.

— Sénateur.

— Appelez-moi Jack.

— Très bien, Jack.

Kennedy frissonna.

— Pourquoi restons-nous plantés là, nom d'un chien ?

— Nous pouvons toujours rejoindre le bar du Mayflower au pas de course quand ce sera un peu calmé.

— En effet, et je pense que c'est ce qu'il nous faut. Vous savez, Sally m'a parlé de vous. Elle m'avait dit que je devrais m'efforcer de perdre mon accent à la manière dont vous aviez perdu le vôtre, aussi j'ai été surpris quand je vous ai entendu parler.

Kemper laissa tomber son accent traînant.

— Ce sont les Sudistes qui font les meilleurs flics. Vous étalez votre côté péquenot, et les gens ont tendance à vous sous-estimer et laissent filer leurs secrets. Je me suis dit que votre frère pourrait bien connaître ce détail, alors je me suis comporté conformément à cette idée. Vous appartenez au Comité McClellan, alors j'ai pensé que je devais rester dans le même ton. Pour l'uniformité.

Kennedy éclata de rire.

— Votre secret sera bien gardé avec moi.

— Merci. Et ne vous en faites pas pour Sally. Elle aime les hommes à la manière dont nous aimons les femmes, et elle surmonte les petites peines de cœur attenantes plutôt vite.

— Je savais que vous aviez tout compris. Sally m'a appris que vous l'aviez laissée tomber de manière similaire.

Kemper sourit.

— Vous pourrez toujours y retourner à l'occasion. Sally apprécie un après-midi de temps à autre dans un bon hôtel.

— Je m'en souviendrai. Un homme avec mes aspirations se doit d'être lucide quant à d'éventuels embrouillaminis.

Kemper se rapprocha de « Jack ». C'est tout juste s'il ne voyait pas le large sourire de M. Hoover.

— Je connais bon nombre de femmes qui connaissent la manière de tenir les choses bien débrouillées.

Kennedy sourit et fit avancer Kemper sous la pluie.

— Allons prendre un verre, nous pourrons en discuter. J'ai une heure à tuer avant de retrouver mon épouse.

3

Un boulot en douce, à ses risques — fouille classique d'une crèche coco, en jargon FBI, une mallette noire.

Littell fit sauter la serrure à l'aide d'une règle. Ses mains dégouttaient de sueur : les effractions d'appartements étaient toujours risquées.

Les voisins entendaient les bruits d'effraction. Les bruits de couloir étouffaient le bruit des pas des arrivants.

Il referma la porte derrière lui. Le salon prit forme : mobilier minable, rayonnages à livres, affiches de revendications ouvrières. C'était l'appart standard d'un membre du PC américain — il trouverait les documents dans le placard du coin-repas.

Effectivement. *Idem* pour les photos standard au mur : tristes et vieux clichés de « Libérez les Rosenberg ».

Pathétique.

Il y avait des mois qu'il surveillait Morton Katzenbach. Il avait entendu des tonnes de slogans gauchistes véhéments. Il savait une chose : Morty n'était pas une menace pour l'Amérique.

Une cellule de cocos se retrouvait au stand à beignets de Morty. Leur « trahison » de dimension historique : refiler des beignets aux ouvriers automobiles en grève.

Littell sortit son Minox et prit des clichés des « documents ». Il tira trois pellicules de registres sur des dons en argent, dont aucun ne dépassait cinquante dollars par mois.

Le boulot était mortel, merdique. Son vieux refrain-rengaine se mit en place automatiquement.

Tu as quarante-cinq ans. Tu es expert en mouchards et mises

sur écoute. Tu es un ex-séminariste jésuite diplômé en droit, à deux ans et deux mois de la retraite. Tu as une ex-épouse qui engraisse sur sa pension alimentaire et une fille à Notre-Dame, et si tu réussis l'examen du barreau de l'Illinois et si tu quittes le FBI, ton revenu brut au cours des x années à venir fera plus que compenser ta pension perdue.

Il clicha deux listes de « notes de frais politiques ». Morty annotait ses distributions de beignets : « Normal », « Chocolat », « Glacés au sucre ».

Il entendit un bruit de clé dans la serrure. Il vit la porte s'ouvrir à trois mètres de lui.

Faye Katzenbach entra, chargée de provisions. Elle l'aperçut et secoua la tête comme s'il était la chose la plus triste qu'on pût voir sur terre.

— Alors comme ça, vous vous comportez maintenant en voleurs au petit pied ?

Littell fit tomber une lampe en passant devant elle au pas de course.

La salle de brigade était silencieuse, comme tous les midis : seuls quelques agents traînaient dans le coin, à découper des télétypes. Littell trouva un petit mot sur son bureau.

« K. Boyd a appelé. En ville, direction la Floride. Pump Room, 19.00 ? »

Kemper — oui !

Chick Leahy s'avança, brandissant des copies carbones de dossiers.

— J'aurais besoin de la chemise Katzenbach au complet, avec photos, d'ici le 11 décembre. M. Tolson débarque en tournée d'inspection et il veut un compte-rendu des recherches sur le PC américain.

— Vous l'aurez.

— Bien. Au grand complet, avec les documents ?

— Quelques-uns. Mme Katzenbach m'est tombée dessus avant que j'aie terminé.

— Seigneur. Est-ce qu'elle...

— Elle n'a *pas* appelé les services de police de Chicago, parce qu'elle savait qui j'étais et ce que je faisais. Monsieur Leahy, la moitié des cocos de la terre connaissent l'expression « mallette noire ».

Leahy soupira.

— Allez, dites-le, Ward. Je vais refuser, mais vous vous sentirez mieux après l'avoir dit.

— Très bien. Je veux une affectation anti-Mafia. Je veux être transféré au Programme Grands Criminels.

— Non, dit Leahy. Notre rôle du Programme est complet. Et en tant qu'agent spécial en charge, j'estime que vos compétences sont exploitées au mieux dans le cadre d'une surveillance politique, chose qui est très importante à mes yeux. M. Hoover considère que les communistes de l'intérieur sont plus dangereux que la Mafia, et je dois reconnaître que je suis d'accord avec lui.

Ils se dévisagèrent. Littell rompit le premier — Leahy resterait planté là toute la journée s'il n'en faisait rien.

Leahy retourna à son bureau. Littell ferma la porte de son cagibi et sortit ses textes de droit. Impossible de mémoriser les statuts civiques — les souvenirs de Kemper Boyd venaient les éparpiller.

Fin 53 : ils coincent un kidnappeur à Los Angeles. L'homme dégaine une arme : et *lui* tremble si fort qu'il laisse tomber la sienne. Des gars du LAPD ricanent. Kemper magouille le rapport afin de faire de Littell le héros.

Ils contestent les modalités d'attribution de la pension de Tom Agee — M. Hoover veut la reverser à la pouffiasse d'épouse de Tom. Kemper le convainc de la mettre au nom de la fille survivante sous forme de capital avec allocations : Helen bénéficie aujourd'hui d'une jolie sinécure.

Ils arrêtent le Grand Pete Bondurant. *Lui* commet une gaffe : en voulant asticoter Pete en français du Québec. Bondurant casse sa chaîne de menottes et lui saute à la gorge.

Il cavale. Le Grand Pete rigole. Kemper soudoie Bondurant et obtient son silence sur l'affaire — il emporte le coup en offrant un régime traiteur à Pete en cellule.

Jamais Kemper n'avait jugé ses côtés trouillards. En lui disant :

— Nous avons l'un et l'autre rejoint les rangs du Bureau pour éviter la guerre. Alors, qui peut se permettre de juger ?

Kemper lui avait enseigné l'art de la cambriole — excellent moyen pour tenir sa peur en laisse, un vrai tranquillisant.

— Tu es mon flic-curé confesseur, lui avait dit Kemper. Je te rendrai la pareille et écouterai tes confessions. Mais dans la mesure où mes secrets sont pires que les tiens, c'est toujours moi qui aurai la plus belle part du marché.

Littell referma son manuel. Les statuts civiques étaient ennuyeux à mourir.

La « Pump Room » était bondée. Un grain soufflait du lac, et les gens donnaient l'impression d'y débarquer, balayés par les rafales.

Littell se trouva un box sur l'arrière. Le maître d'hôtel prit sa commande : deux Martini, d'emblée. Le restaurant était magnifique : serveurs de couleur et clientèle d'avant-concert symphonique faisaient rutiler les lieux.

Les boissons arrivèrent. Littell les disposa pour un toast rapide. Boyd entra, sortant du hall de l'hôtel.

Littell éclata de rire.

— Ne me dis pas que tu es installé ici.

— Mon avion ne part pas avant 2 heures du matin, et j'ai eu besoin de me détendre les jambes quelque part. Salut, Ward.

— Salut, Kemper. Un discours d'adieu ?

Boyd leva son verre.

— A ma fille Claire, ta fille Susan, et Helen Agee. Puissent-elles réussir leurs études et devenir de meilleures juristes que leurs pères.

Ils trinquèrent. Cliquetis de verres à pied.

— Qui n'ont ni l'un ni l'autre jamais travaillé comme juristes, effectivement.

— Mais tu as cependant travaillé comme rédacteur. Et j'ai entendu dire que tu avais rédigé des arrêtés d'expulsion qui ont obtenu l'assentiment de la cour.

— Nous ne nous débrouillons pas si mal que ça. Toi, en tout cas. Alors, qu'est-ce qui t'amène ici ?

— Mon nouvel employeur temporaire m'a réservé une chambre à perpète, du côté de Midway, mais j'ai décidé de donner dans le grand tralala et de payer la différence de ma poche. Et la différence entre le Skyliner Motel et l'Ambassador-East est plutôt sévère.

Littell sourit.

— Quel nouvel employeur temporaire ? Est-ce que tu travailles pour les services du contre-espionnage du FBI ?

— Non, il s'agit de quelque chose de bien plus intéressant. Je te raconterai ça après quelques verres derrière la cravate, quand tu seras un peu plus enclin au blasphème et que tu diras : « Putain de Christ. »

— Je vais le dire tout de suite. Tu viens de mettre un terme effectif au bavardage inutile, alors je vais te le dire, ton *putain*.

Boyd sirota son Martini.

— Pas encore. Tu viens de toucher le gros lot, cependant, sur le front de nos filles rebelles. Ce qui devrait remonter les humeurs.

— Laisse-moi deviner. Claire a obtenu son transfert de Tulane à Notre-Dame.

— Non. Helen a obtenu son diplôme de premier cycle avec un semestre d'avance. Elle a été acceptée à la fac de droit de l'université de Chicago, et elle emménage ici le mois prochain.

— Seigneur !

— Je savais que tu serais content !

— Helen est une fille courageuse. Elle fera une sacrée bonne juriste.

— C'est vrai. Et elle fera une sacrée belle et bonne compagne pour l'homme qui la choisira, si nous ne l'avons pas démolie pour les jeunes de son âge.

— Il faudrait un...

— Jeune homme très spécial pour faire abstraction de son affliction ?

— Oui.

Boyd lui adressa un clin d'œil.

— Bon, elle a vingt et un ans. Pense un peu à la manière dont Margaret réagirait devant vous deux. Elle serait complètement perturbée.

Littell sécha son verre.

— Et ça perturberait ma propre fille. Susan, à propos, me dit que Margaret passe ses week-ends avec un homme à Charlevoix.

Mais elle ne l'épousera jamais, pas tant qu'elle aura mon chèque de paie dans la balance.

— Tu es son démon. C'est toi le jeune séminariste qui l'a mise enceinte. Et pour reprendre la terminologie religieuse dont tu es si friand, ton mariage a été ton purgatoire.

— Non, c'est mon boulot qui l'est. J'ai fouillé en douce un appartement de coco aujourd'hui et j'ai photographié un livre de comptes complet, uniquement consacré aux beignets. Honnêtement, je ne sais pas combien de temps encore je pourrai continuer à faire ce genre de truc.

Arriva une nouvelle tournée. Le serveur fit la courbette — Kemper inspirait la servilité. Littell dit :

— Je crois avoir compris quelque chose au cours de l'opération, juste entre les « chocolat » et les « glacés au sucre ».

— Quoi ?

— Que M. Hoover hait les gauchistes parce que leur philosophie se fonde sur la fragilité humaine, alors que la sienne est fondée sur une rectitude sans faille ni défaut, qui nie justement ces choses-là.

Boyd leva son verre.

— Tu ne me déçois jamais.

— Kemper...

Les serveurs défilaient, à pas feutrés, légers et rapides. Les lueurs de bougies rebondissaient de reflets sur la vaisselle dorée. On flambait les crêpes Suzette — une vieille femme couina.

— Kemper...

— M. Hoover m'a demandé d'infiltrer le Comité McClellan. Il hait Bobby Kennedy et son frère Jack, et il a peur que le père n'achète à Jack la Maison-Blanche en 60. Je me retrouve donc maintenant faux pensionné du FBI affecté pour une durée indéterminée à la tâche de faire copain-copain avec les deux frangins. J'ai donc demandé un emploi d'enquêteur temporaire au Comité, et on m'a fait passer le mot aujourd'hui comme quoi Bobby m'avait engagé. Je décolle pour Miami dans quelques heures pour essayer de retrouver un témoin manquant.

— Putain de Christ, dit Littell.

— Tu ne me déçois jamais, dit Boyd.

— Je supposes que tu touches double salaire ?

— Tu sais que j'adore l'argent.

— Oui, mais est-ce que tu aimes les deux frères ?

— Oui. Bobby, c'est le petit bouledogue vindicatif, et Jack est plein de charme, mais pas aussi malin qu'il le croit. C'est Bobby l'homme fort des deux, et il hait le crime organisé tout autant que toi.

Littell secoua la tête.

— Tu n'as jamais de haine pour rien.

— Je ne peux pas me le permettre.

— Je n'ai jamais compris tes loyautés.

— Disons simplement qu'elles sont ambiguës.

DOCUMENT EN ENCART : *2/12/58. Retranscription officielle d'une conversation téléphonique FBI — Enregistrée à la demande du Directeur — Classé Confidentiel 1-A — Destinataire Unique — le Directeur — Interlocuteurs : Directeur Hoover, Agent spécial Kemper Boyd.*

JEH. — Monsieur Boyd ?

KB. — Monsieur, bonjour.

JEH. — Oui, la matinée est belle. Appelez-vous depuis un téléphone sûr ?

KB. — Oui. Je suis dans une cabine à pièces. Si la liaison vous paraît un peu faible, c'est que j'appelle de Miami.

JEH. — Petit Frère vous a déjà mis au travail ?

KB. — Petit Frère ne perd pas de temps.

JEH. — Donnez-moi une interprétation de votre engagement si rapide. Citez les noms s'il le faut.

KB. — Petit Frère s'est montré soupçonneux à mon égard au début, et je pense qu'il me faudra du temps pour gagner toute sa confiance. Je suis tombé sur Grand Frère dans le bureau de Sally Lefferts, et les circonstances nous ont obligés à participer à une conversation privée. Nous sommes sortis prendre un verre, et une relation somme toute agréable s'est établie entre nous. Comme beaucoup d'hommes charmeurs, Grand Frère se laisse facilement charmer. Nous avons bien accroché l'un avec l'autre, et je suis certain qu'il a dit à Petit Frère de m'engager.

JEH. — Décrivez les « circonstances » dont vous avez fait état.

KB. — Nous nous sommes découvert en partage un intérêt certain pour les femmes raffinées et provocantes, et nous sommes allés au bar du Mayflower pour discuter de sujets en rapport. Grand Frère m'a confirmé qu'il allait se porter candidat en 60, et que Petit Frère allait s'attaquer à la mise en place de la campagne dès la fin du mandat accordé au Comité McClellan en avril prochain.

JEH. — Poursuivez.

KB. — Grand Frère et moi avons discuté politique. J'ai fait de moi-même le portrait d'un libéral incongru, aux termes des exigences habituelles du Bureau, ce que Grand Frère...

JEH. — Vous n'avez pas de convictions politiques, ce qui ne fait qu'ajouter à votre efficacité dans les circonstances que nous connaissons. Poursuivez.

KB. — Grand Frère a trouvé mes prétendues convictions politiques intéressantes et il a quitté sa réserve. Il a dit qu'il considérait la haine de Petit Frère à l'égard de monsieur H. quelque peu malséante, bien que justifiée. Grand Frère et son père ont tous deux pressé Petit Frère de battre en retraite stratégique et de proposer à monsieur H. un marché si ce dernier acceptait de faire le grand ménage dans son organisation. Mais Petit Frère a refusé. Mon opinion personnelle est que monsieur H. est, légalement parlant, inattaquable pour le moment. Grand Frère partage cette opinion, ainsi que nombre d'enquêteurs du Comité. Monsieur, je pense que Petit Frère est férocement convaincu du bien-fondé de sa mission, et il est compétent. Mon sentiment est qu'il fera tomber monsieur H., mais pas dans un avenir prévisible. Je pense qu'il faudra des années et, plus que vraisemblablement, nombre d'inculpations, et il est certain que la chose ne se produira pas pendant le laps de temps qui reste à courir au mandat du Comité.

JEH. — Vous êtes en train de me dire que le Comité remettra l'enfant entre les mains de grands jurys municipaux à l'expiration de leur mandat ?

KB. — Oui. Je pense qu'il faudra des années aux frères pour moissonner de réels bénéfices politiques de monsieur H. Et je pense qu'un coup de fouet en retour pourrait bien se produire et faire mal à Grand Frère. Les candidats démocrates ne peuvent pas se permettre d'être considérés aux yeux de l'opinion comme antisyndicalistes.

JEH. — Vos évaluations me paraissent tout à fait astucieuses.

KB. — Merci, monsieur.

JEH. — Grand Frère a-t-il cité mon nom dans la conversation ?

KB. — Oui. Il connaît l'existence de vos dossiers détaillés sur les hommes politiques et les vedettes de cinéma que vous jugez subversives, et craint que vous n'ayez un dossier sur lui. Je lui ai dit que le dossier que vous avez constitué sur sa famille se montait à un millier de pages.

JEH. — Bien. Vous auriez perdu toute crédibilité, vous

eussiez-vous montré moins sincère. De quoi d'autre avez-vous discuté, Grand Frère et vous ?

KB. — De femmes essentiellement. Grand Frère a parlé d'un voyage à Los Angeles le 9 décembre. Je lui ai donné le numéro de téléphone d'une femme facile du nom de Darleen Shoftel et je l'ai pressé de l'appeler.

JEH. — Pensez-vous qu'il l'ait fait ?

KB. — Non, monsieur. Mais je pense qu'il le fera.

JEH. — Décrivez-moi les tâches auxquelles le Comité vous a affecté jusqu'ici.

KB. — Je suis à la recherche d'un témoin assigné à comparaître. Il s'appelle Anton Gretzler et se trouve ici en Floride. Petit Frère voulait que je lui remette une sommation de rappel. Il y a un aspect de cette affaire dont nous devrions discuter, dans la mesure où la disparition de Gretzler pourrait bien être liée à l'un de vos amis.

JEH. — Poursuivez.

KB. — Gretzler était l'associé de monsieur H. dans la prétendument frauduleuse opération immobilière de Sun Valley.

JEH. — Vous avez dit « était ». Vous présumez que Gretzler est mort ?

KB. — Je suis sûr qu'il est mort.

JEH. — Poursuivez.

KB. — Il a disparu l'après-midi du 26 novembre. Il a déclaré à sa secrétaire qu'il avait rendez-vous à Sun Valley avec un « acheteur potentiel » et il n'est jamais revenu. La police de Lake Weir a trouvé sa voiture dans un marécage tout proche, mais elle a été incapable de localiser le corps. Ils ont quadrillé la zone à la recherche de témoins et déniché un homme qui longeait Sun Valley sur la route inter-Etats à l'heure même où « l'acheteur potentiel » était censé retrouver Gretzler. L'homme a déclaré qu'il avait vu un gars garé sur la route d'accès à Sun Valley. Il a dit que le gars en question a détourné la tête à son passage, il est donc peu probable qu'il puisse l'identifier. Il a néanmoins fourni un signalement. Un mètre quatre-vingt-dix ou quatre-vingt-douze, « énorme », cent dix kilos. Cheveux sombres, entre trente-cinq et quarante ans. Je pense qu'il...

JEH. — Votre vieil ami Pete Bondurant. Il se distingue par sa taille démesurée, et il est sur la liste des relations de monsieur H. que je vous ai fournie.

KB. — Oui, monsieur. J'ai vérifié les registres des compagnies d'aviation et de location de voitures à Los Angeles et Miami, et je suis tombé sur une facture Hughes Aircraft dont je suis certain qu'elle a été établie par Bondurant. Je sais qu'il était en Floride le 26 novembre et, par déduction, au vu des circonstances, je suis sûr que monsieur H. l'a engagé pour tuer Gretzler. Je sais que vous et Howard Hughes êtes amis. Aussi ai-je cru bon de vous en informer avant d'en parler à Petit Frère.

JEH. — N'en informez Petit Frère en aucun cas, quelles que soient les circonstances. Les conclusions de votre enquête doivent se cantonner à ceci : Gretzler a disparu, il est peut-être mort. Il n'y a ni pistes ni suspects. Pete Bondurant rend des services inestimables à Howard Hughes, lequel est un ami précieux du Bureau. M. Hughes vient tout récemment de se porter acquéreur d'une revue à scandales qui lui permettra, ainsi, de disséminer des informations politiques favorables au Bureau, et je ne veux pas qu'on lui hérisse le poil. Comprenez-vous ?

KB. — Oui, monsieur.

JEH. — Je veux que vous preniez l'avion pour Los Angeles, au compte du Bureau, et que vous alliez titiller Pete Bondurant de vos soupçons. Obtenez qu'il vous rende service et parez vos ouvertures amicales du savoir que vous êtes en mesure de lui faire du mal. Et lorsque vos charges professionnelles au Comité vous le permettront, retournez en Floride et nettoyez-moi de façon définitive toute piste potentielle sur le front Gretzler.

KB. — Je boucle ici et je pars à L.A. demain en fin de journée

JEH. — Très bien. Et pendant que vous serez à Los Angeles, je veux que vous placiez un mouchard au domicile de Mlle Darleen Shoftel et une écoute sur son téléphone. Si Grand Frère la contacte, je veux le savoir.

KB. — Elle ne donnera pas volontairement son assentiment ce qui m'obligera à utiliser la manière douce pour équiper son appartement. Puis-je faire participer Ward Littell ? C'est un expert pour les écoutes.

JEH. — Oui, faites-le entrer dans la partie. Ce qui me rappelle que Littell convoite un poste à la brigade des Grands Criminels depuis quelque temps déjà. Pensez-vous qu'il apprécierait un transfert en guise de récompense pour son travail ?

KB. — Il adorerait cela.

JEH. — Très bien, mais laissez-moi la tâche de l'informer. Au revoir, monsieur Boyd. Je vous félicite du travail bien fait.

KB. — Merci, monsieur. Au revoir.

4

Beverly Hills, 4 décembre 1958.

Howard Hughes remonta son lit d'un cran.

— Je ne peux pas te dire à quel point les deux derniers numéros ont manqué de brillant. *L'Indiscret* est un hebdomadaire maintenant, ce qui accroît le besoin de disposer de cancans intéressants de semaine en semaine.*Il nous faut un nouveau fouilleur de poubelles.* Il y a déjà toi à la vérification des histoires, Dick Steisel pour le côté juridique, et Sol Maltzman qui rédige les textes. Mais nous ne serons jamais aussi bons que nos scandales, et nos scandales ont été bien timorés et d'une fadeur caricaturale.

Pete s'affala dans un fauteuil et feuilleta le numéro de la semaine précédente. Sur la couverture : OUVRIERS SAISONNIERS PORTEURS DE PESTE VENERIENNE ! Avec, pour second grand titre : « LE HOLLYWOOD RANCH MARKET — PARADIS HOMO ! »

— Je continue à m'en occuper. Nous cherchons un mec avec des qualifications uniques, putain de merde, et ça prend du temps.

— Fais donc ça, dit Hughes. Et dis à Sol Maltzman que je veux un article intitulé : « LES NEGRES : LA SURFECONDITE ENGENDRE UNE EPIDEMIE DE TB » sur la couverture de la semaine prochaine.

— Ça me paraît plutôt tiré par les cheveux.

— Il est toujours possible de distordre les faits pour qu'ils soient conformes à n'importe quelle thèse.

— Je lui dirai, Patron.

— Bien. Et pendant que tu seras de sortie...

— Irai-je vous chercher un peu de came et de seringues jetables ? *Oui, monsieur.*

Hughes fit la grimace et alluma la télé. *Sheriff John's Lunch Brigade* — la brigade du déjeuner du shérif John — envahit la chambre — mômes couinants et souris de bande dessinée de la taille de Lassie.

Pete sortit d'un pas tranquille, direction le parc de stationnement. Vautré contre sa voiture comme si elle lui appartenait : l'Agent spécial Kemper putain de Boyd.

Six ans de plus, et encore trop beau pour vivre. Ce costume gris sombre devait bien monter à quatre cents papiers facile.

— Qu'est-ce que c'est que ça ?

Boyd croisa les bras sur sa poitrine.

— Ça, c'est une course amicale pour M. Hoover. Il se fait du souci à propos de tes petits travaux en extra pour Jimmy Hoffa.

— De quoi parles-tu ?

— J'ai une entrée dans le Comité McClellan. Ils ont trafiqué quelques cabines téléphoniques proches de la maison de Hoffa en Virginie pour enregistrer des appels. Ce fumier de Hoffa, radin comme il est, passe ses communications depuis des cabines publiques et il utilise de fausses pièces.

— Continue. Ton baratin sur les coups de fil, c'est de la connerie, mais voyons où ça va te mener.

Boyd lui fit un clin d'œil : l'enfoiré avait des couilles en acier.

— *Un,* Hoffa t'a appelé par deux fois à la fin du mois dernier. *Deux,* tu as acheté un billet L.A.-Miami sous un faux nom et sur le compte de Hughes Aircraft. *Trois,* tu as loué une voiture dans une officine de location propriété des Camionneurs et tu as *peut-être bien* été aperçu en train d'attendre un dénommé Anton Gretzler. Je crois que Gretzler est mort, et je pense que Hoffa t'a engagé pour le liquider.

Ils ne retrouveraient jamais le moindre cadavre : il avait balancé Gretzler dans un marécage et l'avait regardé se faire dévorer par les gators.

— Alors arrête-moi...

— Non. M. Hoover n'aime pas Bobby Kennedy, et je suis sûr qu'il n'aimerait pas mettre M. Hughes mal à l'aise. Il peut très bien vivre en vous sachant Jimmy et toi en liberté, et moi aussi.

— Et alors ?

— Alors faisons un petit geste bien gentil à l'égard de M. Hoover.

— Mets-moi sur la voie. Je meurs littéralement d'envie de m'allonger.

Boyd sourit.

— L'écrivain en chef à *L'Indiscret* est un coco. Je sais que M. Hughes apprécie la main-d'œuvre bon marché, mais je continue à penser que vous devriez le virer immédiatement.

— Je le ferai, dit Pete. Et toi, tu diras à M. Hoover que je suis un patriote qui sait comment marche l'amitié.

Boyd s'en partit valser plus loin — pas un hochement de tête, pas un clin d'œil, suspect renvoyé dans ses foyers. Il alla deux rangées de voitures plus loin et grimpa dans une Ford bleue avec autocollant de pare-chocs Hertz.

La voiture sortit et s'éloigna. Et Boyd, putain, le salua de la main.

Pete courut jusqu'à la batterie de téléphones de l'hôtel et demanda les renseignements. Une opératrice lui lâcha le numéro central de Hertz.

Qu'il composa. Une femme répondit :

— Bonjour. Location de voitures Hertz.

— Bonjour. Ici l'agent de police Peterson du LAPD. Il me faudrait les renseignements afférant à un client qui a loué une de vos voitures.

— Y a-t-il eu un accident ?

— Non, c'est juste la routine. La voiture est une Ford Fairlane 56 bleue, numéro de plaque V comme Victor, D comme Delta, H comme Henry, 4-9-0.

— Un instant, monsieur l'Agent.

Pete resta en ligne. Le baratin de Boyd sur McClellan lui dansait dans la tête.

— J'ai vos renseignements, monsieur l'Agent.

— Allez-y.

— La voiture a été louée à un M. Kemper Boyd, dont l'adresse actuelle à Los Angeles est le Miramar Hotel à Santa Monica. La facture dit que le montant de la location doit être adressé au Comité d'enquêtes du Sénat américain. Est-ce que cela vous aidera...

Pete raccrocha. La danse qu'il avait dans la tête passa en stéréo.

Etrange : Boyd dans une voiture louée par le Comité.

Etrange : parce que Hoover et Bobby Kennedy étaient rivaux. Boyd, homme du FBI *et* flic du Comité ? Jamais Hoover ne le laisserait travailler au noir.

Boyd avait de la classe, stylé donnant sur brillant, genre fouine en douce — excellent choix comme homme de paille pour délivrer des avertissements amicaux.

Excellent choix pour espionner Bobby ? — « Peut-être bien » donnant très fort sur « Oui ».

Sol Maltzman vivait à Silverlake, une turne minable au-dessus d'un rade de location de smokings.

Pete frappa. Sol ouvrit, tirant la tronche — devant ce taré aux genoux cagneux, en bermudas et T-shirt.

— Qu'est-ce qu'il y a, Bondurant ? Je suis très occupé.

Bon-du-rant cette petite ordure coco prononçait ça à la française.

La crèche puait la cigarette et la litière pour chat. Des chemises de papier kraft dégoulinaient du moindre bout de meuble ; un classeur en bois bloquait la seule fenêtre.

Il a des dossiers sur les saletés d'Hollywood. Tout à fait le type de mec à amasser du matériau à scandale.

— Bon-du-rant, mais qu'est-ce qu'il y a ?

Pete attrapa une chemise posée sur un pied de lampe. Coupures de presse sur Ike[1] et Richard Nixon — ronfle-la-ville.

— Posez-moi ça et dites-moi ce que vous voulez.

Pete l'agrippa par le cou.

— Tu es viré de *L'Indiscret.* Je suis sûr que tu disposes de dossiers de saletés que nous pouvons utiliser. Si tu m'indiques où je peux les trouver et m'épargner le souci de les chercher, je dirai à M. Hughes de t'allonger une petite prime de licenciement.

Sol l'envoya paître ; double doigt d'honneur, à s'agiter au niveau des yeux.

Pete le lâcha. Visez-moi ce cou : sur 360 degrés, une marque de main modèle géant.

---

1. Dwight David Eisenhower, ancien président des Etats-Unis. *(N.d.T.)*

— Je parierais que tu gardes tous tes bons trucs dans ce classeur.

— Non ! Y a rien là-dedans qui vous intéresserait !

— Ouvre-le-moi, dans ce cas.

— Non. C'est verrouillé et je ne vous donne pas la combinaison.

Pete le genouilla dans les couilles. Maltzman tomba au sol, souffle coupé. Pete lui arracha la chemise et lui fourra une boule de tissu dans la bouche.

Et une télé près du canapé — excellente couverture audio.

Pete la mit en marche plein pot. Débarqua sur l'écran un bonimenteur de choc, à hurler ses conneries sur la nouvelle gamme Buick. Pete dégaina son calibre et fit sauter le cadenas du classeur — des giclures d'éclats de bois partout ! Din-in-in-gue !

Trois dossiers en dégringolèrent — peut-être trente pages de trucs juteux au total.

Sol Maltzman hurlait à travers son bâillon. Pete, d'un coup de pied, l'envoya dans les pommes avant de baisser le son.

Il avait trois dossiers et une méchante poussée de fringale post-gros bras. L'addition était pour Mike Lyman et le steak du déjeuner de luxe.

Avec saletés de luxe pour faire pendant : Sol n'était pas du genre à entasser des tuyaux minables.

Pete se prit un box du fond et s'offrit un en-cas, T-bone et pommes de terre en ragoût. Il étala les chemises pour les consulter facilement.

Le premier dossier contenait photos de documents et mots dactylographiés. Pas de cancans hollywoodiens ; rien comme munitions pour la première page de *L'Indiscret*.

Les clichés détaillaient les entrées/sorties d'un livret de banque et une déclaration de revenus. Le nom du contribuable lui parut familier : le pote de M. Hughes, George Killebrew, un des larbins de Tricky Dick, Nixon la Combine.

Le nom sur le livret de banque était George *Kill*ington. Le total de dépôts de 1957 se montait à 87 416, 04 dollars. Revenus déclarés par George Killebrew la même année : 16 850 dollars.

Un changement de nom sur une syllabe — cachant presque soixante-dix bâtons.

Sol Maltzman avait noté : « Les employés de la banque confirment que Killebrew a déposé l'intégralité des quatre-vingt-sept mille dollars en dépôts successifs en liquide, de cinq à dix mille dollars. Ils confirment également que le numéro d'identification qu'il a donné aux impôts était faux. Il a retiré la totalité de la somme en liquide, plus de six mille dollars d'intérêts, et il a clôturé son compte avant que la banque ait pu adresser aux autorités fédérales des impôts la déclaration officielle d'intérêts.

Revenu non déclaré et intérêts de banque non déclarés. Gros lot : fraude fiscale.

Pete établit un dernier lien — vite fait, évident.

Le comité de la Chambre sur les Activités antiaméricaines avait baisé Sol Maltzman. Dick Nixon était membre du Comité ; George Killebrew travaillait pour lui.

Le dossier n° 2 contenait une flopée de photos, des pipes à foison. Le sucé : une fiotte ado. Le suceur avait été identifié par Sol Maltzman : « Leonard Hosney, avocat du HUAC[1], quarante-trois ans, de Grand Rapido, dans le Michigan. Mon travail dévoreur d'âmes pour *L'Indiscret* a fini par payer sous la forme d'un tuyau avancé par le videur d'un bordel pour hommes à Hermosa Beach. C'est lui qui a pris les photos et il m'a assuré que le gamin était mineur. Il me fournira des photos complémentaires très bientôt. »

Pete enchaîna sur une nouvelle cigarette, au mégot de la précédente. Le tableau se mettait en place. Le Grand Tableau.

Les dossiers étaient la vengeance de Sol contre le HUAC. C'était une sorte de pénitence complètement foireuse : Sol écrivait des calomnies tendancieuses orientées à droite et entassait ses merdes en vue d'un remboursement tardif.

Le dossier n° 3 offrait d'autres photos encore : chèques annulés, reçus de dépôt et relevés bancaires. Pete repoussa son assiette de côté — *ça*, c'était du bon appât, de la calomnie première grandeur.

----

1. House Un-American Activities Committee, le comité des Activités anti-américaines. *(N.d.T.)*

Sol Maltzman avait écrit :

« Les implications politiques du prêt de deux cent mille dollars consenti en 1956 par Howard Hughes au frère de Richard Nixon, Donald, sont effrayantes, tout particulièrement dans la mesure où Nixon sera vraisemblablement le candidat républicain aux élections présidentielles de 1960. C'est un exemple net et clair d'un industriel immensément riche qui s'achète des appuis politiques. Il est possible de l'appuyer de manière indirecte en l'étayant des nombreux exemples vérifiables de lignes politiques définies à l'instigation de Nixon qui se sont révélées directement favorables à Hughes. »

Pete revérifia les clichés. La vérification avait été bien faite — pas un détail laissé de côté.

Son repas était froid. Il avait piqué une suée ; d'amidonnée, sa chemise était passée à flétrie.

Ces informations confidentielles étaient un énorme putain de coup de tonnerre.

Sa journée n'était que des as et des huit, une main d'homme mort qu'il ne pouvait ni jouer ni jeter.

Il pouvait se raccrocher aux magouilles Hughes/Nixon. Il pouvait offrir le boulot de Sol à *L'Indiscret* à Gail — elle avait déjà travaillé pour une revue par le passé — et de toutes manières, elle était fatiguée des arnaques-chantages au divorce.

Les infos sur le HUAC était un flush aux as, mais côté *argent,* il ne voyait pas comment les monnayer. Kemper Boyd, débarquant comme un cheveu sur la soupe, lui avait excité les antennes kss kss kss...

Pete se rendit au Miramar Hotel et prit la planque dans le parc de stationnement. La voiture de Boyd était dans le fond, à l'abri des regards, près de la piscine. Des tas de femmes en maillot de bain prenaient le soleil : les conditions de surveillance auraient pu être pires.

Les heures s'écoulèrent, en se traînant. Les femmes allaient et venaient. Le crépuscule obscurcit le panorama avant de le fermer pour de bon.

Miami lui traversa l'esprit — taxis à rayures tigre et gators affamés. 18 heures, 18 h 30, 19 heures, 19 h 22 : Boyd et ce putain de Ward Littell qui s'avançaient au bord de la piscine.

Ils montèrent dans la voiture de location de Boyd. Avant de s'engager sur Wilshire direction est.

Littell et Boyd, deux matous en vadrouille, Trouille-Minet d'un côté, et le Matou-sans-Nerfs de l'autre. L'allée aux souvenirs : il avait une petite histoire en partage avec ces deux Fédés.

Pete se faufila dans la circulation derrière eux, en douceur. Deux voitures en balade : Est sur Wilshire, Barrington-Nord jusqu'à Sunset. Pete se traînaillait en arrière et changeait de file — les surveillances en filoche mobile, ça lui requinquait les neurones.

Il était doué. Boyd n'était pas au parfum de la filoche — il le voyait.

Ils empruntèrent Sunset vers l'ouest, vitesse de croisière : Beverly Hills, le Strip, Hollywood. Boyd tourna au nord sur Alta Vista et se gara : à mi-chemin d'un bloc de petites maisons en stuc.

Pete se laissa glisser en bordure de trottoir trois portes plus loin. Boyd et Littell sortirent ; un lampadaire éclaira leurs gestes.

Ils mirent des gants. Ils prirent des lampes-torches. Littell déverrouilla le coffre et sortit une boîte à outils.

Ils avancèrent jusqu'à une maison en stuc rose, crochetèrent la serrure et entrèrent.

Des faisceaux de torches s'entrecroisaient aux fenêtres. Pete fit demi-tour et repéra la plaque-adresse : 1541, Nord.

Ce devait être une mise sur écoute. Le FBI appelait les effractions de ce genre des « mallettes noires ».

Les lumières du salon s'allumèrent. Ces salopards y allaient d'emblée.

Pete attrapa son annuaire d'adresses sur le siège arrière. Il le feuilleta à la lumière du tableau de bord.

1541, Nord Alta Vista correspondait à : Darleen Shoftel, HO — 36811.

Les mouchards prenaient environ une heure à poser : il avait le temps de passer la femme aux Sommiers. Il aperçut une cabine derrière lui, au coin de la rue ; il allait pouvoir appeler et surveiller la maison, simultanément.

Il alla jusque-là et appela la ligne du comté. Karen Hiltscher décrocha, il reconnut sa voix immédiatement.

— Les Sommiers.

— Karen, c'est Pete Bondurant.

— Tu as su que c'était moi après tout ce temps ?

— Je crois que c'est ta voix. Elle est unique. Dis-moi, est-ce que tu pourrais procéder à une recherche pour moi dans tes fichiers ?

— Je suppose que oui, même si tu n'es plus adjoint du shérif, mais en réalité, je ne devrais pas.

— T'es une vraie copine.

— Ça, c'est certain, en particulier après la manière dont...

— Le nom, c'est Darleen Shoftel. J'épelle : D-A-R-L-E-E-N, S-H-O-F-T-E-L. La dernière adresse connue dont je dispose, c'est 1541, Nord Alta Vista, Los Angeles. Vérifie tout.

— Je sais ce qu'il faut faire, Pete. Reste simplement en ligne.

Pete resta en ligne. Les lampes s'allumaient dans la maison plus haut sur le bloc-Fédés à l'œuvre en douce.

Karen reprit la communication.

— Darleen Denise Shoftel, sexe féminin, race blanche, DDN : 9/3/32. Pas d'avis de recherches, pas de mandats, pas de casier. Elle est propre au SCG[1], mais les Mœurs d'Hollywood-Ouest ont une fiche à son nom. Avec une seule entrée en date du 14/8/57. Celle-ci dit qu'une plainte a été déposée contre elle par la direction du « Dino's Lodge ». Elle faisait du racolage à fins de prostitution au bar. On l'a interrogée et relâchée, et l'inspecteur chargé de l'enquête l'a décrite comme une « call-girl de classe ».

— C'est tout ?

— Ce n'est pas mal, pour un coup de fil.

Pete raccrocha. Il vit les lumières de la maison s'éteindre et consulta sa montre.

Boyd et Littell sortirent et chargèrent leur matériel dans la voiture. Seize minutes pile : un record mondial pour une mallette noire.

Ils s'éloignèrent. Pete s'appuya contre la cabine et mit sur pied un scénario.

Sol Maltzman se montait sa propre opération, inconnue des

1. Service des cartes grises. (N.d.T.)

Fédés. Boyd était en ville pour le prévenir de la disparition de Gretzler et coller des mouchards dans la crèche d'une call-girl. Boyd était un menteur plein de bagou : « J'ai une "entrée" dans le Comité Mc Clellan. »

Boyd savait qu'il avait effacé Gretzler — témoin du Comité McClellan. Boyd avait appris à Hoover qu'il avait effacé Gretzler. Et Hoover avait dit, ça ne me touche pas, c'est pas mes miches.

La voiture de Boyd : sur note de frais du Comité McClellan. Hoover : une haine bien connue pour Bobby Kennedy, et roi du subterfuge. Boyd, lisse et cultivé, probablement un excellent agent d'infiltration.

Question n° 1 : L'infiltration se rattachait-elle à la pose des micros ? Question n° 2 : Si tout ça se transforme en bon pognon, qui va *me* signer mon chèque ?

Peut-être bien Jimmy Hoffa, cible première du Comité McClellan. Fred Turentine pourrait se repiquer en doublette sur l'écoute des Fédés et enregistrer absolument tout ce que les Fédés allaient enregistrer.

Pete vit $ $ $ — comme les trois symboles alignés d'un gros lot de machine à sous.

Il rentra chez lui, dans sa crèche de chien de garde. Gail se trouvait sous le porche d'entrée, le bout de sa cigarette dansait, montant et descendant, comme si elle faisait les cent pas.

Il se gara et monta jusqu'à la maison. Il donna un coup de pied dans un cendrier qui débordait et renversa les mégots sur quelques rosiers primés.

Gail battit en retraite. Pete garda la voix douce et basse.

— Depuis combien de temps es-tu là-dehors ?

— Depuis des heures. Sol n'a pas arrêté d'appeler, toutes les dix minutes, à supplier qu'on lui rende ses dossiers. Il a dit que tu avais volé quelques-uns de ses dossiers et que tu l'avais brutalisé.

— C'était pour le boulot.

— Il était hystérique. J'étais incapable de l'écouter.

Pete voulut la saisir par les bras.

— Il fait froid. Viens, rentrons.

— Non. Je ne veux pas.

67

— Gail...

Elle s'écarta de lui.

— Non ! je ne veux pas retourner dans cette affreuse grande maison !

Pete fit craquer quelques jointures.

— Je vais m'occuper de Sol. Il ne t'embêtera plus.

Gail éclata de rire, un rire grinçant et bizarre, et quelque chose en plus.

— Je sais qu'il ne m'embêtera plus.

— Qu'est-ce que tu veux dire ?

— Je veux dire qu'il est mort. Je l'ai appelé pour essayer de le calmer, et un policier a décroché. Il a dit que Sol s'était suicidé en se tirant une balle.

Pete haussa les épaules. Il ne savait que faire de ses mains.

Gail courut à sa voiture. Elle fit grincer la boîte en sortant de l'allée — et faillit emplafonner une femme poussant un landau.

5

Washington D.C, 7 décembre 1958.

Ward avait la trouille. Kemper savait pourquoi. Les mises au point privées de M. Hoover étaient de celles dont on faisait les légendes.

Ils attendaient dans l'entrée de son bureau. Ward était immobile, modèle *Retiens ton souffle*. Kemper savait : Il aura exactement vingt minutes de retard.

Il veut Ward à sa botte. Il *me* veut présent, rien que pour appuyer l'effet.

Il avait déjà transmis son rapport par téléphone : l'opération Shoftel s'était déroulée à la perfection. Un agent de Los Angeles avait été affecté à la tâche de contrôler les enregistrements du mouchard et de la ligne téléphonique depuis un poste d'écoute et de faire suivre les bandes les plus pertinentes à Littell à Chicago. Ward l'as du mouchard allait les passer au tri et en envoyer les meilleurs extraits à M. Hoover.

Jack ne devait pas arriver à L.A. avant le 9 décembre. Darleen Shoftel assurait quatre michés par nuit — l'homme affecté aux écoutes vantait son allant et son énergie. Le *L.A. Times* fit brièvement état du suicide de Sol Maltzman. M. Hoover déclara que Pete Bondurant l'avait probablement « allumé » un peu sévèrement.

Ward croisa les jambes et rectifia sa cravate. Ne fais pas ça : M. Hoover déteste les tics. Il nous a fait venir ici pour nous récompenser, alors, s'il te plaît, pas de tics, pas de nerfs.

Hoover fit son entrée. Kemper et Littell se levèrent.

— Messieurs, bonjour.

— Bonjour, monsieur, répondirent-ils, à l'unisson, comme un seul homme.

— Je crains que cette entrevue ne doive être brève. J'ai rendez-vous dans très peu de temps avec le vice-président Nixon.

— Je suis très heureux d'être ici, monsieur, dit Littell.

Kemper faillit faire la grimace : Pas d'interruption par des commentaires, aussi serviles soient-ils !

— Mon emploi du temps m'oblige à la brièveté. Monsieur Littell, j'apprécie le travail que vous-même et monsieur Boyd avez fait à Los Angeles. Je vous en récompense en vous offrant un poste dans la brigade des Grands Criminels de Chicago. Je vais, ce faisant, à l'encontre de l'agent spécial en charge Leahy, qui voit cela d'un mauvais œil et considère que vos talents sont bien mieux adaptés au travail de surveillance politique. J'ai conscience, monsieur Littell, que vous estimez le PC américain sans grande importance, sinon moribond. C'est là à mes yeux une attitude dangereusement niaise, et j'espère sincèrement qu'elle vous passera. Vous êtes à présent un collègue personnel, mais je tiens à vous avertir de ne pas vous laisser séduire par une existence dangereuse. Il est impossible que vous vous y montriez aussi doué que Kemper Boyd.

6

Littell étudiait son dossier en peignoir de bain.

Dans l'exultation d'une gueule de bois : ils avaient fait la fête au Cordon Rouge et au Glenlivet. Les dégâts étaient visibles : cadavres de bouteilles et chariots de service où s'entassait la nourriture intacte.

Kemper avait montré de la retenue. Pas lui. La « brièveté » de Hoover l'avait piqué au vif : champagne et scotch lui avaient permis de s'en moquer. Le café et l'aspirine avaient à peine entamé sa gueule de bois.

Une tempête de neige avait entraîné la fermeture de l'aéroport — il était cloué dans sa chambre d'hôtel. Hoover lui avait fait parvenir un dossier pour qu'il l'étudie.

BRIGADE DE CHICAGO — GRANDS CRIMINELS
CONFIDENTIEL : FIGURES DU CRIME,
LOCALISATIONS, METHODES OPERATOIRES
ET OBSERVATIONS COMPLÉMENTAIRES

Le dossier faisait soixante pages, bourrées de détails. Littell avala deux nouveaux cachets d'aspirine et souligna les faits significatifs.

Le but déclaré du Programme Grands Criminels (détaillé dans la directive 3401 du Bureau, en date du 19 décembre 1957) est le collationnement de renseignements de tous ordres sur le crime organisé. A la date d'aujourd'hui, et jusqu'à nouvel ordre, à savoir la mise en place d'une politique globale clairement définie, tous les renseignements criminels rassem-

71

blés doivent être conservés uniquement à des fins d'utilisation future. Le Programme Grands Criminels n'est pas mandaté pour collationner des renseignements destinés à être employés directement à la constitution de dossiers d'accusation en vue de poursuites judiciaires fédérales. Les renseignements criminels obtenus par le biais de méthodes de surveillance électronique pourront, le cas échéant, à la discrétion de l'ASC de région, être transmis aux agences de police municipale et aux organismes du ministère public.

Belle ellipse à lire entre les lignes : Hoover sait qu'on ne peut pas poursuivre la Mafia et gagner de manière éclatante. Il se refuse à sacrifier le prestige du Bureau pour des condamnations occasionnelles.

Les brigades du Programme Grands Criminels peuvent faire usage de méthodes de surveillance électronique de leur propre chef, de manière autonome. Il sera tenu un fichier rigoureux de transcription, mot pour mot, des enregistrements d'écoute, lequel fichier sera transmis à l'ASC de région pour évaluation périodique.

Carte blanche côté mouchards et écoute — bien.

La brigade PGC de Chicago a effectué une pénétration par surveillance électronique (uniquement par mise en place de microphones) chez Celano, tailleurs sur mesure, au 620 Nord Michigan Avenue. Le bureau du procureur des Etats-Unis (région d'Illinois Nord) et la division de Renseignements du shérif — comté de Cook — considèrent que cette adresse correspond au quartier général officieux des mafieux de haut rang de Chicago, de leurs principaux lieutenants et de sous-fifres choisis. Une bibliothèque de renseignements, constituée par l'intégralité des enregistrements et des conversations transcrites par sténographe, a été constituée sur les lieux du poste d'écoute.

« La subornation d'informateurs doit être considérée comme une priorité par tous les agents du PGC. A dater de ce jour (19 décembre 1957), aucun informateur intimement et directement au contact du syndicat du crime de Chicago n'a été activé. Note : toutes les transactions concernant le paiement d'informateurs pour leurs renseignements par des fonds propres garantis par le Bureau doivent au préalable avoir obtenu l'agrément de l'ASC de région. »

Traduction : *Trouvez-vous votre propre balance.*

Le mandat du PGC autorise actuellement l'affectation de six agents et d'une secrétaire-sténographe par bureau de région. Les budgets annuels ne doivent pas excéder les limites établies par la directive 3403 du Bureau en date du 19 décembre 1957.

Les données budgétaires chiffrées se poursuivaient, monotones. Littell sauta les pages jusqu'à FIGURES DU CRIME.

Sam Giancana, né en 1903. Alias « *Mo* », « *Momo* », « *Mooney* ». *Giancana* est le « Patron des Patrons » de la Mafia de Chicago. Il fait suite à *Al Capone, Paul Ricca* « le Serveur » et *Anthony Accordo* — « *Jo la Batte* » ou « *Gros Thon* » aux fonctions de grand seigneur de tous les rackets, jeux, prêts sur gages, loteries des nombres, machines à sous, prostitution et main-d'œuvre. *Giancana* a été personnellement impliqué dans de nombreux meurtres liés à la Mafia. Il a été refusé à l'incorporation pendant la Seconde Guerre mondiale comme « personnalité constituée de psychopathe ». *Giancana* habite Oak Park, en banlieue. On le voit fréquemment en compagnie de son garde du corps personnel, *Dominic Michael Martalvo* alias « *Butch Montrose* », né en 1919. *Giancana* est un associé proche et personnel de *James Riddle Hoffa*, président de la Fraternité internationale des Camionneurs. La rumeur veut qu'il ait son mot à dire dans le processus de sélection de prêts de la Caisse de Retraite centrale des Camionneurs, fonds de placement syndicaliste extrêmement riche, administré de façon douteuse, dont on dit qu'il a servi au financement de nombreuses aventures illégales.

Gus Alex, né en 1916. (Nombreux alias.) *Alex* est l'ancien patron des rackets du quartier Nord, aujourd'hui affecté par la Mafia de Chicago aux fonctions « d'arrangeur » politique et d'homme de liaison auprès de tous les éléments corrompus au sein des services de police de Chicago et du bureau du shérif — comté de Cook. Il est étroitement associé et allié à *Murray*

Llewelyn Humphreys, alias « *la Bosse* » et « *le Chameau* », né en 1899. *Humphreys* est le « sage politique » de la Mafia de Chicago. Il est en semi-retraite, mais on le consulte parfois sur des décisions de politique interne de la Mafia de Chicago.

John « *Johnny* » *Rosselli*, né en 1905. *Rosselli* est étroitement associé et allié à *Sam Giancana*, et il fait office d'homme de paille du Stardust Hotel Casino de Las Vegas, propriété de la Mafia. On dit que Rosselli est propriétaire de parts importantes dans les casinos-hôtels de La Havane à Cuba aux côtés des magnats du jeu cubain *Santos Trafficante Jr.*, et *Carlos Marcello*, respectivement patrons de la Mafia de Tampa, en Floride, et de La Nouvelle-Orléans, en Louisiane.

Suivaient listes d'investissements et de relations connues. Stupéfiant : Giancana/Hoffa/Rosselli/Trafficante/Marcello *et al* connaissaient tous les grands criminels de toutes les grandes villes américaines et étaient propriétaires en toute légalité de participations à toutes sortes d'entreprises, compagnies de transport routier, boîtes de nuit, usines, chevaux de course, banques, cinémas, parcs d'attraction et plus de trois cents restaurants italiens. A eux tous réunis, taux d'inculpations sur nombre de condamnations effectives : 308 à 14.

Littell feuilleta un appendice : FIGURES CRIMINELLES DE MOINDRE ENVERGURE. Les patrons de la Mafia ne s'allongeraient pas — mais le petit fretin, peut-être.

Jacob Rubenstein, né en 1911, alias « *Jack Ruby* ». Cet homme dirige un club de strip-tease à Dallas, au Texas, et il est connu pour s'adonner à petite échelle aux prêts usuraires. On dit qu'à l'occasion, il transmet l'argent de la Mafia de Chicago aux politiciens cubains, y compris le président Fulgencio Batista et le chef rebelle Fidel Castro. *Rubenstein/Ruby* est natif de Chicago et il a conservé de nombreux contacts au sein de la Mafia de Chicago. Il retourne fréquemment à Chicago.

Herschel Meyer Ryskind, né en 1901. Alias « *Hersh* », « *Hesh* », « *Heshie* ». Cet homme est un ancien (dans les années trente) membre de la bande de Detroit, le « Gang Mauve ». Il réside en Arizona et au Texas, mais conserve de fortes attaches avec la Mafia de Chicago. La rumeur dit qu'il participe activement au commerce de l'héroïne sur la côte du golfe du Mexique. On raconte qu'il s'agit d'un ami proche de *Sam Giancana* et de *James Riddle Hoffa* et il est censé avoir joué le rôle de médiateur pour la Mafia de Chicago dans les conflits ouvriers.

« Censé avoir », « la rumeur dit », « on raconte ». Autant d'expressions clés révélant une vérité clé : le dossier se voulait équivoque et ne prenait pas partie. Hoover ne détestait pas la Mafia, en fait — le PGC était sa réponse à Apalachin et son conclave.

Lenny Sands, né en 1924 (anciennement Leonard Joseph Seidelwitz), alias « *Lenny le Juif* ». L'homme est considéré comme la mascotte de la Mafia de Chicago. Son activité reconnue est celle d'amuseur public. Il tient fréquemment la vedette lors des réunions de la Mafia de Chicago et des Camionneurs du comté de Cook. On dit de *Sands* qu'il a, à l'occasion, remis des fonds de la pègre à des représentants officiels de la police cubaine en témoignage des efforts de la Mafia de Chicago pour maintenir un climat politique amical à Cuba et assurer avec succès la continuation des activités de leurs casinos à La Havane. *Sands* assure une tournée de ramassage des machines à sous et est salarié de l'entreprise quasi légitime qui sert de couverture à la Mafia de Chicago, « Vendo-King ». [Note : *Sands* a la réputation bien établie d'être une personnalité « mineure » des milieux du spectacle de Las Vegas/ Los Angeles. On prétend également qu'il a donné au sénateur des Etats-Unis John Kennedy (Démocrates — Massachusets) des cours de diction pendant la campagne de ce dernier pour être élu au Congrès en 1946.]

Un larbin de la Mafia connaissait Jack Kennedy. Et *lui* avait mis sur écoute la crèche d'une pute pour piéger l'homme politique.

Littell passait rapidement d'un chapitre à l'autre : Figures criminelles de moindre envergure aux Observations complementaires.

« Les territoires de la Mafia de Chicago correspondent à des secteurs géographiques. Le quartier Nord, les abords du quartier Nord, le quartier Sud, le quartier Ouest, le Loop, les faubourgs du Lac et du Nord sont dirigés par des sous-chefs directement responsables devant *Sam Giancana*.

Mario Salvadore d'Onofrio, né en 1912. Alias « Sal le Fou ». Cet homme est un indépendant à la fois prêteur sur gages et bookmaker. On l'autorise à exercer ses activités parce qu'il paie à *Sam Giancana* un tribut élevé : *D'Onofrio* a été reconnu coupable de meurtre au second degré en 1951 et il a servi une peine de cinq ans au pénitencier de l'Etat d'Illinois, à Joliet. Un psychiatre de la prison l'a décrit comme un « sadique criminel à tendances psychopathes incapable de maîtriser ses besoins psychosexuels d'infliger la douleur ». Il a été récemment soupçonné des meurtres par torture de deux professionnels de golf, membres du Bob O'Link Country Club, dont la rumeur dit qu'ils lui devaient de l'argent.

Prêteurs sur gages et bookmakers indépendants fleurissent à Chicago. La cause : La politique délibérée de *Sam Giancana* visant à récupérer des tributs de fonctionnement à fort pourcentage. L'un des sous-chefs les plus effrayants de *Sam Giancana*, *Anthony Iannone,* dit « *Tony Pic-à-Glace* » (né en 1917) fait fonction d'agent de liaison entre la Mafia de Chicago et les factions de prêteurs-bookmakers indépendants. *Iannone* est fortement soupçonné d'être responsable des meurtres par mutilation de pas moins de neuf clients lourdement endettés auprès des officines de requins sur gages.

Des noms ressortaient du lot. D'étranges sobriquets le faisaient rire.

Tony Spilotro « la Fourmi », Felix Aldersio, dit « Phil de Milwaukee », Frank Ferraro, dit « Franky le Gabarit ».

Joe Amato, Joseph Cesar Di Varco, Jackie Cerone, dit « Jackie le Laquais ».

La Caisse de Retraite Centrale des Camionneurs reste une source d'interrogation constante pour les services du maintien de l'ordre. *Sam Giancana* dispose-t-il du droit de veto sur les prêts consentis par la Caisse ? Quel est le protocole établi permettant d'accorder des prêts aux criminels, aux hommes d'affaires quasi légitimes et aux racketteurs de main-d'œuvre cherchant un capital ?

Jimmy Torello « le Turc », Louie Eboli « le Tapeur ».

Les services de renseignements de la police de Miami sont

convaincus que *Sam Giancana* est un associé en sous-main de la *Tiger Kab Company,* une société de taxis, propriété des Camionneurs et dirigée par des réfugiés cubains que l'on soupçonne d'avoir des casiers criminels plus qu'étoffés.

Daniel Versace, dit « Dan l'Ane », Paolucci « Gros Bob ».

Le téléphone sonna. Littell décrocha maladroitement ; il avait mal aux yeux et commençait à voir double.

— Allô ?

— C'est moi.

— Salut, Kemper.

— Qu'est-ce que tu fabriques ? Quand je t'ai laissé, tu avais du vent dans les voiles.

Littell éclata de rire.

— Je lis le dossier du PGC. Et jusqu'ici, je ne suis pas vraiment impressionné par le mandat anti-Mafia de M. Hoover.

— Surveille ta langue, il a pu faire coller des mouchards dans ta chambre.

— Que voilà une cruelle pensée.

— Oui, sinon tirée par les cheveux. Ward, écoute, il neige encore, et tu ne pourras pas redécoller d'ici aujourd'hui. Pourquoi ne viendrais-tu pas me retrouver au bureau du Comité ? Bobby et moi devons passer un témoin sur le grill. C'est un homme de Chicago, et tu pourrais peut-être apprendre quelque chose d'intéressant.

— Un peu d'air me ferait du bien. Tu es dans l'ancien bâtiment des bureaux du Sénat ?

— Exact. Suite 101. Je serai en salle d'interrogatoire « A ». Il y a un couloir d'observation et tu pourras regarder sans être vu. Et ne grille pas ma couverture. Je suis retraité du FBI.

— Tu es un dissimulateur plein de bagou. C'est plutôt triste.

— Ne te perds pas sous la neige.

Le cadre était parfait : un couloir fermé avec accès à une glace sans tain et haut-parleurs montés sur le mur. Derrière leur cloison du cagibi « A » : les frères Kennedy, Kemper et un homme blond.

77

Les cagibis « B »,« C » et « D » étaient vides. Il disposait de toute la galerie de surveillance pour lui seul — la tempête de neige avait dû faire fuir les gens chez eux.

Littell brancha le haut-parleur. En sortit un bruit de voix avec un minimum de parasites.

Les hommes étaient assis autour d'un bureau. Robert Kennedy officiait comme maître d'œuvre et avait la responsabilité du magnétophone.

— Prenez votre temps, monsieur Kirpaski. Vous êtes témoin volontaire et nous sommes ici à votre disposition.

— Appelez-moi Roland, dit le blond. Personne ne m'appelle monsieur Kirpaski.

Kemper eut un large sourire.

— Quelqu'un qui accepte de manger le morceau sur Jimmy Hoffa mérite amplement cette formalité.

Brillant, le Kemper — à reprendre pour l'occasion son accent traînant du Tennessee.

— C'est gentil, dans ce cas, dit Roland Kirpaski. Mais, vous savez, Jimmy Hoffa, c'est Jimmy Hoffa. Ce que je veux dire, c'est comme ce qu'on raconte sur la mémoire des éléphants. Il oublie pas.

Robert Kennedy croisa les mains sur la nuque.

— Hoffa aura tout le temps qu'il désire une fois en prison pour se rappeler tout ce qui l'aura conduit là.

Kirpaski toussa.

— J'aimerais dire quelque chose. Et je... euh... j'aimerais lire ma déclaration quand je témoignerai devant le Comité.

— Allez-y, dit Kemper.

Kirpaski fit basculer sa chaise en arrière.

— Je suis un syndicaliste. *Je suis un Camionneur.* Je vous ai raconté des tas de trucs sur Jimmy qui avait fait ci, qui avait fait ça, vous comprenez, disant à ses mecs de faire pression sur d'autres mecs qui ne voulaient pas jouer le jeu, et ainsi de suite. Je me dis que peut-être bien que tout ça, c'est illégal, mais vous savez quoi ? Ça me tracasse pas vraiment tant que ça. La seule raison qui fait que je suis comme qui dirait en train de « manger le morceau sur Jimmy », c'est que je suis capable d'additionner deux et deux, et que ça fait quatre, et que j'en ai entendu assez dans cette putain d'antenne 2109 du Syndicat à Chicago pour comprendre que ce putain de Jimmy Hoffa passe des accords en douce avec le patronat, ce qui veut dire que c'est rien d'autre qu'une raclure de merde de jaune, pardonnez ma franchise, et je veux qu'on enregistre clairement et officiellement que c'est ça, ma raison de cafter.

John Kennedy se mit à rire. Littell eut un éclair de la crèche Shoftel et fit la grimace.

— C'est noté, Roland, dit Robert Kennedy. Vous pourrez lire toutes les déclarations que vous voudrez avant de témoigner. Et souvenez-vous, nous réservons votre témoignage pour une diffusion télévisée. Des millions de personnes vous verront.

— Plus vous obtiendrez de publicité, dit Kemper, moins il y aura de probabilités que Hoffa tente des représailles.

— Jimmy, il oublie pas, dit Kirpaski. Pour ça, il est comme les éléphants. Vous savez, ces photos de gangsters que vous m'avez montrées ? Ces mecs que j'ai vus en compagnie de Jimmy ?

Robert Kennedy prit quelques photos en main.

— Santos Trafficante Jr. et Carlos Marcello.

Kirpaski acquiesça.

— Exact. Je veux aussi que soit officiellement enregistré le fait que j'ai entendu dire de bonnes choses sur ces mecs-là. J'ai entendu dire qu'ils engagent exclusivement des syndicalistes. Y a pas un mec de la Mafia qui m'a jamais dit, « Roland, pour moi, c'est qu'un Polak stupide du quartier Sud ». Comme j'ai dit, j'ai été rendre visite à Jimmy dans sa suite au Drake, et toute la conversation a tourné autour du temps qu'il faisait, des Cubs[1] et de la politique à Cuba. Je veux qu'on enregistre officiellement que j'ai pas de compte à régler avec cette putain de Mafia.

Kemper fit un clin d'œil au miroir sans tain.

— J. Edgar Hoover non plus.

Littell éclata de rire.

— Quoi ? dit Kirpaski.

Robert Kennedy tambourina des doigts sur la table.

— M. Boyd fait un petit numéro pour un de ses collègues invisibles. Roland, si nous en revenions à Miami et à Sun Valley ?

---

1. Equipe de base-ball.

79

— Qu'est-ce que j'aimerais, dit Kirpaski. Seigneur, toute cette neige.

Kemper se leva pour se dégourdir les jambes.

— Repassez-nous le fil de vos observations.

Kirpaski soupira.

— L'année dernière, j'ai été le délégué de Chicago pour la convention. On était logés au Deauville de Miami. A l'époque, j'étais encore copain de Jimmy, parce que je n'avais pas encore compris que c'était une raclure d'enculé de jaune qui passait des accords en douce avec...

Robert Kennedy l'interrompit.

— Restez-en au fait, s'il vous plaît.

— Le fait, c'est que j'ai fait quelques petites courses pour Jimmy. Je suis passé à la station des Tiger Kabs, qui s'écrit avec un foutu « K », et j'ai récupéré un peu de liquide pour que Jimmy puisse emmener des mecs des antennes locales de Miami faire un tour en bateau et tirer le requin à la mitraillette. C'est un des trucs favoris de Jimmy en Floride, ça. J'ai dû ramasser trois bâtons facile. La station de taxis, elle ressemblait à la planète Mars. Avec tous ces fêlés de Cubains et leurs chemises à rayures tigrées. Le Cubain en chef, c'était un mec du nom de « Fulo ». Il vendait des télés piquées sur le parc de stationnement. L'affaire des Tiger Kab ne fonctionne qu'en liquide. Strictement. Si vous voulez mon opinion d'expert, il va leur tomber dessus une plainte pour fraude fiscale.

Des parasites crachotèrent et firent vibrer le haut-parleur — Littell tapota le bouton et réduisit le volume pour faire disparaître les distorsions. John Kennedy donnait l'impression de s'ennuyer à mourir et commençait à s'agiter.

Robert Kennedy griffonnait sur un calepin.

— Reparlez-nous d'Anton Gretzler.

— On est tous partis tirer le requin, dit Kirpaski. Gretzler était avec nous. Lui et Jimmy discutaient dans leur coin à un bout du bateau, à l'opposé des tueurs de requins. J'étais en bas, aux toilettes, j'avais le mal de mer. Je crois qu'ils croyaient être à l'abri des oreilles indiscrètes, parce qu'ils discutaient d'un truc pas trop légal, et je veux qu'on enregistre officiellement que j'en avais rien à cirer, c'était pas mes fesses, parce qu'il n'y avait pas de collusion avec le patronat.

John Kennedy tapota sa montre. Kemper incita Kirpaski à se montrer plus précis.

— De quoi discutaient-ils exactement ?

— De Sun Valley. Gretzler a dit qu'il avait fait procéder à des études de terrain, et son géomètre lui avait déclaré que le terrain ne s'enfoncerait pas dans les marais avant cinq ans ou à peu près, ce qui ne leur retomberait pas dessus, légalement parlant. Jimmy a dit qu'il pourrait taper trois millions de dollars dans la Caisse de Retraite pour acheter le terrain et les matériaux préfabriqués, et peut-être qu'ils pourraient empocher un peu de liquide dans l'affaire.

Robert Kennedy bondit. Sa chaise s'écrasa au sol — le miroir sans tain se mit à vibrer.

— C'est un témoignage très important ! Cela équivaut pratiquement à reconnaître une conspiration en vue de commettre une escroquerie immobilière avec l'intention de détourner des fonds de la Caisse de Retraite !

Kemper ramassa la chaise.

— Le témoignage ne sera valide devant la cour que si Gretzler le corrobore ou s'il se parjure en le niant. Sans Gretzler, c'est la parole de Roland contre celle de Hoffa. Et il s'agit dès lors d'une question de crédibilité : Roland a deux condamnations pour conduite en état d'ivresse tandis que le casier de Hoffa est techniquement vierge.

Bobby bouillonnait.

— Bob, dit Kemper, Gretzler doit être mort, en toute logique. Sa voiture a été abandonnée dans un marais, et il est impossible de remettre la main sur l'homme. J'ai passé des heures à essayer de le trouver, et je n'ai pas réussi à dénicher la moindre piste qui tienne.

— Il pourrait avoir mis en scène sa propre mort pour éviter de comparaître devant le Comité.

— Je pense que c'est peu probable.

Bobby s'assit à califourchon sur sa chaise et mit les mains en appui, bras tendus, sur les barreaux.

— Vous avez peut-être raison. Mais il se peut que je vous envoie malgré tout en Floride pour avoir une certitude.

— J'ai faim, dit Kirpaski.

Jack roula les yeux au ciel. Kemper lui adressa un clin d'œil.

— J'ai dit, j'ai faim, soupira Kirpaski.

Kemper consulta sa montre.

— Bouclez le reste de votre histoire pour le sénateur, Roland. Racontez-nous comment Gretzler s'est saoulé avant de se mettre à parler à tort et à travers.

— Je saisis le tableau. Chante si tu veux souper.

— Bon Dieu... dit Bobby.

— Très bien, très bien. C'était après la chasse aux requins. Gretzler faisait la gueule parce que Jimmy l'avait tourné en ridicule pour avoir tenu sa mitraillette comme une fillette. Gretzler a commencé à raconter toutes les rumeurs qu'il avait entendues à propos de la Caisse de Retraite. Il a déclaré qu'il avait entendu dire que la Caisse est bien plus riche putain de merde que ce que les gens croyaient, et personne ne pouvait exiger la mise au grand jour des comptes par décision de justice, parce que les livres comptables n'étaient pas vrais. Vous comprenez, Gretzler a dit qu'il existait des *vrais* livres de comptes des Camionneurs, probablement en code, avec des putains de millions de dollars enregistrés. Et c'est cet argent-là qu'on prête à des taux exorbitants. C'est un gangster de Chicago à la retraite — un vrai cerveau — qui est soi-disant le dépositaire et le comptable des *vrais* livres et des *vrais* fonds, et si vous pensez à une corroboration de mon témoignage, oubliez-la — Gretzler ne s'adressait qu'à moi et j'étais seul.

Bobby Kennedy repoussa sa chaise. Sa voix monta d'un cran comme celle d'un enfant excité.

— C'est là, la faille, Jack. Notre gros coin de force. D'abord, une nouvelle citation à comparaître pour un examen de livres fictifs afin de déterminer leur solvabilité. Nous reconstituons le cheminement des fonds que les Camionneurs reconnaissent avoir prêtés et nous essayons de déterminer l'existence de sommes cachées au sein même de la Caisse et la probabilité que ces *vrais* livres existent.

Littell se colla contre la vitre. Il était hypnotisé : Bobby le passionné, la chevelure en bataille...

Jack Kennedy toussa.

— C'est du solide. *A la condition* que nous puissions produire des témoignages vérifiables sur ces fameux livres avant que le mandat du Comité ne prenne fin.

Kirpaski applaudit.

— Hé, mais il parle ! Hé, sénateur, content que vous ayez pu vous joindre à nous.

Jack Kennedy fit la grimace, dans un semblant de vexation.

— Mes enquêteurs, dit Bobby, transmettront nos pièces à conviction aux autres agences. Tout ce que nous parviendrons à déterrer servira et sera suivi d'effet.

— Au bout du compte, mais quand ? dit Jack.

Littell traduisit : « Trop tard pour donner un coup de pouce à ma carrière. »

Les regards des deux frères se verrouillèrent. Kemper se pencha sur la table entre les deux hommes.

— Hoffa a fait installer un bloc de logements à Sun Valley. Il se trouve là-bas en personne, à faire des visites de promotion. Roland va y descendre pour y jeter un œil. Il dirige une antenne locale de Chicago, et sa venue n'aura rien de suspect. Il nous appellera pour nous renseigner sur ce qu'il aura vu.

— Ouais, dit Kirpaski, et je vais aussi aller « voir » cette serveuse que j'ai rencontrée quand je suis descendu là-bas pour la convention. Mais vous savez pas quoi ? Je ne vais pas dire à ma femme qu'elle est au menu.

Jack fit signe à Kemper de s'approcher. Littell saisit quelques murmures au milieu des crachotements parasites.

— Je pars à L.A. dès que cette neige s'arrêtera. Appelez Darleen Shoftel — je suis sûr qu'elle adorerait vous rencontrer.

— J'ai faim, dit Kirpaski.

Robert Kennedy rangea ses dossiers dans sa mallette.

— Venez, Roland. Vous pouvez vous joindre à la famille pour souper. Mais essayez de ne pas dire « putain » devant mes enfants. Ils apprendront le concept bien assez vite.

Les hommes sortirent à la file par une porte du fond. Littell se colla au miroir pour un dernier coup d'œil à Bobby.

7

Los Angeles, 9 décembre 1958.

Darleen Shoftel imitait sacrément bien l'orgasme. Darleen Shoftel avait invité des copines putes pour parler boutique.

Darleen aimait beaucoup citer des noms, pour se rendre intéressante.

Elle disait que Franchot Tone prenait son pied à se faire ligoter et fouetter. Elle qualifiait Dick Contino de « Champion des brouteurs de chattes ». Elle avait surnommé Steve Cochran, acteur de série B, « monsieur King-Size ».

Les coups de fil allaient et venaient. Darleen bavardait avec ses michés, des copines racoleuses, et Maman, à Vincennes, dans l'Indiana.

Darleen adorait papoter. Darleen ne disait rien qui pût expliquer pourquoi deux Fédés avaient collé sa crèche sur écoute.

Ils avaient installé une dérivation sur l'installation fédé quatre jours auparavant. Le 1541, Nord Alta Vista était truffé de micros, du sol jusqu'au toit.

Fred Turentine avait repiqué en doublette le montage Boyd/ Littell. Il entendait tout ce qu'entendait le FBI. Les Fédés avaient loué comme poste d'écoute une maison plus bas dans le bloc ; Freddy contrôlait ses propres enregistrements espions depuis un camion garé devant la maison voisine et il alimentait Pete en copies.

Et Pete renifla un parfum d'argent et appela Jimmy Hoffa — peut-être un peu prématurément.

— Tu as un odorat sans défaut, dit Jimmy. Descends à Miami jeudi et dis-moi ce que tu as récupéré. Si tu n'as rien, on pourra toujours prendre mon bateau pour aller se tirer quelques requins.

Jeudi, c'était le lendemain. Le tir aux requins était strictement réservé aux demi-sel et aux clowns. Freddy touchait deux cents sacs par jour, un peu raide pour un cours en accéléré en baratin sexuel superflu.

Pete broyait du noir dans sa maison de chien de garde. Pete se repassait les repiquages de bandes d'écoute par simple ennui.

Il appuya sur *Play*. Darleen se mit à gémir et à grogner. Les ressorts du lit couinaient ; quelque chose comme une tête de lit claquait contre quelque chose comme un mur. Vous pigez : Darleen, avec, en selle, un gros bourreur bien gras.

Le téléphone sonna. Pete décrocha vite fait.

— C'est qui ?

— C'est Fred. Amène-toi tout de suite, on vient de toucher le gros lot.

Le camion était bourré d'appareillages et de gadgets. Pete se cogna les genoux en montant.

Freddy avait l'air complètement remonté. Il avait la braguette ouverte, comme s'il avait été en train de se faire une fillette.

— J'ai reconnu cet accent de Boston immédiatement, dit-il. Et je t'ai appelé à la seconde où ils ont commencé à baiser. Ecoute, c'est du direct.

Pete se mit les écouteurs. Darleen Shoftel parla, haut et clair :

— ... tu es un plus grand héros que ton frère. J'ai lu un article sur toi dans *Time Magazine*. Ta vedette du Pacifique a été défoncée par les Japs ou quelque chose.

— Je nage mieux que Bobby, c'est certainement vrai.

Gros lot — trois cerises alignées : l'ancien mec de Gail Hendee, Jack K.

Darleen. — J'ai vu la photo de ton frère dans *Newsweek Magazine*. Est-ce qu'il n'a pas au moins quatre mille gamins ?

Jack. — Au moins trois mille, avec des petits nouveaux qui pointent leur nez tout le temps. Quand tu vas chez lui, ces petits merdaillons s'agrippent à tes chevilles comme des sangsues. Mon épouse trouve vulgaire ce besoin qu'a Bobby de procréer.

Darleen. — Besoin de procréer, c'est mignon.

Jack. — Bobby est un vrai catholique. Il a besoin d'avoir des enfants et de punir les hommes qu'il hait. Si ses instincts haïsseurs n'étaient pas aussi infaillibles, ce serait un emmerdeur colossal.

Pete resserra les écouteurs sur ses oreilles. Jack Kennedy parlait, languide, d'une langueur post-baise.

— Je ne hais pas à la manière de Bobby. Bobby hait avec furie. Bobby hait Jimmy Hoffa avec intensité et simplicité, et c'est pour cela qu'il finira par gagner. Je me trouvais à Washington, avec lui. Il prenait une déposition d'un membre des Camionneurs qui avait fini par être dégoûté par les manœuvres de Hoffa et qui avait décidé de le dénoncer. Et voilà ce brave Polak stupide Roland quelque chose de Chicago, et le Bobby qui l'emmène dîner chez lui avec sa famille. Tu vois, euh...

— Darleen.

— Exact, Darleen. Tu vois, Darleen, Bobby est plus héroïque que moi parce qu'il est sincèrement passionné et généreux.

Des gadgets se mirent à clignoter. La bande magnétique défilait. Ils avaient gagné, le flush royal, le gros lot du sweepstake — Jimmy Hoffa allait en *chier* quand il entendrait ça.

Darleen. — Je continue à penser que cette histoire de vedette lance-torpilles, c'était plutôt chouette.

Jack. — Tu sais, tu es douée pour écouter, Arlene.

Fred donnait l'impression d'être prêt à *baver*. Ses putains d'yeux étaient dilatés devant tous les dollars qu'il voyait.

Pete serra les poings.

— Ça, c'est à moi. Tu te contentes de ne pas moufter et tu fais ce que je te dis de faire.

Freddy se recroquevilla. Pete sourit — avec des mains comme les siennes, la peur était toujours de sortie.

Un taxi des Tiger Kabs l'attendait à sa descente d'avion. Le chauffeur parla non-stop de politique cubaine : *El grande* Castro qui gagnait du terrain ! *El puto* Batista qui battait en retraite.

86

Pancho le déposa à la station de taxis. Jimmy avait réquisitionné la cahute du standard ; ses nervis emballaient gilets de sauvetage et mitraillettes.

Hoffa leur fit débarrasser le plancher.

— Jimmy, comment vas-tu ? dit Pete.

Hoffa ramassa une batte de base-ball cloutée.

— Je vais très bien. Ça te plaît ? De temps en temps, les requins s'approchent tout près du bateau et tu peux leur coller quelques coups.

Pete déballa son équipement d'enregistrement et le brancha dans une prise du plancher. Le papier peint à rayures tigrées lui faisait tournebouler la tête.

— C'est mignon, mais j'ai apporté quelque chose de mieux.

— Tu as dit que tu avais reniflé une odeur de pognon dans l'air. Ça doit vouloir dire mon fric pour ta peine.

— Il y a une histoire derrière tout ça.

— Je n'aime pas les histoires, sauf quand c'est moi le héros. Et tu sais que je suis un homme occupé...

Pete posa la main sur son bras.

— Un homme du FBI m'a coincé. Il a dit qu'il avait une « entrée » au Comité McClellan. Il a dit qu'il m'avait cadré pour l'affaire Gretzler et il a dit que M. Hoover s'en fichait. Tu connais Hoover, Jimmy. Il vous a toujours fichu la paix, à toi et à l'Organisation.

Hoffa dégagea son bras :

— Et alors ? Tu crois qu'ils ont des preuves ? Est-ce que c'est de ça qu'il s'agit, dans ton enregistrement ?

— Non. Je pense que le Fédé en question espionne Bobby Kennedy et le Comité pour le compte de Hoover, ou quelque chose dans ces eaux-là, et je pense que Hoover est de notre côté. J'ai filé le mec et son collègue jusqu'à un baisoir d'Hollywood. Ils l'ont mis sur écoute et collé des mouchards, et mon mec Freddy Turentine s'est branché là-dessus en collant une dérivation. Et maintenant, écoute.

Hoffa tapotait du pied comme s'il s'ennuyait. Hoffa brossa les peluches tigrées de sa chemise.

Pete enclencha le bouton *Play*. La bande se mit à siffler. Gémissements sexuels et couinements de matelas montèrent en crescendo.

Pete chronométra la séance de baise. Sénateur John F. Kennedy : l'Homme des deux minutes quatre dixièmes.

Darleen Shoftel feignit l'orgasme. Et là, soudain, ce braiment bostonien :

— Mon foutu dos a encore lâché !

— C'était bon-on-on-on, dit Darleen. Doux et rapide, c'est là que c'est le meilleur.

Jimmy faisait tourbillonner sa batte, la peau des bras hérissée de chair de poule.

Pete poussa quelques boutons et coupa pour aller directement aux infos intéressantes. Jack-les-Deux-Minutes y allait de sa rhapsodie :

— ... un Camionneur qui a fini par être dégoûté de Hoffa... Ce brave Polak stupide, Roland quelque chose de Chicago.

Hoffa en fit jaillir encore une nouvelle chair de poule. Il serra la batte à l'étouffer.

— Ce Roland Machin a un vrai panache d'ouvrier — Bobby a planté les dents dans Hoffa. Et quand Bobby mord quelque chose, il ne lâche pas prise.

Double chair de poule chez Hoffa cette fois. Il en avait les yeux qui lui sortaient de la tête comme un Négro mort de trouille.

Pete se recula.

Hoffa laissa partir — regardez-la voler, la Cogneuse de Louisville à la tête cloutée.

Des chaises réduites en petit bois. Des bureaux amputés de leurs pieds sous les impacts. Les murs se creusaient sous les coups de bois clouté jusqu'aux plinthes.

Pete recula, bien en retrait. Un butoir de porte à l'effigie d'un Jésus rougeoyant en plastique se vit réduit en huit millions de morceaux.

Les piles de paperasses volaient. Les esquilles de bois ricochaient. Les chauffeurs admiraient la scène depuis le trottoir — Jimmy allongea un grand coup en arc dans la fenêtre et les fit fuir dans une explosion d'éclats de verre.

James Riddle Hoffa : haletant, stupéfié, les yeux vaudous.

Sa batte s'accrocha à un jambage de porte. Jimmy la fixa du regard — Et alors ?

Pete l'agrippa, les deux mains autour de la poitrine. Jimmy avait les yeux à l'envers, la figure catatonique.

Hoffa se débattit, des bras, des jambes, en gigotant. Pete le serra plus fort, à lui couper le souffle, et le calma au baratin, en douceur.

— Je peux garder Freddy aux écoutes en doublette pour deux cents sacs par jour. Tôt ou tard, on pourrait bien tomber sur quelque chose que tu pourras utiliser pour baiser les Kennedy. J'ai aussi quelques dossiers politiques bien pourris. Ils pourraient nous être utiles un jour.

Le regard de Hoffa refit sa mise au point, mi-lucide. Sa voix couina, hystérique, comme sous gaz hilarant.

— Qu'est-ce... que... tu... veux ?

— M. Hughes est en train de perdre la boule. Je me disais que j'allais aller voir de ton côté et couvrir mes enjeux.

Hoffa se libéra à force de gigoter. Pete faillit s'étrangler devant son odeur : sueur et eau de Cologne d'occase.

Hoffa perdit un peu de ses couleurs. Il retrouva son souffle. Sa voix baissa de quelques octaves.

— Je te donnerai 5 p. 100 de cette station de taxis. Tu gardes l'écoute en doublette sur place à L.A. et tu te pointes une fois de temps en temps pour tenir les rênes à ces Cubains et les garder en ligne. N'essaie pas de m'enjuiver à la hausse jusqu'à 10 p. 100. Sinon, je te répondrai : « Va te faire foutre » et je te renverrai à L.A. par l'autocar.

— Marché conclu, dit Pete.

— J'ai une affaire à régler à Sun Valley, dit Jimmy. Je veux que tu viennes avec moi.

Ils prirent un taxi des Tiger Kabs. Le coffre était bourré de petites friandises pour le tir aux requins : battes de base-ball cloutées, mitraillettes et huile solaire.

Fulo Machado conduisait. Jimmy avait changé de fringues. Pete avait oublié d'apporter une tenue de rechange — la puanteur de Hoffa lui collait à la peau.

Personne ne parlait ; un Jimmy boudeur, ça vous tuait dans l'œuf tous les bavardages. Ils doublèrent des bus pleins de Camionneurs en route pour visiter les apparts des lotissements attrape-couillons.

Pete procéda à un peu de calcul mental.

Douze chauffeurs de taxis travaillant vingt-quatre heures sur vingt-quatre. Douze hommes de Jimmy Hoffa, parrain de leurs cartes vertes, acceptant des pourcentages de courses au rabais pour rester en Amérique. Douze travailleurs au noir : braqueurs, briseurs de grèves, maquereaux. 5 p. 100 de tout le pognon qui restait côté patron et tout ce qu'il pourrait gratter au passage — l'affaire avait un potentiel certain.

Fulo quitta la grand-route. Pete revit l'endroit où il avait dessoudé Anton Gretzler. Ils suivirent un convoi d'autocars jusqu'aux crèches-appâts à couillons, cinq kilomètres facile de la route inter-Etats.

Des projecteurs de cinéma illuminaient tout en grand, une lumière extra-brillante, comme une première au « Chinois » de Grauman. La Sun Valley, très surfaite, avait belle allure : petites maisons proprettes dans une clairière au sol d'asphalte.

Des Camionneurs s'engnôlaient à des tables de cartes — au moins deux cents hommes entassés dans les allées entre les maisons. Un parc de stationnement au sol gravillonné était bourré de voitures et d'autocars. Un barbecue était placé tout à côté — visez-moi ce bœuf empalé en train de rôtir à chaque tour de broche.

Fulo se gara près du centre des activités.

— Vous deux, attendez ici, dit Jimmy.

Pete sortit et s'étira. Hoffa piqua des deux au cœur de la populace — les lèche-bottes s'agglutinèrent autour de lui *illico presto*.

Fulo aiguisait sa machette sur une pierre ponce. Il la gardait dans un étui sanglé à la banquette arrière.

Pete regarda Jimmy à l'œuvre devant la foule.

Il faisait l'article en vantant les apparts. Il faisait de petits discours et s'empiffrait de barbecue. Il piquait un fard et évitait un blond modèle Polak.

Fulo écoutait la radio du taxi : une émission en espagnol, quelconque, genre Priez-pour-Jésus.

Quelques autocars partirent. Deux bus entiers de racoleuses vinrent se ranger, des nénettes cubaines de bas étage chaperonnées par des soldats de la Garde nationale qui n'étaient pas de service.

Jimmy, en vrai camelot, distribuait à pleines poignées des réservations pour Sun Valley. Quelques Camionneurs remontèrent en voiture et s'éloignèrent en zigzag, complètement ivres et chahuteurs.

Le Polak empoigna une Chevy de location et fit gicler le gravier comme s'il avait un rencart brûlant quelque part.

Jimmy s'approcha vite fait — courtes pattes en surmultipliée. Pas besoin d'une putain de carte routière : le Polak était Roland Kirpaski.

Ils s'entassèrent dans la caisse des Tiger. Fulo la mena pied au plancher. Le clown à la radio faisait l'article pour recevoir des dons.

Fulo Pied-de-Plomb comprit le topo. Fulo Pied-de-Plomb passa de 0 à 100 en moins de six secondes.

Pete aperçut les feux arrière de la Chevy. Fulo écrasa le champignon et les défonça d'un coup de bélier. La voiture dérapa, quitta la route, sectionna quelques arbres et cala, immobile.

Fulo s'approcha en dérapage. Ses phares encadrèrent Kirpaski — en train de courir à pas malhabiles à travers une clairière envahie d'herbes des marais.

Jimmy sortit et se lança à sa poursuite. Jimmy agitait la machette de Fulo à bout de bras. Kirpaski trébucha et se releva en lui adressant deux doigts en l'air, va te faire mettre.

Hoffa arriva sur lui, le bras en fléau. Kirpaski tomba en battant l'air de ses moignons de poignets gouttant le sang. Jimmy cognait, de gauche à droite, à deux mains, des morceaux de cuir chevelu volaient.

Le clown à la radio continuait son baratin. Kirpaski fut agité de convulsions de la tête aux pieds. Jimmy essuya le sang qu'il avait dans les yeux et continua à cogner.

8

Miami, 11 décembre 1958.

Kemper qualifiait le petit jeu qui l'occupait en voiture, « l'Avocat du Diable ». Il l'aidait à tenir ses loyautés en bonne place en affûtant ses capacités à projeter la bonne *persona* au bon moment.

C'est la méfiance de Bobby Kennedy qui lui avait inspiré son petit jeu. Son accent sudiste lui avait fait défaut à une occasion, et Bobby l'avait repéré instantanément.

Kemper roulait dans Miami-Sud, vitesse de croisière. Il commença son petit jeu en repérant qui savait quoi.

M. Hoover savait *absolument tout*. Le « départ en retraite » de l'AS Boyd était bien couvert dans les paperasses du FBI : si Bobby cherchait corroboration du fait, il le trouverait.

Claire savait tout. Elle ne jugerait jamais ses motivations ni ne le trahirait.

Ward Littell était au courant de l'infiltration Kennedy. Très vraisemblablement, il la désapprouverait — la ferveur de Bobby chasseur de criminels l'impressionnait profondément. Ward était également un agent d'infiltration *ad hoc*, compromis par la mise sous écoute de Darleen Shoftel. Il était honteux d'avoir fait ce boulot, mais sa gratitude pour son transfert au PGC pesait plus lourd dans la balance que les affres de sa culpabilité. Ward ne savait pas que Pete Bondurant avait tué Anton Gretzler ; Ward ne savait pas que M. Hoover avait couvert le meurtre. Bondurant terrifiait Ward, réaction tout à fait saine devant le Grand Pete et la légende qu'il inspirait. Ward devait être tenu à l'écart de l'affaire Bondurant à tout prix.

Bobby savait qu'il faisait le mac pour Jack, en lui fournissant les numéros de téléphone d'anciennes passions particulièrement impressionnables.

Ensuite, questions et réponses : entraînement pratique pour déjouer les sceptiques.

Kemper freina pour éviter une femme chargée de provisions. Son petit jeu passa brutalement au temps présent.

Bobby croit que je cherche des pistes dans l'affaire Anton Gretzler. En fait, je protège le petit truand chéri de Howard Hughes.

Q. — Vous paraissez très désireux de vous introduire dans le cercle restreint des Kennedy.

R. — Je suis capable de repérer les champions en herbe à un kilomètre. Faire de la lèche aux démocrates ne fait pas de moi un communiste. Le vieux Joe Kennedy est aussi à droite que M. Hoover.

Q. — Vous n'avez guère perdu de temps à faire de la lèche à Jack.

R. — Si les circonstances avaient été différentes, j'aurais pu être Jack.

Kemper consulta son calepin.

Il devait passer aux Tiger Kabs. Il devait se rendre à Sun Valley et montrer des photos anthropo au témoin qui avait vu le « grand costaud » se détourner de la route inter-Etats.

Il lui montrerait d'*anciens* clichés de l'Identité — avec de faibles ressemblances au Bondurant actuel. Il découragerait toute tentative de confirmation : ce n'est pas vraiment *cet* homme-*là* que vous avez vu, n'est-ce pas ?

Un taxi à rayures tigrées fit une embardée devant lui. Il vit une cahute aux rayures tigrées au bout du bloc.

Kemper se rangea et se gara de l'autre côté de la rue. Quelques piliers de trottoir reniflèrent le FLIC et se dispersèrent.

Il entra dans la cabane. Il éclata de rire — le papier peint était tout nouveau, velours floqué à rayures tigrées.

Quatre Cubains en chemise tigrée se levèrent et l'entourèrent. Ils gardaient leurs pans de chemise flottants pour couvrir les renflements des ceinturons.

Kemper sortit ses clichés de l'Identité. Les hommes tigres le serrèrent de plus près. Un homme dégaina un couteau à lame mince et lui racla la peau du cou de la lame.

Les autres hommes tigres ricanèrent. Kemper se chopa le plus proche.

— Est-ce que vous l'avez vu ?

L'homme fit passer la série de clichés. Tous accusèrent le coup, une lueur de déjà vu dans le regard, en disant :

— Non.

Kemper reprit ses photos. Il vit un Blanc sur le trottoir qui inspectait sa voiture.

L'homme au cran d'arrêt se colla à lui. Les autres hommes tigres gloussèrent. Il agitait la lame juste au-dessus des yeux du *gringo*.

Kemper lui assena un atémi. Kemper lui fit sauter les genoux d'un coup de pied latéral. L'homme s'effondra par terre et lâcha son surin.

Kemper le ramassa. Les hommes tigres battirent en retraite en masse. Kemper posa le pied sur la main de l'homme au couteau, qu'il transperça violemment d'un coup de lame.

L'homme au couteau hurla. Les autres hommes tigres en eurent le souffle coupé et se mirent à ricaner bêtement. Kemper fit sa sortie sur une petite courbette sèche.

Il prit la I-95 vers Sun Valley. Une berline grise restait collée à ses basques. Il changea de file, traînailla avant d'accélérer : la voiture suivait, à distance de filature classique. Kemper emprunta une rampe de descente, sans précipitation. Une grand-rue de bled minable courait perpendiculaire à la rampe — rien que quatre stations d'essence et une église. Il s'engagea dans une Texaco et se gara.

Il alla dans les toilettes. Il vit la voiture filoche remonter au ralenti jusqu'aux pompes. Le Blanc qui traînait ses guêtres aux alentours de Tiger Kab sortit et regarda autour de lui.

Kemper ferma la porte et dégaina son calibre. La pièce était crasseuse et puait.

Il décompta les secondes à sa montre. Il entendit un bruit de pas à 51.

L'homme ouvrit la porte d'un coup de coude. Kamper le tira violemment à lui et l'épingla contre le mur.

Il avait une quarantaine d'années, il était mince, les cheveux blond-roux. Kemper le passa à la fouille, de petites tapes depuis les chevilles jusqu'au cou.

Pas d'insigne, pas d'arme, pas d'étui d'identification en imitation cuir.

L'homme ne cilla pas. L'homme ignora le revolver qu'il lui pointait dans la figure.

— Je m'appelle John Stanton, dit l'homme. J'appartiens à une agence du gouvernement des Etats-Unis et je veux vous parler.

— A quel sujet?

— De Cuba, dit Stanton.

9

Chicago, 11 décembre 1958.

Et un candidat indic en plein boulot : Lenny Sands « le Juif », en train de faire la collecte des recettes de juke-box. Littell le prit en filature. Ils se firent six bars de Hyde Park en une heure — Lenny travaillait vite.

Lenny dégoisait. Lenny lançait des vannes. Lenny refilait des miniatures de Johnnie Walker, étiquette rouge. Lenny raconta l'histoire de Come-San-Chin[1], le suceur de pines chinois — en bouclant recettes et reçus en moins de sept minutes.

Lenny n'était pas doué pour repérer les filoches. Lenny avait un descriptif unique dans les dossiers du PGC : amuseur public/ porte-valoches pour Cuba/mascotte de la Mafia.

Lenny se rangea près du « Tillerman's Lounge ». Littell se gara et entra à son tour, trente secondes derrière lui.

L'endroit était surchauffé. Un miroir de bar lui renvoya son image : veste de bûcheron, pantalon de toile, chaussures de travail.

Il ressemblait toujours à un professeur d'université.

Insignes et attributs des Camionneurs s'alignaient sur les murs. Une photo sous cadre ressortait du lot : Jimmy Hoffa et Frank Sinatra, un poisson trophée à bout de bras.

Des ouvriers se faufilaient à travers la file pour le buffet chaud. Lenny s'installa à une table du fond, en compagnie d'un homme grassouillet en train de s'empiffrer de bœuf en boîte.

---

1. Littéralement, « jouit sur le menton ». *(N.d.T.)*

Littell l'identifia : Jacob Rubenstein, alias Jack Ruby.

Lenny avait apporté ses sacs de pièces. Ruby avait apporté une valise. Il s'agissait probablement d'un transfert de recettes de machines à sous.

Il n'y avait pas de tables libres jouxtant la leur.

Des hommes debout au comptoir prenaient leur déjeuner en liquide : dosettes de rye et bières pour suivre. Littell fit signe pour demander la même chose — personne ne rit, personne ne pouffa.

Le barman le servit et prit son argent. Il avala son déjeuner vite fait, tout comme ses frères Camionneurs.

Le rye lui fit piquer une suée ; la bière lui donna la chair de poule. La combinaison des deux lui calma les nerfs.

Il avait eu une réunion de la brigade PGC. Les présents semblaient renacler à sa présence — M. Hoover en personne l'avait pistonné à ce poste. Un agent du nom de Court Meade se présenta amicalement ; les autres l'avaient accueilli de hochements de tête et de poignées de main de pure forme.

Il y avait trois jours qu'il était agent du PGC. Y compris trois postes aux écoutes, à étudier les voix de Chi-Mafia.

Le barman repassait près de lui. Littell leva deux doigts, à la mode de ses frères Camionneurs quand ils demandaient une nouvelle tournée.

Sands et Ruby continuaient leur conversation. Pas une place libre aux tables alentour — il ne pouvait s'approcher suffisamment pour écouter.

Il but et paya. Le rye lui monta droit à la tête.

Boire en service commandé était une infraction au règlement du Bureau. Pas *strictement* illégal — comme de mettre sur écoute les baisoirs pour piéger les hommes politiques.

L'agent affecté au poste Shoftel était probablement submergé de boulot ; il n'avait pas encore adressé une seule bande. La haine de M. Hoover pour Kennedy paraissait s'être trompée de cible, guidée par sa seule folie.

Robert Kennedy paraissait héroïque. La gentillesse de Bobby à l'égard de Roland Kirpaski paraissait pure et authentique.

Une table se libéra. Littell traversa la file du déjeuner et s'y installa. Lenny et Rubenstein/Ruby étaient à moins d'un mètre.

Ruby parlait. La nourriture dégoulinait sur son bavoir.

— Heshie croit toujours qu'il a le cancer ou une quelconque

maladie chiatique. Avec Hesh, un petit bouton, c'est toujours une tumeur maligne.

Lenny picorait son sandwich.

— Heshie, c'est un mec classe. Quand je passais au petit salon du « Stardust » en 54, il venait tous les soirs. Heshie a toujours préféré les numéros de second ordre aux grandes vedettes. Jésus-Christ et les Apôtres auraient bien pu faire l'affiche de la grande salle des « Dunes », Heshie serait allé dans un palace quelconque plein de machines à sous écouter un chanteur de charme rital parce que son cousin est un affranchi.

— Heshie adore les pipes, dit Ruby. Il ne demande que des pipes, exclusivement, pas'qu'y dit que c'est bon pour sa prostate. Il m'a dit qu'il n'avait plus trempé son poireau depuis qu'il a quitté les Mauves — et ça remonte aux années trente — et qu'une poulette a essayé de lui flanquer une reconnaissance en paternité aux miches. Heshie m'a dit qu'il s'était fait tailler plus de dix mille pipes. Il aime bien regarder le spectacle de Lawrence Welk pendant qu'il se fait turluter. Il a neuf médecins pour toutes les maladies qu'il croit avoir attrapées, et toutes les infirmières lui taillent des plumes. C'est comme ça qu'il sait que c'est bon pour sa prostate.

« Heshie » était vraisemblablement Herschel Meyer Ryskind : « Membre actif du trafic d'héroïne sur la côte du Golfe ».

— Jack, dit Lenny, je déteste te larguer toute cette cargaison de pièces, mais je n'ai pas eu le temps d'aller à la banque. Sam a été très précis. Il a dit que tu faisais tes tournées et que tu ne disposais que d'un temps limité. Je suis quand même content qu'on ait eu le temps de casser la graine, pas'que c'est toujours un vrai plaisir que de te regarder manger.

Ruby essuya son bavoir.

— C'est pire quand la nourriture est meilleure. Il y a un traiteur à Big D, j'en casserais ma pipe. Ici, ma chemise est juste un peu parsemée. Là-bas, elle est peinte au pistolet.

— Pour qui est l'argent ?

— Batista et le Barbu. Santos et Sam répartissent leurs paris des deux côtés, question politique, pour se couvrir. J'y pars en avion la semaine prochaine.

Lenny repoussa son assiette.

— J'ai un nouveau numéro dans lequel Castro vient aux

Etats-Unis et se trouve un boulot comme poète beatnik. Il fume de la marijeanne et parle comme un schwartze[1].

— T'as assez de talent pour faire les grandes salles. Je l'ai toujours dit.

— Continue alors, Jack. Si tu continues à le répéter, il se pourrait que quelqu'un t'entende.

Ruby se leva.

— Hé, on ne sait jamais.

— C'est bien vrai, on ne sait jamais. *Shalom,* Jack. C'est toujours un plaisir que de te regarder manger.

Ruby sortit avec sa valise. Lenny le Juif alluma une cigarette et roula les yeux au ciel.

Des numéros de second ordre. Des pipes. Rye et bière comme déjeuner.

Littell retourna à sa voiture un peu hébété.

Lenny partit vingt minutes plus tard. Littell le fila jusqu'à Lake Shore Drive, direction nord.

Des giclures d'écume frappaient le pare-brise — un vent hurlant faisait baratter le lac. Littell remonta son chauffage — trop chaud remplaça trop froid.

L'alcool lui avait laissé la bouche pâteuse et la tête légèrement en vertige. La route n'arrêtait pas de plonger — juste un petit peu.

Lenny mit son clignotant signalant qu'il allait sortir. Littell sauta les voies et se colla en douceur derrière lui. Ils s'engagèrent dans le quartier Gold Coast — trop chic pour que ce soit un territoire pour Vendo-King.

Lenny tourna à l'ouest sur Rush Street. Littell aperçut devant lui des bars à cocktail frime, rien que des façades en grès brun et des enseignes au néon discret.

Lenny se gara et entra au Hernando's Hideaway — « La Planque de Hernando ». Littell passa devant le bar, vitesse extra-lente.

---

1. En yiddish : un Noir. *(N.d.T.)*

La porte revint sur ses gonds. Il vit deux hommes qui s'embrassaient — une demi-seconde, un petit éclair d'excitation en invite.

Littell se gara en double file et changea de veste : de bûcheron à blazer bleu marine. Le pantalon de toile et les godillots devaient rester.

Il entra sous les rafales de vent. L'endroit était sombre, paisible comme un milieu d'après-midi. Le décor était discret : bois ciré et cuir vert forêt.

Un secteur de banquettes était délimité par des cordes. Deux duos étaient assis aux deux extrémités du comptoir : des hommes plus âgés, Lenny et un étudiant.

Littell prit un siège entre les deux groupes. Le barman l'ignora.

Lenny parlait. D'un ton aux inflexions policées — vidées de tout grommellement et de baragouinage yiddish.

— Larry, tu aurais dû voir ce sinistre bonhomme manger.

Le barman s'approcha.

— Rye et bière, dit Littell.

Des têtes se tournèrent dans sa direction.

Le barman lui servit une dosette. Littell la sécha et toussa.

— Mon Dieu, mon Dieu, qu'est-ce qu'on avait soif ! dit le barman.

Littell mit la main à son portefeuille. Son étui à plaque glissa et atterrit sur le bar, insigne bien visible.

Il le récupéra vite fait et balança un peu de monnaie.

— Alors, on ne veut plus sa bière ? dit le barman.

Littell se rendit au bureau et tapa un rapport de filature. Il mastiquait une barre de Clorets pour tuer son haleine engnôlée.

Il omit de faire état de ses consommations et de sa gaffe chez Hernando. Il insista sur l'idée essentielle : que Lenny Sands pourrait bien avoir une vie secrète d'homosexuel. Ce qui pourrait s'avérer un argument de force pour son recrutement ; de toute évidence, il cachait ce côté-là de son existence à ses associés de la Mafia.

100

Lenny ne l'avait jamais repéré. Jusque-là, sa filature n'était pas compromise.

Court Meade tapa à la cloison de son cagibi.

— Tu as un coup de fil interurbain, Ward. Un homme du nom de Boyd à Miami, sur la ligne 2.

Littell décrocha.

— Kemper, salut. Qu'est-ce que tu fabriques en Floride ?

— Je travaille sur deux tableaux, en conflit d'intérêts, pour Bobby et M. Hoover, mais ne le dis à personne.

— Est-ce que tu obtiens des résultats ?

— Eh bien, disons qu'on n'arrête pas de me contacter et que les témoins de Bobby n'arrêtent pas de disparaître. Alors, je suis bien obligé de dire que c'est 50/50. Comme au pile ou face. Ward...

— Tu as besoin d'un service.

— En fait, deux.

Littell bascula son fauteuil en arrière.

— Je t'écoute.

— Helen arrive à Chicago ce soir par avion, dit Boyd. Vol United 84, de La Nouvelle-Orléans à Midway. Elle débarque à 17 h 10. Veux-tu passer la prendre et la déposer à son hôtel ?

— Naturellement. Et je l'emmènerai dîner également. Seigneur, c'est de la dernière minute, mais c'est super.

Boyd éclata de rire.

— C'est bien notre Helen, grande et impétueuse voyageuse. Ward, te souviens-tu de cet homme, Roland Kirpaski ?

— Kemper, je l'ai vu il y a trois jours de ça.

— Effectivement. En tout état de cause, il se trouve prétendument en Floride, mais apparemment, je n'arrive pas à mettre la main dessus. Il était censé appeler Bobby et faire son rapport sur le projet de Hoffa à Sun Valley, mais il n'a pas appelé ; il a quitté son hôtel hier soir et il n'est pas revenu.

— Veux-tu que je passe chez lui et que je parle à sa femme ?

— Oui, si ça ne te dérange pas. Si tu obtiens des informations pertinentes, laisse un message codé aux Communications à D.C. Je n'ai pas encore trouvé d'hôtel dans le coin, mais je les contacterai pour savoir si tu as appelé.

— Quelle est l'adresse ?

— 818, Sud Wabash. Roland est probablement de sortie, il

doit bringuer avec une pétasse quelconque, mais ça ne peut pas faire de mal d'aller se renseigner pour voir s'il n'a pas appelé chez lui. Hé, Ward ?

— Je sais. Je n'oublierai pas pour qui tu travailles et je jouerai le coup en douceur, avec doigté.

— Merci.

— C'est un plaisir. Et, à propos, j'ai vu aujourd'hui un homme aussi doué que toi pour changer de personnage.

— C'est impossible, dit Boyd.

Mary Kirpaski le fit entrer précipitamment. La maison était envahie de meubles et surchauffée.

Littell ôta son manteau. La femme le poussa presque dans la cuisine.

— Roland appelle toujours à la maison. Tous les soirs. Il a dit que s'il n'appelait pas au cours de ce voyage, je devrais coopérer avec les autorités et leur montrer ce calepin.

Littell sentit une odeur de chou et de viande bouillie.

— Je n'appartiens pas au Comité McClellan, madame Kirpaski. Je n'ai pas à vrai dire travaillé avec votre mari.

— Mais vous connaissez M. Boyd et M. Kennedy ?

— Je connais M. Boyd. C'est lui qui m'a demandé de passer vous voir.

Elle s'était rongé les ongles jusqu'au sang. Son rouge à lèvres était complètement de travers.

— Roland n'a pas appelé hier soir. Il notait dans ce petit calepin tout ce que faisait M. Hoffa et il ne l'a pas pris avec lui à Washington parce qu'il voulait parler à M. Kennedy avant d'accepter de témoigner.

— Quel calepin ?

— C'est une liste de tous les coups de fil de M. Hoffa à Chicago, avec les dates et tout. Roland m'a dit qu'il avait volé les factures de téléphone de certains amis de M. Hoffa parce que M. Hoffa avait peur de passer des coups de fil interurbains depuis son hôtel, parce qu'il pensait que son téléphone pouvait être sur écoute.

— Madame Kirpaski...

Elle attrapa un classeur posé dans le recoin-petit déjeuner.

— Roland serait furieux comme tout si je ne montrais pas ça aux autorités.

Littell ouvrit le classeur. La page 1 comportait des listes de noms et de numéros de téléphone, soigneusement disposés en colonnes.

Mary Kirpaski ne voulait pas le laisser respirer.

— Roland a appelé les compagnies de téléphone dans toutes ces différentes villes et il a trouvé à qui appartenaient les numéros. Je crois qu'il s'est fait passer pour un policier ou quelque chose comme ça.

Littell feuilletait les pages. Roland Kirpaski écrivait proprement et lisiblement.

Plusieurs noms : sur la colonne « appels reçus » étaient familiers : Sam Giancana, Carlos Marcello, Anthony Iannone, Santos Trafficante Jr. Un nom était familier et faisait peur : Peter Bondurant, 949, Mapleton Drive, Los Angeles.

Hoffa avait appelé le Grand Pete par trois fois récemment : 25/11/58, 1/12/58, 2/12/58.

Bondurant cassait les chaînes d'entraves à mains nues. On prétendait qu'il avait tué des gens pour dix mille dollars et un billet d'avion.

Mary Kirpaski bichonnait ses perles de rosaire. Se dégageait d'elle une odeur de Vick's Vapo Rub et de cigarettes.

— Madame, pourrais-je utiliser votre téléphone ?

Elle lui indiqua l'appareil au mur. Littell étira le cordon jusqu'à l'autre bout de la cuisine.

Elle le laissa seul. Littell entendit une radio qu'on branchait dans la pièce d'à côté.

Il composa le numéro du standard interurbain. L'opératrice le mit en communication avec le bureau de la sécurité de l'aéroport international de L.A.

— Sergent Donaldson, répondit une voix d'homme. En quoi puis-je vous être utile ?

— Agent spécial Littell à l'appareil, du FBI de Chicago. J'ai besoin de renseignements urgents sur certaines réservations.

— Oui, monsieur. Dites-moi ce dont vous avez besoin.

— Il faudrait que vous vous renseigniez sur les lignes aériennes qui assurent les vols sans escale de Los Angeles à

Miami. Je recherche des réservations pour les 8, 9 ou 10 décembre, avec retour à une date postérieure indéterminée. Je recherche une réservation au nom de Peter Bondurant. J'épelle : B-O-N-D-U-R-A-N-T, ou des réservations facturées à la Hughes Tools Company ou à la Hughes Aircraft. Si vos recherches sont positives sur une quelconque de ces données, et si la réservation est au nom de cet individu, j'ai besoin d'un signalement de l'homme qui a pris le billet ou alors qui a embarqué.

— Monsieur, cette dernière demande revient à chercher une aiguille dans une botte de foin.

— Je ne le pense pas. Mon suspect est blanc, de sexe masculin, pas loin de la quarantaine, il mesure un mètre quatre-vingt-treize et il est très puissamment bâti. Quand on le voit, on ne l'oublie pas.

— Enregistré. Voulez-vous que je vous rappelle ?

— Je reste en ligne. Si vous n'obtenez rien sous dix minutes, reprenez la communication et notez mon numéro.

— Bien, monsieur. Restez en ligne. Je m'en occupe immédiatement.

Littell resta en ligne. Une image le tenait : le Grand Pete Bondurant au pilori. La cuisine vint interrompre son cinéma : tassée, à l'étroit, surchauffée, les fêtes religieuses marquées sur un calendrier de paroisse...

Huit minutes s'écoulèrent — lentement. Le sergent revint en ligne, excité.

— Monsieur Littell ?

— Oui.

— Monsieur, nous l'avons. Je ne le croyais pas, mais nous l'avons trouvé.

Littell sortit son calepin.

— Allez-y.

— American Airlines Vol 104, de Los Angeles à Miami. Il a quitté L.A. à 8 heures du matin hier, le 10 décembre, il est arrivé à Miami à 13 h 10. La réservation a été faite au nom de Thomas Peterson et facturée à Hughes Aircraft. J'ai parlé à l'employée qui a délivré le billet, et elle s'est souvenue de l'homme que vous avez décrit. Vous aviez raison, on ne l'oublie pas.

— Y a-t-il une réservation pour le retour ?

— Oui, monsieur. Vol American 55. Il arrive à Los Angeles à 7 heures demain matin.

Littell avait la tête qui tournait. Il entrouvrit une fenêtre pour un peu d'air.

— Monsieur, vous êtes toujours là ?

Littell coupa la communication et composa le 0. Une brise froide inonda la cuisine.

— Opératrice.

— Je voudrais Washington D.C. Le numéro est KL — 48801.

— Oui, monsieur. Rien qu'une minute.

La communication fut vite établie. Une voix d'homme dit :

— Communications. Agent spécial Reynolds.

— Ici l'Agent spécial Littell à Chicago. J'ai besoin de transmettre un message à l'AS Kemper Boyd à Miami.

— Est-il attaché au Bureau de Miami ?

— Non, il est en détachement. J'ai besoin que vous transmettiez le message à l'ASC de Miami en lui demandant de localiser l'AS Boyd. Il suffirait, je crois, de vérifier auprès des hôtels. Si ce n'était pas aussi urgent, je le ferais moi-même.

— C'est une demande irrégulière, mais je ne vois pas pourquoi nous ne pourrions pas la faire. Quel est votre message ?

Littell parla, débit extra-lent.

— Ai preuves, indirectes et hypothétiques, soulignez ces deux derniers mots, que J.H. a engagé notre vieux confrère français démesuré pour éliminer le témoin du Comité R.K. Notre confrère quitte Miami tard ce soir, vol American 55. Appelle-moi à Chicago pour plus de détails. Urgence d'informer Robert K. immédiatement. Signé W.J.L.

L'agent répéta le message. Littell entendit Mary Kirpaski qui sanglotait, juste devant la porte de la cuisine.

Le vol d'Helen avait du retard. Littell attendait dans un bar près de la porte d'arrivée.

Il revérifia la liste des coups de téléphone. Son instinct tenait bon : Pete Bondurant avait bien tué Roland Kirpaski.

Kemper avait fait état d'un témoin mort du nom de Gretzler. S'il réussissait à établir le lien entre cet homme et Bondurant, *deux* inculpations pour meurtre pourraient partir.

Littell sirotait rye et bière. Il ne cessait de consulter le miroir du fond pour juger de son apparence.

Ses vêtements de travail ne cadraient pas. Ses lunettes et ses cheveux en train de se clairsemer ne collaient pas au reste.

Le rye brûlait ; la bière picotait. Deux hommes s'avancèrent jusqu'à sa table et l'agrippèrent.

Ils le remirent debout brutalement. Ils lui verrouillèrent les coudes comme dans un étau. Ils le dirigèrent vers le fond de la salle jusqu'à une batterie de cabines téléphoniques cloisonnée.

Ce fut rapide et sans risques : aucun des civils n'avait remarqué l'action.

Les hommes lui épinglèrent les bras dans le dos. Chick Leahy sortit de l'ombre et se planta face à lui, nez à nez.

Littell sentit ses genoux qui lâchaient. Les hommes le remirent sur la pointe des pieds.

Leahy dit :

— Votre message à Kemper Boyd a été intercepté. Vous auriez pu faire voler sa couverture aux éclats à cette occasion. M. Hoover ne veut pas que l'on aide Robert Kennedy, et Pete Bondurant est un collègue apprécié de Howard Hughes, lequel est un grand ami de M. Hoover et du Bureau. Savez-vous ce que sont les messages *intégralement* codés, monsieur Littell ?

Littell cligna des yeux. Ses lunettes tombèrent. Tout devint flou.

Leahy lui poignarda la poitrine, sèchement :

— Dès cet instant, vous n'appartenez plus au PGC et vous retournez à la Brigade Rouge. Et je vous recommande expressément de ne pas protester.

Un homme s'empara de son calepin.

— Vous puez l'alcool, dit un autre.

Ils le bousculèrent du coude en le chassant de côté avant de sortir. Toute l'affaire avait pris trente secondes.

Ses bras lui faisaient mal. Ses lunettes étaient éraflées et ébréchées. Il ne respirait pas bien, il était incapable de rester en équilibre sur ses jambes.

Il retourna à sa table en vacillant. Il avala son rye et sa bière. Ses tremblements cessèrent.

Ses lunettes tombaient de travers. Il inspecta sa nouvelle

image dans le miroir : l'ouvrier le plus inefficace que la terre eût jamais porté.

Un haut-parleur rugit : « Arrivée du vol United 84 de La Nouvelle-Orléans. »

Littell finit ses verres et les fit passer de deux Clorets. Il alla jusqu'à la porte et bouscula les passagers qui montaient à l'embarquement.

Helen le vit et lâcha ses sacs. Elle le serra si fort qu'il faillit tomber.

Les gens les contournaient.

— Hé, laisse-moi te regarder, dit Littell.

Helen leva les yeux. Sa tête lui frôlait le menton — elle avait grandi.

— Tu as l'air magnifique.

— Fond de teint Max Factor n° 4. Il fait des merveilles pour mes cicatrices.

— Quelles cicatrices ?

— Très drôle. Et toi, tu es quoi, aujourd'hui ? Bûcheron ?

— Je l'ai été. Pendant quelques jours, au moins.

— Susan m'a dit que M. Hoover a fini par te laisser pourchasser les gangsters.

Un homme se cogna les pieds dans le sac de vêtements d'Helen et leur lança à tous deux un regard noir.

— Viens, dit Littell. Je t'invite à dîner.

Ils prirent des steaks au Stockyard Inn. Helen parla de tout et de rien. La tête lui tournait de tout le vin rouge bu.

La jeune pouliche était devenue une femme ; les traits de son visage s'étaient affirmés avec force. Elle avait arrêté de fumer — elle disait qu'elle savait que ce n'était qu'une prétendue sophistication.

Elle avait toujours porté ses cheveux en chignon pour affirmer ses cicatrices. Elle les portait libres et tombants maintenant — ce qui banalisait son visage défiguré.

Un serveur amena le chariot de desserts. Helen commanda une tourte aux pécans ; Littell commanda un cognac.

— Ward, tu me laisses faire toute la conversation.

107

— J'attendais, pour pouvoir résumer.

— Résumer quoi ?

— Toi, à l'âge de vingt et un ans.

— Je commençais à me sentir mûre, grommela Helen.

Littell sourit.

— J'allais dire que tu étais devenue mesurée, sans que ce soit aux dépens de ton exubérance. Les mots se bousculaient jadis dans ta bouche quand tu voulais démontrer un point précis. Aujourd'hui, tu réfléchis avant de parler.

— Aujourd'hui, ce sont mes valises qui font que les gens se bousculent, tellement je suis impatiente de retrouver un homme.

— Un homme ? Tu veux dire un ami de vingt-quatre ans ton aîné, qui t'a vue grandir ?

Elle lui toucha les mains.

— Un homme. J'ai eu un professeur à Tulane qui disait que les choses avaient changé entre les vieux amis, les étudiants, les enseignants, alors qu'est-ce que c'est un quart de siècle ici et là ?

— Tu veux dire qu'il avait vingt-cinq ans de plus que toi ?

Helen éclata de rire.

— Vingt-six. Il essayait de minimiser les choses pour les faire paraître moins embarrassantes.

— Tu veux dire que tu as eu une liaison avec lui ?

— Oui. Et je dis qu'il n'y avait là rien de lubrique ni de pathétique. Mais je peux te dire que ça l'était, de sortir avec des étudiants de première année qui se disaient que ce serait facile, bourrée de cicatrices comme je suis.

— Seigneur Jésus, dit Littell.

Helen lui agita sa fourchette devant les yeux.

— Maintenant, je sais que tu es tout gêné, parce qu'il y a une part de toi qui reste toujours séminariste et jésuite, et tu n'invoques le nom de ton Sauveur que lorsque tu piques un fard.

Littell but une gorgée de cognac.

— J'allais dire : « Seigneur Jésus, est-ce que Kemper et moi, nous t'avons complètement démolie pour les jeunes gens de ton âge ? » Est-ce que tu vas passer ta jeunesse à cavaler après les quadragénaires ?

— Tu devrais nous entendre discuter, Susan, Claire et moi.

— Tu veux dire que ma fille et ses meilleures amies jurent comme des charretières ?

— Non, mais il y a des années que nous parlons des hommes en général, et de toi et de Kemper en particulier, au cas où tu aurais eu les oreilles qui sifflaient.

— Je peux comprendre pour Kemper. Il est beau et il est dangereux.

— Oui, et il est héroïque. Mais c'est un coureur. Même Claire le sait.

Helen serra les mains de Littell. Qui sentit son pouls battre la chamade. Cette putain du Christ d'idée complètement cinglée lui vint en tête.

Littell ôta ses lunettes.

— Je ne suis pas certain que Kemper soit héroïque. Je pense que les héros sont sincèrement passionnés et généreux.

— Ça ressemble à t'entendre à un épigramme.

— C'en est un. C'est le sénateur John F. Kennedy qui l'a dit.

— T'es-tu pris d'une soudaine affection ? Est-ce que ce n'est pas un genre d'affreux libéral ?

— Je me suis pris d'affection pour son frère Robert, qui est véritablement héroïque.

Helen se pinça.

— C'est la conversation la plus étrange qui puisse se tenir avec un vieil ami de la famille qui me connaissait avant même que mon père ne meure.

Cette idée — Seigneur Jésus !

— Je serai héroïque. Pour toi, dit Littell.

— Nous ne pouvons pas laisser tout ceci devenir pathétique, dit Helen.

Il la conduisit à son hôtel et monta ses bagages. Helen lui dit au revoir en l'embrassant sur les lèvres. Les lunettes de Littell se prirent dans sa chevelure et tombèrent par terre.

Littell retourna à Midway et prit le vol de 2 heures du matin pour Los Angeles. Une hôtesse resta éberluée en voyant son billet : son vol de retour partait une heure après l'atterrissage.

Un dernier cognac lui apporta le sommeil. Il se réveilla la tête en vertiges à l'instant où l'avion touchait le sol.

Il avait réussi. Il disposait de quatorze minutes. Le vol 55 de Miami atterrissait porte 9, à l'heure.

Littell montra son insigne à un garde et obtint la permission d'avancer jusqu'à sur le tarmac. Un méchant mal de crâne, des suites de sa gueule de bois, se mit à cogner.

Les porteurs passaient à côté de lui et l'inspectaient de la tête aux pieds. Il avait l'air d'un clodo entre deux âges qui aurait dormi dans ses vêtements.

L'avion atterrit. Une équipe au sol tira la passerelle de descente.

Bondurant sortit par l'avant. Jimmy Hoffa faisait voler ses tueurs en première classe.

Littell s'avança jusqu'à lui. Le cœur lui cognait la poitrine, il avait les jambes complètement engourdies. Sa voix frémit, hésitante, avant de se casser.

— Un jour, je vais te punir. Pour Kirpaski, et tout le reste.

10

Los Angeles, 14 décembre 1958.

Freddy avait laissé un mot sous les essuie-glace.

— Je suis parti déjeuner. Attends-moi.

Pete grimpa à l'arrière du camion. Freddy s'était monté un système de climatisation : un ventilateur dirigé sur un grand saladier de glaçons.

Les bandes magnétiques défilaient. Les lumières clignotaient. Les aiguilles des potentiomètres s'agitaient. L'endroit ressemblait au cockpit de quelque vaisseau spatial minable.

Pete entrouvrit une fenêtre latérale pour avoir un peu d'air. Un mec à l'allure fédé passa, probablement un membre affecté au poste d'écoute.

Un souffle d'air entra, chaud comme un vent de Santa Ana.

Pete laissa tomber un glaçon dans son pantalon et rit d'une voix de fausset. On aurait très exactement cru entendre l'AS Ward J. Littell.

Littell avait couiné son avertissement. Littell sentait la gnôle et la sueur rassises. Littell n'avait que des merdouilles en guise de preuves.

Il aurait pu lui dire :

C'est moi qui ai dessoudé Anton Gretzler, mais c'est Hoffa qui a tué Kirpaski. Je lui ai fourré des cartouches de chasse dans la bouche et j'ai scellé ses lèvres à la colle. On a cramé Roland et sa voiture dans un dépôt d'ordures. La chevrotine double-zéro lui a fait sauter la tête — vous n'obtiendrez jamais d'identification par empreintes dentaires.

Littell ne sait pas que c'est la grande gueule de Jack qui a tué

111

Roland Kirpaski. Le Fédé du poste d'écoute pouvait toujours lui expédier ses bandes magnétiques — Littell n'avait pas rassemblé tous les morceaux du scénario.

Freddy grimpa dans le camion. Il ajusta le bouton d'un cadran à aiguille et, y allant de son baratin, se mit à se plaindre *illico presto*.

— Ce Fédé qui vient de passer n'arrête pas d'inspecter le camion. Je suis tout le temps garé ici, putain de merde, et tout ce qu'il lui faut, c'est de me balayer les alentours avec un putain de compteur Geiger pour comprendre que je fais le même putain de truc que lui. Je ne peux pas me garer de l'autre côté de ce putain de bloc pas'que sinon, je perdrai ce putain de signal. Il me faut une putain de maison dans le coin à partir de laquelle je peux travailler, pas'qu'alors, je pourrais monter un équipement assez puissant pour choper le signal de la crèche à la môme Shoftel, mais ce putain de Fédé a embarqué le dernier putain de panneau A LOUER qu'il y avait dans tout ce putain de quartier, et les deux cents putains de sacs que Jimmy et toi vous me payez par jour, c'est pas assez pour compenser tous les putains de risques que je prends.

Pete chopa un glaçon et l'écrasa en miettes.

— T'as fini ?

— Non. J'ai aussi attrapé un putain de bouton sur mon putain de cul à force de dormir sur ce putain de plancher.

Pete fit craquer quelques jointures.

— Allez, finis-en.

— J'ai besoin de pognon, du *bon* pognon. J'en ai besoin comme paie pour tous les putains de risques que je prends, et pour améliorer l'appareillage. Trouve-moi du bon et bel argent, et je t'en refile un joli pourcentage pour ta peine.

— Je parlerai à M. Hughes et je verrai ce que je peux faire.

Howard Hughes se fournissait en came auprès d'un travelo négro surnommé « Peaches ». Pete trouva la crèche point de chute nettoyée — le travelo de l'appart voisin dit que Peaches était tombé pour sodomie.

Pete improvisa.

Il se rendit dans un supermarché, acheta une boîte de Rice Krispies et épingla l'insigne-jouet à son plastron de chemise sous la veste. Il appela Karen Hiltscher aux Sommiers et se glana quelques infos de première : le cuistot du drive-in de Scrivner vendait des amphets et il pourrait bien s'allonger sous la menace. Elle le lui décrivit : blanc, sec, cicatrices d'acné et tatouages nazis.

Pete se rendit chez Scrivner. La porte de la cuisine était ouverte ; le taré était devant son bain d'huile, à faire frire ses patates.

Le taré l'aperçut.

— Cet insigne est un faux, dit le taré.

Le taré regarda vers le frigo — sûr et certain qu'il planquait sa merde là-dedans.

— Comment veux-tu qu'on joue ce coup-là ? dit Pete.

Le taré empoigna un couteau. Pete lui allongea un coup de pied dans les couilles et lui fit frire sa main-poignard. Six secondes seulement : Un braquage de pilules, ça ne méritait pas un total massacre.

Le taré hurla. Les bruits de la rue étouffèrent ses cris. Pete lui fourra un sandwich dans la bouche pour le museler.

La planque à came était bien dans le frigo, juste à côté de la crème glacée.

Le patron de l'hôtel offrit à M. Hughes un arbre de Noël. Avec flocons et guirlandes, entièrement décoré — un chasseur le déposa à l'extérieur du bungalow.

Pete le transporta dans la chambre à coucher et le brancha. Des lumières étincelantes se mirent à clignoter et scintiller.

Hughes éteignit à la télécommande un dessin animé de Webster Webfoot.

— Qu'est-ce que c'est que ça ? Et pourquoi transportes-tu un magnétophone ?

Pete fouilla dans ses poches et balança des flacons de pilules sous le sapin.

— Ho, ho, ho, putain ! C'est Noël avec dix jours d'avance. Codéine et dilaudid, ho, ho !

Hughes se rengonça au creux de ses oreillers.

113

— Eh bien... je suis ravi... mais est-ce que tu n'es pas censé auditionner des rédacteurs pour *L'Indiscret* ?

Pete arracha la prise du sapin et brancha le magnéto.

— Haïssez-vous toujours le sénateur John F. Kennedy, Patron ?

— Certainement. Son père m'a baisé sur des contrats qui remontent à 27.

Pete brossa des aiguilles de pin sur sa chemise.

— Je crois que nous avons les moyens de le clouer quelque chose de bien dans *L'Indiscret*, si vous avez l'argent nécessaire pour faire poursuivre une certaine opération.

— J'ai assez d'argent pour acheter le continent nord-américain, et si tu n'arrêtes pas de me mener en bateau, je te colle sur un traînard et je t'expédie au Congo belge !

Pete appuya sur le bouton *Play*. Le sénateur Jack et Darleen Shoftel se mirent à baiser et à grogner. Howard Hughes agrippa ses draps, en pleine extase.

La séance de baise monta, *crescendo* puis *diminuendo*. Jack dit : « Mon foutu dos vient de me lâcher. »

Darleen dit : « C'était bon-on-on-on. Bref et tendre, c'est le meilleur. »

Pete appuya sur *Stop*. Howard Hughes était agité de tics et de tremblements.

— Nous pouvons faire publier ça par *L'Indiscret* si nous nous montrons prudents, Patron. Mais il faudra surveiller les termes employés, au mot près.

— Où... est-ce... que... tu... as... eu... ça ?

— La fille est une prostituée. Le FBI a mis son appartement sur écoute, et Freddy Turentine s'est branché sur leur écoute. Donc nous ne pouvons rien publier qui mette la puce à l'oreille des Fédés. Nous ne pouvons rien publier qui ne puisse venir que du mouchard.

Hughes se mit à tirailler sur ses draps.

— Oui, je vais financer ton « opération ». Demande à Gail Hendee de me rédiger l'article — quelque chose du genre : Le SÉNATEUR PRIAPIQUE FOLÂTRE AVEC LA PETITE ENJÔLEUSE D'HOLLYWOOD. Le prochain numéro doit sortir dans deux jours, donc si Gail le rédige aujourd'hui et le transmet au bureau ce soir, nous pourrons faire passer l'article. Demande à Gail de le rédiger aujourd'hui. La famille Kennedy l'ignorera, mais les journaux et les agences de presse dignes de ce nom pourraient bien nous contacter pour obtenir de plus amples détails, que, naturellement, nous leur donnerions.

Le Grand Howard rayonnait, comme un gamin devant son sapin de Noël.

Pete rebrancha le sapin.

Gail eut besoin d'être convaincue. Pete l'installa sous la véranda de la maison chien de garde et y alla de son baratin-pommade.

— Kennedy, c'est un taré. Il t'a demandé de venir le retrouver pendant sa foutue lune de miel. Il t'a laissée tomber deux semaines plus tard, en t'offrant comme câlin d'adieu un foutu manteau de vison.

Gail sourit.

— Oui, mais il est malgré tout gentil. Il ne m'a jamais dit : « Chérie, et si on se mettait sur pied un racket de divorce ? »

— Quand ton vieux pèse cent millions de dollars, tu n'as pas besoin de faire des choses comme ça.

Gail soupira.

— Tu gagnes, comme toujours. Et tu sais pourquoi je n'ai pas porté ce manteau de vison ces temps derniers ?

— Non.

— Je l'ai donné à Mme Walter P. Kinnard. Tu lui as piqué une grosse portion de sa pension alimentaire, et je me suis dit qu'elle en aurait bien besoin pour se remonter le moral.

Vingt-quatre heures s'écoulèrent. Comme une flèche.

Hughes lâcha trente bâtons. Pete en empocha quinze. Si le scandale de *L'Indiscret* mettait le mouchard au grand jour, il serait couvert financièrement.

Freddy acheta un émetteur-récepteur longue distance et se mit en quête d'une maison.

Ce Fédé continuait à reluquer le camion. Jack K. n'appela ni ne passa. Freddy se dit que Darleen ne valait qu'un coup de queue.

Pete se colla près du téléphone de la maison chien de garde. Des tarés n'arrêtaient pas d'interrompre ses rêves éveillés.

Deux candidats potentiels au poste de rédacteur à *L'Indiscret* appelèrent : d'anciens flics des Mœurs au parfum des bas-fonds d'Hollywood. Ils canèrent devant sa question improvisée au hit-parade du moment : qui Ava Gardner baisait-elle ?

Il passa quelques coups de fil — et colla un nouveau double de Hughes au Beverly Hilton. Karen Hiltscher avait recommandé le bonhomme : son propre beau-père, un poivrot miteux. Papy dit qu'il acceptait le boulot pour trois repas chauds et un pieu. Pete réserva la suite présidentielle et passa commande au service des Chambres, à suivre : picrate et cheeseburgers au petit déjeuner, au déjeuner et au dîner.

Jimmy Hoffa appela. Il dit que l'histoire de *L'Indiscret* était prometteuse, mais il voulait PLUS ! Pete négligea de lui faire part de son opinion première : Jack et Darleen n'étaient rien de plus qu'une partie de jambes en l'air de deux minutes.

Il ne cessait de penser à Miami. La station de taxis, ses Espingos hauts en couleur, le soleil tropical.

Miami avait un parfum d'aventures. Miami avait un parfum d'argent.

Il se réveilla tôt le matin de la sortie du numéro. Gail était partie — elle s'était mise à l'éviter en faisant de longues balades sans but vers la plage.

Pete quitta la maison. Son premier exemplaire sorti des presses était fourré dans sa boîte aux lettres, selon ses instructions.

Ecoutez-moi ces titres à la une : « LE SENATEUR MATOU AIME CHATOUILLER LA CHATTE ! DEMANDEZ DONC AUX CHATONNES CHA-TOUILLEES DE L.A ! » Et visez-moi l'illustration : le visage de John Kennedy sur un corps de chat de dessin animé, la queue enveloppée autour d'une blonde en bikini.

Il passa à la page de l'article. Gail avait pris comme nom de plume « la Politicopundit-sans-égale ».

116

Les racontars de vestiaire du Sénat des Etats-Unis disent qu'il est loin d'être le plus délibérément démoniaque des dorloteurs démocrates. Non, le sénateur L.B. Johnson (Langue à Bisous ?) probablement emporte la palme de tous les paris politiques dans ce secteur, suivi de près par le sénateur de Floride, George F. « Passez les pépites » Smathers. Non. Le sénateur John F. Kennedy est plutôt un matou ténument tumescent, plein d'un penchant péniblement piquant pour ces félines de félicité à la fine fourrure qui trouvent sa personne fantastiquement fascinante.

Pete passa vite sur le reste. Gail avait joué le coup en faisant la conne — les sous-entendus n'étaient pas assez vicieux. Jack Kennedy reluquait les femmes et les « ensorcelait, les entortillait, les en-stupéfiait » de ses « bagous, baratins et bobards » et de ses « béatitudes bostoniennes ». Pas de gymnastique sur matelas bien lourde ; pas de séances de baise en filigrane ; pas de vannes vicieuses au passage à Jack les Deux-Minutes.

Fouille, fouille, fouille — ses antennes trois étoiles commencèrent à le titiller kss kss kss.

Pete se rendit en ville et passa, en vitesse de croisière, devant l'entrepôt de *L'Indiscret*. Les choses, à vue de nez, avaient l'air absolument R.A.S.

Des hommes transbahutaient des liasses de revues sur leurs diables. Des hommes chargeaient des palettes. Une file de camions des messageries s'alignait en marche arrière devant le quai de déchargement.

R.A.S. mais :

Deux rôdeuses banalisées étaient garées dans la rue. Cette fourgonnette à crème glacée qui tournait au ralenti n'avait pas l'air franc du collier — le chauffeur parlait dans un micro tenu dans sa main.

Pete fit le tour du bloc. Les poulets se multiplièrent : quatre banalisées le long du trottoir et deux pies au coin.

Il refit un tour. La merde se mit à voler en giclant dans toutes les directions.

Quatre unités coincèrent le quai de déchargement, tous feux allumés et sirènes en marche.

Des flics en civil sortirent en masse. Un cordon de bleus s'attaqua à l'entrepôt, croc de débardeur à la main.

Un camion du LAPD bloqua les fourgons de distribution. Les portefaix laissèrent tomber leurs chargements et levèrent les bras.

C'était le chaos pour le putain de torchon à scandales. C'était Armagedon pour cette putain de feuille de chou fouille-merde.

Pete se rendit au Beverly Hills Hotel. Avec, devant les yeux, un GRAND TABLEAU DÉGUEULASSE : Quelqu'un avait cafté sur le numéro Kennedy.

Il se gara et courut près de la piscine. Il vit une foule importante devant le bungalow Hughes.

Ils reluquaient tous par la fenêtre de la chambre du Grand Howard. On aurait dit des putains de vampires sur les lieux d'un accident.

Il courut jusque-là et se fraya un chemin au premier rang. Billy Eckstine lui fila un coup de coude :

— Hé, vise-moi un peu ça.

La fenêtre était ouverte. Deux hommes faisaient sa fête à M. Hughes, lui offrant en duo le GRAND BARATIN VACHARD.

Robert Kennedy et Joseph P. Kennedy Sr.

Hughes était entortillé de couettes. Bobby agitait une seringue hypodermique. Le vieux Joe était en furie.

— ... vous êtes un lubrique pathétique et un toxicomane. Je suis à deux secondes de vous exposer au vu et au su du monde entier, et si vous croyez que je bluffe, veuillez remarquer que j'ai ouvert la fenêtre pour permettre à vos voisins d'hôtel de s'offrir une avant-première en catimini de ce que le monde entier saura si vous laissez jamais votre torchon à scandales écrire un seul autre mot sur ma famille.

Hughes se recroquevilla de peur. Sa tête cogna le mur et envoya valser un cadre.

Quelques voyeurs de première catégorie n'en perdaient pas une miette. Le spectacle les bottait : Billy, Mickey Cohen, une pédale en tenue de Mickey-Mousquetaire arborant une coiffure mahousse à oreilles de souris.

Howard Hughes gémit.

— Ne me faites pas de mal, s'il vous plaît, dit Howard Hughes.

Pete se rendit à la crèche Shoftel. Le GRAND TABLEAU DÉGUEULASSE prit de l'ampleur : ou Gail avait cafté, ou alors les Fédés avaient mis au jour la dérivation sur écoute.

Il se gara derrière le camion de Freddy. Freddy était à genoux sur la chaussée, menotté au pare-chocs avant.

Pete courut jusqu'à lui. Freddy se mit à tirer sur sa chaîne en essayant de se mettre debout.

Il s'était râpé la peau jusqu'au sang. Il s'était écorché les genoux en rampant sur la chaussée.

Pete s'agenouilla devant lui.

— Qu'est-ce qui est arrivé ? Arrête de tirailler là-dessus et regarde-moi.

Freddy tortilla ses poignets. Pete le gifla. Freddy cessa, soudain lucide, le regard à moitié alerte.

— Le mec du poste d'écoute a expédié ses transcriptions à un Fédé de Chicago et lui a dit que mon camion avait l'air louche. Pete, ce truc me paraît pas clair. Y a juste qu'un mec, un gars du FBI, qui travaille en solo, comme s'il avait trop vite pris la mouche ou le parfum ou...

Pete franchit la pelouse au pas de course et enjamba le porche d'un bond. Darleen Shoftel s'écarta de son chemin, pliée en deux, cassa un talon et tomba sur le cul.

GRAND TABLEAU DEGUEULASSE — le final :

Des micros couverts d'enduit sur le sol. Deux téléphones sur écoute, ventre en l'air, sur une table basse.

Et l'AS Ward J. Littell, debout, dans son costume bleu de confection.

Egalité — pat — On ne descend pas les mecs du FBI *ex abrupto*.

Pete avança jusqu'à lui.

— C'est de la connerie, cette descente, dit-il, sinon tu ne serais pas ici tout seul.

Littell se contenta de rester sur place. Ses lunettes lui glissèrent sur le nez.

— Tu débarques ici pour me chercher des crosses. La prochaine fois sera la dernière.

— J'ai tout remis bout à bout, dit Littell.

Les mots sortirent de sa bouche en chevrotant.

— J'écoute.

— Kemper Boyd m'a dit qu'il avait une course à faire au Beverly Hills Hotel. C'est là qu'il t'a parlé, tu as eu des soupçons et tu l'as filé. Tu nous a vus jouer de la mallette noire sur l'appart et tu as demandé à ton ami de coller une écoute auxiliaire. Le sénateur Kennedy a parlé à Mlle Shoftel de Roland Kirpaski qui allait témoigner, tu l'as entendu, et tu as convaincu Jimmy Hoffa de te donner le contrat.

Des tripes d'engnôlé. Ce flic sec comme un coup de trique, avec son haleine de gnôle, à 8 heures du matin.

— Tu n'as aucune preuve, et M. Hoover s'en fiche.

— Tu as raison. Je ne peux pas vous arrêter, toi et Turentine.

Pete sourit.

— Je te parie que M. Hoover a apprécié les bandes. Je te parie qu'il n'aimera pas beaucoup que tu aies fait foirer cette opération.

Littell le gifla.

— Ça, c'est pour le sang sur les mains de John Kennedy, dit Littell.

La gifle était faiblarde. La plupart des femmes giflaient plus fort.

Il savait qu'elle aurait laissé un petit mot. Qu'il trouva sur leur lit, près des clés de la maison.

Je sais que tu as compris que j'avais savonné l'article, version douce. Lorsque le rédacteur en chef l'a accepté sans rien dire, j'ai compris que ce n'était pas suffisant et j'ai appelé Bob Kennedy. Il a dit qu'il parviendrait probablement à tirer quelques ficelles et faire saisir le numéro. Jack, par certains côtés, peut être sans cœur, mais il ne mérite pas ce que tu avais envisagé. Je ne veux plus vivre avec toi. S'il te plaît, n'essaie pas de me retrouver.

Elle avait laissé les vêtements qu'il lui avait offerts. Pete les largua sur la chaussée et regarda les voitures rouler dessus au passage.

11

Washington D.C., 18 décembre 1958.

— Dire que je suis furieux serait réduire le concept de furie. Dire que je considère vos actions comme scandaleuses serait avilir la notion de scandale.

M. Hoover s'interrompit. L'oreiller sur sa chaise lui faisait voir de haut les deux hommes de haute taille.

Kemper regarda Littell. Ils étaient assis au même niveau, au ras du bureau de Hoover.

— Je comprends votre position, monsieur, dit Littell.

Hoover se tamponna les lèvres d'un mouchoir.

— Je ne vous crois pas. Et je n'estime pas, loin s'en faut, la valeur d'une lucidité objective à la même mesure que la valeur de la loyauté.

— J'ai agi de manière impétueuse, monsieur, dit Littell. Et je vous prie de m'en excuser.

— L'impétuosité convient à décrire la manière dont vous avez essayé de contacter M. Boyd pour vous déverser sur lui et sur Robert Kennedy de vos ridicules soupçons à l'égard de Bondurant. « Duplicité » et « trahison » décrivent votre vol sans autorisation jusqu'à Los Angeles pour démolir une opération officielle du Bureau.

— Je considérais que Bondurant était suspect dans une affaire de meurtre, monsieur. J'ai pensé qu'il avait mis sur pied un système de double écoute sur l'équipement de surveillance que nous avions installé, M. Boyd et moi, et je ne me trompais pas.

Hoover ne dit rien. Kemper savait qu'il laisserait le silence durer.

L'opération avait volé en éclats de deux côtés. La petite amie de Bondurant avait tuyauté Bobby sur un article à scandale ; par simple logique, Ward en avait déduit le contrat Kirpaski. Cette logique-là n'était pas sans fondement : Pete se trouvait à Miami en même temps que Roland.

Hoover bichonnait un presse-papier.

— Le meurtre est-il un délit fédéral, monsieur Littell ?

— Non, monsieur.

— Robert Kennedy et le Comité McClellan sont-ils des rivaux directs du Bureau ?

— Je ne les considère pas comme tels, monsieur.

— En ce cas, vous êtes un naïf aux idées troublées, ce que vos récentes actions font plus que confirmer.

Littell était assis parfaitement immobile. Kemper voyait son cœur marteler son plastron de chemise.

Hoover croisa les mains.

— Le 16 janvier 1961 marquera le vingtième anniversaire de votre nomination au Bureau. Vous prendrez votre retraite ce jour-là. Vous travaillerez au Bureau de Chicago jusqu'à cette date. Vous resterez affecté à la brigade de surveillance du PC des Etats-Unis jusqu'à votre départ en retraite.

— Bien, monsieur, dit Littell.

Hoover se leva. Kemper se leva avec un temps de retard, selon le protocole. Littell se leva trop vite — sa chaise vacilla sous ses pieds.

— Vous devez la poursuite de votre carrière et votre pension à M. Boyd, qui s'est montré des plus persuasifs pour me convaincre de me montrer magnanime. J'attends de vous que vous remboursiez votre dette, eu égard à ma générosité, en me promettant de garder un silence absolu sur l'infiltration par M. Boyd du Comité McClellan et de la famille Kennedy. Me *le* promettez-vous, monsieur Littell ?

— Oui, monsieur, je vous le promets.

Hoover sortit.

Kemper reprit son accent traînant.

— Tu peux respirer maintenant, fils.

Le bar du Mayflower offrait des banquettes fermées sur trois côtés. Kemper fit asseoir Littell et lui rabattit ses nerfs à vif d'un double scotch sur glace.

En chemin, ils avaient bataillé contre la neige fondue — impossible d'échanger deux mots. Ward avait encaissé sa volée de bois vert mieux qu'il ne l'aurait cru.

— Des regrets ? dit Kemper.

— Pas vraiment. J'allais prendre ma retraite au bout de mes vingt ans, et le PGC est au mieux une demi-mesure.

— Serais-tu en train de te justifier *a posteriori* ?

— Je ne le pense pas. J'ai eu...

— Finis ta pensée. Ne me laisse pas l'expliciter à ta place.

— Eh bien... j'ai eu... un avant-goût de quelque chose de bon et de très dangereux.

— Et tu aimes ça.

— Oui. C'est presque comme si j'avais touché à un nouveau monde.

Kemper remua son Martini.

— Sais-tu pour quelle raison M. Hoover t'a autorisé à rester avec le Bureau ?

— Pas exactement.

— Je l'ai convaincu que tu étais d'un tempérament changeant et irrationnel et que tu étais très porté sur les risques inutiles. L'élément de vérité dans ce portrait l'a convaincu qu'il valait mieux t'avoir à l'intérieur de la grange, à pisser au-dehors, qu'à l'extérieur en train de pisser dedans. Il voulait que je sois là pour étayer sa manœuvre d'intimidation, et s'il m'en avait donné le signal, je te serais rentré dedans personnellement.

Littell sourit.

— Kemper, tu me mènes en bateau. On dirait un avocat en train d'amener un témoin là où il le désire.

— Oui, et tu es un témoin provocateur. Maintenant, laisse-moi te poser une question. Que penses-tu que Pete Bondurant te tienne en réserve ?

— Ma mort ?

— Ta mort post-retraite, plus vraisemblablement. Il a assassiné son propre frère, Ward. Et ses parents se sont suicidés quand ils ont découvert la chose. C'est un bruit qui court sur Bondurant, et que j'ai choisi de croire.

— Seigneur Jésus, dit Littell.

Il était impressionné, la peur au ventre. Réaction d'une lucidité parfaite.

Kemper empala l'olive dans son verre.

— Vas-tu continuer le travail que tu as entamé sans l'approbation du Bureau ?

— Oui. J'ai un bon informateur potentiel, et...

— Je ne veux pas connaître de détails pour l'instant. Je veux juste que tu me convainques que tu comprends les risques existants, à la fois de l'intérieur et de l'extérieur du Bureau, et que tu ne te comporteras pas de manière stupide.

Littell sourit — il eut *presque* l'air téméraire.

— Hoover me clouerait au pilori. Si la Mafia de Chicago apprenait que j'enquêtais sur elle sans autorisation, ils me tortureraient et me tueraient. Kemper, j'ai comme une notion très farfelue de là où tu veux me mener.

— Dis-moi.

— Tu songes à travailler pour Robert Kennedy pour de bon. Il t'a convaincu, et tu respectes le travail qu'il fait. Tu vas orienter les choses d'un cran dans la bonne direction et tu vas commencer à fournir à Hoover un minimum d'informations et de désinformations soigneusement choisies.

Lyndon B. Johnson faisait valser une rouquine près des box du fond. Il avait déjà vu la fille auparavant, Jack lui avait dit qu'il pouvait s'arranger pour la lui présenter.

— Tu as raison, mais c'est pour le sénateur que je veux travailler. Bobby est plus ton genre d'homme. Il est aussi catholique que toi, et la Mafia est tout autant sa *raison d'être*.

— Et tu fourniras à Hoover autant d'informations que tu l'estimeras nécessaire.

— Oui.

— Et les duplicités inhérentes à ton comportement ne te gêneront pas ?

— Ne me juge pas, Ward.

Littell éclata de rire.

— Tu aimes mes jugements. Tu aimes que quelqu'un d'autre que M. Hoover sache à quoi tu marches. Alors, à *moi* de *te* prévenir. Sois prudent avec les Kennedy.

Kemper leva son verre.

— Je le serai. Et il faudrait que tu saches que Jack pourrait sacrément bien se retrouver élu président d'ici deux ans. Si c'est le cas, Bobby aura carte blanche pour combattre le crime organisé. Une Administration Kennedy pourrait bien signifier des espérances considérables pour nous deux.

Littell leva son verre.

— Un opportuniste tel que toi ne doit pas manquer de le savoir.

— Salaud. Puis-je dire à Bobby que tu partageras tes renseignements avec le Comité ? De manière anonyme ?

— Oui. Et l'idée vient de me frapper que je prends ma retraite quatre jours avant la prochaine investiture présidentielle. Jack ton ami dissolu serait-il celui à la recevoir, tu pourrais peut-être porter à son attention l'existence d'un flic-juriste de talent qui cherche du travail.

Kemper sortit une enveloppe.

— Tu as toujours compris vite. Et tu oublies que Claire nous connaît l'un et l'autre parfaitement.

— Tu ricanes en douce, Kemper, avec ton air narquois. Lis-moi ce que tu as là.

Kemper déplia une feuille de cahier d'écolier.

— Je cite : « et Papa, tu ne voudrais pas le croire, un coup de fil à 1 heure du matin que j'ai reçu d'Helen. Tu es bien assis ? Elle a eu un rencart brûlant avec Oncle Ward (date de naissance : 8 mars 1913, Helen étant du 29 octobre 1937) et ils se sont fait des câlins tous les deux dans sa chambre à elle. Attends que Susan apprenne ça ! Helen a toujours été attirée par les hommes âgés, mais ça, c'est Blanche-Neige qui s'attaque à Walt Disney ! Et moi qui avais toujours cru que c'était pour toi qu'elle avait un faible ! » Fin de citation.

Littell se leva, rougissant.

— Elle me retrouve tout à l'heure, à mon hôtel. Je lui ai dit que les hommes aimaient que les femmes se déplacent pour venir les voir. Et c'est elle qui a été la poursuivante jusqu'ici.

— Helen Agee est une étudiante d'université qui a pris le masque d'un camion Mack Truck. Souviens-toi de ça si les choses se compliquent.

Littell se mit à rire et s'en alla, guilleret. L'allure était belle, mais il faudrait éliminer les lunettes ébréchées.

Les idéalistes dédaignaient les apparences. Ward n'avait pas ce talent inné des jolies choses.

Kemper commanda un second Martini et observa les box du fond. Des échos de conversations s'égaraient jusqu'à lui — des députés discutaient de Cuba.

John Stanton qualifiait Cuba de point chaud potentiel pour l'Agence. Il avait dit, je pourrais peut-être avoir du travail pour vous.

Jack fit son entrée. La rouquine de Lyndon Johnson lui passa un petit mot sur une serviette en papier.

Jack vit Kemper et lui fit un clin d'œil.

Deuxième Partie

COLLUSION

Janvier 1959 - Janvier 1961

12

Chicago, 1ᵉʳ janvier 1959.

   Homme n° 1 non identifié. — Barbu, merde au cul. Tout ce que je sais, c'est que Mo est sacrément nerveux, putain.
   Homme n° 2 non identifié. — L'Organisation a toujours couvert ses paris côté Cuba. Santos T., c'est le meilleur ami de Batista, putain. J'ai parlé à Mo il y a peut-être une heure de ça. Il sort chercher le journal et revient pour regarder ce putain de « Rose Bowl » à la télé. Le journal dit : Putain de Bonne Année, Castro vient de prendre le pouvoir à Cuba et, qui sait s'il est pro-U.S, pro-Russie, ou pro-les-Martiens.

   Littell inclina son siège en arrière et ajusta ses écouteurs. Il était 4 heures de l'après-midi et il neigeait — mais à la boutique de tailleur « Chez Celano », le baratin allait bon train.
   Il était seul au poste d'écoute du PGC. Il était en violation avec les règlements du Bureau et les ordres directs de M. Hoover.

   Homme n° 1. — Santos et Sam doivent faire suer les casinos là-bas. On raconte que les bénefs bruts se montent à un demi-million par jour.
   Homme n° 2. — Mo m'a dit que Santos l'avait appelé juste avant le coup d'envoi. Ces putains de cinglés de Cubains à Miami sont en plein bazar. Mo a une part de cette station de taxis, tu sais laquelle ?
   Homme n° 1. — Ouais, les taxis tigres. Je suis descendu là-bas pour une convention des Camionneurs l'année dernière et j'ai pris l'un de ces taxis. J'ai pas arrêté de m'enlever des peluches orange et noires du cul pendant les six putains de mois qui ont suivi.

Homme n° 2. — La moitié de ces bons à rien de Cubains sont pro-Barbu, et l'autre moitié est pro-Batista. Santos a dit à Sam que c'était complètement dingue à la station, comme les Négros quand les chèques de l'Assistance arrivent pas.

Des rires envahirent le haut-parleur, entrecoupés de parasites et suramplifiés. Littell décrocha son casque et s'étira.

Il lui restait deux heures sur son poste. Il n'avait rien glané comme informations mirobolantes jusque-là : la politique cubaine ne l'intéressait pas. Il en était à son dixième jour d'écoute en douce — et pas la moindre preuve solide.

Il avait passé un marché avec l'AS Court Meade, un marchandage de boulots ni vu ni connu. La maîtresse de Meade habitait Rogers Park ; des responsables de cellules cocos vivaient tout près. Ils avaient conclu un arrangement : je te prends ton boulot, tu me prends le mien.

Ils passaient un temps minimum à leurs affectations véritables et s'échangeaient toutes les rédactions de rapports. Meade chassait les Rouges et une veuve, riche de l'assurance-vie de son mari. Lui écoutait les truands baratiner au quotidien.

Court était paresseux et sûr de sa retraite. Court avait vingt-sept ans de service au Bureau.

Lui était prudent. *Il* gardait précieusement pour lui l'infiltration des Kennedy par Kemper Boyd. *Il* classait des rapports détaillés de la Brigade Rouge et imitait la signature de Meade sur tous les memoranda PGC.

Il surveillait toujours la rue à cause de l'arrivée d'éventuels agents. Il entrait et sortait toujours du poste à mouchards subrepticement.

Le plan marcherait — pendant un moment. Le bavardage sur mouchard était trop banal et l'ennuyait — il lui fallait recruter un informateur.

Il avait filé Lenny Sands dix soirs d'affilée. Sands ne fréquentait pas habituellement les lieux de rencontre homosexuels. Ses tendances sexuelles pourraient bien se révéler non exploitables — Sands pourrait bien aussi faire peu de cas de la menace d'être exposé au grand jour.

La neige tourbillonnait sur Michigan Avenue. Littell examina la seule photo de son portefeuille.

132

C'était un instantané d'Helen. Sa coiffure faisait ressortir ses cicatrices de brûlures.

La première fois qu'il avait embrassé ses cicatrices, elle avait pleuré. Kemper l'appelait la « Fille Mack Truck ». Il lui avait offert un enjoliveur bouledogue de camion Mack Truck pour Noël.

Claire Boyd avait dit à Susan qu'ils étaient amants.

— Quand le choc se sera tassé, je dirai à Papa ce que j'en pense, avait répondu Susan.

Elle ne l'avait toujours pas appelé.

Littell remit son casque. Il entendit claquer la porte de la boutique du tailleur.

Homme inconnu n° 1. — Sal, Sal D. Sal, tu peux croire un temps pareil ? Est-ce que tu ne voudrais pas te retrouver à La Havane en train de jouer aux dés avec le Barbu ?

« Sal D. » : très vraisemblablement Mario Salvatore D'Onofrio ; alias « Sal le Fou ». Eléments clés du dossier PGC : bookmaker / prêteur sur gages indépendant. Une condamnation pour meurtre en 51. Qualifié de « sadique criminel à tendances psychopathes avec pulsions psychosexuelles incontrôlables visant à infliger la douleur ».

Homme inconnu n° 2. — *Que se dice*, Salvatore ? Dis-nous ce qu'il y a de neuf et d'inhabituel.

Sal D. — Les nouvelles, c'est que j'ai perdu un paquet sur les Colts contre les Giants, et y a fallu que je tape Sam pour un putain de prêt.

Homme inconnu n° 1. — T'as toujours ton truc d'église, Sal ? Là où t'emmènes tes groupes de Ritals jusqu'à Tahoe ou Vegas ?

Des parasites envahirent la ligne. Littell tapa sur l'alimentation et renouvela le flux d'air.

Sal D. —... et Gardena et L.A. On se prend Sinatra et Dino, et les casinos nous installent en salles privées avec machines à sous et nous refilent un pourcentage. C'est ce qu'on appelle une excursion aux frais de la princesse. Tu sais, spectacles, jeux et toutes ces conneries. Hé, Lou, tu connais Lenny le Juif ?

Lou / Homme nº 1. — Ouais, Sands. Lenny Sands.

Homme nº 2. — Lenny le Juif. Le putain de fou de la cour à Sam G.

Des couinements noyèrent les voix. Littell tapa sur sa console et démêla quelques câbles d'alimentation.

Sal D. —... alors, j'ai dit : « Lenny, j'ai besoin d'un mec qui voyage avec moi. J'ai besoin d'un mec qui me garde mes amateurs d'excursions aux frais de la princesse bien huilés et rigolards, pour qu'ils perdent plus de fric et me gonflent mon pourcentage. » Il m'a dit : « Sal, je ne passe pas d'audition, mais tu peux me choper aux Elks du quartier Nord le 1er janvier. Je passe avant une réunion amicale des Camionneurs, et si ça ne te botte pas... »

L'aiguille de température se mit à trembloter. Littell coupa le contact et laissa l'alimentation se refroidir sous la main.

La relation D'Onofrio / Sands était intéressante.

Il consulta le dossier de Sal D. qu'il avait sous la main. Le résumé de l'agent était une horreur :

D'Onofrio habite une enclave italienne du quartier Sud entourée de lotissements peuplés de Nègres. La majorité de ses parieurs et emprunteurs habite dans cette enclave et D'Onofrio fait ses tournées d'encaissement à pied, en ratant rarement une journée. D'Onofrio se considère comme une lumière-guide au sein de sa communauté, et la brigade antigang des services du shérif — comté de Cook — pense qu'il y joue le rôle de « protecteur », c'est-à-dire qu'il protège les Italo-Américains contre les éléments criminels nègres, et que ses tactiques d'intimidation et de collecte de fonds, force à la clé, l'ont aidé à lui assurer son long règne de bookmaker/usurier. Il faut également noter que D'Onofrio a été suspect dans le meurtre par torture — non résolu — du 19 décembre 1957 de Maurice Theodore Wilkins, un jeune Nègre soupçonné d'avoir cambriolé un presbytère du voisinage.

Une photo de l'Identité était agrafée à la chemise. Sal le Fou : défiguré par les kystes, laid comme une gargouille.

Littell se rendit dans le quartier Sud et commença à tourner sur le territoire à prêts de D'Onofrio. Il le repéra sur la 59e et Prairie.

L'homme marchait. Littell largua sa voiture et le prit en filature, à pied, à trente mètres.

Sal le Fou entrait dans les immeubles et ressortait en comptant ses billets. Sal le Fou notait ses transactions en colonnes dans un livre de prières. Sal le Fou ne pouvait s'empêcher de se curer le nez et portait des chaussures de tennis basses sous le blizzard.

Littell resta collé à lui. Les claquements du vent couvraient le bruit de ses pas.

Sal le Fou reluquait par les fenêtres. Sal le Fou prit l'argent d'un flic du quartier : cinq dollars sur la revanche Moore/Durelle.

Les rues étaient pratiquement désertes. Sa filature lui faisait l'effet d'une hallucination permanente.

Un employé de restaurapide essaya d'entuber Sal le Fou. Sal le Fou brancha une agrafeuse portative et lui riva les mains au comptoir.

Sal le Fou entra dans un presbytère. Littell s'arrêta à la cabine téléphonique située à l'extérieur et appela Helen.

Elle décrocha à la seconde sonnerie.

— Allô ?

— C'est moi, Helen.

— C'est quoi, ce bruit ?

— C'est le vent. J'appelle d'une cabine.

— Tu es dehors par ce temps ?

— Oui. Tu es en train d'étudier ?

— J'étudie le droit civil et cette distraction est la bienvenue. Susan a appelé, à propos.

— Oh ! merde. Et alors ?

— Alors elle dit que je suis grande, que tu es libre, blanc et âgé de quarante-cinq ans. Elle a dit : « Je vais attendre de voir si ça va durer, vous deux, avant d'en parler à ma mère. » Ward, est-ce que tu passes ce soir ?

Sal le Fou sortit et glissa sur les marches du presbytère. Un prêtre l'aida à se relever et lui fit signe au revoir.

Littell ôta ses gants et souffla dans ses mains.

— Je serai là tard. Il y a un petit spectacle de comique auquel je dois assister.

— Tu parles par énigmes. Tu te comportes comme si M. Hoover regardait par-dessus ton épaule toutes les secondes. Kemper, lui, raconte tout ce qu'il fait à *sa* fille.

Littell se mit à rire.

— Je veux que tu analyses le lapsus freudien que tu viens de faire.

Helen poussa un grand cri.

— Oh, Seigneur, tu as raison.

Un jeune Nègre passa. Sal le Fou s'élança derrière lui.

— Il faut que j'y aille, dit Littell.

— Passe plus tard.

— D'accord.

Sal le Fou courait aux trousses du môme. Les rafales de neige et ses tennis le ralentissaient.

Les marches de la Salle des Elans étaient bondées. Difficile de se faire admettre pour un non-Camionneur : des nervis de service assuraient un contrôle d'identité à la porte.

Des files d'hommes s'alignaient, avec bouteilles sous sachet et packs de canettes. Ils arboraient l'insigne du Syndicat sur le revers du manteau — à peu près de la même taille que les écussons du Bureau.

Une nouvelle fournée d'arrivants envahit les marches. Littell tint en l'air son insigne du FBI et poussa dans le milieu. La cohue la bouscula par à-coups jusque dans la salle.

Une blonde en string et pastilles sur les seins tenait le vestiaire. Des files de machines à sous de contrebande s'alignaient le long des murs du hall d'entrée. A chaque coup, on tirait le gros lot : les Camionneurs ramassaient les pièces par poignées et hurlaient.

Littell remit son insigne en poche. La foule le poussa jusque dans une grande salle de spectacle.

Des tables de cartes faisaient face à une estrade d'orchestre. Chaque table était garnie de bouteilles de whisky, gobelets en carton et glace.

Des filles dénudées offraient des cigares. Les pourboires donnaient le droit de toucher la marchandise, sans restrictions.

Littell attrapa un siège en bordure de scène. Une rouquine esquivait, nue, les mains baladeuses — des liasses de billets gonflaient son string.

Les lumières s'éteignirent. Un miniprojecteur toucha l'estrade. Littell se servit immédiatement un scotch sur glace.

Trois hommes étaient assis à sa table. Des inconnus lui assenaient des tapes dans le dos.

Lenny Sands entra en scène, tortillant son fil de micro à la manière de Sinatra. Lenny imitait Sinatra — jusqu'à ses bouclettes collées salive et sa voix.

— Emmène-moi dans la lune dans ma tire de Camionneur gonflée ! Je vais vous coller des marques de dérapage sur le cul du patronat, pas'que j'ai un super contrat de syndiqué ! En d'autres termes, c'est les Camionneurs, les rois !

Huées et hurlements de la salle. Un homme attrapa une fille dénudée et l'obligea à quelques tortillements de croupion salaces.

Lenny Sands fit la révérence.

— Merci merci merci ! Et salut et gloire à vous tous, membres du Conseil d'Illinois du Nord de la Fraternité internationale des Camionneurs !

La foule applaudit. Une serveuse nue regarnit les tables en glace — Littell se prit un sein dans la figure.

— Sûr qu'il fait chaud par ici ! dit Lenny.

La fille nue bondit sur scène et lui glissa des glaçons dans le pantalon. Le public se mit à hurler ; le voisin de table de Littell couina et cracha son bourbon.

Lenny fit des grimaces d'extase. Lenny secoua ses jambes de pantalon jusqu'à ce que les glaçons ressortent.

La foule se prit à hurler-siffler, à piailler, à marteler les tables...

La serveuse nue disparut derrière un rideau. Lenny prit un accent bostonien — la voix de Bobby Kennedy forcée en soprano.

— Et maintenant, écoutez-moi bien, monsieur Hoffa ! Arrêtez de vous associer à ces méchants gangsters et ces méchants chauffeurs de camions et vous me dénoncez tous vos amis, sinon je vais le dire à mon Papa.

La foule fut prise de vagues. De vagues et de roulis. Le martèlement des pieds faisait trembler le sol.

— Monsieur Hoffa, vous êtes un bon à rien et un méchant. Arrêtez vos tentatives de réunir mes six enfants en syndicat, sinon je le dirai à mon Papa et à mon grand frère Jack ! Soyez gentil, sinon je dirai à mon Papa d'acheter votre syndicat et de faire de tous vos méchants chauffeurs de camions des serviteurs dans notre complexe familial de Hyannisport !

La salle rugit. Littell avait la nausée à cause de la chaleur, la tête lui tournait.

Lenny hachait menu. Lenny taillait dans le vif. Lenny FAISAIT Robert F. Kennedy, grand croisé pédé.

— Monsieur Hoffa, arrêtez ce méchant marchandage forcé à l'instant !

— Monsieur Hoffa, cessez de hurler, vous me décoiffez et j'ai les cheveux qui se dessèchent !

— Monsieur Hoffa, soyez GENTIIIIL !

Lenny tenait la salle, il l'essorait jusqu'à la vider de tout son jus. Lenny lui faisait sortir ce qu'elle avait dans le ventre, du sous-sol jusqu'au toit.

— Monsieur Hoffa, vous êtes SI-I-I-I-I viril !

— Monsieur Hoffa, arrêtez de gratter — vous allez filer mes nylons !

— Monsieur Hoffa, vos Camionneurs, eh bien, ils sont tout simplement TRO-O-O-O-P sexy ! Ils nous mettent dans un ETAT, le Comité et moi, je ne vous dis pas.

Lenny continuait à monter ses saillies. Littell pigea un truc, après trois verres : il ne tourne jamais *John* Kennedy en ridicule. Kemper appelait ça la dichotomie Bobby/Jack : quand on aimait l'un, on détestait l'autre.

— Monsieur Hoffa, arrêtez de m'embrouiller avec des faits !

— Monsieur Hoffa, arrêtez de m'admonester, sinon je ne partagerai pas mes secrets de coiffure avec votre épouse !

La Salle des Elans était une poêle à frire. Les fenêtres ouvertes y laissaient entrer un peu d'air glacé. Les glaçons vinrent à manquer — les serveuses nues remplirent les bols de neige.

Des hommes de la Mafia passaient de table en table. Littell repéra des visages, d'après les photos des dossiers.

Sam « Mo »/« Momo »/« Mooney » Giancana. Tony Iannone « Pic-à-Glace », sous-chef de la Mafia de Chi. Dan Versace « l'Ane », Paolucci « Gros Bob », Sal « le Fou » D'Onofrio en personne.

Lenny termina son numéro. Les filles nues se trémoussèrent sur scène avant de faire la révérence.

— Alors emmenez-moi jusqu'aux étoiles, la bourse bien pleine de mon chèque du Syndicat ! C'est Jimmy Hoffa notre tigre aujourd'hui — Bobby, c'est qu'un rat tout rabougri. En d'autres termes, les Camionneurs, c'est les rois !

Des tables qu'on cogne, des bourrades, des cris, des applaudissements, des coups de sifflet, des hurlements...

Littell sortit au pas de course par une porte de derrière et aspira l'air glacé. Sa sueur se figea sur la peau ; ses jambes se mirent à trembloter ; son dîner au scotch resta en place.

Il regarda la porte. Une ligne de conga serpentait à travers la grande salle de spectacle — filles nues et Camionneurs enchaînés mains aux hanches. Sal le Fou se joignit à eux — ses tennis couinaient et dégoulinaient de neige.

Littell reprit son souffle et se dirigea doucement à pas lents vers le parc de stationnement. Lenny Sands prenait le frais près de sa voiture, roulant des boules de neige d'une congère.

Sal le Fou s'avança jusqu'à lui et le prit en accolade. Lenny fit la grimace et se libéra.

Littell s'accroupit derrière une limousine. Leurs voix portaient dans sa direction.

— Lenny, qu'est-ce que je peux dire ? Tu as été stupéfiant !

— Quand le public appartient à une catégorie donnée, c'est facile, Sal. Il suffit que tu saches sur quel bouton appuyer pour les démarrer.

— Lenny, un public, c'est un public. Tous ces Camionneurs, c'est des mecs qui bossent, tout comme mes gars des excursions. Tu laisses tomber la politique et tu leur déverses des machins italiens à la louche. Et putain, je te garantis le résultat. Chaque fois que tu leur sors leurs trucs de paysans, tu te retrouves avec une meute de hyènes sur les bras.

— Je ne sais pas, Sal. Il se pourrait que j'aie un contrat pour Vegas bientôt.

— Mais je suis en train de te supplier, putain, Lenny. Et mes putains de bimbeloteurs sont bien connus comme les plus grands putains de perdants de tous les casinos en activité. Va va voom, Lenny. Plus ils perdent, plus on s'en ramasse.

— Je ne sais pas, Sal. Il se pourrait que j'aie l'occasion de faire l'ouverture de Tony Bennett aux « Dunes ».

— Lenny, je t'en supplie. Je te supplie à quatre pattes, comme un putain de clebs.

Lenny se mit à rire.

— Avant de te mettre à aboyer, monte à 15 p. 100.

— 15... Bordel... tu m'as enjuivé, espèce de putain de Juif.

— 20 p. 100 dans ce cas. Je ne m'associe aux haïsseurs de Juifs qu'à bon prix.

— Va te faire mettre, Lenny. T'as dit 15.

— Va te faire mettre toi-même, Sal. J'ai changé d'avis.

S'étira un silence — Littell visualisa un long regard rivé au sol.

— Okay okay okay. Okay pour tes putains de 20 p. 100, espèce de bandit juif.

Claquèrent quelques portières. Littell vit Sal le Fou arracher sa Caddy et partir en slalom vers la rue.

Lenny alluma ses phares et laissa tourner son moteur au ralenti. De la fumée de cigarette s'échappait de la fenêtre côté conducteur.

Littell marcha jusqu'à sa voiture. Lenny était garé deux rangées plus loin — il repérerait son départ.

Lenny se contenta de rester sur place. Des ivrognes vacillaient dans la lueur de ses phares et se prenaient des gamelles sur la glace.

Littell racla le givre de son pare-brise. La voiture était enfoncée dans la neige jusqu'aux pare-chocs.

Lenny partit. Littell lui accorda une pleine minute de champ et suivit ses traces dans la neige en gadoue.

Celles-ci conduisaient droit à Lake Shore Drive direction nord. Littell le rattrapa juste en bordure de la rampe.

Lenny vira. Littell resta derrière lui, à quatre longueurs de voiture.

Ce fut une filature-escargot — pneus à chaînes sur asphalte croûté —, deux voitures et une voie rapide déserte.

Lenny passa les rampes de sortie vers Gold Coast. Littell se traînait derrière lui, avec en point de mire les feux arrière.

Ils longèrent Chicago, à proprement parler, en escargots. Ils longèrent Glencoe, Evanston et Wilmette, en escargots.

Des panneaux marquaient la sortie de la ville de Winnetka. Lenny braqua à droite et quitta la grand-route à la toute dernière seconde.

Il n'y avait pas moyen de le suivre — ou il sortirait de la route ou il se défoncerait une rambarde.

Littell prit la rampe de sortie suivante. Une descente. Winnetka avait le calme et la beauté d'une heure du matin — rien que résidences Tudor et rues fraîchement passées au chasse-neige.

Il quadrilla le quartier, vitesse de croisière, et tomba sur une rue commerçante. Une filée de voitures était garée devant un bar à cocktails : Perry's Little Log Cabin — Chez Perry et sa petite cabane forestière.

La Packard Carribean de Lenny était nichée tout contre le trottoir.

Littell se gara et entra. Une banderole au plafond lui frôla le visage : « Bienvenue 1959 », en paillettes argentées.

La salle était douillette, d'un confort de jour de grand froid. Le décor était rustique : murs avec imitation poutres, comptoir en bois dur, banquettes-canapés moelleuses en vinyle.

La clientèle était totalement masculine. Au comptoir, pas de places assises. Deux hommes étaient assis sur un canapé, à se peloter — Littell détourna la tête.

Il resta les yeux rivés devant lui. Il sentait d'autres yeux le reluquer. Il repéra des cabines téléphoniques près de la sortie arrière, à l'abri, derrière une cloison.

Il alla au fond de la salle. Personne ne s'approcha de lui. Son étui d'aisselle lui avait meurtri l'épaule, la chair à vif — il avait passé sa nuit à suer et à s'exciter.

Il s'installa dans la première cabine. Porte entrouverte, il avait le bar en enfilade.

S'y trouvait Lenny, en train de boire un Pernod. S'y trouvaient Lenny et un blond, occupés à se faire du pied.

Littell les observa. Le blond glissa un petit mot à Lenny avant de se tirer. Un pot-pourri des Platters s'échappa du juke-box.

La salle se vida, quelques couples à la fois. Le duo canapé se leva, braguette ouverte. Le barman annonça la dernière tournée.

Lenny commanda un Cointreau. La porte d'entrée s'ouvrit. Et entra Tony Iannone « Pic-à-Glace ».

L'un des lieutenants les plus craints de Giancana se mit à embrasser le barman à bouche-que-veux-tu. Le tueur de la Mafia de Chicago *soupçonné de neuf meurtres par mutilation* suçotait et mordillait l'oreille du barman.

Littell fut pris de vertiges. Littell se sentit la gorge sèche. Littell sentit son pouls battre comme un cinglé.

Tony/Lenny/Lenny/Tony — qui sait qui est *pédé* ?

Tony vit Lenny. Lenny vit Tony. Lenny sortit par la porte de derrière au pas de course.

Tony prit Lenny en chasse. Littell resta figé sur place. Plus un souffle d'air dans sa cabine : il se sentit vidé de tout son oxygène.

Il ouvrit la porte. Sortit, les jambes flageolantes. L'air froid le gifla en pleine figure.

Une allée courait derrière le bar. Il entendit du bruit plus loin sur la gauche, à l'arrière du bâtiment adjacent.

Tony avait épinglé Lenny contre une congère. Lenny se débattait, de griffes, de dents, de doigts, de pieds.

Tony sortit deux crans d'arrêt. Littell dégaina son arme, d'une main malhabile. Elle tomba au sol. Son hurlement d'avertissement s'étouffa dans sa gorge.

Lenny aligna Tony d'un coup de genou. Tony s'affaissa sur le côté. Lenny lui sectionna le nez d'un coup de dents.

Littell glissa sur la glace et tomba. La neige molle étouffa le bruit de sa chute. Quinze mètres entre eux et lui — ils ne pouvaient ni l'entendre ni le voir.

Tony essaya de hurler. Lenny recracha son nez et lui fourra de la neige dans la bouche. Tony laissa tomber ses couteaux ; dont Lenny se saisit aussitôt.

Ils ne pouvaient pas le voir. Il se laissa glisser à genoux et se mit à ramper vers son arme.

Tony essayait de dégager la neige. Lenny le poignarda à deux mains — dans les yeux, dans les joues, dans la gorge.

Littell rampait vers son arme.

Lenny partit en courant.

Tony mourut en crachant sa neige sanglante.

Des accords de musique vinrent s'égarer au-dehors : petite ballade douce pour le dernier service.

La porte de sortie ne s'ouvrit jamais. Le bruit du juke-box couvrait tout...

Littell rampa jusqu'à Tony. Et nettoya le cadavre : montre, portefeuille, trousseau de clés. Deux crans d'arrêt porteurs d'empreintes enfoncés jusqu'à la garde — si, fais-le.

Il les dégagea. Retrouva ses jambes. Et se mit à courir dans l'allée jusqu'à ce que ses poumons demandent grâce.

13

Miami, 3 janvier 1959.

Pete se rangea à la station de taxis. Une mangue s'écrabouilla sur son pare-brise.

La rue s'était vidée des voitures tigres et de la racaille tigre. Des porteurs de pancartes arpentaient le trottoir, armés de sacs pleins de fruits trop mûrs.

Jimmy l'avait appelé la veille à L.A. :

— Gagne tes putains de 5 p. 100. Le mouchard Kennedy est tombé à l'eau, mais tu me dois toujours. Mes Cubains sont complètement marteaux depuis que Castro a pris le pouvoir. Tu vas à Miami et tu me remets un putain d'ordre à tout ça et tu peux garder tes putains de 5...

Quelqu'un hurla « *Viva Fidel* ». Quelqu'un hurla « *Castro, el grande putocommunisto !* ». Une guerre de poubelles avait éclaté deux portes plus loin : des gamins qui se balançaient des grenades.

Pete verrouilla sa voiture et courut jusque dans la cahute. Un mec genre petit Blanc du Sud travaillait au standard, en solo.

— Où est Fulo ? dit Pete.

Le gus éruc-éruc-éructa.

— Le problème dans toute cette affaire, c'est que la moitié des mecs sont pro-Batista et l'autre moitié, pro-Castro. On ne peut tout simplement pas demander à des mecs comme ça de se pointer au boulot quand y a une petite émeute qui se prépare, alors je suis ici tout seul.

— J'ai dit : « Où est Fulo ? »

— Travailler au standard, c'est toute une éducation. J'ai sans cesse des coups de fil qui me demandent où ça chauffe et « qu'est-ce que je dois apporter ? ». J'aime bien les Cubains, mais je suis d'avis qu'ils sont enclins à des démonstrations de violence tout à fait non civilisées.

Le gugusse était sec comme un cadavre. Il traînait un mauvais accent texan et les dents les plus répugnantes de la terre.

Pete fit craquer ses jointures.

— Pourquoi ne me dis-tu pas où se trouve Fulo ?

— Fulo est allé voir où ça chauffait, il a dû prendre sa machette. Et toi, t'es Pete Bondurant ; moi, je m'appelle Chuck Rogers. Je suis un bon ami de Jimmy et de quelques autres dans l'Organisation, et je suis un opposant *convaincu* de la Conspiration communiste mondiale.

Une bombe-poubelle fit vibrer la fenêtre en façade. Deux lignes de porteurs de pancartes se formèrent en carré au-dehors.

Le téléphone sonna. Rogers brancha ses fils et prit la communication. Pete essuya quelques graines de grenade sur sa chemise.

Rogers ôta les écouteurs.

— C'était Fulo. Il a dit que si « *el jefe* Grand Pete » arrivait, il faudrait qu'il aille jusque chez lui pour lui donner un coup de main. Je crois que c'est au 917 Nord-Ouest 49e. Trois blocs à gauche, deux à droite.

Pete laissa tomber sa valise.

— Alors c'est qui ton préféré, le Barbu ou Batista ? dit Rogers.

L'adresse correspondait à une cahute en stuc couleur pêche. Un taxi tigre aux quatre pneus tailladés bloquait l'entrée du perron.

Pete l'escalada et frappa. Fulo entrouvrit la porte et ôta une chaîne de sécurité.

Pete entra en force. Et vit immédiatement l'étendue des dégâts : deux Espingos, chapeau de cotillon sur le crâne, *muerto* sur le plancher du salon.

Fulo reverrouilla la porte.

— On faisait la fête, *Pedro*. Et ils ont traité mon bien-aimé

Fidel de véritable marxiste, alors je me suis vexé devant cette calomnie.

Il les avait abattus dans le dos à bout portant. Des orifices de sortie petit calibre — le boulot de nettoyage n'irait pas chercher bien loin.

— Allons-y. Au travail, dit Pete.

Fulo leur réduisit les dents en poudre. Pete leur brûla les empreintes sur une plaque chauffante.

Fulo dégagea les balles enfoncées dans le mur et les jeta dans les toilettes. Pete brûla vite fait les taches sur le parquet — les tests au spectographe seraient négatifs.

Fulo arracha les tentures de la pièce et en enveloppa les deux corps. Les plaies au sortir des balles s'étaient coagulées — le sang ne suintait plus.

Chuck Rogers débarqua. Fulo dit qu'il était compétent, qu'on pouvait lui faire confiance. Ils larguèrent les macchabées dans le coffre d'une voiture.

— Qui es-tu? dit Pete.

— Je suis géologue des pétroles. J'ai aussi ma licence de pilote et je suis anticommuniste professionnel.

— Et qui paie l'addition?

— Les Etats-Unis d'Amérique, dit Chuck.

Chuck était d'humeur baladeuse. Pete se joignit à lui — Miami lui chopait les gonades comme L.A. jadis.

Ils se baladèrent. Vitesse de croisière. Fulo balança les corps au passage d'une portion déserte de la voie en terre-plein de Bal Harbor. Pete fumait cigarette sur cigarette : le paysage lui bottait.

Il aimait les grandes maisons blanches et le grand ciel tout blanc — Miami, résultat d'une énorme opération de passage à l'apprêt. Il aimait l'espace qui séparait les quartiers rupins et les taudis. Il aimait les flics en maraude, qui ne devraient pas beaucoup se laisser emmerder — à les voir, on comprenait que des Négros en goguette ne seraient pas à la fête.

146

— Les convictions idéologiques de Castro sont dans l'air, dit Chuck. Il a fait des déclarations qu'on peut interpréter aussi bien comme pro-américaines que très pro-Rouges. Mes amis de la communauté des renseignements sont en train de mettre sur pied quelques petits plans pour le baiser au tournant s'il vire coco.

Ils retournèrent à Flagler. Des hommes en armes gardaient la station de taxis, de la flicaille qui n'était pas de service, à l'allure caractéristique de gros lards insolents.

Chuck leur fit signe.

— Jimmy prend bien soin des forces de police du coin. Il a monté cette antenne bidon du Syndicat, et la moitié des flics du secteur se récupèrent ainsi de belles planques et de jolis chèques de paie.

Un gamin leur colla une brochure sur le pare-brise. Fulo traduisit quelques-uns des slogans, rien que des banalités style coco.

Des pierres se mirent à pleuvoir sur la voiture.

— C'est vraiment trop cinglé par ici, dit Pete. On va aller planquer Fulo quelque part.

Rogers louait une chambre dans un meublé tout-espingos. Equipement radio et brochures de haine couvraient l'espace au sol jusqu'au dernier centimètre carré.

Fulo et Chuck décompressaient en buvant des bières. Pete feuilletait les titres des pamphlets et il se paya au passage une pinte de bon sang.

« LES YOUPINS CONTROLENT LE KREMLIN ! » « TRAITEMENT AU FLUOR : UN COUP DU VATICAN ? » « DES NUAGES DE LA TEMPETE ROUGE S'AMONCELLENT — REACTION D'UN PATRIOTE. » « POURQUOI LES RACES NON BLANCHES PROLIFERENT : UN SCIENTIFIQUE EXPLIQUE. » « QUESTIONNAIRE PRO-AMERICAIN : VOTRE SCORE ETES-VOUS ROUGE, OU ROUGE, BLANC ET BLEU ? »

— Chuck, dit Fulo, ça manque plutôt de place par ici.

Rogers tripotait un récepteur à ondes courtes. Pour s'arrêter sur une litanie de haine : banquiers juifs, bla-bla-bla.

Pete toucha quelques boutons. Les bafouillages et divagations cessèrent net.

Chuck sourit.

— La politique, c'est quelque chose à quoi on vient douce-ment. On ne peut pas s'attendre à comprendre la situation mondiale immédiatement.

— Il faudrait que je te présente à Howard Hughes. Il est aussi cinglé que toi.

— Tu crois que l'anticommunisme, c'est cinglé ?

— Je crois que c'est bon pour les affaires, et tout ce qui est bon pour les affaires, ça me va.

— Je ne pense pas qu'il s'agisse d'une attitude très éclairée.

— Pense ce que tu veux.

— C'est ce que je ferai. Et je sais que tu es en train de te dire : « Sainte Hannah, qui c'est ce mec, qui est quand même mon complice dans un meurtre au premier degré, parce qu'il est sûr que nous avons partagé de bien inhabituelles expériences en un laps de temps aussi court. »

Pete s'appuya contre la fenêtre. Il aperçut un petit éclair de rôdeuse à un demi-bloc de là.

— Je dirais, à mon humble avis, que tu travailles sur contrat pour la CIA. Tu es censé coller aux basques des Cubains de la station pendant que tout le monde attend de voir dans quelle direction Castro va sauter.

Fulo joua le coup à l'indignation.

— Castro va sauter dans les bras des Etats-Unis d'Amérique.

Chuck éclata de rire.

— Ce sont les immigrants qui font les meilleurs Américains. Tu devrais le savoir, hein, Pete ? T'es pas une sorte de franchouil-lard ?

Pete fit claquer les pouces. Rogers tiqua.

— Contente-toi de me prendre pour un 100 p. 100 Américain qui sait ce qui est bon pour les affaires.

— Whoa, allons, allons. Je n'ai jamais douté de ton patrio-tisme.

Pete entendit des murmures devant la porte. Echange de regards — Chuck et Fulo pigèrent le topo vite fait. Pete entendit le bruit qui annonçait un fusil de chasse — trois claquements ; haut et clair, la pompe qu'on manœuvre, du canon à la culasse.

Il laissa tomber son calibre derrière un paquet de brochures. Fulo et Chuck levèrent les bras.

Des flics en civil défoncèrent la porte au pied. Et firent leur entrée, la crosse du fusil haut levée, niveau épaules.

Pete tomba au sol sur un coup de chochotte. Fulo et Chuck jouèrent le coup aux durs et se firent tabasser dans les pommes à s'en faire péter le crâne.

— Le grand mec fait semblant, dit un flic.

— On peut arranger ça, dit un autre.

Lui explosèrent dessus des crosses rembourrées de caoutchouc. Pete roula la langue contre le palais pour ne pas la sectionner d'un coup de dents.

Il revint à lui, entravé, menottes aux poignets. Les lames du dossier de sa chaise lui entaillaient le dos ; une batterie lui guinchait en rythme dans la cervelle.

Une lumière lui toucha les yeux. Un seul œil, en fait — des lambeaux de chair lui réduisaient sa vision de moitié. Il distingua trois flics assis autour d'une table boulonnée au sol.

Des bruits de caisse claire éclataient derrière ses oreilles. Des bombes A s'enflammaient tout le long de son échine.

Pete joua des muscles des bras et fit sauter la chaîne de ses menottes.

Deux flics sifflèrent. Un flic applaudit.

Ils l'avaient *doublement* entravé, avec attaches aux chevilles — il ne pouvait pas leur offrir un rappel.

Le flic le plus âgé croisa les jambes.

— Nous avons reçu un tuyau anonyme, monsieur Bondurant. Un voisin de M. Machado a vu M. Adolfo Herendon et M. Armando Cruz-Martin entrer au domicile de M. Machado, et il a entendu ce qui aurait pu passer pour des coups de feu quelques heures plus tard. Ensuite, quelques heures après cela, vous et M. Rogers arrivez séparément. Vous repartez tous deux en compagnie de M. Machado chargés de deux gros colis enveloppés de rideaux, et le voisin note le numéro d'immatriculation de M. Rogers. Nous avons inspecté la voiture de M. Rogers, et remarqué quelques petits débris qui ressemblent à des lambeaux de peau, et il est certain que nous aimerions entendre vos commentaires sur tout ceci.

Pete remit une arcade sourcilière en place.

— Inculpez-moi ou relâchez-moi. Vous savez qui je suis et qui je connais.

— Nous savons que vous connaissez Jimmy Hoffa. Nous savons que vous êtes copain avec M. Rogers, M. Machado et quelques autres chauffeurs de Tiger Kab.

— Inculpez-moi ou relâchez-moi, dit Pete.

Le flic lui balança cigarette et allumettes sur les genoux.

Flic n° 2 se pencha plus près.

— Vous croyez probablement que Jimmy Hoffa a acheté tous les flics de cette ville, mais fiston, je suis ici pour vous apprendre que ce n'est tout simplement pas le cas.

— Inculpez-moi ou relâchez-moi.

— Fiston, vous usez de ma patience.

— Je ne suis pas ton fils, espèce de tante givrée.

— Fiston, c'est le genre de paroles qui va te faire gagner des gifles.

— Si vous me giflez, c'est les yeux que je vise. Et ne m'obligez pas à le prouver.

Flic n° 3 joua le coup en douceur.

— Whoa, whoa, whoa. Monsieur Bondurant, vous savez que nous pouvons vous garder en détention pendant soixante-douze heures sans vous inculper. Vous savez que vous avez probablement une commotion et qu'un examen médical ne serait pas inutile. Pourquoi ne...

— Laissez-moi passer mon coup de fil, ensuite inculpez-moi ou relâchez-moi.

Le flic le plus âgé croisa les mains sur la nuque.

— Nous avons laissé votre ami Rogers passer son coup de fil. Il a baratiné le gardien, une histoire à dormir debout comme quoi il avait des contacts au gouvernement et il a appelé un certain « monsieur » Stanton ». Et vous, qui allez-vous appeler ? Jimmy Hoffa ? Vous croyez qu'Oncle Jimmy va vous régler votre caution sur une inculpation de double homicide et risquer peut-être de faire naître toutes sortes de mauvaises publicités dont il n'a pas besoin ?

Une bombe A lui explosa dans le cou. Pete en perdit presque conscience.

Flic n° 2 soupira.

— Ce petit a la tête qui tourne trop pour coopérer. Laissons-le se reposer un peu.

Il sombra, s'éveilla, sombra à nouveau. Son mal de crâne subsistait, passant de bombe A à nitroglycérine.

Il lut les graffitis gravés au mur. Il fit des rotations du cou pour rester en éveil. Il battit le record du monde en se retenant de pisser.

Il résuma la situation.

Fulo craque ou bien Fulo ne craque pas. Chuck craque ou pas. Jimmy leur paie la caution ou il les laisse tomber. Peut-être que l'adjoint du procureur s'offre un éclair de jugeote : les homicides d'Espingo sur Espingo rapportent que dalle, côté popularité.

Il pouvait appeler M. Hughes. M. Hughes pouvait donner un coup de pouce à M. Hoover — ce qui signifiait, classée, la putain d'affaire.

Il avait dit à Hughes qu'il serait absent trois jours. Hughes avait accepté le voyage, sans poser de questions. Hughes avait accepté parce que l'entreprise d'extorsion sur les Kennedy avait foiré avec retour de manivelle. Joe et Bobby avaient mis la pression et lui avaient rétréci les noisettes à la taille de cacahuètes.

Et Ward J. Littell l'avait giflé, *lui*.

Ce qui imposait la peine de mort pour cet enculé.

Gail était partie. Le coup Jack K. : pffft, envolé. La haine de Hoffa pour Kennedy grésillait — brûlante, brûlante, brûlante. Hughes avait toujours la tête farcie de commérages/calomnies et n'en tenait plus de trouver un nouveau rédacteur pour *L'Indiscret*.

Pete lut les petites rêvasseries murales. Gagnante de l'Oscar : « Les flics de Miami sucent les pines de rhino. »

Deux hommes entrèrent et se prirent des chaises. Un geôlier lui ôta ses entraves de jambes et se dépêcha de sortir.

Pete se leva et s'étira. La salle d'interrogatoire se mit à tanguer et à rouler.

Le plus jeune dit :

— Je suis John Stanton, et voici Guy Banister. M. Banister est retraité du FBI, et il a été pendant un temps divisionnaire adjoint des forces de police de La Nouvelle-Orléans.

Sandy était frêle, le cheveu blond sableux. Banister était grand, le teint rougeaud et engnôlé.

Pete alluma une cigarette. D'inhaler la fumée lui fit monter son mal de crâne en surmultipliée.

— J'écoute.

Banister eut un rictus.

— Je me souviens de cette petite histoire de droits civiques vous concernant. Ce sont bien Kemper Boyd et Ward Littell qui vous ont arrêté, n'est-ce pas ?

— Vous le savez très bien.

— J'ai été jadis l'ASC de Chicago, et j'ai toujours pensé que Littell n'était qu'une mauviette.

Stanton s'assit à califourchon sur sa chaise.

— Mais Kemper Boyd, c'est une autre paire de manches. Vous savez, Pete, il est passé du côté de la station des Tigres et il a montré vos photos de l'Identité. L'un des hommes a sorti un couteau, et Boyd l'a désarmé de manière plutôt spectaculaire.

— Boyd, c'est le mec classe, dit Pete. Et tout ceci commence à me faire l'effet d'une audition. Alors je vous dirai que je le recommande pour à peu près n'importe quel type de travail dans le domaine du maintien de l'ordre.

Stanton sourit.

— Vous n'êtes pas mal, personnellement, comme candidat potentiel dans cette audition.

Banister sourit.

— Vous avez votre licence d'enquêteur privé. Vous avez été adjoint du shérif. Vous êtes l'homme de Howard Hughes, et vous connaissez Jimmy Hoffa, Fulo Machado et Chuck Rogers. Ce sont là des lettres de créance très classe.

Pete écrasa sa cigarette sur le mur.

— La CIA, c'est pas si mal, question lettres de créance. C'est bien ce que vous êtes, pas vrai ?

Stanton se leva.

— Vous êtes libre. Aucune charge ne sera retenue contre vous, Rogers ou Machado.

— Mais vous allez rester en contact ?

— Pas exactement. Mais il se peut que je vous demande un petit service un jour. Pour lequel, naturellement, vous serez bien payé.

14

La suite était magnifique. Joe Kennedy l'avait achetée à l'hôtel sur-le-champ.

Une centaine de personnes laissaient la pièce principale à moitié vide. La baie vitrée offrait à la vue tout Central Park sous une tempête de neige.

Jack l'avait invité. En disant qu'il ne fallait pas rater les petites fiestas de son père — et qui plus est, Bobby a besoin de te parler.

Jack avait dit qu'il y aurait peut-être des femmes. Jack avait dit que la rouquine de Lyndon Johnson pourrait bien faire une apparition.

Kemper observait les petites coteries se rassembler, en constellations, puis se dissoudre. La fête déroulait ses tourbillons autour de lui.

Le vieux Joe se tenait en compagnie de ses filles chevalines. Peter Lawford présidait un groupe — uniquement des mecs. Jack piquait ses crevettes de cocktail en compagnie de Nelson Rockefeller.

Lawford, prophète, composait le Cabinet Kennedy. On considérait Frank Sinatra comme le vainqueur incontesté au poste de Premier ministre de la Chatte.

Bobby était en retard. La rouquine n'était pas arrivée — Jack lui aurait fait signe s'il l'avait vue en premier.

Kemper sirotait un lait de poule. Sa veste de smoking n'était pas très près du corps — il l'avait fait couper en prévoyant de masquer un étui d'épaule. Bobby faisait respecter sa politique stricte — pas d'arme sur soi — *ses* hommes étaient juristes, pas flics.

Il était *doublement* flic — double salaire et double service.

Il avait appris à M. Hoover qu'Anton Gretzler et Roland Kirpaski étaient morts, mais leur statut de « morts présumés » n'avait pas démoralisé Bobby Kennedy. Bobby était déterminé à donner la chasse à Hoffa, aux Camionneurs et à la Mafia *bien au-delà* de la date d'expiration du Comité McClellan. Les brigades anti-rackets des forces de police municipales et les enquêteurs de grand jury armés de preuves accumulées pour le Comité deviendraient alors le fer de lance anti-Hoffa. Bobby n'allait pas tarder à mettre sur pied le travail préparatoire pour la campagne de Jack en 60, mais Jimmy Hoffa resterait sa cible personnelle.

Hoover exigeait des détails précis sur les enquêtes en cours. Il lui avait appris que Bobby voulait retrouver la trace de trois millions de dollars « mirages » qui avaient financé le programme immobilier de Hoffa à Sun Valley. Bobby était convaincu que Hoffa s'écrémait une part de bénéfices et que Sun Valley à proprement parler constituait une escroquerie foncière. Bobby, instinctivement, était convaincu de l'existence de livres comptables de la Caisse centrale de Retraite des Camionneurs, des livres séparés, voire codés — des registres détaillant des dizaines de millions de dollars de fonds cachés, de l'argent prêté aux gangsters et aux hommes d'affaires véreux à des taux d'intérêt gargantuesques. Une rumeur courait, allant et venant : un truand de Chicago à la retraite dirigeait la Caisse. Bobby, par pur instinct personnel : l'affaire de la Caisse, vrais et faux livres, était son coin de force anti-Hoffa le plus solide.

Il avait aujourd'hui deux salaires. Il avait deux séries de devoirs antagonistes. Et John Stanton qui lui faisait des offres, ou des propositions d'offres — si les plans de la CIA concernant Cuba se stabilisaient.

Ce qui lui donnerait un troisième salaire. Qui lui offrirait des revenus suffisants pour entretenir son propre pied-à-terre.

Peter Lawford coinça Leonard Bernstein. Le maire Wagner baratinait Maria Callas.

Un serveur remplit le bock de Kemper. Joe Kennedy conduisit jusqu'à lui un vieil homme qu'il lui présenta.

— Kemper, voici Jules Schiffrin. Jules, Kemper Boyd. Vous devriez bavarder tous les deux. L'un comme l'autre, vous êtes de fieffés vauriens, et ça remonte à loin.

Ils se serrèrent la main. Joe se retira pour bavarder avec Bennet Cerf.

— Comment allez-vous, monsieur Schiffrin ?

— Je vais bien, je vous remercie. Et je sais que je suis un vaurien. Mais vous ? vous êtes trop jeune.

— J'ai un an de plus que Jack Kennedy.

— Et moi, j'ai quatre de plus que Joe, donc nous sommes à égalité. Est-ce là votre occupation, vaurien ?

— Je suis retraité du FBI. Et, pour l'instant, je travaille pour le Comité McClellan.

— Vous êtes un ex G-man ? Retraité si jeune ?

Kemper lui adressa un clin d'œil.

— J'étais fatigué de voler les voitures avec l'assentiment du FBI.

Schiffrin singea le clin d'œil.

— Fatigué, emmerdouflé. Ça allait donc si mal ? Au point que vous avez pu vous offrir des smokings en mohair taillés sur mesure comme celui que vous portez ? Il faudrait que je me paie un smoking comme ça.

Kemper sourit.

— Que faites-vous dans la vie ?

— Ce que je faisais serait plus juste. Et ce que je faisais, c'est que j'offrais mes services comme consultant, dans le domaine de la finance et de l'emploi. Ce sont là à vrai dire des euphémismes, au cas où vous en douteriez. Ce que je n'ai *pas* fait, c'est d'avoir des tas d'enfants adorables qui auraient éclairé ma vieillesse. Des enfants aussi adorables que ceux de Joe. Regardez-les.

— Vous êtes de Chicago ? demanda Kemper.

Schiffrin s'illumina.

— Comment le saviez-vous ?

— J'ai étudié les accents régionaux. Je suis doué pour ça.

— Doué n'est pas le mot qui convient. Et cet accent traînant qui est le vôtre, viendrait-il de l'Alabama ?

— Du Tennessee.

— Aah, l'Etat des Volontaires. Ce n'est vraiment pas de chance que mon ami Heshie ne soit pas là ce soir. C'est un chapardeur sans morale natif de Detroit qui a vécu dans le Sud-Ouest pendant des années. Il a un accent qui vous laisserait perplexe.

Bobby fit son apparition dans l'entrée. Schiffrin l'aperçut et roula les yeux au ciel.

— Voici votre patron. Excusez ma franchise, mais ne pensez-vous pas qu'il soit un peu merdaillon sur les bords ?

— A sa manière, effectivement.

— C'est vous qui donnez dans l'euphémisme maintenant. Je me souviens qu'un jour, nous étions en train de jacter comme des pies, Joe et moi, sur la manière dont nous avions baisé Howard Hughes sur une affaire il y a trente ans de ça. Bobby a trouvé à redire au mot « baisé » parce que ses gamins étaient dans la pièce voisine. Ils ne pouvaient rien entendre, mais...

Bobby faisait signe. Kemper saisit le geste et acquiesça.

— Excusez-moi, monsieur Schiffrin.

— Allez. Votre patron vous appelle. Joe a neuf mômes au total, alors un merdeux sur le lot, ce n'est pas une mauvaise moyenne.

Kemper s'approcha. Bobby le dirigea vers les vestiaires. Manteaux de fourrure et capes de soirée les encadraient de toutes parts.

— Jack a dit que vous vouliez me voir.

— Effectivement. J'ai besoin que vous rassembliez quelques dossiers bien organisés sur les preuves dont nous disposons et que vous me rédigiez un résumé de tout ce qu'a fait le comité, afin que nous puissions adresser un rapport type à tous les grands jurys qui prendront notre relève. J'ai bien conscience que la paperasserie n'est pas vraiment votre style, mais ceci est un impératif.

— Je commencerai demain matin.

— Bien.

Kemper s'éclaircit la gorge.

— Bob, il y a quelque chose que je voulais proposer à vos réflexions.

— De quoi s'agit-il ?

— J'ai un ami proche. Il est agent du FBI, Bureau de Chicago. Je ne peux vous donner son nom pour l'instant, mais c'est quelqu'un de capable et d'intelligent.

Bobby brossa la neige de son pardessus.

— Kemper, vous me racontez des histoires. Je sais que vous avez l'habitude d'agir à votre guise avec les gens, mais venez-en au fait, je vous prie.

— Le fait est qu'il a été transféré du Programme Grands Criminels contre sa volonté. Il hait M. Hoover et son leitmotiv, « la Mafia n'existe pas », et il veut vous transmettre des renseignements anti-Mafia par mon intermédiaire. Il comprend les risques que cela implique, et il accepte de les prendre. Et prenez-le comme vous l'entendez, mais c'est un ex-séminariste jésuite.

Bobby suspendit son pardessus.

— Pouvons-nous lui faire confiance ?

— Absolument.

— Ce ne serait pas un agent d'infiltration de Hoover ?

— Difficile à concevoir, dit Kemper en riant.

Bobby le regarda. Bobby lui offrit son regard à intimider les témoins.

— Très bien. Mais je veux que vous disiez à votre homme de ne rien faire d'illégal. Je ne veux pas d'un zélateur en liberté, en train de coller des mouchards partout et Dieu sait quoi d'autre parce qu'il croit que je vais le couvrir en lui donnant mon appui.

— Je lui dirai. Et dans quels secteurs...

— Dites-lui que je m'intéresse à d'éventuels registres comptables secrets de la Caisse de Retraite. Dites-lui que s'ils existent, c'est probablement la Mafia de Chicago qui en a la responsabilité. Demandez-lui de travailler à partir de cette hypothèse et de voir s'il peut nous fournir des renseignements d'ordre plus général sur Hoffa tant qu'il y est.

Les invités défilaient devant les vestiaires. Une femme traînait son vison derrière elle. Dean Acheson faillit trébucher en s'y prenant les pieds.

Bobby fit la grimace. Kemper vit son regard se perdre au loin.

— Qu'y a-t-il ?

— Ce n'est rien.

— Y a-t-il autre chose que vous...

— Non. Maintenant, si vous voulez bien m'excuser...

Kemper sourit et retourna se joindre à la fête. La grande salle était bondée — s'y déplacer était une corvée.

La femme au vison faisait tourner les têtes.

Elle demanda à un maître d'hôtel de câliner son vison. Elle insista pour que Leonard Bernstein l'essayât. Elle traversa la foule sur un pas de mambo et piqua le verre de Joe Kennedy.

Joe lui offrit une petite boîte sous emballage cadeau. Que la femme glissa dans son sac à main. Trois sœurs Kennedy s'en furent, dignes et pincées, comme une seule femme.

Peter Lawford reluqua la femme. Bennett Cerf se glissa près d'elle et s'offrit un regard plongeant dans le décolleté. Wladimir Horowitz fit signe à la femme de le rejoindre au piano.

Kemper prit un ascenseur privé et descendit dans l'entrée de l'hôtel. Il décrocha un téléphone réservé gracieusement aux clients et, insigne à l'appui, demanda à la fille du standard une ligne directe pour Chicago.

Elle établit la communication. Helen répondit à la deuxième sonnerie.

— Allô ?

— C'est moi, ma belle. Celui pour lequel tu avais un faible jadis.

— Kemper ? Qu'est-ce que tu fabriques encore, avec cet accent sudiste tout sirupeux ?

— Je suis engagé dans une opération de subterfuge.

— Eh bien, moi, je suis engagée à la fac de droit et je cherche un appartement, et c'est *tellement* difficile !

— Toutes les bonnes choses sont difficiles. Demande à ton petit ami, le monsieur entre deux âges, il te le dira.

— Ward se montre bien secret et d'humeur changeante ces temps derniers. Veux-tu essayer de... murmura Helen.

Littell vint en ligne.

— Kemper, salut.

Helen lança quelques baisers et raccrocha son poste.

— Salut, fils, dit Kemper.

— Salut à toi. Je déteste aller si droit au but mais as-tu...

— Oui.

— Et alors ?

— Alors Bobby a dit oui. Il dit qu'il veut que tu travailles pour nous en confidence, et il veut que tu remontes la piste que nous a donnée Roland Kirpaski : essaie de déterminer s'il existe réellement des livres comptables secrets de la Caisse de Retraite qui masquaient les milliards de dollars dont on n'entend pas parler.

— Bien. C'est... très bien.

Kemper baissa la voix.

— Bobby a réitéré les recommandations que je t'avais faites. Ne prends pas de risques inutiles. Souviens-toi de ça. Bobby est bien plus que moi à cheval sur la légalité, alors rappelle-toi simplement qu'il faut te montrer prudent, et rappelle-toi ceux dont tu dois te méfier. Ouvre l'œil.

— Je serai prudent, dit Littell. Il se peut que j'aie un homme de la Mafia à ma main. Il s'est compromis dans un homicide et je pense pouvoir réussir à le retourner et à en faire un informateur.

La femme au vison traversa le hall d'entrée. Une tapée de chasseurs se rua pour lui ouvrir la porte.

— Ward, il faut que j'y aille.

— Dieu te bénisse pour tout, Kemper. Et dis à M. Kennedy que je ne le décevrai pas.

Kemper raccrocha et sortit. Le vent mugissait dans la 76ᵉ Rue et des poubelles renversées s'alignaient au bord du trottoir.

La femme au vison se tenait sous la marquise de l'hôtel. Elle ôtait l'emballage du cadeau de Joe Kennedy.

Kemper était à quelques mètres d'elle. Le cadeau était une broche en diamants enserrée d'un rouleau de billets de mille dollars.

Un poivrot passa en vacillant. La femme au vison lui donna la broche. Le vent souffla la liasse en éventail, révélant au bas mot cinquante bâtons.

Le poivrot se mit à glousser et regarda la broche. Kemper éclata d'un rire sonore.

Un taxi vint se ranger. La femme au vison se pencha à l'intérieur et dit :

— 681, 5ᵉ Avenue.

Kemper lui ouvrit la portière.

— Ne trouvez-vous pas les Kennedy vulgaires ?

Ses yeux étaient translucides, d'un vert à vous faire tomber raide.

15

Chicago, 6 janvier 1959.

Un seul trifouillage, et le pène sauta. Littell dégagea son rossignol et referma la porte derrière lui. Des phares de passage venaient zébrer les fenêtres. La pièce en façade était petite et encombrée de mobilier, antiquités diverses et babioles Arts déco.

Ses yeux s'accoutumèrent à l'obscurité. La lumière du dehors suffisait — inutile de courir le risque d'allumer les lampes.

L'appartement de Lenny Sands était bien rangé, l'air surchauffé, comme en plein hiver.

Le meurtre de Tony Pic-à-Glace remontait à cinq jours, toujours non résolu. Les journaux comme la télé admettaient un détail : que Iannone avait trouvé la mort devant un nid d'amour où se retrouvaient les pédés. Court Meade dit que Giancana avait donné le mot : Il ne voulait pas voir Tony calomnié comme homo, et refusait de le croire lui-même. Meade avait cité quelques échanges de paroles repiquées au poste d'écoute. Des paroles à faire peur. « Sam a lâché ses éclaireurs, pour qu'ils chopent toutes les choutes connues » ; « Mo a dit que le tueur de Tony va se faire châtrer. »

Giancana n'arrivait pas à croire un fait qui se justifiait de lui-même. Giancana croyait que Tony était entré chez Perry et sa « cabane forestière » par mégarde.

Littell sortit sa lampe-stylo et son Minox. L'emploi du temps de Lenny ces temps derniers l'occupait aux ramassages de Vendo-King jusqu'à minuit. Il était 21 h 20 — il avait le temps de travailler.

Le carnet d'adresses de Lenny était posé sous le téléphone du salon. Littell le feuilleta et nota les noms augurant des possibilités.

Lenny l'Eclectique connaissait Rock Hudson et Carlos Marcello. Lenny l'Homme d'Hollywood connaissait Gail Russell et Johnnie Ray. Lenny l'Homme des gangs connaissait Giancana, Butch Montrose et Rocco Malvaso.

Un détail étrange : ses numéros de téléphone et adresses Mafia ne coïncidaient pas avec les références classées aux dossiers PGC.

Littell passait de page en page. Des noms lui sautaient à la figure.

Sénateur John Kennedy, Hyannisport, Massachusetts, « Spike » Knode, 114, Gardenia, Mobile, Alabama ; Laura Hughes, 681, 5ᵉ Avenue, New York ; Paul Bogaards, 1489, Fountain, Milwaukee.

Il clicha le calepin par ordre alphabétique. Il tenait la lampe-stylo entre les dents et prenait une photographie par page. Il fit trente-deux instantanés jusqu'aux « M ».

Il avait mal aux jambes à force de se tenir accroupi. Le stylo ne cessait de glisser d'entre ses dents.

Il entendit un bruit de clé-serrure. Il entendit un raclement de porte — *quatre-vingt-dix minutes avant l'heure pré...*

Littell se colla au mur près de la porte. Il se repassa en mémoire toutes les prises de judo que Kemper lui avait enseignées.

Lenny Sands entra. Littell l'agrippa par-derrière et le bâillonna d'une main en coupe. Souviens-toi — « Le pouce que tu enfonces sur la carotide du suspect et tu l'étends au sol, nez en l'air ».

Ce qu'il fit — à la Kemper, pur et dur. Lenny tomba sur le dos sans résistance. Littell libéra sa main muselière et ferma la porte du pied.

Lenny ne criait pas. Il ne hurlait pas. Il avait le nez enfoncé dans un paquet de plis de moquette.

Littell libéra doucement la carotide. Lenny toussa et eut un haut-le-cœur.

Littell s'agenouilla à côté de lui. Littell sortit son revolver et l'arma.

— J'appartiens au FBI de Chicago. Je sais que c'est toi qui as tué Tony Iannone, et si tu ne travailles pas pour moi, je te remets aux mains de Giancana et des services de police de Chicago. Je ne te demande pas de dénoncer tes amis. Tout ce qui m'intéresse, c'est la Caisse de Retraite des Camionneurs.

Lenny haletait, en quête d'un peu d'air. Littell se releva et appuya sur l'interrupteur — la pièce s'illumina, froide et claire.

Il aperçut un plateau à alcools près du canapé. Carafes en cristal taillé pleines de scotch, bourbon et cognac.

Lenny remonta les genoux et les enserra des bras. Littell enfonça son arme dans la ceinture et sortit un sachet de papier cristal.

Il contenait deux crans d'arrêt croûtés de sang.

Il les montra à Lenny.

— Je les ai passés à la poudre et j'ai découvert quatre empreintes qui correspondent à celles de ton dossier du SCG.

C'était un bluff. Tout ce qu'il avait obtenu, c'était des barbouillis.

— Tu n'as pas le choix dans cette affaire, Lenny. Tu sais très bien ce que te ferait Sam.

Lenny piqua une suée. Littell lui versa un scotch — l'odeur le fit saliver.

Lenny sirota son verre à deux mains. Sa voix de gros dur ne marcha pas tout à fait.

— Je connais que dalle sur la Caisse. Ce que je sais, c'est que des mecs introduits et certains hommes d'affaires font des demandes pour ces emprunts à intérêt très élevé, et remontent ainsi dans une sorte d'échelle de prêts, de recommandation en recommandation.

— Jusqu'à Sam Giancana?

— C'est une des choses qui se disent.

— Alors, développe.

— Ce qui se dit en théorie, c'est que Giancana consulte Jimmy Hoffa sur toutes les demandes de prêts importants. Ensuite, on les accepte ou on les refuse.

— Existe-t-il un double des livres comptables de la Caisse de Retraite? Je pense à des registres codés répertoriant des fonds secrets et cachés.

— Je ne sais pas.

Kemper Boyd disait toujours : *Intimide tes informateurs.*

Lenny se traîna jusque dans un fauteuil. Lenny le Schizophrène savait que les Juifs durs à cuire ne rampent pas sur le sol.

Littell se servit un double scotch. Lenny l'Amuseur de salons publics dit :

— Faites comme chez vous.

Littell fourra les crans d'arrêt dans sa poche.

— J'ai consulté ton carnet d'adresses et j'ai remarqué que tes adresses ne correspondaient pas à celles qui sont sur dossier au Programme Grands Criminels.

— Quelles adresses ?

— Les adresses des membres du Cartel du crime de Chicago.

— Ah, ces adresses-là !

— Pourquoi ne correspondent-elles pas ?

— Parce que ce sont des baisoirs, dit Lenny. Il s'agit de crèches que les mecs utilisent pour tromper leur femme. J'ai les clés de certaines des crèches, parce que j'y dépose au passage les reçus de mes collectes de juke-box. En fait, j'encaissais des reçus dans ce putain de bar à pédés quand cette pute de tante de Iannone m'est tombée dessus.

Littell sécha son verre.

— Je t'ai vu tuer Iannone. Je *sais* pourquoi tu étais à la Cabane de Perry, et *pourquoi* tu fréquentes la planque d'Hernando. Je *sais* que tu as deux vies et deux voix et deux Dieu seul sait quoi d'autre. Je *sais* qu'Iannone a cherché à te faire la peau parce qu'il ne voulait pas que tu saches que lui aussi faisait pareil.

Lenny *serra* son verre, à deux mains. Le cristal aux tailles profondes claqua et vola en morceaux...

Le whisky gicla. Le sang vint s'y mêler. Lenny ne poussa pas un cri. Il ne cilla pas. Il ne bougea pas.

Littell balança son verre sur le canapé.

— Je sais que tu as passé un marché avec Sal D'Onofrio.

Pas de réaction.

— Je sais que tu vas accompagner ses joueurs excursionnistes.

Pas de réaction.

— Sal est un requin de l'usure. Pourrait-il adresser des clients potentiels aux plus hauts échelons de la Caisse de Retraite ?

Pas de réaction.

— Allez, parle-moi, dit Littell. Je ne partirai pas avant d'avoir obtenu ce pour quoi je suis venu.

Lenny essuya le sang qu'il avait sur les mains.

— Je ne sais pas. Peut-être que oui, peut-être que non. Requin pour requin, Sal n'est que du menu fretin.

— Et Jack Ruby ? Il fait le requin à temps partiel à Dallas.

— Jack est un clown. Il connaît du monde, mais c'est un clown.

Littell baissa la voix.

— Est-ce que les gars de Chicago savent que tu es homosexuel ?

Lenny ravala ses sanglots.

— Réponds à la question, dit Littell, et admets ce que tu es.

Lenny ferma les yeux et hocha la tête, non, non, non.

— Alors réponds à cette question. *Acceptes-tu d'être mon informateur ?*

Lenny ferma les yeux et hocha la tête, oui, oui, oui.

— Les journaux disent que Iannone était marié.

Pas de réaction.

— Lenny...

— Oui. Il était marié.

— Est-ce qu'il possédait un baisoir ?

— Il devait bien en avoir un.

Littell boutonna son pardessus.

— Il se pourrait que je te fasse une jolie fleur, Lenny.

Pas de réponse.

— Je resterai en contact. Tu sais ce qui m'intéresse, alors, au boulot.

Lenny l'ignora. Lenny commença à ôter les débris de verre de ses mains.

Il avait pris un trousseau de clés sur le corps de Iannone. Il contenait quatre clés attachées à une breloque marquée « Di Giorgio — Serrurier — 947, Hutnut Drive, Evanston ».

Deux clés de voiture et une clé de maison présumée. Celle qui restait pourrait bien correspondre à la porte d'un baisoir.

Littell remonta jusqu'à Evanston. Il eut un coup de bol débile à cette heure tardive : le serrurier vivait à l'arrière de sa boutique.

Le débarquement imprévu du FBI ficha la trouille au bonhomme. Il identifia les clés comme son œuvre. Il dit qu'il avait installé tous les verrous des serrures de Iannone — à deux adresses.

2409, Kenilworth, à Oak Park, 84, Wolverton, à Evanston.

Iannone vivait à Oak Park — ce détail avait figuré dans les journaux. L'adresse d'Evanston comme baisoir était une forte probabilité.

Le serrurier lui fournit de faciles indications sur la route à suivre. Littell trouva l'adresse en quelques minutes.

C'était un appartement sur garage derrière la résidence d'une fraternité d'étudiants de l'université Northwestern. Le quartier était d'un silence de mort, plongé dans l'obscurité.

La clé correspondait bien à la porte. Littell entra, arme en avant. L'endroit était inhabité et moisi.

Il alluma la lumière dans les deux pièces. Il retourna placards, tiroir, étagère, cagibi et vide sanitaire. Il découvrit godemichés, fouets, colliers de chien cloutés, ampoules de nitrate d'amyle, douze pots de vaseline, un sachet de marijuana, une veste de motard cloutée de laiton, un fusil de chasse à canon scié, neuf boîtes de benzédrine, un brassard nazi, des peintures à l'huile mettant en scène des sodomies et des 69 entre mâles exclusivement, et un instantané de Tony Iannone Pic-à-Glace en compagnie d'un étudiant nu, joue contre joue.

Kemper Boyd disait toujours : *Protège tes informateurs.*

Littell appela chez Celano, la « boutique de tailleur ». Un homme répondit :

— Ouais.

Butch Montrose, à ne pas s'y tromper.

Littell déguisa sa voix.

— Ne t'en fais pas pour Tony Iannone. C'était une putain de pédale. Va au 84, Wolverton, à Evanston, et vois par toi-même.

— Hé, qu'est-ce que vous...

Littell raccrocha. Il cloua le cliché au mur, que le monde entier puisse voir.

16

Los Angeles, 11 janvier 1959.

L'Indiscret était à la bourre pour boucler le numéro. Le personnel des bureaux vrombissait de café pimenté de benzédrine.

Des « artistes » composaient une couverture : « PAUL ROBESON — RECIDIVISTE ROUGE ET ROYAL. » Un « correspondant » tapait un papier : « SPADE COOLEY LE TABASSEUR D'EPOUSE — LE TAPEUR DU COUNTRY TAPERA-T-IL UN TEMPS TROP LOIN ? Un « chercheur » parcourait des brochures, essayant d'établir le lien entre l'hygiène des Négros et le cancer.

Pete contemplait le spectacle.

Pete s'ennuyait.

MIAMI lui battait dans la tête. En rythme. *L'Indiscret* lui faisait l'effet d'un cactus géant qu'on lui aurait fourré dans le cul.

Sol Maltzman était mort. Gail Hendee était partie depuis longtemps. Le nouveau personnel de *L'Indiscret* était composé de tarés à 100 p. 100. Howard Hughes n'y tenait plus de vouloir retrouver un nouveau fouilleur de poubelles.

Tous ses candidats potentiels avaient dit *non*. Tout le monde savait que la flicaille de L.A. avait saisi le numéro baveur de saletés sur les Kennedy. *L'Indiscret* était la colonie de lépreux du journalisme à scandale.

Hughes avait un besoin *maladif* d'ordureries. Hughes avait un besoin *maladif* de calomnies cancanières à partager avec M. Hoover. Quand Hughes avait des besoins *maladifs*, Hughes *achetait*.

Pete avait acheté assez de salissures pour emplir un numéro.

Ses contacts chez les flics lui avaient fourni une cargaison de calomnies et cancans sans éclats bons pour une semaine.

SPADE COOLEY, LE MISOGYNE CUIT A LA GNOLE ! DESCENTE A LA FUMERIE DE MARIEJEANNE : SAL MINEO PRIS AU FILET ! ARRESTATIONS DE BEATNIKS : CHOC A HERMOSA BEACH !

C'était de la connerie pure et dure. Aussi peu Miami que possible.

Miami, c'était bon, Miami c'était bien. Miami, c'était sa drogue et il en souffrait, comme de périodes de manque. Il avait quitté Miami avec une légère commotion cérébrale, pas si mal pour la tabassée qu'il avait prise.

Jimmy l'avait appelé pour rétablir l'ordre. Il était sorti de prison et s'était exécuté.

La société de taxis exigeait un retour à l'ordre — les rixes politiques, ça vous foutait les affaires en l'air chaque jour un peu plus. Les émeutes s'étaient tassées, mais Tiger Kab continuait à bouillonner à petit feu sous le baratin des factieux. Il avait affaire à des mecs pro-Batista et pro-Castro — autant de nervis brasseurs d'idées de droite et de gauche à qui il fallait apprendre le pot pour qu'ils se plient sans rechigner à la Règle d'Ordre de l'Homme blanc.

Il établit les lois de fonctionnement.

Pendant le boulot, boissons, affiches et pancartes, interdites. Pas d'armes à feu, ni de couteaux — déposer son attirail auprès du répartiteur. Pas de fraternisation politique — les factions rurales devaient rester en ségrégation.

Un adepte de Batista défia ses règles. Pete le laissa à moitié mort, après passage à tabac.

Il établit d'autres lois.

Pas de maquereautage en service — laissez vos putes chez elles. Pas de cambriolages ou de braquages en service.

Il nomma Chuck Rogers au poste de nouveau répartiteur. Il considérait que c'était là une nomination politique.

Rogers était un nervi sous contrat avec la CIA. Fulo Machado, le corépartiteur, avait des accointances avec la CIA.

John Stanton était agent de la CIA, niveau intermédiaire — et nouvel habitué de la station de taxis. Il avait étouffé dans l'œuf l'inculpation de Fulo, meurtre au premier degré, d'un claquement de doigts.

Guy Banister, le pote de Stanton, haïssait Ward Littell. Banister et Stanton étaient très fanas de Kemper Boyd.

Jimmy Hoffa était propriétaire de Tiger Kab. Jimmy Hoffa avait des participations dans deux casinos de La Havane.

Littell et Boyd l'avaient cadré, *lui*, comme l'auteur de deux meurtres. Stanton et Banister n'étaient probablement pas au courant de ce détail. Stanton l'avait asticoté en douce de sa petite phrase : « Il se peut que je vous demande un service un jour. »

Tout collait au poil et en douceur. Ses petites antennes commençaient à s'exciter, kss kss kss.

Pete appela la réceptionniste.

— Danna, passez-moi l'interurbain. Je veux aller parler à un dénommé Kemper Boyd au bureau du Comité McClellan à Washington, D.C. Dites à l'opératrice d'essayer les bureaux du Sénat, et si vous obtenez la communication, dites que c'est moi qui appelle.

— Bien, monsieur.

Pete raccrocha et attendit. Son coup de fil était presque un coup d'épée dans l'eau. Boyd était probablement sorti, en train de comploter quelque part.

La lumière de son interphone se mit à clignoter. Pete décrocha le téléphone.

— Boyd ?

— En personne. Et surpris.

— Eh bien, je t'en devais un, alors je me suis dit que j'allais régler.

— Continue.

— J'étais à Miami la semaine dernière. Je suis tombé sur deux mecs du nom de John Stanton et Guy Banister, et ils paraissaient s'intéresser à toi de très près.

— Nous avons déjà parlé, M. Stanton et moi. Mais merci. C'est agréable de savoir qu'ils sont toujours intéressés.

— Je t'ai fourni de bonnes références.

— C'est chic de ta part. Y a-t-il quelque chose que je puisse faire pour toi ?

— Tu peux me trouver un nouveau fouilleur de poubelles pour *L'Indiscret*.

Boyd raccrocha. Il riait.

17

Miami, 13 janvier 1959.

Le Comité lui avait réservé une chambre dans un Howard-Johnson. Kemper révisa à la hausse et s'offrit une suite de deux chambres au Fontainebleau.

Il compensa la différence de ses propres deniers. Il en était à toucher presque trois salaires — ce n'était pas une bien grande folie.

Bobby l'avait réexpédié à Miami. A sa propre instigation, d'ailleurs — avec la promesse qu'il reviendrait avec quelques dépositions clés sur Sun Valley. Il ne dit pas à Bobby que la CIA songeait à le recruter.

Le voyage était de petites vacances. Si Stanton était bon, ils trouveraient un terrain d'entente.

Kemper transporta un fauteuil sur le balcon. Ward Littell lui avait adressé un rapport par courrier — il lui fallait le mettre au propre avant de le faire suivre à Bobby.

Le rapport comprenait douze pages dactylographiées. Ward y avait inclus une préface rédigée à la main.

> K.B.,
>
> Comme nous sommes partenaires dans ce gentil subterfuge, je t'offre un compte-rendu mot pour mot de mes activités. Naturellement, il te faudra omettre de faire état de mes illégalités les plus criantes, étant donné les réserves émises par M. Kennedy. Comme tu le remarqueras, j'ai fait des progrès substantiels. Et crois-moi, vu les circonstances extrêmes, je me suis montré très prudent.

Kemper lut le rapport. Les « Circonstances extrêmes » ne correspondaient pas tout à fait à la réalité.

Littell avait été témoin d'un meurtre d'homosexuel. La victime était un lieutenant de la Mafia de Chicago. Le tueur, un habitué de la Mafia, pas vraiment membre à part entière, du nom de Lenny Sands.

Sands était maintenant l'indic de Littell. Sands s'était récemment associé à un book/requin sur gages du nom de D'Onofrio, dit « Sal le Fou ». D'Onofrio organisait des excursions pour passionnés du jeu à Las Vegas et Lake Tahoe — Sands devait accompagner les groupes comme « Amuseur itinérant ». Sands possédait les clés des « baisoirs » de divers mafiosi. Littell l'avait obligé à en faire des doubles et s'était introduit subrepticement dans trois « baisoirs » afin d'y chercher des preuves. Littell avait observé, il n'avait pas touché : armes, stupéfiants, quatorze mille dollars en liquide — cachés dans un sac de golf, au « baisoir » d'un certain « Butch » Montrose.

Littell avait repéré le « baisoir » de Tony Iannone : un appartement sur garage envahi d'attirails homosexuels. Littell était déterminé à protéger son informateur de représailles potentielles. Littell avait révélé l'emplacement du « baisoir » à des membres de la Mafia de Chicago et il s'était mis en planque pour voir s'ils passaient vérifier à l'issue de son tuyau anonyme. Ce qu'ils avaient effectivement fait : Sam Giancana et deux autres bousillaient la porte du « baisoir » une heure plus tard. Ils avaient incontestablement vu les petites marchandises homosexuelles interdites de Iannone.

Stupéfiant. Totalement emblématique de la trinité Ward Littell : chance, instinct, courage naïf.

Littell concluait :

Mon but ultime est de faciliter à un demandeur de prêt l'accès « aux plus hauts gradins de l'échelle » au sein de la Caisse de Retraite centrale des Camionneurs. Ce demandeur de prêt sera, idéalement, mon propre informateur légalement compromis. Lenny Sands et, potentiellement, « Sal le Fou » D'Onofrio pourraient s'avérer des alliés de valeur pour le recrutement d'un tel informateur. Mon demandeur de prêt idéal serait un homme d'affaires véreux aux attaches étroites avec le crime organisé, une personne impressionnable, sensible à l'intimidation physique et aux menaces de poursuites fédérales. Un tel informateur pourrait nous aider à déterminer l'existence de doubles des livres comptables de la Caisse de Retraite qui contiendraient le détail de fonds cachés, et donc illégaux. C'est là une approche du problème qui offre à Robert Kennedy des occasions de poursuites légales sans limites. Si ces livres existent effectivement, les administrateurs des fonds cachés pourront être inculpés à des titres multiples de vol qualifié et de fraude fiscale aux termes des lois fédérales. Je suis d'accord avec M. Kennedy : ceci peut bien se révéler le moyen d'établir le lien entre Jimmy Hoffa, les Camionneurs et la Mafia de Chicago, et ainsi, briser leur pouvoir collectif. Si la collusion financière à une échelle aussi vaste et aussi riche en potentialités peut être prouvée, les têtes vont tomber.

Le plan était ambitieux, les risques stratosphériques. L'éventualité d'un sac de nœuds sauta immédiatement aux yeux de Kemper.

Littell avait révélé au grand jour les tendances sexuelles de Tony Pic-à-Glace. Avait-il envisagé *toutes* les ramifications potentielles ?

Kemper appela l'aéroport de Miami et modifia son vol pour D.C. afin de s'arrêter en route à Chicago. Sa décision lui paraissait logique et valable : si son intuition s'avérait, il faudrait qu'il remonte les bretelles à Ward une bonne fois.

Le crépuscule tomba. Le service de chambre lui apporta sa commande habituelle — ponctuel à la minute.

Il sirota son Beefeater et picora son saumon fumé. Collins Avenue était illuminée ; des lumières scintillantes encadraient le front de mer.

Kemper se sentit un peu de vague à l'âme. Il repassa dans sa mémoire ses quelques instants en compagnie de la femme au vison et songea à une douzaine de répliques qu'il aurait pu utiliser.

Le carillon de porte tinta. Kemper se passa un peigne dans les cheveux et ouvrit.

— Bonjour, monsieur Boyd, dit John Stanton.

Kemper le pria d'entrer. Stanton fit le tour du propriétaire et admira la suite.

— Robert Kennedy vous traite bien.

— Vous manquez quelque peu de sincérité, monsieur Stanton.

— Je n'irai pas par quatre chemins, en ce cas. Vous avez grandi dans l'aisance et vous avez perdu votre famille. Aujourd'hui, vous avez adopté les Kennedy. Vous avez pris coutume de réclamer votre fortune passée par petites doses, et cette pièce est véritablement d'une élégance rare.

Kemper sourit.

— Aimeriez-vous un Martini ?

— Le Martini a le goût d'essence à briquet. J'ai toujours jugé les hôtels à leur carte de vins.

— Je peux vous faire monter tout ce que vous désirez.

— Je ne resterai pas assez longtemps.

— Qu'avez-vous en tête ?

Stanton indiqua le balcon.

— Cuba, c'est là-bas.

— Je sais.

— Nous pensons que Castro passera communiste. Il est prévu qu'il vienne en Amérique au mois d'avril nous offrir son amitié. Mais nous pensons qu'il se comportera de manière déplaisante pour ainsi forcer à un refus officiel. Il déportera bientôt un certain nombre de Cubains « politiquement indésirables », auxquels il sera accordé l'asile politique ici en Floride. Nous avons besoin d'hommes pour les entraîner et les former en vue de constituer une force de résistance anticastriste. La paie est de deux mille dollars par mois, en liquide, plus la possibilité d'acquérir des actions à prix réduit auprès de compagnies de façade ayant le soutien de l'Agence. C'est une offre ferme, et je vous donne mon assurance personnelle que nous ne laisserons pas votre travail pour l'Agence interférer avec vos autres affiliations.

— Affiliations ? Au pluriel ?

Stanton sortit sur le balcon. Kemper le suivit jusqu'à la rambarde.

— Vous avez pris votre « retraite » du FBI de façon quelque peu précipitée. Vous étiez proche de M. Hoover, qui hait et craint les frères Kennedy. *Post hoc, propter ergo hoc.* Vous avez été agent du FBI le mardi, maquereau potentiel pour Jack Kennedy le mercredi, et enquêteur du Comité McClellan le jeudi. Je peux suivre la logique du...

— Quel est le salaire habituel pour les recrues sous contrat de la CIA ?

— Huit-cinquante par mois.

— Mais mes « affiliations » font de moi un cas particulier.

— Oui. Nous savons que vous êtes très proche de Kennedy, et nous pensons que Jack Kennedy pourrait bien être élu président l'année prochaine. Si le problème Castro prend de l'étendue, nous aurons besoin de quelqu'un pour aider à infléchir sa politique cubaine.

— Comme membre d'un groupe de pression ?

— Non. Comme agent provocateur d'une grande subtilité.

Kemper contempla le panorama. La lumière paraissait miroiter bien au-delà de Cuba.

— Je vais réfléchir à votre offre.

18

Chicago, 14 janvier 1959.

Littell entra dans la morgue au pas de course. Kemper l'avait appelé depuis l'aéroport en lui disant : *Retrouve-moi là-bas tout de suite.*

Il avait appelé une demi-heure auparavant. Il ne s'était pas étendu. Il avait prononcé juste ces quelques mots et reclaqué le récepteur sur son socle.

Une rangée de salles d'autopsies s'étirait au départ de l'entrée. Des chariots couverts de draps bloquaient le couloir.

Littell les poussa pour se frayer un chemin. Kemper se tenait contre le mur du fond près d'une rangée de plateaux réfrigérés.

Littell reprit son souffle.

— Putain, qu'est-ce qu'un...

Kemper tira à lui un des plateaux. Sur lequel gisait la dépouille d'un homme de race blanche.

Le jeune garçon portait des entailles et des brûlures de cigarettes. On l'avait torturé. On lui avait sectionné le pénis avant de le lui fourrer dans la bouche.

Littell le reconnut : le môme nu sur l'instantané, chez Tony Pic-à-Glace.

Kemper agrippa Littell par le cou et le força à regarder de près.

— C'est toi, le responsable, Ward. Tu aurais dû détruire toutes les preuves désignant les relations connues de Iannone avant de tuyauter ces mecs de la Mafia. Coupable ou pas, il leur fallait tuer quelqu'un, alors ils ont décidé de tuer le môme de la photo que toi, tu as laissée délibérément pour qu'ils la voient.

174

Littell eut un sursaut en arrière. Il sentait une odeur de bile, de sang, et d'abrasif dentaire utilisé en médecine légale.

Kemper le poussa, encore plus près.

— Tu travailles pour Bobby Kennedy, et c'est *moi* qui ai arrangé ça. M. Hoover me détruira s'il le découvre. Tu as une foutue chance que j'aie décidé de consulter quelques rapports de « Personnes disparues », et il vaudrait sacrément mieux pour toi que tu parviennes à me convaincre que tu ne foireras plus ton coup à l'avenir de la même manière.

Littell ferma les yeux. Ses larmes se mirent à couler. Kemper le poussa encore, joue contre joue avec le gamin mort.

— Retrouve-moi à l'appartement de Lenny Sands à 10 heures. On réglera les détails.

Le travail ne lui était d'aucune aide.

Il filait des cocos et rédigeait ses rapports de surveillance. Ses mains tremblaient ; son écriture était quasiment illisible.

Helen ne lui était d'aucune aide.

Il l'appelait rien que pour entendre sa voix. Elle dont le jargon d'étudiante en droit lui donnait presque envie de hurler.

Court Meade ne lui était d'aucune aide.

Ils se retrouvaient pour le café et échangeaient leurs rapports. Court lui dit qu'il avait une sale tronche. Court lui dit que son rapport était réduit à presque rien — à croire qu'il ne passait pas beaucoup de temps au poste d'écoute.

Il ne pouvait pas répondre : Je me relâche — parce que je me suis trouvé un indic. Il ne pouvait pas dire, j'ai foiré et fait tuer un môme.

L'église l'aidait quelque peu.

Il brûla un cierge pour le gamin mort. Il pria, pour avoir compétence et courage. Il se récura dans la salle de bains et se souvint d'un détail que lui avait dit Lenny : Sal D. recrutait des excursionnistes ce soir à St. Vibiana.

Un arrêt taverne lui fut utile.

Soupe et biscuits secs lui stabilisèrent l'estomac. Trois rye-bière lui éclaircirent les méninges.

Sal et Lenny disposaient de la salle des fêtes de St. Vib pour eux seuls. Une douzaine de Chevaliers de Colomb avalaient leur baratin.

Le groupe était assis devant un paquet de tables de bingo près de la scène. Les Chevaliers en question avaient l'air d'ivrognes et de tabasseurs de femmes.

Littell traîna à l'extérieur, devant une sortie de secours. Il entrouvrit la porte et regarda en prêtant l'oreille.

— Nous partons dans deux jours, dit Sal. Beaucoup de mes habitués n'ont pas pu se libérer de leur boulot, aussi je baisse mon prix à neuf-cinquante, billet d'avion compris. D'abord, nous allons à Lake Tahoe, ensuite Vegas et Gardena, aux abords de L.A. Sinatra passe au « Cal-Neva Lodge » à Tahoe, et vous serez au premier rang plein centre pour assister à son spectacle. Et maintenant, Lenny Sands, jadis Lenny Sanducci, lui aussi vedette de Vegas à plein titre, va vous offrir un Sinatra qui va désinatratiser Sinatra en personne. Vas-y, Lenny ! Vas-y, pays !

Lenny souffla ses ronds de fumée modèle Sinatra. Les Chevaliers de Colomb applaudirent. Lenny balança sa cigarette d'une pichenette au-dessus de leurs têtes et les fusilla du regard.

— N'applaudissez pas avant que j'aie fini ! Quel genre d'associés à la Bande des Quatre [1] me suis-je ramassés là ? Dino, va me chercher deux belles blondes ! Sammy, va me chercher une caisse de gin et dix cartouches de cigarettes, sinon je t'arrache l'œil qui te reste ! Allez, au trot, Sammy ! Quand les Chevaliers de Colomb Chapitre 384 de Chicago claquent des doigts, Frank Sinatra saute au garde-à-vous !

Les Chevaliers y allèrent de leurs ha-ha-ha. Une nonne passa son balai aux abords du groupe sans jamais relever les yeux. Lenny se mit à chanter : *Emmène-moi jusqu'à la Côte avec l'excursion du Grand Sal ! C'est le roi des excursions de la chance, le roi du jeu qui balance ! Alors visez-moi cette allure de petit mignon ! En d'autres termes, Vegas, fais gaffe à toi !*

---

1. Groupe des amis de Frank Sinatra, dont Dean Martin, Sammy Davis Jr. et Peter Lawford. *(N.d.T.)*

Les Chevaliers applaudirent. Sal vida un sac en papier sur une table devant eux.

Ils se mirent à fouiller dans le tas pour se choisir des babioles. Littell reconnut jetons de poker, capotes à relief et porte-clés avec le lapin Playboy.

Lenny tint en l'air un nouveau modèle de stylo en forme de pénis.

— Lequel d'entre vous, mes gavonnes à grosse queue, veut être le premier à signer ?

Se forma une file. Lenny sentit son estomac se retourner.

Il alla jusqu'au ruisseau et vomit. Le rye et la bière lui brûlèrent la gorge. Il se plia en deux et dégueula à s'en vider les tripes.

Quelques excursionnistes passèrent à côté de lui en faisant tourbillonner leurs porte-clés. Quelques-uns ricanèrent.

Littell s'arc-bouta contre un lampadaire. Il aperçut Sal et Lenny dans l'embrasure de la porte de la salle.

Sal fit reculer Lenny jusque contre le mur en le poignardant d'un doigt dans la poitrine. Lenny mima un seul mot :

— Okay.

La porte était entrouverte. Littell l'ouvrit en grand d'une poussée.

Kemper inspectait le carnet d'adresses de Lenny. Il avait allumé toutes les lampes du salon.

— Mollo, fils.

Littell ferma la porte.

— Qui t'a laissé entrer ?

— Je t'ai enseigné comment forcer une porte, tu te souviens ?

Littell secoua la tête.

— Je veux qu'il me fasse confiance. Un autre homme qui débarque ainsi sans prévenir, ça pourrait l'effrayer.

— Il est nécessaire de l'effrayer, dit Kemper. Ne le sous-estime pas sous prétexte que c'est un pédé.

— J'ai vu ce qu'il a fait à Iannone.

— Il a paniqué, Ward. S'il panique à nouveau, nous pourrions y laisser des plumes. Je veux établir une certaine tonalité dans nos rapports, ce soir.

Littell entendit un bruit de pas devant la porte. Le temps lui manqua pour éteindre les lumières et surprendre l'arrivant.

Lenny fit son entrée. Il marqua un temps d'arrêt, exagéré, comme un acteur sur scène.

— Qui est-ce ?

— Voici M. Boyd. C'est un ami à moi.

— Et vous passiez dans le quartier. Et vous vous êtes dit, je vais faire un petit saut, forcer sa porte et lui poser quelques questions.

— Ne commençons pas à voir les choses de cette manière.

— *Quelle manière* ? Vous aviez dit que nous nous contacterions par téléphone, et vous m'avez dit que vous étiez seul dans cette affaire.

— Lenny...

— J'avais effectivement une question, dit Kemper.

Lenny crocheta les pouces dans ses passants de ceinture.

— Alors posez-la. Et servez-vous donc un verre. C'est ce que fait toujours M. Littell.

Kemper eut l'air amusé.

— J'ai jeté un œil à ton carnet d'adresses, Lenny.

— Ça ne me surprend pas. C'est aussi ce que fait toujours M. Littell.

— Tu connais Jack Kennedy et des tas de gens à Hollywood.

— Oui. Et je vous connais ainsi que M. Littell, ce qui prouve aussi qu'il m'arrive de m'encanailler. Nul n'est parfait.

— Qui est cette femme ? Laura Hughes. Et cette adresse que tu as d'elle — 681, 5ᵉ Avenue — m'intéresse.

— Laura intéresse des tas d'hommes.

— Tu as la tremblote, Lenny. Ton attitude vient de changer complètement.

— Qu'est-ce que vous ra... dit Lenny.

Kemper l'interrompit sèchement.

— Est-ce qu'elle a une trentaine d'années ? Grande, brunette, des taches de rousseur ?

— Ça ressemble à Laura, oui.

— J'ai vu Joe Kennedy lui donner une broche en diamant et

au moins cinquante mille dollars. A mes yeux, je dirais qu'il couche avec elle.

Lenny éclata de rire. Son sourire disait, oh, espèce d'impie.

— Parle-moi d'elle, dit Kemper.

— Non. Elle n'a rien à voir avec la Caisse de Retraite des Camionneurs ou quoi que ce soit d'illégal.

— Chassez le naturel, il revient au galop, Lenny. Tu n'as plus rien du petit dur qui s'est offert la peau de Tony Iannone. Tu commences à ressembler à une petite tapette à la voix de fausset.

Instantanément, Lenny passa baryton.

— Est-ce mieux ainsi, monsieur Boyd ?

— Garde tes traits d'esprit pour tes numéros de scène. Qui est-elle ?

— Je n'ai pas à répondre là-dessus.

Kemper sourit.

— Tu es homosexuel et meurtrier. Tu n'as aucun droit. Tu es un informateur fédéral, et tu appartiens au FBI de Chicago.

Littell se sentit plein de nausée. Son rythme cardiaque faisait de drôles de petites choses.

— *Qui est-elle* ? dit Kemper.

Lenny répliqua, dans son numéro de gros dur viril.

— Tout ceci n'a pas l'assentiment du FBI. Si c'était le cas, il y aurait des sténographes, de la paperasse. C'est un truc privé comme qui dirait entre vous deux. Et je ne dirai pas le moindre foutu truc qui pourrait faire du mal à Jack Kennedy.

Kemper sortit un cliché noir et blanc de la morgue et le colla sous la figure de Lenny. Lenny vit le gamin mort, la bouche pleine.

Lenny frissonna. Instantanément, Lenny prit sa tronche de dur.

— Et alors ? Alors c'est censé me fiche la trouille ?

— C'est Giancana qui a fait ça, Lenny. Il croyait que cet homme avait tué Tony Iannone. Un seul mot de nous, et c'est toi qui deviendras ça.

Littell se saisit de la photo.

— Restons-en là une seconde. Tu t'es fait comprendre au poil.

Kemper le dirigea vers le salon. Kemper le poussa dans un placard, du bout des doigts.

— Ne me contredis plus jamais devant un suspect.

— Kemper...

— Frappe-le.

— Kemper...

— *Frappe-le*. Fiche-lui la trouille. Qu'il ait peur de toi.

— Je ne peux pas. Nom de Dieu, ne me fais pas ça.

— Frappe-le, sinon j'appelle Giancana et je te cafte à lui tout de suite.

— Non. Allons... je t'en prie.

Kemper lui tendit un coup-de-poing en laiton. Kemper l'obligea à l'enfiler autour de ses doigts.

— Frappe-le, Ward. Frappe-le. Sinon, je laisserai Giancana le tuer.

Littell se mit à trembler. Kemper le gifla. Littell s'avança, jambes flageolantes, jusqu'à Lenny et se mit à vaciller sur place.

Lenny sourit. De son sourire gonflé de pseudo-dur à cuire. Littell serra le poing et frappa.

Lenny se cogna à une table basse et tomba au sol en crachant ses dents. Kemper lui balança un coussin du canapé.

— Qui est Laura Hughes ? Dis-le-moi en détail.

Littell laissa tomber le coup-de-poing. Sa main palpitait et s'engourdit.

— J'ai dit : « Qui est Laura Hughes ? »

Lenny se nicha la figure dans le coussin. Lenny cracha un bout de bridge en or.

— J'ai dit : « Qui est Laura Hughes ? »

Lenny toussa et s'éclaircit la gorge. Lenny prit une profonde inspiration, du genre *Qu'on en finisse une bonne fois*.

— C'est la fille de Joe Kennedy, dit-il. Sa mère est Gloria Swanson.

Littell ferma les yeux. Ces questions-réponses n'avaient absolument au...

— Continue, dit Kemper.

Lenny reprit son inspiration. Il avait la lèvre fendue jusqu'aux narines.

— M. Kennedy subvient aux besoins de Laura. Laura l'aime et le hait. Gloria Swanson hait M. Kennedy parce que celui-ci l'a escroquée d'une véritable fortune quand il était producteur de cinéma. Elle a renié Laura il y a des années, et c'est tout ce que j'ai comme *continue,* nom de Dieu.

Littell ouvrit les yeux. Lenny redressa la table basse et s'affala dans un fauteuil.

Kemper faisait tournoyer le coup-de-poing autour d'un doigt.

— Où s'est-elle trouvée ce nom de « Hughes » ?

— De Howard Hughes. M. Kennedy hait Hughes, alors Laura a pris ce nom-là pour l'embêter.

Littell ferma les yeux. Il commençait à voir des choses qu'il n'invoquait pas.

— Pose une question à M. Sands, Ward.

Une image vacilla brièvement devant ses yeux — Lenny avec son stylo en forme de phallus.

— Ward, ouvre les yeux et pose à M. Sands...

Littell ouvrit les yeux et ôta ses lunettes. La pièce devint floue, ses contours adoucis.

— Je t'ai vu te disputer avec Sal le Fou à l'extérieur de l'église. C'était à propos de quoi ?

Lenny dégagea une dent déchaussée.

— J'ai essayé de laisser tomber son numéro d'excursionniste.

— Pourquoi ?

— Parce que Sal, c'est du poison. Parce que c'est du poison, comme vous deux.

Il y avait dans sa voix la résignation de celui qui se dit *je suis une balance.*

— Mais il ne t'a pas laissé faire.

— Non. Je lui ai dit que je travaillerais avec lui six mois maxi, s'il est encore...

Kemper faisait tournoyer son coup-de-poing.

— S'il est encore quoi ?

— Encore en vie, bordel.

Sa voix était calme. La voix d'un acteur qui vient de comprendre le rôle à interpréter.

— Pourquoi ne le serait-il pas ?

— Parce que c'est un joueur dégénéré. Parce qu'il doit douze bâtons à Sam G. et un contrat va être lancé contre lui s'il ne règle pas sa dette.

Littell remit ses lunettes.

— Je veux que tu colles aux basques de Sam. Et laisse-moi me soucier de ses dettes.

Lenny s'essuya la bouche sur le coussin. L'anneau de laiton lui avait ouvert un bec-de-lièvre flambant neuf, il avait suffi de ce seul coup.

— Réponds à M. Littell, dit Kemper.

— Oh ! oui oui monsieur Littell, m'sieur, dit Lenny — avec les inflexions dégueulasses de la pédale par excellence.

Kemper glissa le coup-de-poing en laiton dans sa ceinture.

— Ne dis rien à Laura Hughes de tout ceci. Et ne parle à personne de notre arrangement.

Lenny se leva, les genoux en flanelle.

— Je n'oserais même pas en rêver un instant.

Kemper lui fit un clin d'œil.

— T'as du panache, fils. Et je connais un éditeur de L.A. spécialisé dans les revues, qui aurait l'usage d'un mec au parfum comme toi.

Lenny replaça ses lambeaux de lèvres côte à côte. Littell adressa au ciel une prière : s'il vous plaît, laissez-moi dormir cette nuit, d'un sommeil sans rêves.

DOCUMENT EN ENCART : 16/1/59. *Transcription officielle d'une conversation téléphonique FBI — Enregistrée à la demande du Directeur — Classée Confidentiel 1-A : Destinataire unique : le Directeur — Interlocuteurs : Directeur Hoover, Agent spécial Kemper Boyd.*

JEH. — Bonjour, monsieur Boyd.

KB. — Monsieur, bonjour.

JEH. — La liaison est excellente. Etes-vous tout près ?

KB. — Je suis dans un restaurant d'« I » Street Nord-Ouest.

JEH. — Je vois. Les bureaux du Comité sont tout proches, aussi j'imagine que vous êtes dur à la tâche pour Petit Frère.

KB. — Effectivement, monsieur. Tout au moins de manière symbolique.

JEH. — Mettez-moi au courant des derniers développements, je vous prie.

KB. — J'ai convaincu Petit Frère de me réexpédier à Miami. Je lui ai dit que je pourrais obtenir les dépositions de quelques témoins dans l'escroquerie immobilière de Sun Valley. Et en fait, j'ai rapporté effectivement quelques dépositions peu convaincantes.

JEH. — Poursuivez.

KB. — Ma véritable motivation, lors de mon voyage en Floride, a été de vous obtenir de plus amples renseignements sur les affaires Gretzler et Kirpaski. Vous aurez plaisir à apprendre que je me suis présenté aux services de police de Miami et de Lake Weir et j'ai ainsi appris que les deux affaires étaient classées à suivre, dossier ouvert. Je considère qu'il s'agit là d'une admission tacite que les deux homicides resteront non résolus.

JEH. — Excellent. Informez-moi maintenant sur les deux frères.

KB. — Le mandat du Comité sur les rackets de main-d'œuvre expire dans quatre-vingt-dix jours. Le processus du suivi des dossiers en est actuellement au stade de la compilation des pièces, et je vous adresserai des copies carbone des moindres mémoranda dignes d'intérêt qui seront adressés aux grands jurys dans notre ligne de mire. Et une nouvelle fois, monsieur, je vous réitère mon opinion. — à ce stade, il est légalement impossible de poursuivre Jimmy Hoffa.

JEH. — Poursuivez.

KB. — Grand Frère reçoit depuis quelque temps des chefs syndicalistes légitimes alliés au Parti démocrate, afin de les assurer que tous les problèmes soulevés par Petit Frère du côté de Hoffa ne signifient pas pour autant qu'il soit farouchement opposé aux syndicats. Si je ne me trompe pas, je pense qu'il annoncera sa candidature au début de janvier de l'année prochaine.

JEH. — Et vous restez persuadé que les frères ne soupçonnent pas le Bureau de collusion dans l'histoire Darleen Shoftel.

KB. — J'en suis certain, monsieur. La petite amie de Pete Bondurant a informé Petit Frère de l'article de *L'Indiscret,* et Ward Littell, tout à fait indépendamment d'elle, a mis au grand jour notre mouchard primaire et le mouchard secondaire de Bondurant.

JEH. — Je me suis laissé dire que le père des Frères a obligé Howard Hughes à ravaler son caquet.

KB. — C'est exact, monsieur.

JEH. — *L'Indiscret* a été bien terne ces temps derniers. Les bonnes feuilles que M. Hughes m'adresse d'avance sont d'une bien grande civilité.

KB. — Je reste en contact avec Pete Bondurant par principe plus qu'autre chose, et je pense lui avoir trouvé quelqu'un ayant suffisamment d'entrées à Hollywood pour qu'il puisse l'utiliser comme rédacteur-dénicheur.

JEH. — Si la qualité de mes lectures d'avant-coucher s'améliore, je saurai que vous avez réussi.

KB. — Bien, monsieur.

JEH. — C'est Ward Littell que nous devons remercier pour tout le foirage concernant Grand Frère.

KB. — Je suis passé par Chicago il y a deux jours et j'ai vu Littell, monsieur.

JEH. — Poursuivez.

KB. — J'avais initialement pensé que son expulsion du PGC aurait pu le pousser à prendre l'initiative d'actions anti-Mafia, de son propre chef, aussi ai-je décidé d'aller vérifier sur place.

JEH. — Et alors ?

KB. — Mes craintes étaient sans fondement. Littell semble

prendre son mal en souffrance à la Brigade Rouge. Il le
supporte sans mot dire, et le seul changement que j'aie pu
détecter dans ses habitudes est qu'il a maintenant une liaison
avec Helen, la fille de Tom Agee.

JEH. — Une liaison sexuelle?

KB. — Oui, monsieur.

JEH. — La fille est-elle majeure?

KB. — Elle a vingt et un ans, monsieur.

JEH. — Je veux que vous gardiez Littell à l'œil.

KB. — Très bien, monsieur. Et puisque je vous ai au bout du
fil, puis-je vous soumettre un point accessoire?

JEH. — Certainement.

KB. — Cela concerne la situation politique cubaine.

JEH. — Poursuivez.

KB. — Au cours de mes visites en Floride, j'ai rencontré
plusieurs réfugiés cubains, pro-Batista et pro-castristes.
Apparemment, Castro est en train de virer communiste. J'ai
appris que des indésirables de diverses confessions politiques
allaient être expulsés de Cuba et qu'on leur accordera l'asile
politique aux Etats-Unis. Ils s'installeront pour la plupart à
Miami. Aimeriez-vous avoir des renseignements sur eux?

JEH. — Avez-vous une source de renseignements à votre
disposition?

KB. — Oui, monsieur.

JEH. — Mais vous préféreriez la tenir secrète?

KB. — Oui, monsieur.

JEH. — J'espère qu'ils vous paient.

KB. — La situation est ambiguë, monsieur.

JEH. — Vous êtes vous-même un homme ambigu. Et oui,
tous renseignements concernant d'éventuels émigrés cubains
seraient les bienvenus. Avez-vous autre chose à ajouter? Je
suis attendu à une réunion.

KB. — Une dernière chose, monsieur. Saviez-vous que le
père des Frères avait une fille illégitime née de Gloria
Swanson?

JEH. — Non. C'est un point que j'ignorais. Vous êtes sûr?

HB. — Raisonnablement. Dois-je me renseigner plus avant
sur ce point?

JEH. — Oui. Mais évitez tout embrouillamini personnel qui
pourrait mettre votre infiltration en danger.

KB. — Bien, monsieur.

JEH. — Un homme averti en vaut deux. Vous avez une tendance à adopter les gens, tel que ce Ward Littell à la morale fautive. N'étendez pas cette fâcheuse manie aux Kennedy. Je soupçonne leurs pouvoirs de séduction d'excéder même les vôtres.

KB. — Je serai prudent, monsieur.

JEH. — Bonne journée, monsieur Boyd.

KB. — Bonne journée, monsieur.

19

Si M. Hughes est tellement proche de J. Edgar Hoover, dit Dick Steisel, demandez-*lui* donc de rappeler sa meute de foutus huissiers et leurs citations à comparaître.

Pete passa son bureau en revue. Les photos de clients donnaient de quoi se marrer — Hughes partageait un mur avec quelques dictateurs sud-américains et Freston Epps, joueur de bongo.

— Il ne sollicitera pas de faveurs de Hoover. Il se dit qu'il ne lui a pas encore suffisamment léché le cul.

— Il ne pourra pas esquiver les citations à comparaître éternellement. Il devrait simplement se débarrasser de la TWA, gagner ses trois ou quatre cents millions et aller de l'avant, vers sa prochaine conquête.

Pete balança son fauteuil et posa les pieds sur le bureau de Steisel.

— Il ne voit pas les choses de cette manière.

— Et comment vois-tu les choses, toi ?

— A la manière dont il me paie pour les voir.

— Ce qui signifie, dans ce cas précis ?

— Ce qui signifie que je vais appeler Central Casting, me recruter une demi-douzaine d'acteurs et les faire grimer à l'image de M. Hughes. Ensuite je les expédie dans des limos de Hughes Aircraft. Je vais leur dire de faire la tournée de quelques boîtes de nuit en vogue, claquer un peu de blé et lâcher quelques tuyaux sur leurs projets de voyages. Tombouctou, Nairobi, qu'est-ce qu'on en a à foutre ? Ça nous fera gagner un peu de temps.

Steisel farfouilla dans le désordre qui encombrait son bureau.

— TWA mise à part, tu devrais savoir que la plupart des articles de *L'Indiscret* que tu as envoyés pour vérification sont diffamatoires. En voici un exemple, dans la coupure concernant Spade Cooley. « Ella Mae Coaley porte-t-elle effectivement *Everlast* imprimé en creux, à demeure, sur la poitrine ? Ce serait logique, parce que Spade passe son temps à jouer ses ballades blue-grass en style be-bop sur son décolleté déjà dangereusement dentelé ! Il semblerait qu'Ella Mae eût dit à Spade qu'elle voulait se joindre aux adeptes d'un culte de l'Amour libre ! Spade a réagi à sa façon, à coups de poing affûtés à sa façon, et aujourd'hui, Ella Mae arbore un plastron mamellaire malmené de marrons mauves malencontreux. » Tu comprends, Pete, il n'y a pas de lacune rhétorique ou...

Steisel se mit à geindre et à ronronner. Pete coupa le son et se mit à rêvasser.

Kemper Boyd l'avait appelé hier.

— Je t'ai trouvé un filon pour ton rédacteur de revue. Il s'appelle Lenny Sands, et il est engagé au « Cal-Neva Lodge » à Lake Tahoe pour un groupe d'excursionnistes. Va lui parler, je crois qu'il serait parfait pour *L'Indiscret*. Mais... il est dans la manche de Ward Littell, et je sais que tu comprendras vite qu'il est lié au FBI. Et il faut que tu saches également que Littell a un témoin oculaire pour l'affaire Gretzler. M. Hoover lui a dit d'oublier ça, mais Littell est du genre fluctuant. Je ne veux pas que tu cites même le nom de Littell à Lenny.

Lenny Sands, c'était prometteur. Le truc sur le témoin oculaire, de la merde en barre.

— J'irai voir Sands, dit Pete. Mais jouons cartes sur table sur un autre point.

— Cuba ?

— Ouais, Cuba. Je commence à me dire que c'est une vraie vache à lait pour les retraités des services de l'ordre.

— Tu as raison. Et je songe à m'engager dans le coup personnellement.

— Je veux en être. Howard Hughes me rend complètement cinglé.

— Fais un petit truc gentil, dans ce cas. Fais un truc qui plairait à John Stanton.

— Par exemple.

— Tu regardes dans les pages blanches, Washington D.C, et tu m'envoies quelques gâteries.

Steisel le fit brutalement sortir de sa rêverie.

— Demande à ces étudiants d'insérer *présumé* et *supposé,* et fais en sorte que les articles soient plus hypothétiques. Pete, est-ce que tu m'écoutes ?

— Dick, à plus tard, dit Pete. J'ai des choses à faire.

Il roula jusqu'à un téléphone public et y alla de ses numéros « services à rendre ». Il appela un copain flic, Mickey Cohen et Fred Otash, « le Privé des vedettes ». Ils lui dirent qu'ils pourraient lui récolter quelques « gâteries », avec livraison à D.C. garantie *pronto.*

Pete appela Spade Cooley. Il lui dit, je viens d'étouffer dans l'œuf une nouvelle calomnie sur toi. Spade le Reconnaissant dit :

— Je peux faire quoi, pour *toi* ?

Pete lui dit, j'ai besoin de six filles de ton orchestre. Demande-leur de me retrouver à Central Casting dans une heure.

Spade dit, oui, Grand Chef !

Pete appela Central Casting et Hughes Aircraft. Deux employés lui promirent satisfaction : six sosies de Howard Hughes et six limousines attendraient à Central dans une heure.

Pete retrouva ses barons d'occasion et les répartit par paires : six Howard, six femmes, six limos. Les Howard reçurent des instructions précises : Faites la java jusqu'à l'aube en faisant savoir haut et clair que vous vous tirez à Rio en fanfare.

Les limos se bougèrent avec leur cargaison. Spade déposa Pete à l'aéroport de Burbank.

Il prit un petit coucou jusqu'à Tahoe. Le pilote entama son virage de descente juste au-dessus du « Cal-Neva Lodge ».

Sois brillant, Lenny.

Le casino offrait machines à sous, craps, roulette, blackjack, poker, keno et les plus épaisses moquettes que le monde eût jamais vues. Le hall d'entrée offrait une panoplie de Frank Sinatra mahousses en carton-pâte.

Visez-moi celui près de la porte — quelqu'un avait dessiné une pine dans la bouche de Frankie.

Visez-moi cette minuscule découpe en carton près du bar : « Lenny Sands au Swingeroo Lounge ! »

— Pete ! Pete le Français ! hurla quelqu'un.

Ce devait être quelqu'un de l'Organisation — ou quelqu'un qui avait des tendances suicidaires.

Pete regarda alentour. Il aperçut Johnny Rosselli, qui faisait signe depuis un box dans l'enclos du bar.

Il s'approcha. Que des vedettes dans le box : Rosselli, Sam G., Heshie Ryskind, Carlos Marcello.

— Pete le Français, lui cligna de l'œil Rosselli, *que se dice* ?

— Bien, Johnny. Et toi ?

— Ça va, Pete, ça va[1]. Tu connais les gars présents ? Carlos, Mo et Heshie ?

— Rien que de réputation.

Tournée de poignées de main. Pete resta debout, protocole de l'Organisation oblige.

— Pete est franco-canadien, dit Rosselli, mais il n'aime pas qu'on le lui rappelle.

— Faut bien tous qu'on vienne de quelque part, dit Giancana.

— Excepté moi, rétorqua Marcello. J'ai pas de putain d'acte de naissance. Je suis né soit à Tunis, putain, Afrique du Nord, ou alors dans ce putain de Guatemala. Mes parents étaient des petits jeunots de Siciliens sans le moindre putain de passeport. J'aurais dû leur demander, « Hé ! où c'est que je suis né ? » quand j'en avais l'occasion.

— Ouais, dit Ryskind, moi je suis juif avec une prostate tâtillonne. Ma famille est venue de Russie. Et si vous croyez que c'est pas un handicap avec cette engeance-là.

— Pete donne un coup de main à Jimmy à Miami ces temps derniers, dit Marcello. Vous savez, à la station de taxis.

— Et ne crois pas que nous n'apprécions pas le geste, dit Rosselli.

— Faut que Cuba empire avant de s'améliorer, dit Giancana.

---

1. En français dans le texte. *(N.d.T.)*

190

Et ce putain de Barbu qui « nationalise » maintenant nos putains de casinos. Il a collé Santos T. en détention quelque part là-bas, et il nous coûte des centaines de mille par jour.

— Exactement comme si Castro, ajouta Rosselli, venait de fourrer une bombe atomique dans le cul de tous les affranchis d'Amérique.

Personne ne dit, « Assieds-toi ».

Sam G. montra du doigt un pedzouille de bas étage qui passait en comptant ses petites pièces.

— D'Onofrio ramène ces gogos ici. Ils empestent ma salle et ne perdent pas assez pour que ça compense. Moi et Frank, on se partage 40 p. 100 du « Lodge ». C'est une salle classe, pas un lieu à touristes fréquenté par les habitués de la gamelle-déjeuner.

Rosselli éclata de rire.

— Ton gars Lenny travaille avec Sal maintenant.

Giancana prit la raclure de pedzouille en ligne de mire et écrasa une détente imaginaire.

— Va falloir que quelqu'un lui refasse sa raie dans les cheveux, à Sal D'Onofrio le Fou. Les bookies qui doivent plus qu'ils encaissent sont comme ces putains de communistes qui tètent aux mamelles de l'Assistance sociale.

Rosselli but une gorgée de son whisky à l'eau.

— Alors, Pete, qu'est-ce qui t'amène au Cal-Neva ?

— Je dois voir Lenny Sands. Une entrevue pour un boulot. Je me disais qu'il pourrait faire un bon rédacteur pour *L'Indiscret*.

Sam G. lui passa quelques jetons.

— Tiens, le Français, perds donc un bâton à mes frais. Mais ne fais pas quitter Chicago à Lenny S., d'accord ? J'aime bien l'avoir dans le coin.

Pete sourit. Les « Gars » sourirent. Tu piges le tableau — ils t'ont refilé toutes les miettes qu'ils estiment être ta vraie valeur.

Pete s'en alla. Il fut pris par le tourbillon de queue d'une ruée — de petits gagneurs en route pour le salon du gagne-petit.

Il les y suivit. Pas une place assise dans la salle : toutes les tables pleines, et les derniers arrivants collés contre les murs.

Lenny Sands était sur scène, soutenu par un piano et une batterie.

L'homme aux claviers chatouilla quelques accords de blues. Lenny lui fit rebondir le microphone sur la tête.

191

— Lew, Lew, Lew. Nous sommes quoi, hein, un paquet de mollassons ? Qu'est-ce que tu me joues là ? « *Passe-Moi La Pastèque, Mamma, Pas'que Mes Travers de Porc Sont en Double File* ? »

Le public y alla de ses ha-ha-ha.

— Lew, donne-moi un peu de Frankie, dit Lenny.

Leur piano lança une intro. Lenny chanta, mi-Sinatra mi-voix de fausset pédé.

— Je t'ai dans la peau. Je t'ai bien, enkystée au plus profond de moi. Tellement profond que j'en ai les hémorroïdes qui me titillent. Je t'ai, je t'ai — WHOA ! — dans la peau.

Les minables de l'excursion hurlèrent. Lenny remonta son zézaiement d'un cran :

— Je t'ai, enchaînée à mon lit. Je t'ai, extra-vaselinée ! Si profond, que tu ne peux plus vraiment dire pourquoi ! Je t'ai dans la peau !

Les tarés y allèrent de ha-ha-ha en hi-hi-hi. Peter Lawford entra et jeta un œil à ce qui se passait — le larbin nº 1 de Frank Sinatra.

Le batteur fit claquer sa baguette sur le rebord de sa caisse. Lenny caressa son micro, au niveau du bas-ventre.

— Vous, les hommes, les vrais, vous les membres des Chevaliers de Colomb de Chicago, c'est tout simple : je vous adore !

Le public l'acclama...

— Et je veux que vous sachiez que toutes mes dragues, toutes mes chasses à la chatte croquignolette ne sont que des subterfuges pour masquer le désir salace et outrecuidant que j'ai de VOUS, vous, les hommes du Chapitre 384 des Chevaliers de Colomb, vous, superbes et splendides morceaux de manicotti aux braciolas taille impériale que je ne peux tout simplement pas attendre de sauter, de fricasser, de prendre au plus profond de mes tetrazini si terriblement tentants ! »

Lawford donnait l'impression de brûler, de vider les lieux au trot. Ce n'était un secret pour personne qu'il était prêt à tuer pour faire de la lèche à Sinatra.

Les excursionnistes beuglèrent. Un clown agitait un fanion des Chevaliers.

— Je vous aime je vous aime je vous aime, c'est tout ! Je ne peux plus attendre de me mettre sur mon trente et un, en femme s'il vous plaît, et vous inviter tous autant que vous êtes à dormir à ma soirée roupillon de la Bande !

Lawford fonça vers la scène.

Pete lui fit un croche-pied.

Visez-moi le plongeon du larbin, le cul par terre — classique instantané de tous les âges.

Frank Sinatra se fraya un chemin dans le salon. Les excursionnistes se transformèrent en une vraie clique de putains de givrés.

Sam G. l'intercepta. Sam G. lui murmura à l'oreille, doux, gentil et *ferme*.

Pete pigea le topo.

Lenny est avec l'Organisation. Lenny c'est pas le mec à rudoyer pour le plaisir.

Sam souriait. Ça le bottait bien, le Sam, le numéro de Lenny.

Sinatra fit volte-face. Entouré par une meute de lèche-culs.

Lenny remonta son zézaiement de plusieurs crans ;

— Frankie, reviens ! Peter, relève-toi donc, espèce de superbe andouille !

Lenny Sands était un merdaillon mignon et plein d'esprit.

Il glissa au chef de table de blackjack un mot à faire passer à Sands. Lenny fit son apparition à la cafétéria, ponctuel, à la minute près.

— Merci d'être venu, dit Pete.

Lenny s'assit.

— Votre petit mot parlait d'argent. C'est quelque chose qui attire toujours mon attention.

Une serveuse apporta du café. Des gongs de jackpot sonnaient, des machines à sous miniatures étaient boulonnées à chaque table.

— Kemper Boyd vous a recommandé. Il a dit que vous seriez parfait pour le boulot.

— Est-ce que vous travaillez pour lui ?

— Non. C'est juste une relation. Quelqu'un que je connais.

Lenny se frotta la cicatrice qu'il avait au-dessus de la lèvre.

— En quoi consiste le boulot exactement ?

— Vous seriez le dénicheur de *L'Indiscret*, le remueur de scandales. A déterrer de bonnes histoires et de bons petits scandales que vous refileriez aux rédacteurs.

— Je serai donc une balance ?

— En quelque sorte. Vous gardez bien le nez au ras des pâquerettes à L.A., Chicago et au Nevada et vous revenez au rapport.

— Pour combien ?

— Un bâton par mois, en liquide.

— Des cancans bien sales sur les vedettes de ciné, c'est ça que vous voulez ? Vous voulez toute la crasse sur les gens du spectacle ?

— Exact. Et sur les hommes politiques genre libéral.

Lenny se servit de crème dans son café.

— J'ai rien contre ça, à vrai dire, excepté les Kennedy. Bobby, je peux bien m'en passer, mais Jack, je l'aime bien.

— Vous avez été plutôt dur avec Sinatra. Il est pote avec Jack, pas vrai ?

— Il maquereaute pour Jack et lèche le cul de toute la famille, à en avoir le blair tout marron. Peter Lawford a épousé une des sœurs de Jack et c'est le contact lèche-cul de Frank. Jack est d'avis que Frank est bien utile pour une bonne marrade, mais pas grand-chose d'autre, et ce que je viens de vous dire, vous ne l'avez jamais entendu sortir de ma bouche.

Pete but une gorgée de café.

— Dites-m'en plus.

— Non. A vous de demander.

— Okay. Je suis sur Sunset et je veux tirer un coup pour un billet de cent. Qu'est-ce que je fais ?

— Vous voyez Mel, le mec du parking au « Dino's Lodge ». Pour dix *cents*, il vous enverra à une crèche sur Havenhurst et Fountain.

— Supposez que je veuille de la Négrillonne ?

— Allez au drive-in sur Washington et La Brea et touchez-en un mot aux patineuses de couleur.

— Supposez que les garçons, ça me botte ?

Lenny tiqua.

— Je sais que vous détestez les pédés, dit Pete, mais répondez à la question.

— Merde, je ne… Attendez.. le portier du « Largo » dirige un réseau de prostit mâles.

— Bien. Et maintenant, qu'est-ce qu'on raconte sur la vie sexuelle de Mickey Cohen ?

Lenny sourit.

— Elle est purement symbolique. La chatte, ça ne le botte pas vraiment, mais il aime être vu en compagnie de belles femmes. Sa quasi petite amie du moment s'appelle Sandy Hashhagen. Parfois, il sort avec Candy Barr et Liz Renay.

— Qui a effacé Tony Trombino et Tony Brancato ?

— Soit Jimmy Frattiano, soit un flic du nom de Dave Klein.

— Qui a la plus grosse queue d'Hollywood ?

— Steve Cochran ou John Ireland.

— Qu'est-ce que fait Spade Cooley pour prendre son pied ?

— Il s'avale des bennies et tabasse son épouse.

— Avec qui Ava Gardner a-t-elle trompé Sinatra ?

— Avec tout le monde.

— Qui faut-il voir pour un avortement rapide ?

— J'irais voir Freddy Otash.

— Jayne Mansfield ?

— Nympho.

— Dick Contino ?

— Brouteur de chattes suprême.

— Gail Russell ?

— Elle se tue à picoler dans une piaule bon marché de L.A.-Ouest.

— Lex Barker ?

— Coureur de chattes, avec une tendance à préférer les mineures.

— Johnny Ray ?

— Homo.

— Art Pepper ?

— Camé.

— Lizabeth Scott ?

— Gouine.

— Billy Eckstine ?

— Amateur de chattes.

— Tom Neal ?

— Dans la dèche à Palm Springs.

— Anita O'Day ?

— Toxico.

— Cary Grant ?

— Homo.

— Sénateur William F. Knowland ?

— Ivrogne.

— Chef Parker ?

— Ivrogne.

— Bing Crosby ?

— Ivrogne et tabasseur d'épouse.

— Sergent John O'Grady ?

— Mec du LAPD connu pour planter de la came dans le dos des musiciens de jazz.

— Desi Arnaz ?

— Chasseur de putes.

— Scott Brady ?

— Amateur d'herbe.

— Grace Kelly ?

— Frigide. Je l'ai sautée à une occasion et j'ai failli me geler le poireau.

Pete éclata de rire.

— Moi ?

Lenny eut un rictus.

— Roi de l'extorsion. Mac. Tueur. Et au cas où vous vous poseriez la question, je suis bien trop malin pour jamais essayer de déconner avec vous.

— Tu as le boulot, dit Pete.

Ils se serrèrent la main.

Sal le Fou franchit la porte, agitant deux tasses débordant de nickels.

Le casier 19 porte une décalcomanie de Donald le Canard.

Littell en tombe presque dans les pommes.

Nuits 6, 7 et 8 : il planque devant la gare. Il apprend que le veilleur sort pour une pause café à 3 h 10.

L'homme se rend dans un café ouvert toute la nuit un peu plus bas dans la rue. La salle d'attente reste sans surveillance pendant au moins dix-huit minutes.

Nuit 9 : il débarque dans la gare. Armé d'une pince-monseigneur, de cisailles, d'un maillet et d'un ciseau. Il fait sauter le verrou du casier 19 et vole les quatre sacs à provisions pleins d'argent qui se trouvent à l'intérieur.

Le butin se monte à quatre-vingt-un mille quatre cent quatre-vingt-douze dollars.

Il dispose maintenant d'une caisse noire pour ses informateurs. Les billets sont vieux et usagés.

Il donne à Sal le Fou dix mille dollars pour commencer.

Il retrouve le poivrot sosie de Jack Ruby et lui en donne cinq cents.

La morgue du comté de Cook lui fournit un nom. L'amant de Tony Iannone Pic-à-Glace était un certain Bruce William Sifakis. Il adresse un don anonyme de dix mille dollars aux parents du garçon.

Il glisse cinq mille dollars dans le tronc des pauvres à Saint-Anatole et se met à prier.

Il demande l'absolution pour son orgueil démesuré. Il dit à Dieu qu'il a gagné son identité au prix d'autres personnes et il a cher payé. Il dit à Dieu qu'il aime maintenant le danger, que le danger l'excite et le fait frissonner bien plus qu'il ne l'effraie.

24

La Havane, 28 mai 1959.

L'avion vint se ranger. Pete sortit son passeport et un gros rouleau de biftons de dix.

Le passeport était canadien, un faux établi par la CIA.

Des miliciens débarquèrent sur la piste. La flicaille cubaine fouillait tous les vols de Key West en quête de pourliches forcés.

Boyd l'avait appelé deux jours auparavant. En lui disant que John Stanton et Guy Banister, ça les bottait bien, le panache de ce bon vieux Grand Pete. Boyd venait de signer auprès de l'Agence. Il dit qu'il avait un boulot fait sur mesure pour le Grand Pete, un boulot qui pourrait bien se révéler un galop d'essai pour la CIA avant recrutement.

— Tu décolles de Key West, dit-il, direction La Havane sous passeport canadien. Tu parles anglais avec l'accent français. Tu découvres où l'on retient Santos Trafficante Jr. et tu prends livraison d'une lettre de sa main. La lettre devra être adressée à Carlos Marcello, Johnny Rosselli et Sam Giancana, et consorts. Elle devra signifier clairement que Trafficante déconseille toutes représailles contre Castro pour avoir nationalisé les casinos. Il faudra aussi que tu localises un cadre de National Fruit mort de trouille du nom de Thomas Gordean et que tu le ramènes avec toi pour interrogatoire. Tout ceci doit se faire très vite — Castro et Ike sont fermement décidés à interrompre de façon permanente tous les vols commerciaux entre les Etats-Unis et Cuba.

— Pourquoi moi ? dit Pete.

— Parce que tu sais te débrouiller, répondit Boyd. Parce que la société de taxis t'a offert un cours en accéléré sur les Cubains.

Parce que tu n'es pas connu comme homme de la Mafia sur lequel la police secrète de Castro pourrait avoir un dossier.

— Ça paie combien ? demanda Pete.

— Cinq mille dollars. Et si tu es mis en détention, le même courrier diplomatique qui essaie de faire sortir Trafficante et quelques autres Américains se débrouillera pour te faire relâcher. Ce n'est qu'une question de temps avant que Castro ne relâche tous les citoyens étrangers.

Pete hésita.

— Tu recevras également ma promesse personnelle, dit Boyd, que Ward Littell — un homme dangereux et très instable — ne te touchera jamais. En fait, je t'ai arrangé le coup avec Lenny Sands pour qu'il fasse tampon entre vous deux.

Pete éclata de rire.

— Si les flics cubains te cravatent, dit Boyd, dis-leur la vérité.

Les portes s'ouvrirent. Pete colla un billet de dix dollars à l'intérieur de son passeport. Les miliciens montèrent dans l'avion.

Ils portaient des ceinturons dépareillés, armés qu'ils étaient de pistolets bizarres. Les trophées qu'ils arboraient sur le plastron sortaient tout droit d'une quelconque boîte de Kellogg's Corn Flakes.

Pete se pressa en direction du cockpit. Des lampes à arc bombardaient les portes et fenêtres. Il descendit la passerelle plié en deux devant cette foutue lumière qui l'aveuglait.

Un garde lui piqua son passeport. Le bifton de dix disparut. Le garde fit la courbette et lui offrit une bière.

Le reste des passagers sortit en file indienne. Des clowns de la milice inspectaient les passeports à la recherche de pots-de-vin et se retrouvaient les mains vides.

Le chef des gardes eut un signe de tête. Ses mignons confisquèrent sacs à main et portefeuilles. Un homme protesta et essaya de se raccrocher à son porte-biftons.

Les Espingos l'étalèrent, le nez sur la piste. Ils lui coupèrent le pantalon à la lame à rasoir en lui nettoyant les poches.

Les autres passagers cessèrent de couiner. Le chef des gardes farfouilla dans leurs affaires.

Pete sirotait sa bière. Quelques-uns des gardes s'approchè-rent, main tendue.

Il leur graissa la patte, un bifton de dix par main. Il se marra devant leurs uniformes : des tas de treillis en lambeaux et des épaulettes comme les placeurs au « Chinois » de Grauman.

Un petit Espingo agitait un appareil photo :

— Tu joues au *futbol, hombre*? Hé, le grand, tu joues au *futbol*?

Quelqu'un lança un ballon en cloche. Que Pete attrapa d'une main. Une ampoule de flash lui éclata en pleine figure.

Tu piges — ils veulent que tu prennes la pose.

Il s'accroupit au ras du sol et agita son ballon à la manière d'un Johnny Unitas. Il arma le bras comme pour une passe, bloqua un adversaire invisible et fit rebondir la balle sur son crâne à la manière d'un Négro champion de foot qu'il avait vu un jour à la télé.

Les Espingos applaudirent. Les Espingos l'acclamèrent. Les flashes claquaient pan-pan-pan.

— Hé, c'est Robert Mitchum, hurla une voix.

Des mecs à l'allure de paysans envahirent la piste au pas de course, en agitant des carnets d'autographes. Peter courut jusqu'à une station de taxis près de la porte.

Des gamins le pressaient de monter. Des portes de taxis s'ouvrirent, *presto*, monnaie à la clé.

Pete refusa un char à bœufs et s'entassa dans une vieille Chevy.

— Vous êtes pas Robert Mitchum, dit le chauffeur.

Ils se firent La Havane vitesse de croisière. Les animaux, la racaille de rue engorgeaient la circulation. Ils ne dépassèrent jamais le 15 km/h. Il faisait 33 degrés à 10 heures du soir. La moitié des tarés de sortie portaient treillis et longues barbes de Jésus-Christ.

Visez-moi un peu ces bâtisses style espagnol passées au lait de chaux. Visez-moi ces affiches sur toutes les façades : Fidel Castro souriant, Fidel Castro criant, Fidel Castro brandissant un cigare.

Pete sortit la photo que Boyd lui avait donnée :

— Connaissez-vous cet homme ?

— *Si*, dit le chauffeur. C'est M. Santos Jr. Il est détenu au Nacional Hotel.

— Pourquoi ne m'emmenez-vous pas là-bas ?

Pancho fit demi-tour en pleine voie. Pete vit la rangée d'hôtels droit devant — une file de gratte-ciel minables faisant face à la plage.

Des lumières scintillaient à la surface de l'eau. Huit cents mètres d'éclairage en bord de mer illuminaient les vagues de bleu turquoise.

Le taxi se rangea devant le Nacional. Les chasseurs se précipitèrent comme un essaim de mouches — des clowns en smokings usés jusqu'à la trame. Pete colla un bifton de dix au conducteur, le connard faillit en pleurer.

Les chasseurs avaient la main tendue. Pete leur graissa la patte, dix sacs par bonhomme. Un cordon le poussa à l'intérieur du casino.

Le rade était bourré. Les cocos aimaient le jeu.

Les croupiers arboraient des étuis d'épaule. Des tarés de la milice tenaient la table de blackjack. La clientèle était 100 p. 100 bouffeurs de fayots.

Les chèvres se baladaient en liberté. Des chiens s'ébrouaient dans une table de craps pleine d'eau. Visez-moi le clou du spectacle près des machines à sous : un airedale et un chihuahua en train de baiser.

Pete chopa un chasseur et lui hurla à l'oreille :

— Santos Trafficante. Vous le connaissez ?

Trois mains apparurent. Trois billets de dix disparurent. On le poussa dans un ascenseur.

La Cuba de Fidel castro devrait être rebaptisée le Paradis des Négros.

L'ascenseur piqua plein ciel. Un milicien ouvrit la porte, arme en avant.

Des dollars dégoulinaient de ses poches. Pete y ajouta un bifton de dix. L'arme disparut, *rapidamente*.

— Souhaitez-vous entrer en salle de détention, *Señor* ? Le tarif est de cinquante dollars par jour.

— Et ça comprend quoi ?

— Ça comprend une chambre avec télévision, de la nourriture de choix, le jeu et les femmes. Voyez-vous, les possesseurs de passeports américains sont temporairement détenus ici à Cuba, et La Havane n'est pas très sûre pour l'instant. Pourquoi ne pas jouir de votre détention dans le luxe ?

Pete sortit son passeport.

— Je suis canadien.

— Oui. Et d'extraction française, je peux vous dire.

Dans le couloir s'alignaient des plateaux à cloches pour repas chauds. Les chasseurs poussaient leurs chariots. Une chèvre était en train de chier sur la moquette deux portes plus loin.

Pete éclata de rire.

— Votre Castro, c'est quelqu'un comme aubergiste !

— Oui. Même M. Santos Trafficante Jr. concède qu'il n'existe pas de prisons quatre étoiles en Amérique.

— J'aimerais voir M. Trafficante.

— Suivez-moi en ce cas, je vous prie.

Pete prit la mesure du pas du bonhomme. De gros chats *gringo* engnôlés zigzaguaient dans le couloir. Le garde lui détailla les hauts lieux de la détention au passage.

La suite 2314 offrait des films porno avec un drap de lit pour écran. La suite 2319 offrait roulette, craps et baccarat. La suite 2329 offrait des racoleuses nues prêtes à l'appel. La suite 2333 offrait un peep-show de lesbiennes *live*. La suite 2341 offrait des cochons de lait grillés à la broche. Les suites 2350 à 2390 offraient un parcours de départ de golf taille réelle.

Un caddie espingo les serra au passage, traînant sa cargaison de clubs. Le garde claqua des talons devant le 2394.

— Monsieur Santos, vous avez un visiteur.

Santos Trafficante Jr. ouvrit la porte.

Il avait la quarantaine rondelette. Il portait des bermudas en grosse soie et des lunettes.

Le garde se tira des pattes.

— Les deux choses que je déteste le plus, c'est les communistes et le chaos.

— Monsieur Trafficante, je suis...

— J'ai des yeux. J'en ai quatre, d'ailleurs. Tu es Pete Bondurant, celui qui descend les mecs pour Jimmy Hoffa. Un gorille d'un mètre quatre-vingt-dix-huit frappe à ma porte et joue au larbin, j'additionne deux et deux.

Pete entra dans la chambre. Trafficante sourit.

— Es-tu venu pour me ramener ?

— Non.

— C'est Jimmy qui t'envoie, exact ?

246

— Non.

— Mo ? Carlos ? Je m'emmerde tellement, bordel, que je joue aux devinettes avec un gorille de presque deux mètres. Hé, c'est quoi la différence entre un gorille et un Négro ?

— Il n'y en a pas ? dit Pete.

Trafficante soupira.

— Tu l'as déjà entendue, celle-là, espèce de grand tas. Mon père a tué un mec un jour parce que le mec lui avait gâché une de ses chutes. Peut-être as-tu entendu parler de mon père ?

— Santos Trafficante, *Señor* ?

— *Salud*, le Français. Seigneur, je m'emmerde tellement, putain, que j'essaie de gagner aux devinettes avec un gorille.

De la graisse de porc sortit d'une ouïe de ventilation. La crèche était meublée moderne — laid — des tas de posters couleur foireux.

Trafficante se gratta les couilles.

— Alors qui est-ce qui t'a envoyé ?

— Un mec de la CIA du nom de Boyd.

— Le seul mec de la CIA que je connaisse, c'est un péquenot du nom de Chuck Rogers.

— Je connais Rogers.

Trafficante ferma la porte.

— Je sais que tu le connais. Je connais toute ton histoire, toi à la station de taxis, toi et Fulo et Rogers, et je connais sur toi des histoires dont je parierais que t'aimerais bien que je les connaisse pas. Et tu sais *comment* je sais ? Je sais parce que tout le monde dans cette vie qu'on mène aime parler. Et la seule putain de grâce qui nous sauve, c'est qu'aucun de nous ne discute avec des gens qui ne sont pas du milieu.

Pete regarda par la fenêtre. L'océan se reflétait, bleu turquoise, bien au-delà de la ligne des bouées.

— Boyd veut que vous écriviez un mot à Carlos Marcello, Sam Giancana et Johnny Rosselli. Le mot est censé dire que vous recommandez qu'il n'y ait pas de représailles à l'encontre de Castro pour avoir nationalisé les casinos. Je pense que l'Agence craint que l'Organisation ne démarre trop vite, sans préparation, et leur bousille leurs propres plans sur Cuba.

Trafficante attrapa un bloc et un stylo posés sur la télé. Il écrivit vite et articula clairement :

« Cher Premier ministre Castro, espèce de chien de merde coco. Ta révolution n'est qu'un tas de conneries coco. Nous t'avons payé en bon argent pour que tu nous laisses nos casinos ouverts si tu prenais le pouvoir, mais tu as pris notre fric et tu nous a baisés dans le trou de balle jusqu'à nous faire saigner. Tu es un tas de merde encore plus gros que cette tante de Robert Kennedy et son comité de pédales McClellan. Puisses-tu attraper en personne la syphilis du cerveau et de la queue, espèce d'enculé de coco, pour avoir foutu en l'air notre beau Nacional Hotel. »

Des balles de golf ricochèrent dans le couloir. Trafficante tressaillit et tint sa petite lettre en l'air.

Pete la lut. De la main de Santos Jr. — net, précis, grammaticalement correct.

Pete fourra le mot dans sa poche.

— Merci, monsieur Trafficante.

— T'es le putain de bienvenu, et je peux dire que tu as l'air surpris que je sois capable d'écrire et de dire deux choses différentes à la fois. Maintenant, tu peux aller dire à ton M. Boyd que cette promesse est bonne pour une année et pas plus. Dis-lui que nous nageons tous dans les mêmes eaux en ce qui concerne Cuba, alors c'est dans notre meilleur intérêt de ne pas lui pisser dans la figure.

— Il appréciera cela.

— Apprécier, merde. Si tu appréciais, tu m'emmènerais avec toi.

Pete consulta sa montre.

— Je n'ai que deux passeports canadiens, et je suis censé ramener un homme de la United Fruit.

Trafficante ramassa un club de golf.

— Alors je ne peux pas me plaindre. Le pognon, c'est le pognon, et la United Fruit en a tiré plus de Cuba que l'Organisation n'en tirera jamais.

— Vous sortirez bientôt. Un courrier diplomatique travaille à faire sortir tous les Américains de Cuba.

Trafficante aligna un putt imaginaire.

— Bien. Et je vais te trouver un guide. Il te conduira et t'emmènera avec ton homme de la UF à l'aéroport. Il te volera avant de te déposer à destination, mais il est difficile de trouver du meilleur personnel avec ces putains de Rouges au pouvoir.

Un croupier lui indiqua l'itinéraire jusqu'à la maison — Tom Gordean venait d'y organiser une soirée-flambée pas plus tard que la semaine précédente. Jesus, le guide, dit que M. Tom avait cramé un méchant bout de champ de canne à sucre — il brûlait de se refaire son image de *fascisto*.

Jesus portait des treillis de camouflage et une casquette de base-ball. Il conduisait une Volkswagen avec mitrailleuse montée sur le capot.

Ils sortirent de La Havane par des chemins de terre. Jesus conduisait d'une main et envoyait simultanément ses rafales dans les palmiers. Des champs de canne à sucre en train de crépiter illuminaient le ciel d'un rose orangé — les soirées-flambées à la torche avaient la cote dans le Cuba post-Batista.

Les poteaux téléphoniques défilaient comme sur un écran. Chacun d'eux arborait le visage de Fidel Castro.

Pete vit les lumières d'une maison au lointain — à deux cents mètres à peu près devant lui. Jesus s'engagea dans une clairière semée de souches de palmiers.

Il ralentit comme s'il savait où il allait. Il ne fit pas un geste, ne dit pas un putain de mot.

Ça ne collait pas. Comme une sensation d'*arrangé par avance*.

Jesus freina et éteignit ses phares. Une torche s'embrasa dans un grand souffle d'air à la seconde où ils se coupèrent.

Toute la clairière fut bientôt baignée de lumière. Pete vit une Cadillac à capote de toile, six Espingos et un Blanc qui vacillait, complètement ivre.

— Voilà *Señor* Tom, dit Jesus.

Les Espingos étaient armés de canons sciés. La Caddy était bourrée de bagages et de manteaux de vison.

Jesus sauta au sol et baragouina en espingo aux Espingos. Les Espingos firent signe au *gringo* dans la Volkswagen.

Les visons étaient empilés jusqu'au-dessus de la limite des portières. Des coupures d'argent américain débordaient d'une valise.

Pete pigea le topo, net, clair, sans bavures.

Thomas Gordean zigzaguait. Il brandissait une bouteille de

249

rhum Demarerra. Il crachait son texte, du baratin pro-coco style mitraillette, avec tics et gestes.

Il bafouillait, mangeant ses syllabes. Il était ivre mort, bien décidé à mourir tout à fait.

Pete vit des torches prêtes à s'embraser. Pete vit un bidon d'essence sur une souche d'arbre.

Gordean continuait à bavasser. Il avait la tête en furie, pleine de putain de vent coco de première catégorie.

Jesus se colla au milieu des Espingos. Ils firent à nouveau signe au *gringo*. Gordean dégueula sur le capot de la Caddy.

Pete se glissa près de la mitrailleuse. Les Espingos lui tournèrent le dos, la main vers le ceinturon.

Pete ouvrit le feu. Un petit balayage serré dans le dos les abattit sur place. Le tac-tac-tac fit s'envoler un troupeau d'oiseaux jacassants.

Gordean s'étala au sol et se roula en boule, serré-fœtus. La rafale de balles le rata de quelques centimètres.

Les Espingos moururent en hurlant. Pete mitrailla les corps au sol, les réduisant en bouillie. Une odeur de cordite se mêla aux relents d'entrailles roussies pour former une combinaison putride.

Pete versa de l'essence sur les macchabées et la Volkswagen et crama le tout. Une boîte de munitions calibre 50 explosa.

Señor Tom Gordean était dans les pommes.

Pete le balança sur le siège arrière de la Caddy. Les manteaux de vison lui firent un petit lit douillet.

Il inspecta les bagages. Il avait une chiée de pognon et de titres d'actions.

Leur avion décollait à l'aube. Pete trouva une carte routière dans la boîte à gants et repéra un itinéraire pour rentrer à La Havane.

Il monta dans la Caddy et écrasa le champignon. Des palmiers passés à la friture lui fournirent assez de lumière pour le trajet.

Il atteignit l'aéroport avant les premières lueurs du jour. Des miliciens amicaux entourèrent *el Señor* Mitchum de toutes parts.

Tom Gordean s'éveilla avec la tremblote. Pete lui colla du

rhum-coca pour le tenir docile. Les Espingos nationalisèrent l'argent et les fourrures — pas de grande surprise.

Pete signa des autographes de Robert Mitchum. Un commissaire coco quelconque les escorta jusqu'à l'avion.

— Vous n'êtes pas Robert Mitchum, dit le pilote.

— Sans dec, Sherlock, répondit Pete.

Gordean s'assoupit. Les autres passagers les reluquèrent des pieds à la tête — ils puaient l'essence et la gnôle.

L'avion atterrit à 7 heures du matin. Kemper Boyd les accueillit. Il tendit à Pete une enveloppe contenant cinq mille dollars.

Boyd était ju-u-u-u-uste un peu nerveux. Boyd était plus qu'impatient de prendre congé.

— Merci, Pete, dit-il. Prends ce bus-navette jusqu'en ville avec les autres, d'accord ? Je t'appelle à L.A. dans quelques jours.

Il avait reçu cinq bâtons. Boyd avait récupéré Gordean et une valise pleine de titres d'actions. Gordean avait l'air complètement ahuri. Boyd avait l'air quintessentiellement non-Boyd.

Pete sauta dans la navette. Il vit Boyd diriger Gordean vers une cahute servant de réserve.

D'un côté, ce terrain désert dans un trou perdu. De l'autre, ce mec de la CIA et cet ivrogne, seuls.

Ses antennes commencèrent à le démanger en putain de quatrième vitesse.

25

Key West, 29 mai 1959.

La cabane était de la taille d'une boîte d'allumettes. Il avait eu du mal à y entasser une table et deux chaises.

Kemper traita Gordean avec des gants. L'interrogatoire traînait en longueur — son sujet souffrait de D.T.

— Votre famille sait-elle que vous possédez ces actions de la United Fruit ?

— Quelle « famille » ? Je me suis marié et j'ai divorcé plus souvent qu'Artie Shaw et Mickey Rooney réunis. J'ai bien quelques cousins à Seattle, mais tout ce qu'ils connaissent, c'est le chemin du bar au « Woodhaven Country Club ».

— Qui d'autre à Cuba sait que vous possédez ces actions ?

— Mes gardes du corps le savent. Mais on était en train de boire, on s'apprêtait à supprimer quelques champs de canne impérialistes, et la minute d'après, tout ce que je sais, c'est que je me retrouve sur la banquette arrière de ma voiture avec un copain à vous au volant. Je n'ai pas honte d'admettre que j'ai fait une belle bringue, et que les choses ne sont pas très claires. Ce copain à vous, est-ce qu'il a une mitrailleuse ?

— Je ne pense pas.

— Et une Volkswagen alors ?

— Monsieur Gordean...

— Monsieur Boyd, ou quel que soit votre nom, qu'est-ce qui se passe ? Vous me faites asseoir dans cette cahute et vous mettez ma valise à sac. Vous me posez vos questions. Vous croyez, parce que je suis un riche homme d'affaires américain, que je suis de votre côté. Vous croyez que je ne connais pas la manière dont vos enfoirés de la CIA ont truqué les élections au Guatemala ? Je me rendais à des cocktails en compagnie du Premier ministre Castro quand votre copain m'a embarqué de force. Ça, c'est *Fidel Castro*. Le libérateur de Cuba. C'est un homme gentil et un merveilleux joueur de base-ball.

Kemper posa ses formulaires de mise en vente d'actions. Ils étaient superbement imités — un ami faussaire avait fait le boulot.

— Signez ces feuilles, je vous prie, monsieur Gordean. Ce sont des bons de remboursement pour vos billets d'avion.

Gordean signa en triple exemplaire. Kemper signa la déclaration notariée et tamponna d'un sceau les trois signatures.

Son copain avait aussi imité le sceau, sans demander un dollar de plus.

Gordean se mit à rire.

— Homme de la CIA/notaire. Quelle combinaison !

Kemper sortit son .45 et lui colla une balle dans la tête.

Gordean vola de sa chaise. Le sang jaillit d'une de ses oreilles. Kemper lui marcha sur la tête pour arrêter les giclures.

Il y eut un bruissement au-dehors. Kemper ouvrit la porte en la poussant de son arme.

C'était Pete Bondurant, debout, les mains dans les poches.

Ils échangèrent un sourire.

Pete dessina « 50/50 » dans les airs.

DOCUMENT EN ENCART : 11/6/59. *Rapport-résumé — de Kemper Boyd à John Stanton —. Marqué : CONFIDENTIEL / A DELIVRER EN MAINS PROPRES.*

John,

J'ai retardé la rédaction de ce communiqué pour deux raisons. La première, je voulais voir un incident saboté arriver à son terme avant de vous contacter. La seconde, ce mot vous détaille une mission que j'ai (très franchement) fait rater.

Vous m'aviez demandé d'user de ma discrétion pour expédier Pete Bondurant en mission d'essai pour vous aider à déterminer s'il convenait comme recrue contractuelle de l'Agence. Ce que j'ai fait : j'ai envoyé Bondurant à Cuba pour en faire sortir un cadre de la United Fruit du nom de Thomas Gordean, un homme que Teofilio Paez a décrit comme « versatile » et « ayant épousé la ligne communiste ». Bondurant a réussi la première partie de sa mission. Nous avons installé M. Gordean au Rusty Scupper Motel — le Motel du Dalot Rouillé — à Key West pour interrogatoire et nous avons commis l'erreur de le laisser seul pour qu'il se repose. Gordean s'est suicidé avec un .45 automatique qu'il avait caché sur sa personne. J'ai appelé la police de Key West, et Bondurant et moi-même les avons informés en leur demandant le secret. Un jury avec coroner a conclu à la mort de Gordean par suicide. Bondurant a témoigné de l'alcoolisme apparent et du comportement dépressif de Gordean. Une autopsie a confirmé que Gordean montrait des signes de lésions hépatiques avancées. Son corps a été expédié chez un cousin éloigné de Seattle (Gordean n'avait pas de famille proche).

Voudriez-vous vérifier mes dires que je vous prierais de contacter le capitaine Hildreth de la police de Key West. Naturellement, je vous présente mes excuses pour ce gâchis et cette perte de temps. Et je vous assure que ce genre de chose ne se reproduira plus.

Sincèrement,

Kemper Boyd.

DOCUMENT EN ENCART : 19/6/59. *Note personnelle — de John Stenton à Kemper Boyd.*

Cher Kemper,

Naturellement que je suis furieux. Et naturellement que vous auriez dû m'informer de ce sac de nœuds immédiatement. Dieu merci, Gordean n'a pas de parents proches susceptibles de créer des ennuis à l'Agence. Ceci dit, je vous avouerais que vous avez, dans une certaine mesure, été victime de circonstances atténuantes. Après tout, ainsi que vous l'avez dit un jour, vous êtes juriste et flic, et non pas espion.

Vous serez heureux d'apprendre que le directeur adjoint Bissell est tout à fait enthousiasmé par votre idée de créer une unité d'élite pour diriger le camp de Blessington. Ce dernier est en construction : vos quatre recrues personnellement sélectionnées (Paez, Obregon, Delsol, Guttierez) sont en train de compléter leur formation à Langley et s'en sortent très honorablement. Ainsi que je l'ai précisé précédemment, le directeur adjoint a donné son approbation à l'engagement de Pete Bondurant comme chef du camp d'entraînement. C'était, naturellement, avant le sac de nœuds Gordean. Dans l'immédiat, je désire attendre et reconsidérer sa candidature.

En conclusion, l'incident Gordean me laisse médiocre impression, mais mon enthousiasme quant à vos fonctions d'agent contractuel reste très solide. Sauf contrordre de ma part, n'entreprenez pas d'autres missions de votre propre autorité.

John Stanton.

DOCUMENT EN ENCART : 28/6/59. *Note personnelle — de Ward Littell à Kemper Boyd — « A mettre en forme et faire suivre à Robert F. Kennedy ».*

Kemper,

Ma collecte de renseignements anti-Mafia se poursuit à un rythme rapide. Je dispose aujourd'hui de plusieurs

255

indications, glanées séparément, qu'il existe effectivement, très vraisemblablement en version codée, un second jeu de livres comptables de la Caisse de Retraite des Camionneurs. Lenny Sands est convaincu qu'ils existent. Sal D'Onofrio a entendu des rumeurs à cet effet. D'autres sources m'ont retransmis des bruits qui couraient : un retraité de la Mafia de Chicago administrerait les livres ; Sam Giancana occuperait les fonctions de « chef du service » des approbations de Prêts à la Caisse de Retraite. Aussi tenaces et fréquentes que ces rumeurs soient, je n'ai rien à ma disposition qui ressemblerait à une quelconque corroboration. Et je n'aurai rien à cet égard, naturellement, jusqu'à ce que je puisse suborner un emprunteur symbolique et gagner littéralement accès, d'une manière ou d'une autre, à la Caisse à proprement parler.

Et (le 18 mai), j'ai fait entrer par des moyens de coercition un troisième informateur dans mon écurie. Cet homme (requin de l'usure/propriétaire de boîte de strip habitant Dallas) est à la recherche d'un emprunteur qu'il pourrait référer à Sal D'Onofrio et, par là même, à Sam Giancana. Je considère cet homme comme un informateur de première grandeur, dans la mesure où il a déjà, par le passé, référé un demandeur d'emprunt à Giancana et la Caisse de Retraite. Il m'appelle dans une cabine près de mon appartement tous les mardis matin ; je lui ai donné de l'argent à plusieurs occasions. Il a peur de moi et me respecte juste à la bonne mesure. Pareil en cela à Sal D'Onofrio, il a perpétuellement des ennuis d'argent. *Je suis convaincu que, tôt ou tard, il me fournira un emprunteur susceptible d'être suborné.*

Je dispose également aujourd'hui de fonds propres, à savoir un caisse pour mes informateurs. Fin mai, je me suis emparé du butin d'un vol, d'un montant de quatre-vingt-un mille dollars, resté non signalé auprès des services de police. J'ai versé trente-deux mille dollars à Sal D'Onofrio sur cette caisse, renforçant ainsi mon emprise sur lui. Etrange. J'aurais cru à l'origine que Lenny Sands s'avérerait mon informateur le plus précieux, mais Sal comme l'homme de Dallas se sont révélés plus compétents (ou alors bien plus au désespoir de trouver de l'argent ?). Je rejette la faute sur toi, Kemper. D'avoir mis Lenny en contact avec Pete Bondurant et *L'Indiscret* a desservi mes propres objectifs. Lenny m'a paru bien distrait ces temps derniers. Il accompagne les tournées-excursions de Sal et travaille au noir pour *L'Indiscret*. Il semble avoir oublié ce pour quoi je le tiens. A-t-il des contacts avec ton amie Mlle Hughes ? Je serais curieux de le savoir.

Selon tes instructions, j'évite Court Meade et le poste d'écoute. Court et moi avons officiellement mis un terme à notre échange d'affectation. Je me montre très prudent, mais je ne peux m'empêcher de rêver des rêves utopiques. Le plus fréquent de ces rêves ? Une Administration présidentielle John F. Kennedy, avec Robert Kennedy menant à terme le mandat anti-Mafia de son frère. Seigneur, Kemper, est-ce que ce ne serait pas le paradis ? Dis à M. Kennedy que je prie pour lui.

Bien à toi,

WJL.

DOCUMENT EN ENCART : 3/7/59 : *De Kemper Boyd à Robert F. Kennedy.*

Cher Bob,

Rien qu'un petit mot pour vous tenir au courant du travail accompli par votre collègue anonyme « le Phantôme de Chicago ».

Il travaille dur, et j'espère que vous serez satisfait d'apprendre qu'il existe au moins sur cette terre un homme qui hait le crime organisé autant que vous. Mais aussi dur qu'il travaille — et toujours dans les limites légales que vous avez établies par mon intermédiaire —, il n'obtient que de maigres résultats à vouloir établir l'existence des doubles des livres comptables de la Caisse de Retraite. La Mafia de Chicago est un cercle fermé, et il n'a pas été capable d'avoir accès aux renseignements d'initié qu'il espérait obtenir.

Pour suivre. Jack et vous-même n'allez-vous pas m'offrir quelque emploi post-Comité McClellan ?

Bien à vous,

Kemper.

DOCUMENT EN ENCART : 9/7/59. *Lettre personnelle — de Robert F. Kennedy à Kemper Boyd.*

Cher Kemper,

Merci pour votre petit mot sur le Phantôme. Il est bon de savoir qu'un homme du FBI, ancien séminariste, partage ma ferveur anti-Mafia. Ce qui m'impressionne le plus le concernant, c'est qu'il ne semble pas vouloir quoi que ce soit (on forme et on entraîne les jeunes séminaristes jésuites au sacrifice de soi). Vous, en revanche, voulez tout. Et donc, oui, Jack et moi avons une offre à vous proposer (nous discuterons des détails et du salaire plus tard).

Nous voulons que vous restiez au sein de notre organisation à deux titres. En premier lieu : Vous gérerez la diffusion des documents juridiques du Comité McClellan. Nous nous sommes séparés, mais pareil au Phantôme, je ne me suis pas éteint, je brûle toujours. Conservons notre élan anti-Mafia et anti-Hoffa. Vous pourriez nous être très utile en vous assurant que nos preuves aboutissent entre les mains qui conviennent aux fins d'enquêtes ultérieures. En second lieu, Jack va annoncer sa candidature en janvier. Il désire que vous vous chargiez de sa sécurité pendant la campagne des primaires et, avec un peu d'espoir, jusqu'au mois de novembre. Que vous en semble-t-il ?

Bob.

DOCUMENT EN ENCART : 13/7/59. *Note personnelle — de Kemper Boyd à Robert F. Kennedy.*

Cher Bob,

J'accepte. Oui, au contraire du Phantôme, je veux tout. Clouons Jimmy Hoffa au mur et élisons Jack président.

Kemper.

DOCUMENT EN ENCART : *27/7/59. Transcription d'une conversation téléphonique officielle FBI — « Enregistrée à la demande du directeur / Classé Confidentiel A-I — Destinataire unique : le Directeur. » — Interlocuteurs — Directeur Hoover, agent spécial Kemper Boyd.*

JEH. — Bonjour, monsieur Boyd.

KB. — Bonjour, monsieur.

JEH. — Votre message parlait de bonnes nouvelles.

KB. — Les nouvelles sont excellentes, monsieur. Les frères m'ont engagé, de façon plus ou moins permanente.

JEH. — A quel titre ?

KB. — Je dois superviser la répartition et le suivi des preuves accumulées par le Comité McClellan à divers grands jurys et services de recherche, et diriger la sécurité pendant la campagne de Grand Frère.

JEH. — Petit Frère continue à s'entêter sur le front Hoffa, en ce cas.

KB. — Il crucifiera l'homme tôt ou tard.

JEH. — Les catholiques sont connus pour leur manque de mesure dès qu'il s'agit de crucifixion.

KB. — Oui, monsieur.

JEH. — Continuons sur le front des récidivistes catholiques. M. Littell poursuit-il son cheminement sur les voies étroites ?

KB. — Oui, monsieur.

JEH. — L'ASC Leahy m'a adressé ses rapports de la Brigade Rouge. Il semble faire du travail satisfaisant.

KB. — Vous lui avez fait peur l'année dernière, monsieur. Tout ce qu'il désire, c'est d'arriver à la retraite. Ainsi que je vous l'ai dit, il boit plutôt beaucoup et il est très engagé dans son aventure avec Helen Agee.

JEH. — Permettez-moi d'user de cette « aventure » pour filer plus avant. Comment progresse votre liaison avec Mlle Laura Hughes ?

KB. — Je n'appellerais pas cela une liaison.

JEH. — Monsieur Boyd, vous vous adressez à un artiste du baratin et maître du subterfuge qui n'a pas son pareil sur cette terre. Aussi doué soyez-vous dans ce domaine, et vous êtes brillamment doué, je le suis plus encore. Vous baisez Laura

Hughes et je suis sûr que vous baiseriez toutes les sœurs Kennedy reconnues et la vieille Rose Kennedy en personne si vous pensiez un instant que cela pût vous gagner les faveurs de Jack. Voilà. Cela étant dit, qu'est-ce que Mlle Hughes a à dire à propos de la famille ?

KB. — Elle limite ses anecdotes à son père, monsieur. Elle est pleine de vitriol dès qu'il s'agit de son père et des amis de ce dernier.

JEH. — Poursuivez.

KB. — Apparemment, Joe et son vieil ami Jules Schiffrin faisaient illégalement traverser la frontière à des immigrés clandestins pendant les années vingt. Ils utilisaient ces hommes comme manœuvres pour la construction des décors lorsque Joe était propriétaire du studio RKO. Joe et Schiffrin utilisaient les femmes à des fins sexuelles, ils les louaient comme domestiques, prenaient la moitié de leur salaire pour le gîte et le couvert, avant de les remettre entre les mains de la patrouille des Frontières et de les faire déporter. Schiffrin a ramené un certain nombre de femmes avec lui à Chicago et il a ouvert un bordel à la clientèle exclusivement composée de mafieux et d'hommes politiques. Laura dit que Joe avait fait secrètement un film au bordel. Il s'agissait de Huey Long et de deux naines mexicaines aux seins démesurés.

JEH. — Mlle Hughes a le don des anecdotes prises sur le vif. Que dit-elle des frères ?

KB. — Elle se montre circonspecte à leur égard.

JEH. — Tout comme vous-même.

KB. — J'ai de l'affection pour eux, c'est exact.

JEH. — Je crois que vous avez établi des limites à votre trahison. Je crois que vous n'avez pas conscience de la profondeur de votre fascination pour cette famille.

KB. — Je garde les choses bien cloisonnées et indépendantes, monsieur.

JEH. — Oui. Je vous reconnais ce talent. Passons-en maintenant à votre case « Emigrés cubains ». Vous souvenez-vous de m'avoir dit que vous aviez accès à des renseignements sur les exilés de Cuba ?

KB. — Naturellement, monsieur. Je vous adresserai un rapport résumé détaillé très bientôt.

JEH. — Laura Hughes doit coûter bien cher.

KB. — Monsieur ?

JEH. — Ne faites pas l'innocent, Kemper. Il est d'une évidence flagrante que la CIA vous a recruté. Trois salaires, Seigneur !

KB. — Monsieur, je garde les choses bien cloisonnées et indépendantes.

JEH. — Il est certain que c'est bien de vous, et loin de moi l'idée de déranger ces cloisonnements. Bonne journée, monsieur Boyd.

KB. — Bonne journée, monsieur.

DOCUMENT EN ENCART : 4/ 8/ 59. *Rapport du dénicheur de* L'Indiscret : *de Lenny Sands à Pete Bondurant.*

Pete,

C'est étrange, mais tous les homos en captivité me font l'impression de vouloir me bouffer le cul ces temps derniers, chose tout à fait inhabituelle, dans la mesure où je n'ai fait que des salles de cayes bien pépères. Comme vous le savez, je bosse avec Sal D'Onofrio dans le cadre de ses tournées de métèques. Nous avons fait Reno, Vegas, Tahoe, Gardena et des bateaux de croisière du lac Michigan avec jeux et casinos. Je suis tombé sur une flopée de fiottes, une véritable escadrille de fiotterie ambulante à touche-qui-veux-tu : 1. — Le drive-in de Delores sur Wilshire et La Cienega à L.A. n'emploie que des patineurs pédés qui se font du blé au noir comme prostits mâles. Client régulier : Adlai (adulé ?) Stevenson, pour la seconde fois candidat aux Présidentielles, aux tendances rosées (lavande ?) que M. Hughes très probablement désapprouve. 2. — Dave Garroway, du programme télé *Today Show*, s'est fait récemment épingler en train de mettre la main au paquet de jeunes garçons dans Time Square à New York. L'affaire a été discrètement étouffée (à l'indiscret), mais Dave « l'Esclave », ainsi qu'il est appelé dans le circuit des tantes, a été repéré récemment aux abords de Vegas dans une maison exclusivement réservée aux matous. 3. — Je suis tombé à Tahoe sur un caporal des Marines en congé. Il dit qu'il connaît un sergent des Fusiliers marins qui dirige un réseau de rouleurs de pédales à partir de Camp Pendleton. Ça marche ainsi : de jeunes crânes de cruche à la belle gueule déambulent dans Silverlake et le Sunset Strip et piègent les homos. Ils ne passent pas à l'acte et secouent les tantes pour leur piquer leur fric. J'ai appelé le sergent et je lui ai adressé un mandat de cent dollars. Il a craché le morceau à propos de quelques tantouzes sur lesquelles sont tombés des membres de son réseau de roule-la-fiotte. Ouvrez vos esgourdes : Walter Pidgeon (une queue de trente centimètres) s'enfile des garçons dans un rade à tatas très chic et tout confort dans le quartier de Los Feliz. En outre, l'idole britannique des matinées Larry (la Poudre de Riz ?) Olivier a récemment pris la loi et l'ordre en main lorsqu'il a touchotté à l'aveuglette un Marine de la Police militaire au cinéma Wiltern. Autres homos identifiés par le Corps des roule-la-fiottes : Danny Kaye, Liberace (grosse surprise), Monty Clift et Leonard Bernstein le chef d'orchestre. Hé, avez-vous remarqué que je commençais à écrire dans le style de *L'Indiscret ?* A plus tard pour d'autres tuyaux.

Salut,

Lenny.

DOCUMENT EN ENCART : 12/8/59. *Mémorandum personnel — de Kemper Boyd à John Stanton — Marqué : CONFIDENTIEL / A NE REMETTRE QU'EN MAINS PROPRES.*

John,

Quelques réflexions supplémentaires sur Pete Bondurant, la société des Tiger Kabs et notre Cadre d'Elite.

Plus j'y pense, plus je vois Tiger Kab potentiellement comme le moyeu d'où se répartiront toutes nos activités sur Miami. J'ai abordé ce sujet avec Fulo Machado (ancien castriste aujourd'hui épidermiquement anti-Castro), co-répartiteur de la station de taxis et ami proche de l'agent contractuel Chuck Rogers. Machado a partagé mon enthousiame. Il a accepté de laisser Rogers prendre les rênes comme chef-répartiteur permanent de la station. Fulo a obtenu l'approbation de Jimmy Hoffa, qui, franchement, préfère des Blancs aux postes d'autorité. Fulo est en train de recruter pour nous, sous couvert d'emplois offerts par la société. Hoffa sait que de coopérer avec l'Agence est une opération fructueuse et intelligente. Il voit en Cuba notre cause commune, vision à long terme pour quelqu'un d'aussi brutal et, en plus, monomane.

J'aimerais proposer Fulo Machado comme cinquième membre de notre cadre. J'aimerais également que vous autorisiez Rogers à engager Tomas Obregon, Wilfredo Olmos Delsol, Teofilio Paez et Ramon Guttierez comme chauffeurs à plein-temps. Bien que la construction du camp de Blessington soit presque terminée, nous n'avons pas d'autres recrues exilées à entraîner là-bas. Jusqu'à l'arrivée d'autres déportés, je pense que nos hommes serviraient au mieux de leurs capacités en recrutant parmi les membres de la communauté cubaine de Miami. Quant à Bondurant. Oui, lui (et moi) avons raté le coche sur l'histoire Thomas Gordean. Mais, Bondurant est déjà employé par Jimmy Hoffa comme « régulateur » à la station de taxis. Il est également parvenu à obtenir de Santos Trafficante un mot par lequel celui-ci demande personnellement à ce qu'aucunes représailles ne soient lancées contre Castro pour avoir nationalisé les casinos de La Havane. Bondurant a fait transmettre ce mot à S. Giancana, C. Marcello et J. Rosselli. Tous trois ont été d'accord avec le raisonnement de Trafficante. Une fois encore, des brutes à la vue courte coopèrent avec l'Agence avec le sentiment de participer à une cause commune.

Bondurant est en outre, de fait, le rédacteur en chef d'une revue à scandales que nous pouvons utiliser comme organe de contre-renseignements. Et finalement, je pense que c'est le meilleur candidat pour diriger le camp de Blessington. On ne trouve pas de mec plus dur que lui, comme les péquenots du cru qui essaient de faire joujou avec lui ne vont pas tarder à s'en apercevoir.

Que pensez-vous de mes propositions ?

Kemper Boyd.

DOCUMENT EN ENCART : 19/8/59. *Mémo personnel — de John Stanton à Kemper Boyd.*

Kemper,

Vous avez touché, à 1000 %. Oui, Machado peut se joindre au cadre. Oui, Rogers peut engager Delsol, Obregon, Paez et Guttierez comme chauffeurs. Oui, demandez-leur de recruter sur place, à Miami. Oui, engagez Pete Bondurant pour diriger Blessington. Mais demandez-lui de conserver son emploi auprès de Howard Hughes dans le même temps. Hughes est un allié potentiellement précieux, et nous ne voulons pas voir les ponts coupés entre lui et l'Agence.

Bon travail, Kemper.

John.

DOCUMENT EN ENCART : 21/8/59. *Rapport télétypé — Division des Renseignements, Services de Police de Los Angeles — adressé à AS Ward Littell, FBI de Chicago — Expédié comme « Courrier privé. Clos par nécessité » à l'adresse personnelle de l'AS Ward Littell.*

Monsieur Littell,

Concernant votre demande téléphonique de renseignements sur Salvatore D'Onofrio et ses récentes activités à Los Angeles, sachez que :

Le sujet a été soumis à surveillance ponctuelle comme figure connue de la pègre.

Il a été vu empruntant de l'argent à des usuriers indépendants. L'interrogatoire ultérieur desdits usuriers a révélé que le sujet leur avait déclaré qu'il leur offrirait « de grosses enveloppes » s'ils lui adressaient directement des demandeurs de prêts « de haut vol ». Le sujet a également été vu en train de jouer de grosses sommes à l'hippodrome de Santa Anita. Les agents de surveillance ont entendu le sujet déclarer

264

à une connaissance toute récente : « J'ai claqué la moitié du paquet que mon petit papa gâteau m'a offert. »

Le sujet a été vu en train de se comporter de manière irréfléchie et imprévisible lors de son séjour au Lucky Nugget Casino à Gardena, dans le cadre de ses tournées-excursions pour les amateurs de jeux d'argent. Son compagnon d'excursion, Leonard Joseph Seidlewitz (alias Lenny Sands), également figure connue de la pègre, a été vu qui entrait dans divers bars à cocktails homosexuels. Il faut noter que les numéros d'amuseur de Seidlewitz au cours de ces excursions sont devenus de plus en plus obscènes et violemment anti-homosexuels.

Si vous désirez de plus amples renseignements, faites-le-moi savoir.

James E. Hamilton, Capitaine
Division des Renseignements
Services de Police de Los Angeles.

26

Chicago, 23 août 1959.

L'ampli faisait résonner les petites conversations de tout et de rien. Littell se récupéra des échanges de civilités entre mafieux.

Il connecta le salon de Sal le Fou au placard de sa propre chambre sur l'arrière. Il colla trop de micros dans les murs et y gagna un vibrato excessif des voix.

Il faisait trop chaud dans le placard exigu. Littell suait sous son casque d'écoute.

En conversation : Sal le Fou et Sid Kabikoff, « Producteur de Ciné ».

Sal s'était offert une virée de jeu. Littell lui avait collé à la figure un télétype du LAPD décrivant ce qu'il avait fait. Sal dit qu'il avait claqué la cinquantaine de bâtons offerts par Littell.

Le cambriolage de la consigne restait non résolu — Sal ne savait pas d'où venait le liquide. Le mouchard du tailleur avait craché les petites rumeurs qui couraient — mais toujours pas le moindre indice sur Malvaso et le Canard.

Puis Jack Ruby l'avait appelé.

Pour lui dire :

— J'ai finalement trouvé un mec pour Sal D. pour niquer la Caisse de Retraite.

Tous ses informateurs étaient synchro, à l'exception de Lenny Sands.

Littell essuya son casque. Kabikoff parlait, tonitruant, suramplifié :

— ... et Heshie dit que son décompte de pipes taillées en arrive à vingt mille.

266

Sal le Fou. — Sid, Sid le Youde. T'es pas venu par avion de ton trou du cul de Texas pour me tartiner de conneries sur les bruits qui courent !

Kabikoff. — T'as raison, Sal. Je passais par Dallas et j'ai taillé le bout de gras avec Jack Ruby. Jack m'a dit : « Vois Sal D. à Chicago. Sal, c'est le mec à voir pour un gros prêt avec intérêts de la Caisse de Retraite. » Jack m'a dit : « C'est Sal l'intermédiaire. Il peut t'arranger le coup auprès de Momo et au-dessus. Sal, c'est lui la clé pour accéder à l'argent. »

Sal le Fou. — Tu dis « Momo » comme si tu le prenais comme une sorte d'affranchi.

Kabikoff. — C'est comme toi quand tu causes yiddish. Tout le monde essaie de se croire affranchi. Tout le monde essaie d'être dans le secret des dieux. Loop di loop.

Sal le Fou. — Le Loop, c'est au centre ville, espèce de gros rouleur de bagel.

Kabikoff. — Sal, Sal.

Sal le Fou. — Sal, ma grosse braciola bien grasse, espèce de branlotin plaisantin ! Parle-moi un peu de ce projet que t'as en tête, pas'qu'y doit bien y avoir un coup que tu montes, pas'que tu vas pas taper la Caisse pour le bar-mitsva de ton petit grignoteur de bagel.

Kabikoff. — Le coup, c'est des films de cul. Y a maintenant un an que je tourne des films de cul au Mexique. T.J., Juarez, t'as de la vedette bon marché dans ces coins-là.

Sal le Fou. — Viens-en au fait. Arrête tes putains de récits de voyage.

Kabikoff. — Hé, c'est pour te mettre dans l'atmosphère.

Sal le Fou. — J'vais t'atmosphérer à ma façon, espèce de mamelouk !

Kabikoff. — Sal, Sal. Je tourne du cul. Je suis doué pour ça. En fait, je commence un film dans deux jours au Mexique. J'ai engagé quelques stripteaseuses de la boîte de Jack. Ça va être bath — Jack a de la chatte superbe qui bosse chez lui. Sal, Sal, ne me regarde donc pas comme ça. Ce que je veux, c'est ceci. Je veux faire des films d'action et des films d'horreur tout à fait normaux avec un casting d'acteurs de cul. Je veux refiler les films standard en fin de première partie des séances à double film et tourner les merdes pornographiques pour m'aider à compenser les frais. Sal, Sal, ne tire pas une telle tronche ! C'est un truc à faire de l'argent ! J'offre à Sam et à la Caisse de Retraite 50 p. 50 de mes bénéfices, *plus* mon remboursement et mes intérêts. Sal, écoute-moi. Cette affaire porte écrit POGNON A LA PELLE en putains de lettres de néon sur les putains d'étoiles.

Silence — vingt-six secondes durant.

Kabikoff. — Sal, arrête de me faire cet œil noir, et écoute ! Cette affaire, c'est un coup à ramener des tas de pognon et je veux garder ça dans le secret des dieux. Tu sais, d'une certaine manière, la Caisse et moi, ça remonte à loin. Je veux dire, les vrais livres comptables que les gens en dehors de la famille savent pas qu'ils existent. Tu comprends, je connaissais Jules dans le temps. Comme qui dirait dans les années vingt, quand il vendait de la came et qu'il utilisait les bénefs de la revente pour financer les films de la RKO, à l'époque où Joe Kennedy était le propriétaire. Dis à Sam de me rappeler au bon souvenir de Jules, okay ? Rappelle-lui juste que je suis un mec de confiance et que je suis toujours de la famille.

Littell plaqua les écouteurs sur ses oreilles. Putain de Jésus de...

« Jules Schiffrin » — « Comptable de la Caisse » — « Les vrais livres ».

La sueur se mit à sourdre dans les écouteurs — les voix sortirent, incohérentes, en grésillant. Littell nota les termes mot à mot sur le mur du placard.

Kabikoff. — ... donc je me retourne au Texas en avion dans quelques jours. Prends une carte, Sal. Non, prends-en deux et donnes-en une à Momo. Les cartes d'affaires font toujours bonne impression.

Littell entendit des au revoir et des portes qui claquaient. Il ôta son casque et fixa les mots sur le mur.

Sal le Fou s'avança jusqu'à lui. Son lard tressautait sous le T-shirt.

— Comment j'ai été ? Y a fallu que je l'emmerde un peu, sinon il aurait pas cru que c'était bien moi.

— Tu as été très bien. Alors maintenant, veille sur ton argent.

Tu ne recevras plus un *cent* de moi avant que j'aie eu accès à la Caisse.

— Qu'est-ce que je fais pour Kabikoff?

— Je t'appellerai d'ici une semaine et je te dirai s'il faut ou non le recommander à Giancana.

Sal rota.

— Appelle-moi à L.A. J'emmène une nouvelle troupe jusqu'à Gardena.

Littell fixa le mur. Il mémorisa jusqu'au plus petit mot qu'il recopia dans son calepin.

27

Gardena, 25 août 1959.

Lenny se rengorgea et souffla des baisers. Les excursionnistes burent ça comme du petit-lait — vas-y, Lenny, vas-y, vas-y, vas-y. Lenny haïssait les tantes. Lenny se bouffait les tantes à la manière dont Godzilla bouffait Tokyo. Lenny se bouffa le salon du « Nugget Lounge » tout cru.

Pete était spectateur. Lenny filait son baratin — Castro le pédé qui pelote Ike le pédé au Sommet des Pédés !!!

— Fidel ! Sors-toi la barbe de mon entre-deux immédiatement ! Fidel ! Qu'il est gr-gr-gr-gros, ton cigare de Havane !

Les clowns adorèrent ça. Les clowns-excursionnistes prenaient ça pour de la satire politique de haut vol.

Pete s'ennuyait à mourir. Baratin rassis, bière éventée — le « Lucky Nugget » était un trou puant.

Dick Steisel l'avait expédié là. Dick se plaignait : les dernières merdes levées par Lenny étaient trop grossières pour être publiées. Hughes et Hoover adoraient, mais les ramassis d'insinuations homos hasardeuses pouvaient envoyer *L'Indiscret* par le fond.

— Fidel ! Passe-moi la vaseline, et on renoue les relations diplomatiques. Fidel ! Mes hémorroïdes me brûlent comme un champ de canne de la United Fruit !

Kemper Boyd était d'avis que Lenny avait du talent. Kemper avait cogité dur : Refilons la rage anti-castriste à travers les pages de *L'Indiscret*.

Lenny pourrait rédiger les textes. Lenny avait fait le porteur de valoches pour Batista, il connaissait et le terrain et le style, et les cocos cubains ne pouvaient pas attaquer en justice.

Lenny remonta d'un cran son baratin. Pete fit défiler ses petits rêves éveillés de 10 heures du soir. LE FAMEUX MOMENT s'illumina en Technicolor.

Il y a là Tom Gordean, mort. Il y a là Boyd, tout sourires. Il y a là la valise pleine d'actions de la UF.

Ils ont fait affaire sur place, à côté du cadavre. Ils ont loué une chambre de motel, tiré une balle et placé le corps de Gordean en position de suicidé. Les stupides flics de Key West avaient gobé la mascarade.

Boyd avait vendu les actions. Ils s'étaient fait trente et un mille dollars par tête de pipe.

Ils s'étaient retrouvés à D.C. pour le partage.

— Je peux te faire entrer sur le coup de Cuba, avait dit Boyd. Mais ça prendra probablement des mois. Il va falloir que j'explique que la mission Gordean a été un foirage complet.

— Dis-m'en plus, avait dit Pete.

— Retourne à L.A., fais ton boulot pour *L'Indiscret*, et fais la nounou auprès de Howard Hughes. Je crois que Cuba et nos relations respectives combinées peuvent faire de nous des hommes riches.

Il était reparti à L.A. et s'était exécuté. En disant à Hughes qu'il lui faudrait peut-être bien partir bientôt.

Hughes avait fait la gueule. Il lui avait dé-fait la gueule avec une chiée de codéine.

La Cause cubaine le faisait baver. Il voulait en être, à tous crins, à en crever. Santos Trafficante s'était fait virer de Cuba le mois précédent et avait fait passer le mot comme quoi Castro devrait se faire entuber pour ses crimes contre les bénefs casino.

Boyd qualifiait la station de taxis d'« aire de lancement potentielle ». Boyd en mouillait ses draps la nuit, tant l'idée le faisait palpiter : Jimmy Hoffa revend Tiger Kab à l'Agence.

Chuck Rogers l'appelait une fois par semaine. Il disait que la station tournait, sans problèmes. Jimmy Hoffa lui adressait ses 5 p. 100 mensuels — et il n'en faisait pas la queue d'une pour gagner ce fric-là.

Boyd avait laissé Rogers engager ses petits Cubains favoris : Obregon, Delsol, Paez et Guttierez. Chuck avait viré les six *pro*-castristes inscrits au rôle de paie : ces enfoirés s'étaient taillés en balançant des menaces de mort.

271

Tiger Kab était maintenant 100 p. 100 anti-castriste.

Lenny termina son numéro — avec un riff sur Adlai Stevenson, l'adulé allonge-toi là, Roi des Cambrios du Troufignon. Pete sortit en douce au milieu d'applaudissements debout.

Les fêtards-excursionnistes adoraient leur Lenny. Lenny se faufila au milieu d'eux comme une *prima diva* en train de s'encanailler.

Kss kss kss — ses antennes se mirent de la partie, plein volume. Une idée se fit jour, vérifiée par les antennes : et si tu suivais ce petit tas...

Ils prirent direction nord, séparés par trois voitures. La Packard de Lenny était équipée d'une grande antenne-fouet, Pete s'en servit comme repère de pistage.

Ils empruntèrent Western Avenue jusque L.A. proprement dit. Lenny vira à l'ouest sur Wilshire puis au nord sur Doheny. La circulation s'était éclaircie — Pete prit du recul et lâcha un peu son bonhomme.

Lenny tourna à l'est sur Santa Monica. Pete prit son pied à reluquer la filée de bars à tantes — le « 4-Star », le « Klondike », quelques nouveaux. Une vraie allée aux souvenirs — il avait serré tous les rades de la rangée à l'époque où il bossait pour les services du shérif.

Lenny restait collé au trottoir, vitesse de croisière, lent, très lent. Il passa devant le « Tropics », l'« Orchid » et « Larry's Lasso Room ».

Lenny, n'arbore donc pas tes haines de façon si putain outrée et toutes nues.

Pete se traînaillait à deux longueurs de voiture. Lenny se rangea dans le parc de stationnement derrière « Nat's Nest » — le Nid de Nat.

Le Grand Pete a les yeux rayons X. Le Grand Pete, il est comme Superman et le Bourdon Vert.

Pete fit le tour du bloc et traversa lentement le parking. La voiture de Lenny était garée près de la porte arrière.

Pete rédigea un petit mot.

Si tu as de la chance, renvoie-le chez lui. Retrouve-moi chez Stan, au drive-in de Sunset et Highland. Je resterai là jusqu'après l'heure de fermeture.

Pete B.

Il colla son mot sur le pare-brise de Lenny. Une tante passa en chaloupant et le reluqua de la tête aux pieds.

Pete mangea dans sa voiture. Il se prit deux chiliburgers, des frites et du café.

Les patineuses patinaient pour le service. Vêtues de justaucorps, soutiens-gorge à balconnet et collants.

Gail Hendee le traitait toujours de voyeur. Ça l'enquiquinait toujours quand les femmes repéraient ses petites merdes personnelles.

Les patineuses à roulettes avaient belle allure. De traîner leurs plateaux, des patins aux pieds, les gardait minces. La blonde chargée de ses glaces au caramel chaud avait tout ce qu'il fallait comme piège à chantage.

Pete commanda une tarte aux pêches à la mode. La blonde la lui apporta. Il vit Lenny se diriger vers sa voiture.

Il ouvrit la portière passager et se glissa à l'intérieur du véhicule.

Il avait un air stoïque. La *prima diva* n'était qu'un petit merdaillon de choute.

Pete alluma une cigarette.

— Tu m'as dit que tu étais trop malin pour déconner avec moi. Ça tient toujours ?

— Oui.

— Est-ce que c'est par ça que Kemper Boyd et Ward Littell te tiennent ?

— *Ça* ? Ouais, c'est bien *ça*.

— Je ne marche pas, Lenny, et je ne pense pas que ça tracasserait Sam Giancana au bout du compte. Je crois que je pourrais appeler Sam, là, tout de suite, et dire : « Lenny Sands baise les garçons. » Il serait choqué pendant deux minutes, puis il digérerait le tuyau sans rien ajouter. Si Boyd et Littell ont essayé de te bluffer avec ça, je pense que t'as assez de cervelle et de balloches pour les prendre au mot.

Lenny haussa les épaules.

— Littell a dit qu'il cracherait le morceau à Sam *et* aux flics.

Pete laissa tomber sa cigarette dans le verre à eau.

— Je ne marche pas. Tu vois cette brunette sur patins là-bas ?

— Je la vois.

— Je veux que tu m'aies dit grâce à quoi Boyd et Littell t'ont mis les poucettes, avant qu'elle n'arrive à cette Chevy bleue.

— Supposez que je me souvienne pas ?

— Alors imagine que tout ce que t'as entendu dire sur moi soit vrai. Et tu reprends à partir de là.

Lenny sourit, modèle *prima diva*.

— J'ai tué Tony Iannone, et Littell m'a cadré sur le coup.

Pete sifflota.

— Je suis impressionné. Tony était un dur pas commode.

— Ne me menez pas en bateau, Pete. Dites-moi simplement ce que vous allez faire de ça.

— La réponse, c'est rien. Toutes ces conneries sur ton secret ne vont pas plus loin.

— J'essaierai de m'en convaincre.

— Tu peux te convaincre que Littell et moi, ça remonte à pas mal de temps, et je ne l'aime pas. Boyd et moi, on a des rapports amicaux, mais Littell, c'est autre chose. Je ne peux pas faire pression sur lui sans que Boyd tire la gueule, mais si jamais il se met à jouer un peu trop au dur avec toi, fais-le-moi savoir.

Lenny se hérissa et serra les poings.

— Je n'ai pas besoin de protecteur. Je ne suis pas ce genre de...

Les patineuses zigzaguaient entre les voitures. Pete baissa sa vitre pour laisser entrer un peu d'air.

— Tu as des références, Lenny. Ce que tu fais à tes moments perdus, c'est tes oignons.

— Vous êtes un mec très éclairé.

— Merci. Et maintenant, est-ce que tu te sens de me dire ce ou celui que tu balances à Littell ?

— Non.

— Non. Tout simplement ?

— Je veux continuer à travailler pour vous. Laissez-moi partir d'ici avec un petit quelque chose, d'accord ?

Pete poussa la poignée côté passager.

— Fini les trucs de tante pour *L'Indiscret*. A partir d'aujourd'hui, tu écris de l'anti-Castro, des articles anti-cocos exclusivement. Je veux que tu rédiges personnellement. Directement pour la revue. Je te donnerai des infos, et tu compléteras le reste des conneries. T'as été à Cuba. Tu connais la politique de M. Hughes. Prends ça comme point de départ.

— Est-ce que c'est tout ?

— A moins que tu veuilles de la tarte et du café.

Lenny Sands baise les garçons. Howard Hughes prête de l'argent au frère de Dick Nixon.

Secrets de merde.

Le Grand Pete veut une femme. Expérience de l'extorsion souhaitée, mais non obligatoire.

Le téléphone sonna. Trop tôt, putain de merde.

Pete décrocha.

— Ouais ?

— C'est Kemper.

— Kemper, merde. Mais quelle heure est-il ?

— Tu es engagé, Pete. Stanton te place immédiatement sous statut contractuel. C'est toi qui vas diriger le camp de Blessington.

Pete se frotta les yeux.

— Ça, c'est le petit numéro officiel, mais le nôtre, ce sera quoi ?

— Nous allons faciliter la collaboration entre la CIA et le crime organisé.

28

New York City, 26 août 1959.

Joe Kennedy distribuait des épingles de cravate au sceau du président. La suite du Carlyle se mit à reluire de reflets imitation-président.

Bobby avait l'air de s'ennuyer. Jack avait l'air de s'amuser. Kemper piqua son épingle à cravate dans sa chemise.

— Kemper est un voleur, dit Jack.

— Nous sommes venus ici pour discuter de la campagne, tu te souviens ? dit Bobby.

Kemper brossa des peluches de son pantalon. Il était vêtu d'un costume à rayures en crépon de coton sur mocassins blancs — Joe l'avait traité de marchand de crèmes glacées au chômage.

Laura adorait la tenue qu'il arborait. Qu'il avait achetée avec l'argent des actions volées. Bel accoutrement pour un mariage estival.

— C'est FDR[1] qui m'a donné ces épingles. Je les ai gardées parce que je savais qu'un jour, je serais le maître d'hôte d'une réunion comme aujourd'hui.

Joe voulait marquer ce jour d'une pierre blanche. Le maître d'hôtel avait disposé les hors-d'œuvre sur un buffet près de leurs fauteuils.

Bobby fit bouffer sa cravate.

— Mon livre sera publié en cartonné en février, à peu près un mois après l'annonce par Jack de sa candidature. L'édition de poche sortira en juillet, exactement au moment de la convention.

---

1. Franklin Delano Roosevelt. *(N.d.T.)*

J'espère qu'il remettra toute la croisade Hoffa dans sa juste perspective. Nous ne voulons pas que l'association de Jack avec le Comité McClellan lui aliène les travailleurs.

Jack éclata de rire.

— Ce foutu bouquin te bouffe tout ton temps. Tu devrais te trouver un nègre. C'est ce que j'ai fait, et j'ai gagné le prix Pulitzer.

Joe barbouilla de caviar un biscuit sec.

— J'ai entendu dire que Kemper voulait voir son nom rayé du texte. C'est vraiment pas de chance, parce que tu aurais pu l'intituler *Le Glacier au parfum*.

Kemper jouait avec son épingle à cravate.

— Il y a là-dehors un million de voleurs de voitures qui me haïssent. Je préférerais qu'ils ne sachent pas ce que je fais.

— Kemper est du genre furtif, dit Joe.

— Oui, dit Jack, et Bobby pourrait en prendre des leçons. Je l'ai déjà dit un bon millier de fois par le passé, et je le répéterai encore mille fois. D'en bander aussi dur pour Jimmy Hoffa et la Mafia, c'est de la connerie. Il se pourrait bien que tu aies besoin de ces gens-là pour avoir les voix nécessaires un jour, et aujourd'hui, tu ajoutes l'insulte à l'injure en écrivant un livre après leur avoir fait la chasse *via* ce foutu Comité. Kemper joue ses cartes avec douceur et discrétion, Bobby. Tu pourrais en prendre de la graine.

Bobby gloussa.

— Appréciez l'instant, Kemper. Papa prend fait et cause contre ses gamins pour un étranger. Ça arrive une fois tous les dix ans.

Jack alluma un cigare.

— Sinatra est copain avec tous ces gangsters. Si nous avons besoin d'eux, nous pourrions l'utiliser comme intermédiaire.

Bobby frappa du poing un coussin de fauteuil.

— Frank Sinatra ? C'est un trouillard, une raclure, toujours à claquer des doigts, et je ne passerai jamais de marché avec ces pourritures de gangsters.

Jack roula les yeux au ciel. Kemper interpréta son geste comme un signal : le moment était venu de jouer au médiateur.

— Je pense que le livre offre des possibilités. Je pense que nous pouvons en distribuer des exemplaires aux syndiqués, pendant les primaires, et marquer quelques points de cette manière. Je me suis fait des tas de relations dans les services du maintien de l'ordre en travaillant pour le Comité, et je pense que nous pouvons établir une alliance auprès de procureurs théoriquement d'allégeance républicaine en mettant en avant les lettres de créance que Jack s'est gagnées dans sa lutte contre le crime.

Jack souffla des ronds de fumée.

— C'est Bobby le chasseur de truands. Pas moi.

— Tu appartenais au Comité, dit Kemper.

Bobby sourit :

— Je ferai de toi un portrait héroïque, Jack. Je ne dirai pas que Papa et toi aviez un petit faible pour Hoffa dès le départ.

Ils éclatèrent tous de rire. Bobby se saisit d'une poignée de canapés.

Joe s'éclaircit la gorge.

— Kemper, nous vous avons invité à cette réunion essentiellement pour discuter de J. Edgar Hoover. Il faudrait que nous parlions de la situation maintenant, parce que je reçois à dîner au Pavillion ce soir, et je dois me préparer.

— Voulez-vous parler des dossiers dont dispose Hoover sur chacun d'entre vous ?

Jack acquiesça.

— Je songeais plus précisément à une amourette que j'ai eue pendant la guerre. Je me suis laissé dire que Hoover s'était convaincu que la femme était un espion nazi.

— Voulez-vous parler d'Ingra Arvad ?

— Exactement.

Kemper piqua un des canapés de Bobby.

— M. Hoover a effectivement un dossier complet sur cette histoire, oui. Il s'en est vanté devant moi il y a une dizaine d'années de cela. Puis-je me permettre de faire une suggestion et d'éclaircir un point de détail ?

Joe acquiesça. Jack et Bobby s'avancèrent, mains en appui, sur le rebord de leur siège.

Kemper se pencha vers eux.

— Je suis sûr que M. Hoover sait que je suis parti travailler pour le Comité. Je suis sûr qu'il est déçu que je ne l'aie pas contacté. Laissez-moi rétablir des relations avec lui. Je lui apprendrai que je travaille pour vous. Et permettez-moi de lui donner l'assurance que Jack ne le remplacera pas à la tête du FBI s'il est élu.

Joe acquiesça. Jack et Bobby acquiescèrent.

— Je pense que c'est une action prudente et intelligente. Et, pendant que j'ai la parole, je voudrais soulever le problème de Cuba. Eisenhower et Nixon se sont prononcés contre Castro, ouvertement, et je suis d'avis que Jack devrait se constituer un dossier de références anti-castristes.

Joe tripotait son épingle de cravate.

— Tout le monde commence à haïr Castro. Je ne vois pas Cuba comme source de conflits partisans.

— Papa a raison, dit Jack. Mais j'ai pensé que je pourrais peut-être envoyer quelques Marines là-bas si je suis élu.

— *Lorsque* tu seras élu, dit Joe.

— Exact. J'enverrai des Marines libérer les bordels. Kemper pourra conduire les troupes. Ce sera lui mon fer de lance à La Havane. Il y établira une tête de pont.

— N'oubliez pas votre lance, Kemper, dit Joe avec un clin d'œil.

— N'ayez crainte. Et sérieusement, je vous tiendrai informé sur le front cubain. Je connais quelques anciens du FBI qui disposent d'excellents renseignements anti-Castro.

Bobby chassa une mèche de son front.

— Parlant d'hommes du FBI, comment va le Phantôme ?

— En un mot, il est tenace. Il poursuit ces fameux livres de la Caisse de Retraite, mais il n'avance pas beaucoup.

— Il commence à me faire l'impression d'un individu pathétique.

— Croyez-moi, il ne l'est pas.

— Puis-je le rencontrer ?

— Pas avant qu'il prenne sa retraite. Il a peur de M. Hoover.

— Comme nous tous, dit Joe.

Tout le monde se mit à rire.

Le St. Regis était un Carlyle à une échelle légèrement moindre. La suite de Kemper correspondait à un tiers de celle des Kennedy. Kemper gardait une chambre dans un hôtel modeste côté ouest de la 40ᵉ — c'est là que Jack et Bobby le contactaient.

Il faisait chaud et étouffant au-dehors. La température de la suite était parfaite : 20 degrés.

Kemper rédigea un mot à M. Hoover. Il dit, c'est confirmé — s'il est élu, Jack ne vous virera pas. Il se fit ensuite l'avocat du Diable — son petit rituel d'après-conférence avec les Kennedy.

Des sceptiques émettaient des doutes sur ses voyages. Des sceptiques émettaient des doutes sur ses allégeances complexes.

Il se posa lui-même des pièges logiques et les esquiva brillamment.

Il voyait Laura ce soir, pour le dîner et un récital au Carnegie Hall. Elle tournerait en ridicule le style du pianiste et répéterait sans fin le clou de son récital. C'était la quintessence du modèle Kennedy : Accepte les défis mais ne te présente pas devant le public si tu n'es pas certaine de gagner. Laura était une demi-Kennedy et elle était femme — elle possédait l'esprit de compétition, sans la moindre approbation de la part de sa famille. Ses demi-sœurs avaient épousé des coureurs de jupons et restaient fidèles ; Laura avait des liaisons. Laura disait que Joe aimait les filles, mais les considérait au fond de lui-même comme de vulgaires Négresses.

Il y avait plusieurs mois qu'il était avec Laura. Les Kennedy n'avaient pas le plus petit soupçon. Lorsqu'un engagement officiel serait décidé, il leur en ferait part.

Ils seraient d'abord scandalisés, puis soulagés. Ils savaient qu'il était digne de confiance et capable de garder les choses bien compartimentées.

Laura aimait les durs qui en avaient, et elle aimait les arts. C'était une femme solitaire, sans amis véritables, Lenny Sands excepté. Elle incarnait de manière exemplaire la trajectoire de ceux qui gravitaient de manière omniprésente dans l'orbite des Kennedy : un salonnard à tendances mafieuses avait donné des leçons de diction à Jack et forgé un lien étroit avec sa demi-sœur.

Le lien en question ne laissait pas, à la limite, d'être inquiétant. Lenny pourrait bien dire des choses à Laura. Lenny pourrait bien lui révéler de petites histoires bien macabres.

Laura ne faisait jamais état de Lenny, en dépit du fait que c'était lui qui avait facilité leur rencontre.

Elle communiquait probablement avec Lenny à distance, par l'interurbain.

Lenny était du genre versatile. Un Lenny furieux ou effrayé pourrait dire :

M. Boyd a obligé M. Littell à me frapper. M. Boyd et M. Littell sont des maîtres-chanteurs sans scrupules. C'est M. Boyd qui m'a obtenu mon emploi à *L'Indiscret* — fonction vicieuse et méchante.

Ses craintes sur Lenny atteignirent leur apogée fin avril.

Les auditions de Boynton Beach mirent au jour deux risques pour la sécurité, un violenteur d'enfants et un maquereau homosexuel. La ligne édictée par la CIA commandait leur élimination. Il les avait emmenés dans les Everglades et les avait abattus.

Le mac avait vu venir le truc et s'était mis à supplier. Il lui avait collé une balle dans la bouche pour couper court à ses couinements.

Il raconta à Claire qu'il avait abattu deux hommes de sang-froid. Elle eut pour seule réaction des banalités anti-communistes.

Le mac lui rappelait Lenny. Le mac déclencha chez lui à l'improviste une série d'avocats du Diable qu'aucune échappatoire mensongère ne lui permit d'esquiver.

Lenny pouvait le ruiner auprès de Laura. De nouvelles pressions pourraient lui exploser à la figure — Lenny était versatile.

Il n'existait pas de solution Lenny pure et simple. Rendre la solitude de Laura moins pesante pourrait aider — elle serait ainsi moins susceptible de reprendre contact avec Lenny.

Il ramena Claire de Tulane et la présenta à Laura à la mi-mai. Claire fut emballée par Laura — dame classe de la grande ville, de dix ans son aînée. Déclic et début d'une amitié — elles devinrent de grandes copines par téléphone interposé. Claire venait de temps à autre rejoindre Laura pour le week-end, avec, au programme, concerts et visites de musées.

Lui voyageait pour mériter ses trois salaires. Sa fille tenait compagnie à sa future fiancée.

Laura raconta toute son histoire à Claire. Claire avait le don d'inspirer plein de confidences. Claire était emballée — mon Papa pourrait bien être un jour le beau-frère secret du président.

Il maquereautait pour l'éventuel futur président. Jack lui feuilletait son petit carnet noir, et il se besogna une centaine de femmes en moins de six mois. Sally Lefferts qualifiait Jack de violeur de fait.

— Il te coince dans un coin et te fait le coup du charme jusqu'à t'épuiser complètement. Il réussit à te convaincre que de te refuser à lui ferait de toi la femelle la plus indigne qui ait jamais existé.

Son petit carnet noir était quasiment épuisé. M. Hoover pourrait peut-être lui dire de coller dans les bras de Jack des call-girls émargeant au FBI.

C'était une éventualité. Si la campagne de Jack tournait bien, M. Hoover pourrait bien lui dire tout simplement :

— *Faites-le.*

Le téléphone sonna. Kemper décrocha à la deuxième sonnerie :

— Oui ?

Les crachotements parasites d'un appel interurbain faisaient craquer la ligne.

— Kemper ? C'est Chuck Rogers. Je suis à la station. Il vient de se passer quelque chose et je me suis dit que vous devriez être mis au courant.

— Quoi ?

— Ces mecs pro-castristes que j'ai virés sont revenus traîner la nuit dernière et ils ont mitraillé le parc de stationnement. On a eu une sacrée chance que personne n'ait été blessé. Fulo dit qu'ils doivent avoir une planque quelque part, pas très loin.

Kemper s'étira sur le canapé.

— Je descends dans quelques jours. On réglera ce problème.

— On réglera ça comment ?

— Je veux convaincre Jimmy de vendre la station à l'Agence. Tu verras. On mettra quelque chose sur pied avec lui.

— Moi je dis, faut pas hésiter. Je dis qu'on ne peut pas se permettre de perdre la face dans la communauté cubaine en nous laissant tirer dessus par des merdaillons cocos.

— On leur adressera un message, Chuck. Tu ne seras pas déçu.

Kemper entra, avec sa propre clé. Laura avait laissé les portes de la terrasse ouvertes — les projecteurs de concert faisaient étinceler Central Park.

C'était trop simple et trop joli. Il avait vu des photos de reconnaissance à Cuba qui faisaient honte au spectacle.

Elles montraient les bâtiments de la United Fruit en train de cramer sur fond de ciel de nuit. Les photos étaient tout simplement fascinantes, des images à l'état brut.

Quelque chose lui dit :

Vérifie les notes de téléphone de Laura.

Il fouilla les tiroirs de son bureau et les trouva. Elle avait appelé Lenny Sands à onze reprises au cours des trois derniers mois.

Quelque chose lui dit :

Fais-toi ton opinion une bonne fois pour toutes.

Ce n'était rien, très probablement. Laura n'avait jamais mentionné Lenny ni ne s'était comportée de manière qui pût prêter à soupçons.

Quelque chose lui dit :

Oblige-*la* à *te* le dire.

Ils s'installèrent devant des Martini. Laura avait des coups de soleil après une longue journée passée à faire les magasins.

— Depuis combien de temps attends-tu ? dit-elle.

— A peu près une heure, répondit Kemper.

— Je t'ai appelé au St. Regis, mais le standardiste m'a dit que tu étais déjà parti.

— J'ai eu envie de marcher.

— Quand il fait une chaleur aussi abominable ?

— Il fallait que j'aille voir à l'autre hôtel si j'avais des messages.

— Tu aurais pu appeler la réception et leur demander.

— J'aime bien venir me montrer en personne de temps à autre.

Laura éclata de rire.

— Mon amant est un espion.

— Pas vraiment.

— Que penserait mon succédané de famille s'ils apprenaient que tu as une suite au St. Regis ?

Kemper éclata de rire.

— Ils verraient ça comme une manière de les singer, en se demandant comment je peux me le permettre.

— Je me suis moi-même posé la question. Ta retraite du FBI et le salaire que t'offre ma famille ne sont pas tellement généreux.

Kemper posa la main sur les genoux de Laura.

— J'ai eu de la chance à la Bourse. Je te l'ai déjà dit, Laura. Si tu es curieuse, demande.

— Très bien, c'est ce que je vais faire. Tu ne m'avais jamais parlé de tes envies de promenade auparavant. Alors pourquoi es-tu sorti le jour le plus chaud de l'année ?

Kemper s'obligea à prendre un regard voilé, lointain.

— Je pensais à mon ami Ward, et toutes ces balades que nous faisions en bordure du lac à Chicago. Il me manque ces temps derniers, et je pense que j'ai confondu le climat de Chicago et son lac avec celui de Manhattan. Qu'est-ce qui se passe ? tu as l'air triste.

— Oh, rien.

Elle avait mordu à l'hameçon. Le petit baratin Chicago/ami avait accroché Laura.

— Des clous, « oh rien ». Laura...

— Non, vraiment. Ce n'est rien.

— Laura...

Elle s'écarta de lui.

— Kemper, *ce n'est rien*.

Kemper soupira. Kemper feignit une exaspération chagrine de la plus belle eau.

— Non, ce n'est pas vrai, c'est Lenny Sands. Quelque chose que j'ai dit t'a fait penser à lui.

Elle se décontracta. Elle avait le discours et l'emballage, tout le lot.

— Tu sais, quand tu as dit que tu connaissais Lenny, tu as été très évasif, et je n'ai pas voulu parler de lui parce que je me disais que tu pourrais y trouver à redire.

— Lenny t'a-t-il dit qu'il me connaissait ?

— Oui, toi et un autre homme du FBI, un homme sans nom.

Il n'a pas voulu me donner de détails, mais j'ai bien senti qu'il avait peur de vous deux.

— Nous l'avons aidé à se sortir de quelques ennuis, Laura. Il y avait un prix à payer. Veux-tu que je te dise en quoi consistait ce prix?

— Non. Je ne veux pas le savoir. Le monde dans lequel vit Lenny est sale et laid... et... c'est juste que toi, tu vis dans des suites d'hôtel et tu travailles pour ma presque-famille et Dieu seul sait qui d'autre. Je voudrais simplement — comment te dire? — que nous soyons plus ouverts, l'un à l'égard de l'autre.

Le regard de Laura le convainquit de passer aux actes. C'était mortellement risqué, mais c'est de ça que se faisaient les légendes.

— Mets cette robe verte que je t'ai offerte, dit Kemper.

Le Pavillion n'était que brocart de soie et chandelles. Une foule d'avant-théâtre arrivait, sur son trente et un.

Kemper glissa au maître d'hôtel cent dollars. Un serveur les conduisit jusqu'à la salle privée de la famille.

Le temps s'était immobilisé. Kemper immobilisa Laura à son côté et ouvrit la porte.

Joe et Bobby se levèrent, les yeux pétrifiés. Ava Gardner reposa son verre au ralenti.

Jack sourit.

Joe en laissa tomber sa fourchette. Son soufflé explosa. Ava Gardner se prit de la sauce au chocolat sur son corsage.

Bobby se dressa et serra les poings. Jack l'agrippa par sa ceinture de smoking et le tira pour le faire rasseoir.

Jack se mit à rire.

Jack dit quelque chose comme : « Plus de couilles que de cervelle. »

Joe et Bobby flamboyaient — en tirant une gueule radioactive.

Le temps s'était immobilisé. Ava Gardner avait l'air toute diminuée, d'une petitesse insigne.

29

Dallas, 27 août 1959.

Il loua une suite à l'Adolphus Hotel. Sa chambre donnait sur le côté sud de Commerce Street et le « Carousel Club » de Jack Ruby.

Kemper Boyd disait toujours : *Ne chipote pas sur tes quartiers de surveillance.*

Littell surveillait la porte à la jumelle. Il était 16 heures, et pas de « Stripteaseuses *Live* » avant 18 heures.

Il avait vérifié les réservations des vols entre Chicago et Dallas. Sid Kabikoff avait débarqué à Big D[1] la veille. Il était passé louer une voiture.

Sa destination finale était McAllen, au Texas, en plein sur la frontière mexicaine.

Il était descendu pour faire un film de cul. Il avait déclaré à Sal le Fou qu'il le tournait avec les stripteaseuses de Jack Ruby.

Littell s'était fait porter pâle. Il toussait en parlant de l'ASC Leahy. Il avait acheté son billet d'avion sous un pseudonyme — Kemper disait toujours : *Couvre tes traces.*

Kabikoff avait dit à Sal le Fou qu'il existait de « vrais » livres de comptes de la Caisse. Kabikoff avait dit à Sal le Fou que c'était Jules Schiffrin qui les tenait. Kabikoff avait dit à Sal le Fou que Jules Schiffrin connaissait Joe Kennedy.

Ce devait être une relation d'affaires qui ne portait pas à conséquence. Joe Kennedy n'était pas du genre à passer inaperçu.

Littell surveillait la porte. Une migraine le frappa en plein, à

---

1. Dallas.

286

force de tendre les yeux. Une foule se rassemblait devant le « Carousel Club ».

Trois jeunes gens musclés et trois femmes un peu pauvrettes d'allure. Sid Kabikoff en personne — gras et suant.

Ils se saluèrent avant d'allumer leur cigarette. Kabikoff était expansif, avec force gestes.

Jack Ruby ouvrit la porte. Un teckel jaillit et chia sa crotte sur le trottoir. Ruby chassa l'étron du pied dans le ruisseau.

La petite troupe entra. Littell se représenta une reconnaissance des lieux avec entrée par-derrière.

La porte arrière était verrouillée d'un crochet sur œilleton, elle n'était pas jointive contre l'huisserie. Un vestiaire donnait accès à la boîte proprement dite.

Il traversa la rue et fit un crochet direction le parc de stationnement. Il aperçut une seule et unique voiture : une décapotable Ford 56, capote baissée.

Les papiers étaient attachés à la colonne de direction. Le propriétaire était un certain Jefferson Davis « J.D. » Tippit.

Des chiens jappaient. Ruby aurait dû rebaptiser son rade et l'appeler le Club canin Carousel. Littell avança jusqu'à la porte et fit sauter le crochet avec son canif.

Il faisait sombre. Un filet de lumière tranchait le vestiaire.

Il avança sur la pointe des pieds jusqu'à sa source. Il sentit une odeur de parfum et d'effluves de chien. Le filet de lumière était une porte de communication laissée entrouverte.

Il entendit des voix qui se chevauchaient. Il distingua Jack Ruby, Kabikoff et un homme à l'accent texan nasillard fortement prononcé.

Il cligna des yeux dans le faisceau de lumière. Il vit Jack Ruby, Kabikoff et un flic de Dallas en uniforme debout près d'une piste de strip-tease.

Littell tendit le cou. Son champ de vision s'élargit.

La piste était bondée. Il vit quatre filles et quatre garçons, tous complètement nus.

— J.D., dit Ruby, est-ce qu'ils ne sont pas superbes ?

— Je ne m'intéresse qu'aux femmes, exclusivement, dit le flic, mais, l'un dans l'autre, je dois admettre que je suis d'accord.

Les garçons caressaient leurs érections. Les filles y allaient de *ooh !* et de *aah !* Trois teckels folâtraient sur la piste.

287

Kabikoff gloussa.

— Jack, t'es un dénicheur de talents plus merveilleux que le Major Bowles et Ted Mack[1] réunis. A 100 p. 100, Jack. Je n'émets pas le moindre veto pour ces beautés.

— Quand se retrouve-t-on ? dit J.D.

— Demain après-midi, dit Kabikoff. Disons, 14 heures. On se retrouve au café du Sagebrush Motel à McAllen, et on traverse à partir de là pour aller tourner. Quelle audition ! Toutes les auditions devraient se passer avec la même douceur et sans accroc !

Un des garçons avait un pénis tatoué. Deux des filles portaient des cicatrices de coups de couteau et des meurtrissures. Une bagarre de chiens explosa soudain.

— Non, les enfants, non ! hurla Ruby.

Littell commanda à dîner, par le service de l'hôtel : Steak, salade César et Glenlivet. Il claquait le fric de son butin de braquage — et c'était plus le style de Kemper que le sien.

Trois verres affûtèrent ses instincts. Un quatrième lui donna certitude. Un dernier petit avant le lit lui fit appeler Sal le Fou à L.A.

Sal entama une litanie furieuse. J'ai besoin d'argent, d'argent, d'argent.

Littell lui dit, je vais essayer de t'en avoir un peu.

Sal dit, faut plus qu'essayer.

Littell dit, c'est parti. Je veux que tu recommandes Kabikoff pour un prêt de la Caisse. Appelle Giancana et arrange un rendez-vous. Appelle Sid dans trente-six heures et confirme-lui.

Sal en déglutit. Sal suintait de trouille. Littell dit, je vais essayer de t'avoir un peu d'argent.

Sal accepta de passer à l'action. Littell raccrocha avant qu'il eût pu recommencer à supplier.

Il ne dit pas à Sal que son trésor de cambriolage en était réduit à huit cents dollars.

Littell laissa consigne de le réveiller à 2 heures du matin. Ses

---

1. Spectacles d'amateurs. *(N.d.T.)*

288

prières durèrent longtemps — Bobby Kennedy avait une vaste famille.

Le trajet en voiture lui prit onze heures. Il arriva à McAllen seize minutes avant l'heure.

Le sud du Texas n'était que chaleur et humidité. Littell quitta la grand-route et fit l'inventaire du siège arrière.

Il disposait d'un calepin vierge, douze rouleaux de scotch, et un appareil photo Polaroïd-Land avec un zoom longue portée Rolliflex. Il avait quarante pellicules, une cagoule de ski et un gyrophare de contrebande du FBI.

Le matériel complet pour un flagrant délit mobile.

Littell se laissa à nouveau glisser dans la circulation. Il repéra le Sagebrush Motel : une cour en fer à cheval avec bungalows en bordure de la rue principale.

Il s'y engagea et se rangea devant le café. Il mit la voiture au point mort et se mit à paresser, air conditionné enclenché.

J.D. Tippit arriva sur les lieux à 4 h 6. Sa décapotable était surchargée : six mômes acteurs de cul à l'avant et équipement de tournage qui ressortait du coffre.

Ils entrèrent au café. Littell enficha un zoom pour saisir le moment sur pellicule.

L'appareil photo bourdonna. Un cliché jaillit et se développa dans sa main en moins d'une minute.

Stupéfiant...

Kabikoff arriva à son tour et se signala à l'avertisseur. Littell prit une photo de sa plaque d'immatriculation arrière.

Tippit et les mômes sortirent, une limonade à la main. Ils se répartirent dans les voitures et prirent la direction du sud.

Littell compta jusqu'à 20 et les suivit. La circulation était fluide — ils empruntèrent les voies en surface pendant cinq minutes et arrivèrent au poste frontière un-deux-trois.

Un garde leur fit signe de passer. Littell cadra un instantané des lieux : deux voitures en route vers des violations de la Loi fédérale.

Le Mexique était une extension poussiéreuse du Texas. Ils traversèrent une longue filée de villages aux cahutes en tôle.

Une voiture se faufila derrière Tippit. Littell s'en servit comme protection et couverture.

Ils s'engagèrent dans les collines à la végétation rabougrie. Littell se repérait à l'antenne de J.D. et sa queue de renard. La route était moitié terre, moitié goudron — des gravillons venaient claquer sous ses pneus.

Kabikoff tourna à droite à un panneau : *Domicilio De Estado Policia*.

Caserne de la police d'Etat — traduction facile.

Tippit suivit Kabikoff. La route n'était plus qu'un chemin de terre — les voitures soulevaient des nuages de poussière tourbillonnante. Ils montèrent en dérapages instables un flanc de montagne encombré de cailloux.

Littell resta sur la grand-route et continua son chemin. Il vit un semblant de protection sous des arbres, à cinquante mètres à flanc, un gros bouquet de pins nains d'où il pourrait prendre des photos.

Il s'y engagea et se rangea en bordure de route. Il entassa son matériel dans un sac de toile et couvrit sa voiture de branchages et de boules d'amarante.

L'écho venait rebondir dans sa direction. Le « tournage » était juste au-dessus de la crête de la colline.

Il suivit les bruits. En traînant son matériel sur une pente assez raide.

La crête plongeait sur une clairière au sol de terre. Son point de vue était sacrément superbe.

La « caserne » était une cabane au toit de tôle. Des voitures de la police d'Etat étaient garées tout à côté, des Chevy et de vieilles Hudson Hornet.

Tippit transportait des bobines de film. Sid le Gros soudoyait les flics mexicains. Les mômes acteurs de cul regardaient un groupe de femmes menottées.

Littell s'accroupit derrière un buisson et sortit son matériel. Son zoom l'amenait presque au gros plan.

Il vit les fenêtres de la caserne grandes ouvertes, des matelas installés à l'intérieur. Il vit les flics, en chemise noire et brassards.

Les voitures de flics avaient les sièges recouverts de peau de léopard. Les femmes portaient des bracelets d'identité de détenues.

La foule se dispersa. Les chemises noires ôtèrent les menottes des femmes. Kabikoff traîna son équipement à l'intérieur de la cabane.

Littell se mit au travail. La chaleur le faisait vaciller sur ses genoux. Son zoom l'amena encore plus près.

Il prit ses photos et les regarda qui se développaient. Il les aligna soigneusement sur son sac de toile.

Il cadra des filles entrelacées sur un matelas. Il cadra Sid Kabikoff les incitant de force à l'amour lesbien.

Il cadra des insertions obscènes. Il cadra des partouzes aux godes. Il cadra les garçons en train de fouetter les Mexicaines au sang.

Le Polaroïd lui recrachait ses gros plans instantanés. Sid le Gras était inculpé sur papier couleur.

Pour INCITATION A CONDUITE OBSCENE. Pour AGRESSION. Pour TOURNAGE DE PORNOGRAPHIE DESTINEE A ETRE VENDUE INTER-ETATS, en violation de neuf statuts fédéraux.

Littell épuisa ses quarante bobines de pellicule. La sueur détrempait le sol tout autour de lui.

Sid Kabikoff était piégé, clichés-preuves à l'appui :
EXPLOITATION DE BLANCS — VIOLATION DE LA LOI MANN — COMPLICE D'ENLEVEMENT ET DE VIOLENCES SEXUELLES.

Clic ! — une pause casse-croûte — des flics en train de faire cuire des tortillas sur le toit d'une rôdeuse.

Clic — une prisonnière essaie de s'échapper. Clic ! clic ! clic ! — deux flics la rattrapent et la violent.

Littell retourna à sa voiture. Il se mit à sangloter juste après la frontière.

Il scotcha les photos dans son album et se calma avec force prières et une demi-pinte. Il se trouva un excellent perchoir : le bord de la route d'accès, à huit cents mètres au nord de la frontière.

La route était à sens unique. C'était la seule route qui menait à la voie inter-Etats. Elle était joliment éclairée, au point qu'on pouvait presque lire les numéros de plaques minéralogiques.

Littell attendit. Des bouffées d'air climatisé l'empêchaient de s'assoupir. Arriva minuit, qui passa.

Des voitures suivaient la route, avec une lenteur très respectueuse des limites de vitesse — la patrouille des Frontières mettait des contraventions jusqu'à McAllen.

Des phares balayaient la route. Littell continuait à repérer les numéros de plaques. Le froid de la climatisation le rendait malade.

La Cadillac de Kabikoff passa...

Littell se laissa glisser derrière lui. Il colla le phare couleur cerise sur le toit et enfila sa cagoule de ski.

La lumière se mit à tourbillonner, d'un rouge éclatant. Littell mit pleins phares et joua de l'avertisseur.

Kabikoff se rangea sur le bas-côté. Littell le coinça avec sa voiture et avança jusqu'à sa portière.

Kabikoff hurla — le masque était rouge vif avec des cornes de démon blanches.

Littell se rappela avoir fait des menaces.

Littell se rappela un boniment final : Tu vas parler a Giancana equipe de mouchards.

Il se rappela un démonte-pneu.

Il se rappela le sang sur le tableau de bord.

Il se rappela avoir supplié Dieu : Je vous en prie faites que je ne le tue pas.

30

Miami, 29 août 1959.

— Des salopards d'emmanchés cocos m'ont mitraillé ma station de taxis ! D'abord, Bobby Kennedy. Et maintenant, ces merdeux de Cubains rouges !

Des têtes se tournèrent dans leur direction — Jimmy Hoffa parlait fort. Déjeuner avec Jimmy présentait toujours un risque — ce tordu faisait gicler café et nourriture. C'était sa seconde nature.

Pete avait la migraine. La cabane des Tiger Kabs était située à la diagonale du restau, ces putains de rayures tigrées lui donnaient mal aux yeux.

Il se détourna de la fenêtre.

— Jimmy, faut qu'on parle.

Hoffa le coupa net.

— Bobby Kennedy a lancé tous les merdeux de grands jurys d'Amérique à mes trousses. Tous les merdeux de procureurs veulent se payer une enfilade avec James Riddle Hoffa.

Pete bâilla. Le vol de nuit depuis L.A. avait été brutal.

Boyd lui avait donné ses ordres de marche. Boyd avait dit, fais un effort pour la station de taxis — je veux un noyau central, recrutement et renseignements, à Miami. On attend d'autres bateaux-bananes. Quand le camp de Blessington commencera à tourner, il nous faudra des lieux d'emploi supplémentaires pour nos gars.

Une serveuse rapporta du café frais — Hoffa avait vidé sa tasse à force de giclures.

— Jimmy, parlons affaire.

Hoffa rajouta crème et sucre.

— Je me disais aussi que tu n'avais pas fait tout ce trajet pour un sandwich au bœuf rôti.

Pete alluma une cigarette.

— L'Agence veut prendre une participation de moitié, en location, dans la société de taxis. Il y a des tas de mecs, dans l'Agence et dans l'Organisation, qui commencent à manifester un intérêt de plus en plus fort pour Cuba, et l'Agence est d'avis que la station serait un excellent endroit à partir duquel on recruterait nos gens. Et il va y avoir des chiées de Cubains exilés qui vont débarquer à Miami, ce qui signifie un marché en pleine expansion si la société décide de se lancer à plein dans l'anti-Castro.

Hoffa rota.

— Qu'est-ce que tu entends par « location » ?

— Je veux dire que tu obtiens cinq mille dollars garantis par mois, en liquide, plus la moitié des recettes brutes, plus un gel des poursuites par l'Agence auprès du Service fédéral des Impôts, au cas où. Mes 5 p. 100, c'est avant déductions, il te reste Chuck Rogers et Fulo qui dirigent la station, et je passerai régulièrement, une fois que j'aurai démarré mon boulot sur contrat à Blessington.

Les yeux de Jimmy lancèrent des éclairs — $ $ $ $ $.

— Ça me plaît. Mais Fulo a dit que Boyd était au mieux avec les Kennedy, ce qui ne me plaît pas un iota.

Pete haussa les épaules.

— Fulo a raison.

— Est-ce que Boyd pourrait me décrocher Bobby de mes basques ?

— Je dirais que ses loyautés sont un peu trop étirées dans toutes les directions pour qu'il essaie. Avec Boyd, il faut avaler la pilule sans faire le tri, le bon avec le mauvais.

Hoffa frotta une tache sur sa cravate.

— Le mauvais, c'est ces vaches de cocos qui me mettent des bâtons dans les roues en fusillant ma station. Le bon, c'est que si tu t'en occupes, je serais enclin à accepter ton offre.

Pete rassembla une équipe dans la cabane du répartiteur. Des mecs solides : Chuck, Fulo, Teo Paez, l'homme de Boyd.

Ils se tirèrent des chaises devant le climatiseur. Chuck fit passer une bouteille à la cantonade.

Fulo affûtait sa machette sur une pierre.

— J'ai cru comprendre que nos six traîtres ont évacué leurs appartements. On m'a dit qu'ils ont emménagé dans un truc qu'ils appellent une « maison sûre ». C'est près d'ici, et je crois que c'est financé par les *communistos*.

Chuck essuya la salive du col de la bouteille.

— J'ai aperçu Rolando Cruz qui venait inspecter la station hier ; je crois qu'on peut dire sans se tromper qu'on est sous surveillance. Un de mes amis flics m'a procuré leurs numéros de plaques, ce qui fait que si vous nous dites d'aller à la pêche, ça devrait aider.

— Morts aux traîtres, dit Paez.

Pete arracha le climatiseur du mur. Des rouleaux de vapeur s'échappèrent.

— Je pige. Tu veux leur offrir une cible, dit Chuck.

Pete ferma la station — à la vue du public. Fulo appela un réparateur en conditionnement d'air. Chuck se mit en contact radio avec ses chauffeurs et leur dit de ramener leur taxi *tout de suite*.

Le réparateur arriva et démonta l'appareil du mur. Les chauffeurs déposèrent leur taxi et rentrèrent à la maison. Fulo mit une pancarte sur la porte : TIGER KAB — FERMETURE TEMPORAIRE.

Teo, Chuck et Fulo partirent à la pêche. Ils conduisaient leur voiture personnelle, avec équipement radio, sans la moindre tigrure ni le plus petit symbole Tiger Kab.

Pete se recolla dans la cabane. Il garda les lumières éteintes et les fenêtres fermées. Il faisait une chaleur abominable dans ce trou.

Il brancha les communications : Quatre circuits — les trois voitures au standard des Tiger Kabs. Fulo rôdait sur Coral Gables ; Chuck et Teo rôdaient dans Miami. Pete se branchait sur eux par casque et microphone à main.

Le genre de boulot à se gratter le cul, assis sur une chaise. Chuck monopolisait les ondes avec un long délire sur le Panthéon juif-négro.

Trois heures se traînèrent. Bavardage continu entre et avec les voitures à la pêche. Elles ne voyaient pas le plus petit putain de poil des pro-castristes.

Pete somnolait, le casque sur les oreilles. L'air épais lui donnait un souffle d'asthmatique. Les communiqués abscons qui s'entrecroisaient venaient déclencher des petits cauchemars deux secondes durant.

Ses cauchemars *habituels* : lui en train de charger l'infanterie jap, et le visage de Ruth Mildred Cressmeyer.

Pete somnolait au son cotonneux de la radio et aux wah-wah parasites. Il crut entendre la voix de Fulo :

— Voiture 2 à la base — Urgent. Terminé.

Il s'éveilla dans un sursaut et enclencha son micro.

— Ouais, Fulo.

Fulo établit le contact. Des bruits de circulation venaient filtrer derrière sa voix.

— J'ai Rolando Cruz et Cesar Salcido en vue. Ils sont arrêtés à une station Texaco et ils ont rempli d'essence une bouteille de Coca-Cola. Ils se dirigent rapidement vers la station de taxis.

— Sur Flagler ou la 46e ?

— La 46e. Pete, je crois qu'ils...

— *Ils vont essayer de cramer les bagnoles.* Fulo, tu restes derrière eux, et quand ils s'engageront dans le parc de stationnement, tu les coinces en les empêchant de ressortir. Et pas de fusillade, *est-ce que tu m'as compris* ?

— *Si, comprende.* 10-4, Terminé.

Pete vira son casque. Il vit la batte de base-ball cloutée de Jimmy Hoffa sur une étagère, près du standard.

Il s'en saisit et sortit au pas de course sur le parking. Le ciel était d'un noir d'encre et l'air suin-in-intait d'humidité.

Pete fit pivoter sa batte et mit au point quelques coups à sa façon. Des phares rebondirent sur la 46e — bas sur la chaussée, modèle classique de bolide surbaissé *cubano*.

Pete s'accroupit près d'une Merc à rayures tigrées.

Le char à tacos se faufila à son tour, comme un oiseau de nuit, sans phares, moteur coupé, juste derrière.

Rolando Cruz sortit. Il avait dans les mains un cocktail Molotov et des allumettes. Il n'avait pas remarqué la voiture de Fulo...

Pete arriva dans son dos. Fulo mit pleins phares et l'éclaira à contre-jour, comme en plein soleil.

Pete balança la batte, en arc de cercle, de toutes ses forces. Elle déchira Cruz par le travers et s'accrocha aux os des côtes.

Cruz hurla.

Fulo déboula de sa voiture. Ses phares mitraillaient Cruz qui crachait le sang et des bouts d'os. Cesar Salcido déboula à son tour de l'Espingo-mobile, une trouille au ventre à mouiller le froc.

Pete arracha la batte pour la dégager. Le Molotov tomba au sol. LA BOUTEILLE RESTA INTACTE.

Fulo chargea Salcido. Le char à tacos ronronnait au ralenti, à haut régime — excellent bruit de couverture.

Pete dégaina son calibre et abattit Cruz dans le dos. Les phares illuminèrent le numéro de Fulo au programme des réjouissances.

Il était en train de saucissonner le visage de Salcido à l'adhésif. Il avait ouvert en grand le coffre du char à tacos. Fulo, rapide comme un derviche, déroulait le tuyau d'arrosage du parc de stationnement.

Pete largua Cruz dans le coffre. Fulo nettoya au jet les entrailles du bonhomme en les chassant dans une bouche d'égout.

Il faisait nuit. Les voitures défilaient sur Flagler, dans les deux sens, incapables de soupçonner tout le putain de boxon.

Pete attrapa le Molotov. Fulo gara sa Chevy. A voir ses lèvres, il répétait des chiffres, encore et encore — Salcido avait probablement craché l'adresse de la planque sûre.

Le char à tacos était mauve, métallisé, pailleté, avec housses en fourrure — une Impala 58 impec toute négroïdée.

Fulo prit le volant. Pete monta à l'arrière. Salcido essaya de hurler à travers son bâillon.

Ils descendirent Flagler. Fulo hurla une adresse : 1809, Nord-Ouest 53e. Pete mit la radio plein pot.

Bobby Darin chantait *Dream Lover,* à crever les tympans. Pete abattit Salcido d'une balle dans l'arrière du crâne — des dents explosèrent et lui arrachèrent l'adhésif de la bouche.

Fulo roulait *très très lentement.* Le sang dégoulinait du tableau de bord et des sièges.

Ils eurent la nausée, de la fumée crachée par le canon. Ils gardèrent les vitres fermées pour empêcher l'odeur de s'échapper.

Fulo virait de gauche et de droite. Fulo mettait bien son

297

clignotant. Ils conduisirent leur charrette-cercueil jusqu'à la route en digue de Coral Gables — *très très lentement.*

Ils trouvèrent un ponton d'amarrage abandonné. Il avançait de trente mètres dans la baie.

Il était désert. Pas de poivrots, pas d'amoureux en goguette, pas de nuitards en train de pêcher à la mouche.

Ils sortirent. Fulo mit la voiture au point mort et la poussa sur le planchéiage. Pete alluma le Molotov et le balança à l'intérieur du véhicule.

Ils se mirent à courir.

Les flammes touchèrent le réservoir. L'Impala explosa. Les planches du ponton s'embrasèrent comme du petit bois.

Whooosh ! Le ponton se changea en une longue boule de feu. Des vagues venaient lapper les flammes en grésillant à leur contact.

Pete toussa à s'en faire cracher les poumons. Il avait gardé le goût de la fumée des balles et avait avalé les giclures du sang des deux morts.

Le ponton s'effondra. L'Impala sombra sur des récifs. La vapeur siffla de l'eau pendant une bonne minute.

Fulo reprit son souffle.

— Chuck habite tout près. J'ai une clé de sa chambre, et je sais qu'il a du matériel qu'on pourra utiliser.

Ils trouvèrent des revolvers avec silencieux et des gilets pare-balles. Ils trouvèrent le Tiger Kab de Chuck garé au bord du trottoir.

Ils attrapèrent les armes, enfilèrent les gilets. Pete fit démarrer le taxi en connectant deux fils.

Fulo roulait un poil trop vite. Pete pensa à la vieille Ruth Mildred pendant tout le trajet.

La maison avait l'air décrépite. La porte donnait l'impression d'être inforçable. L'endroit était encadré par des bouquets de palmiers — la seule crèche du bloc.

Les lumières en façade étaient allumées. Des voilages masquaient les fenêtres. On devinait clairement des silhouettes dans la pièce.

Ils s'accroupirent à côté du perron, juste sous le rebord de fenêtre. Pete distingua quatre ombres et quatre voix. Il se représenta quatre hommes en train de s'engnôler sur un canapé *face à la fenêtre*.

Fulo donnait l'impression de se brancher sur ses ondes cérébrales. Ils vérifièrent leurs gilets et armes respectifs — quatre revolvers et vingt-quatre balles au total.

Pete commença le décompte. Ils se dressèrent et firent feu à 3 — directement à travers la fenêtre.

Du verre explosa. Les crachotements étouffés des silencieux s'évanouirent pour se transformer en hurlements.

La fenêtre dégringola. Les rideaux dégringolèrent. Ils avaient maintenant de *vraies* cibles face à eux : des Espingos cocos plaqués contre un mur plein de giclures de sang.

Les Espingos cherchaient leurs armes, à grands moulinets de bras. Les Espingos portaient des étuis d'épaule et des étuis de hanche côté opposé à la main de tir.

Pete enjamba le rebord de fenêtre d'un bond. Des balles en riposte touchèrent son gilet et le renvoyèrent en arrière sous l'impact, en tourbillonnant.

Fulo chargea. Les cocos tiraient large ; les cocos tiraient en tous sens, la mort était proche. Ils lâchaient leurs coups de gros calibres sans silencieux — un nom de Dieu de boucan d'enfer.

Un impact sur son gilet fit tournoyer Fulo sur place. Pete vacilla jusqu'au canapé et vida ses deux armes à bout ultra-portant. Il fit le décompte des touchés : à la tête, au cou, à la poitrine, et avala une grosse bouffée d'un truc gris et visqueux...

Une bague avec diamant roula sur le sol. Fulo s'en empara et l'embrassa.

Pete essuya le sang qu'il avait dans les yeux. Il vit un tas de briques enveloppées sous plastique près de la cheminée.

De la poudre blanche s'en échappait. Il sut que c'était de l'héroïne.

31

Miami, 30 août 1959.

Kemper lisait au bord de la piscine de l'Eden Roc. Un serveur venait le resservir en café à intervalles de quelques minutes.

Le *Herald* en avait fait sa première sur cinq colonnes : « GUERRE DE LA DROGUE CHEZ LES CUBAINS : QUATRE MORTS. »

Le journal signalait l'absence de piste et de témoins. Les coupables présumés étaient des « gangs cubains rivaux ».

Kemper fit le lien entre les événements.

John Stanton lui envoie un rapport trois jours auparavant. Ledit rapport déclare que le budget des opérations cubaines du président Eisenhower est arrivé, bien au-dessous du montant demandé. Il déclare que Raul Castro finance une poussée propagandiste à Miami grâce à des reventes d'héroïne. Il déclare qu'un relais-distribution/planque sûre a été déjà établi. Il déclare que le gang de l'héroïne comprend deux ex des Tiger Kabs, Cesar Salcido et Rolando Cruz.

Lui dit à Pete de régler les détails d'un bail-location entre l'Agence et la société de taxis. Il prend pour hypothèse que Jimmy Hoffa va signifier son désir de vengeance à l'égard des hommes qui ont mitraillé la station. Il sait que Pete va assouvir cette vengeance avec un à-propos et un talent considérables.

Il dîne avec John Stanton. Ils discutent par le détail le rapport de ce dernier.

John dit, des cocos fourgueurs d'héroïne, ça fait des adversaires durs et difficiles. Ike relâchera les ficelles et crachera plus d'argent plus tard, mais maintenant, c'est maintenant.

De nouveaux bateaux-bananes doivent arriver. Le camp de Blessington n'est pas encore opérationnel et leur Cadre d'élite n'a toujours pas pu faire ses preuves. La clique des encameurs pourrait bien leur voler leur avantage stratégique et leur hégémonie financière.

Kemper a dit, les cocos fourgueurs d'héroïne sont des durs, effectivement. On ne peut pas lutter contre des hommes qui sont prêts à aller ausi loin.

Il s'était arrangé pour que Stanton le dise en personne. Il s'était arrangé pour que Stanton dise, ...à moins que nous ne dépassions leurs propres limites.

La discussion était devenue ambiguë. Les abstractions passèrent pour des faits. Et prit place un discours par euphémismes.

« Auto-budgétisé », « Autonome » et « Compartimenté ». « Savoir par nécessité comme fondement premier » et « Utilisation *ad hoc* des ressources de l'Agence. »

« Cooptation des sources pharmacologiques dans la ligne de l'Agence sur une base de libre-service de gros : payer et emporter. »

« Sans divulguer la destination de la marchandise. »

Ils scellèrent le marché par une rhétorique tout en ellipses. Il laissa croire à Stanton que c'était bien lui qui avait conçu la majeure partie du plan.

Kemper passa la revue des informations du journal. Un gros titre en quatrième page lui attira l'œil : « SINISTRE DECOUVERTE SUR LA VOIE SUR DIGUE. »

Une Chevy incendiée volontairement fait s'effondrer un ponton de bois déjà branlant. Rolando Cruz et Cesar Salcido sont tous les deux bons pour le plongeon.

« Les autorités croient que les meurtres de Salcido et de Cruz peuvent avoir un lien avec le massacre de quatre autres Cubains à Coral Gables tard dans la nuit hier. »

Kemper repassa en page 1. Un seul paragraphe ressortait de l'article.

« La rumeur prétendait que les morts étaient des trafiquants d'héroïne, mais il n'a pas été retrouvé de stupéfiants sur les lieux. »

Sois rapide, Pete. Sois vif et intelligent, vois à long terme, comme je suis convaincu que tu sais le faire si bien.

Pete se montra de bonne heure, chargé d'un grand sac en papier. Il ne passa pas en revue les femmes au bord de la piscine et ne se présenta pas avec son allure habituelle de fanfaron.

Kemper sortit un fauteuil. Pete vit le *Herald* sur la table, plié sur le grand titre de première page.

— Toi ? dit Kemper.

Pete posa le sac sur la table.

— Fulo et moi.

— Les deux affaires ?

— Exact.

— Qu'est-ce qu'il y a dans le sac ?

— Quatorze livres virgule six d'héroïne non coupée et une bague en diamants.

Kemper sortit la bague. Les pierres et la monture en or étaient belles.

Pete se versa une tasse de café.

— Garde-la. Pour consacrer mes épousailles avec l'Agence.

— Merci. Il se peut que je l'utilise pour poser bientôt une question.

— J'espère qu'elle dira oui.

— C'est ce qu'a dit Hoffa ?

— Ouais, il a dit oui. Il a mis une condition au marché, que j'ai satisfaite, bordel de merde, comme tu ne dois pas manquer de déjà le savoir.

Kemper donna un coup de coude dans le sac.

— Tu aurais pu t'en décharger tout seul. Je n'aurais rien dit.

— Je suis partant pour la course. Et pour l'instant, je m'amuse beaucoup trop pour essayer de faire foirer ton programme.

— Qui est ?

— La compartimentation.

Kemper sourit.

— C'est le plus long mot que j'aie jamais entendu dans ta bouche.

— Je lis des livres pour m'enseigner l'anglais. J'ai dû lire la version complète du Dictionnaire Webster au moins une dizaine de fois.

— T'es une véritable réussite comme immigrant.

— Va te faire mettre. Mais avant de faire ça, rappelle-moi donc mes responsabilités CIA officielles.

Kemper tournait la bague entre les doigts. Le soleil faisait scintiller les diamants.

— Tu seras officiellement affecté au camp de Blessington. Il y a quelques bâtiments supplémentaires et une piste d'atterrissage qui vont s'ajouter au reste, et tu superviseras les travaux. Ton rôle sera d'entraîner les réfugiés cubains pour des missions de sabotage amphibies à Cuba, et de les diriger vers d'autres sites d'entraînement, la station de taxis, et Miami pour des emplois généraux lucratifs.

— Ça paraît trop légal, dit Pete.

L'eau de la piscine vint leur éclabousser les pieds. Sa suite à l'étage était presque de taille Kennedy.

— Boyd...

— Eisenhower a donné à l'Agence un mandat tacite pour saper Castro de manière discrète. L'Organisation veut récupérer ses casinos. Personne ne veut d'une dictature communiste à cent cinquante kilomètres au large de la côte de Floride.

— Dis-moi quelque chose que je ne sache pas.

— L'allocation budgétaire d'Ike est un peu basse.

— Dis-moi quelque chose qui m'intéresse.

Kemper planta un doigt dans le sac. Une minuscule bouffée de poudre blanche s'en échappa.

— J'ai un plan pour refinancer notre participation à la cause cubaine. Avec l'assentiment *implicite* de l'Agence, et je pense que ça marchera.

— Je commence à voir le tableau, mais je veux t'entendre le dire.

Kemper baissa la voix.

— Nous faisons alliance avec Santos Trafficante. Nous utilisons son réseau de distributeurs de stupéfiants et mon Cadre comme fourgueurs, et nous vendons cette came-ci, la came de Santos, et toute la came que nous pourrons trouver à Miami. L'Agence a accès à une plantation de pavots au Mexique, et nous pouvons acheter sur place de la matière première fraîchement raffinée et demander à Chuck Rogers de la passer par avion. Nous finançons la Cause avec le plus gros des recettes, nous donnons à Trafficante un pourcentage comme tribut de fonctionnement, et nous expédions une petite partie de la came à Cuba avec nos hommes de Blessington. Lesquels la distribueront à nos contacts sur l'île, qui la revendront et utiliseront l'argent pour acheter des armes. Ton travail spécifique sera de superviser mon Cadre et de t'assurer que ses hommes ne revendent qu'aux Nègres. Tu t'assures que mes hommes ne se servent pas de la came personnellement, et qu'ils écrèment les bénéfices un minimum.

— Quel est notre pourcentage ? dit Pete.

Sa réaction était totalement prévisible.

— Nous n'en prenons pas. Si Trafficante approuve mon plan, nous obtiendrons quelque chose de bien plus gentillet.

— Dont tu ne veux pas parler pour l'instant.

— Je retrouve Trafficante à Tampa cet après-midi. Je te ferai connaître ce qu'il aura dit.

— Et entre-temps ?

— Si Trafficante dit « oui », on démarre dans une semaine ou à peu près. Entre-temps, tu descends à Blessington en voiture et tu vois où en sont les choses, tu rencontres le Cadre, et tu dis à M. Hughes que tu vas prendre un peu de vacances prolongées en Floride.

Pete sourit.

— Il va faire la gueule.

— Tu sais comment tourner ça.

— Si je suis occupé à travailler à Miami, qui est-ce qui va diriger le camp ?

Kemper sortit son carnet d'adresses.

— Va voir Guy Banister à La Nouvelle-Orléans. Dis-lui que nous avons besoin d'un dur, un Blanc, pour diriger le camp, le genre de mec qui ne se laisse pas chier sur les bottes, capable de mettre au pas les pedzouilles à l'entour de Blessington. Guy connaît tous les durs à cuire d'extrême-droite sur la côte du Golfe. Dis-lui que nous avons besoin d'un homme qui ne soit pas trop fou et qui soit prêt à déménager en Floride du Sud.

Pete nota le numéro de téléphone de Banister sur une nappe en papier.

— Tu es convaincu que tout ça va marcher ?

— J'en suis certain. Prie juste que Castro ne vire pas pro-américain.

— Voilà un joli sentiment de la part d'un homme des Kennedy.

— Jack apprécierait l'ironie de la chose.

Pete fit craquer ses jointures.

— Jimmy pense que tu devrais dire à Jack de mettre une laisse à Bobby.

— Jamais. Et je veux voir Jack élu président, et je n'intercéderai pas auprès des Kennedy pour aider Hoffa. Je garde...

— ... les choses bien cloisonnées, je sais.

Kemper tint la bague en l'air.

— Stanton veut que j'aide à influencer la politique cubaine de Jack. Nous voulons que le problème cubain prenne de l'ampleur, Pete. Avec un peu d'espoir, jusque sous une Administration Kennedy.

Pete fit craquer ses pouces.

— Jack a beau avoir une très jolie coiffure, je ne le vois pas président des Etats-Unis.

— Les qualifications ne comptent pas. Tout ce qu'a fait Ike, ç'a été d'envahir l'Europe et de ressembler à ton tonton.

Pete s'étira. Son pan de chemise glissa, révélant deux revolvers.

— Quoi qu'il puisse arriver, je suis partant. Putain, c'est bien trop gros pour laisser passer.

Sa voiture de location lui offrit en prime un petit Jésus discret sur le tableau de bord. Kemper glissa la bague autour de sa tête.

La climatisation rendit l'âme avant Miami. Un concert radiophonique l'aida à ne pas trop penser à la chaleur.

Un virtuose jouait Chopin. Kemper se repassa la scène du Pavillion.

Jack joua au grand conciliateur et arrondit les angles. La glace du vieux Joe fondit gentiment. Ils étaient restés pour boire un verre. Dans le malaise.

Bobby boudait. Ava Gardner en avait tout bonnement le sifflet coupé. Elle n'avait pas la moindre idée de ce que la scène pouvait signifier.

Joe lui envoya un petit mot le lendemain. Il se terminait par :
« Laura mérite un mec avec des couilles. »

Laura lui avait dit, « Je t'aime », ce soir-là. Il avait décidé de la demander en mariage à Noël.

Il pouvait se permettre Laura maintenant. Il touchait trois salaires et disposait de deux suites d'hôtel, à plein-temps. Son compte bancaire affichait six chiffres, côté bas de l'échelle.

Et si Trafficante dit « Oui »...

Trafficante comprenait les concepts abstraits.

« Auto-budgétisé », « Autonome » et « Compartimenté » l'amusèrent.

« Des sources pharmacologiques dans la ligne de l'Agence » le fit rire à gorge déployée.

Il portait un costume en soie à grosse trame. Son bureau était tout entier meublé en bois blond, très moderne scandinave.

Il adora le plan de Kemper. Il en saisit immédiatement la portée politique.

La réunion dura. Un béni-oui-oui servit anisette et pâtisseries.

Leur conversation prit d'étranges directions. Trafficante critiqua le mythe de Grand Pete. Il ne fut pas fait état du sac en papier aux pieds de Kemper.

Le béni-oui-oui servit café et Courvoisier VSOP. Kemper marqua l'instant d'une petite courbette.

— Raul Castro a fait envoyer ceci, monsieur Trafficante. Pete et moi voulons que vous le preniez, en symbole de notre bonne foi.

Trafficante ramassa le sac. Il sourit en le soupesant et le palpa de quelques pressions de la main.

Kemper fit rouler son cognac dans son verre.

— Si Castro est éliminé, des suites directes ou indirectes de nos efforts, Pete et moi ferons en sorte que votre contribution soit reconnue. Plus important encore, nous essaierons de convaincre le nouveau dirigeant cubain de vous autoriser, vous, M. Giancana, M. Marcello et M. Rosselli, à reprendre le contrôle de vos casinos et à en construire de nouveaux.

— Et s'il refuse ?

— Nous le tuerons.

— Et que désirez-vous, Pete et vous-même, pour le mal que vous vous serez donné ?

— Si Cuba est libéré, nous voulons en partage 5 p. 100 des bénéfices réalisés par les casinos des hôtels Capri et Nacional. Et ce, à perpétuité.

— Supposez que Cuba reste communiste.

— Alors nous n'aurons rien.

Trafficante y alla de sa courbette.

— Je parlerai aux autres. Et, naturellement, ma réponse est « Oui ».

32

Chicago, 4 septembre 1959.

Littell ne capta que des crachotements d'interférences. La transmission de mouchards espions, de domicile à voiture, était toujours ardue.

Le signal lui arrivait à une cinquantaine de mètres de distance. Sid Kabikoff portait le microphone plaqué à l'adhésif sur sa poitrine.

Sal le Fou avait arrangé la rencontre. Sam G. avait insisté : son appartement — à prendre ou à laisser. Butch Montrose accueillit Sid au porche d'entrée et l'accompagna jusqu'à l'aile arrière gauche.

La voiture cuisait littéralement. Littell gardait les fenêtres fermées pour filtrer le son.

> Kabikoff. — T'as une jolie maison, Sam. Vraiment, quel rade-à-terre classe !

Littell entendit un bruit de grattement, en plein sur le micro. Il visualisa le geste — à la source, la cause de tout.

Sid est en train d'étirer le sparadrap. Sid est en train de frotter les hématomes que je lui ai infligés au Texas.

La voix de Giancana lui parvint, complètement déformée. Littell crut avoir entendu le nom de Sal le Fou.

Il avait essayé de trouver Sal ce même matin. Il avait patrouillé dans son secteur de ramassage — impossible de le localiser.

> Montrose. — Nous savons que tu as connu Jules Schiffrin dans le temps, à la belle époque. Nous savons que tu connais

certains des gars, alors tu es comme qui dirait recommandé depuis le début.

Kabikoff. — C'est comme un cercle de famille. Si t'es dans le cercle, t'es dans le cercle.

Les voitures passaient en ronflant. Les carreaux de fenêtres vibraient tout près de la source.

Kabikoff. — Tous ceux qui sont dans la famille savent que je suis le meilleur spécialiste du cul de tout l'Ouest. Tout le monde sait que Sid le Youde se trouve les plus beaux cons et des garçons avec des triques qui leur descendent aux genoux.

Giancana. — Est-ce que Sal t'a dit de demander très précisément un prêt à la Caisse de Retraite ?

Kabikoff. — Ouais.

Montrose. — Est-ce que Sal aurait des ennuis d'argent, Sid ?

Le bruit de la circulation couvrit le signal. Littell décompta : six bonnes secondes de blanc.

Montrose. — Je sais que Sal est dans le cercle, je sais que la famille, c'est la famille, mais je me dis aussi que mon petit nid d'amour a été cambriolé en janvier, et je me suis fait entuber de quatorze bâtons que je gardais dans un putain de sac de golf.

Giancana. — Et en avril, des amis à nous se sont fait tirer quatre-vingts bâtons qu'ils avaient planqués dans un casier de consigne. Et tu comprends, juste après ces deux coups, Sal s'est mis à claquer de l'argent frais. Butch et moi, on a juste additionné deux et deux, comme qui dirait au vu des circonstances.

Littell eut le vertige. Son pouls se mit à cogner comme un fou.

Kabikoff. — Non, Sal ne ferait pas une chose pareille. Non... il ne ferait pas ça...

Montrose. — La famille, c'est la famille, et la Caisse, c'est la Caisse, mais les deux ne sont pas nécessairement la même chose. Jules Schiffrin a sa place dans la Caisse, mais ça ne veut pas dire qu'il va t'allonger un prêt rien qu'à toi parce que vous avez taillé le bout de gras dans le temps tous les deux.

Giancana. — On pense comme qui dirait que quelqu'un

essaie de s'attaquer à Jimmy Hoffa et à la Caisse de Retraite en se servant d'une foutue recommandation bidon pour un prêt. On en a discuté avec Sal, mais il n'a rien eu à nous dire.

Littell se mit à haleter, en hyperventilation. Des taches noires se mirent à aller et venir dans son champ de vision.

Montrose. — Et donc, est-ce que quelqu'un a essayé de te contacter ? Du genre Fédés ou flics du shérif du comté de Cook ?

Des bruits sourds frappèrent le micro. Ça devait être le pouls de Sid en train de battre la chamade. Des grésillements venaient se chevaucher aux cognements — la sueur de Sid venait boucher les fils d'alimentation.

Le signal crachota et disparut. Littell augmenta le volume et n'obtint rien de plus que du vide brouillé de parasites.

Il baissa les vitres et compta quarante-six secondes. L'air frais lui éclaircit la tête.

Il ne peut pas me cafter. Je portais une cagoule de ski les deux fois où je lui ai parlé.

Kabikoff apparut sur le trottoir, les jambes en flanelle, d'une démarche trébuchante. Des fils pendouillaient dans son dos, sous la chemise. Il prit sa voiture et grilla le feu rouge pleins gaz.

Littell mit le contact. La voiture refusa de démarrer — l'alim' de son mouchard avait vidé sa batterie.

Il savait ce qu'il allait découvrir au domicile de Sal. Quatre rye-bière le préparèrent à l'effraction et au spectacle qui l'attendait.

Ils avaient torturé Sal dans le sous-sol. Il était nu. On l'avait attaché à un tuyau du plafond. Passé au tuyau d'arrosage et brûlé à l'électricité, avec des câbles de démarrage.

Sal n'avait pas parlé. Giancana ne connaissait pas le nom de Littell. Sid le Gras ne connaissait pas son nom, ni ce à quoi il ressemblait.

Ils le laisseraient peut-être repartir au Texas. Peut-être qu'ils le tueraient. Peut-être pas, à un moment donné.

Ils avaient laissé un câble pincé sur la langue de Sal. La décharge lui avait brûlé le visage, maintenant d'un noir brillant.

Littell appela l'hôtel de Sid le Gras. La réception lui apprit que M. Kabikoff était là — il avait reçu deux visiteurs juste une heure auparavant.

— Inutile de l'appeler dans sa chambre, dit Littell.

Il s'arrêta pour s'offrir deux autres rye-bière et roula jusque-là pour voir par lui-même.

Ils avaient laissé la porte ouverte. Ils avaient laissé Sid dans la baignoire pleine qui débordait. Ils lui avaient balancé un poste-télé encore branché dans son bain.

L'eau bouillonnait encore. Le choc électrique avait brûlé Sid au point de le rendre chauve.

Littel essaya de pleurer. Les rye-bière l'avaient par trop anesthésié.

Kemper Boyd disait toujours : *ne regarde pas en arrière.*

33

Banister avait fourni dossiers et détails de pedigrees. Et Pete avait ramené ses choix potentiels à trois hommes.

Sa chambre d'hôtel était inondée de dossiers. Il était noyé sous un déluge de collantes et de rapports du FBI — l'extrême-droite sudiste retracée sur le papier.

Il avait par le détail les toutes dernières infos sur les Klowns du Ku Klux Khan et les néo-nazis. Il se documenta sur le parti des National States Rights. Il s'émerveilla du nombre de crânes en pointe inscrits au rôle du FBI — la moitié des Klans du Dixie étaient saturés par les Fédés.

Les balances fédés étaient libres comme l'air, occupées à châtrer et à lyncher. La seule véritable préoccupation de Hoover était de répertorier par le plus petit détail la fraude fédérale sur le courrier par le KKK.

Un ventilateur faisait voler les feuilles de dossiers. Pete s'étira sur le lit et souffla ses ronds de fumée.

Mémo à Kemper Boyd :

L'Agence devrait financer l'ouverture d'une « Klaverne du KKK » à Blessington. Le camp était entouré de péquenots pauvres comme les pierres — et qui haïssaient tous les Espingos en bloc. Les petites plaisanteries et escapades du Klan aideraient à détourner leurs attentions.

Pete feuilletait les collantes criminelles. Son instinct tenait le coup — ses candidats potentiels étaient les moins enragés du lot.

Lesdits candidats :

Révérend Wilton Tompkins Evans, messie radiophonique et ex-taulard. Pasteur de *la Croisade anticommuniste des Airs,* petit

312

programme hebdomadaire en ondes courtes. Parle espagnol ; ex-parachutiste ; trois condamnations pour détournement de mineure. Evaluation de Banister : « Capable et dur, mais peut-être trop anti-papiste pour travailler avec des Cubains. Ce serait un remarquable officier-formateur et je suis certain qu'il change-rait de lieu d'exercice, dans la mesure où il peut diffuser son programme radio à partir de n'importe où. Ami proche de Chuck Rogers. »

Douglas Frank Lockhart, informateur FBI/membre du Klan. Ex-sergent des Blindés ; ex-flic à Dallas ; ex-livreur d'armes au dictateur de droite Rafael Trujillo. Evaluation de Banister : « Probablement premier informateur du Klan pour tout le Sud et lui-même véritable zélote du Klan. Dur et brave, mais se laisse mener facilement, et quelque peu versatile et explosif. Semble n'avoir aucune dent contre les Latins, en particulier si ceux-ci sont fortement anti-communistes. »

Henry Davis Hudspeth, fournisseur n° 1 pour tout le Sud de propagande de haine. Parle espagnol ; expert en haïkido jiu-jitsu. As du combat aérien pendant la Seconde Guerre, avec treize victoires dans le Pacifique. Evaluation de Banister : « J'aime bien Hank. Mais il peut se montrer obstiné et virulent en paroles hors de propos. Il travaille actuellement pour moi comme agent de liaison entre mon camp d'exilés près de Lake Ponchartrain et la Klaverne du Klan de Dougie Frank Lockhart toute proche. (Je suis propriétaire des deux terrains.) Hank est un bon, mais il n'est peut-être pas fait pour jouer les seconds couteaux. »

Les trois hommes n'étaient pas bien loin. Tous trois avaient des projets de fête pour ce soir — le Klan se cramait une croix non loin du camp de Guy.

Pete essaya de se programmer un petit roupillon d'avant-crame de croix. Il tournait sur un gros déficit en sommeil — ses trois dernières semaines avaient été épuisantes, menées à un rythme frénétique.

Boyd avait mis la main sur un peu de morphine dans le ranch-came qui faisait copain-copain avec la CIA. Il l'avait passée jusqu'à L.A. et l'avait offerte à M. Hughes.

M. Hughes avait apprécié le cadeau. M. Hughes avait dit, retourne à Miami avec mes meilleurs vœux.

Il ne lui avait pas dit, je suis maintenant Croisé anti-Rouges.

Avec 5 p. 100 de deux casinos ma vie durant — si Cuba échange le Rouge contre le Rouge, Blanc et Bleu.

Boyd avait vendu le morceau à Trafficante. Marcello, Giancana et Rosselli avaient donné leur accord. Boyd avait calculé qu'ils se feraient au moins quinze millions de dollars par an.

Pete dit à Lenny de noyer *L'Indiscret* sous un déluge de propagande anti-castriste. Il lui dit de virer aux chiottes les allusions sexuelles qui faisaient baver Hughes et Hoover. Il lui dit de monter de toutes pièces quelques bavasseries salées pour les tenir heureux.

L.A. c'était le camp-prison. La Floride, le camp-vacances.

Il retourna à L.A. Fissaville. Boyd s'était branché sur le ranch-came mexicain comme fournisseur en chef du Cadre. Chuck avait rapporté par avion les quatorze livres de départ afin de couper l'héroïne : il en avait multiplié le poids par six. Trafficante avait lâché des primes pour tout le personnel du Cadre.

Il leur offrit canons sciés et Magnums. Il leur offrit gilets pare-balles et camemobiles flambant neuves.

Fulo se choisit une Eldo de 59. Chuck se décida pour une mignonne Ford Vicky. Delsol, Obregon, Paez et Guttierez étaient tous Chevy. Les Espingos ne changeraient jamais — ils personnalisèrent mode tacos leurs tires, de la poupe à la proue.

Il rencontra ses hommes et apprit à les connaître.

Guttierez était solide et tranquille. Delsol était intelligent et calculateur. Son cousin Obregon avait l'air limite, presque risqué — Boyd commençait à penser qu'il pourrait bien manquer de couilles.

Santos Jr. réorganisa sa distribution de came sur Miami. Le Cadre se chargea du refourgage aux Négros, exclusivement.

Boyd décréta une allocation de came gratis pour tous les dopés du cru. Le Cadre répartit ainsi une chiée de shit totalement gratis. Chuck rebaptisa Nègreville Septième Ciel.

Ils passaient de la philanthropie aux affaires, sans enchaînement. Ils vaguaient dans les rues et vendaient leur merde — deux hommes par bagnole — avec fusils de chasse bien visibles. Un camé essaya de voler Ramon Guttierez. Teo Paez le scia en deux à la chevrotine enrobée de mort-aux-rats.

Santos Jr. était content jusque-là. Santos énonça le Premier Commandement du Cadre : Vous n'êtes pas autorisés à goûter la marchandise. Pete énonça le Second Commandement : Si vous consommez du Grand H, je vous tue.

Miami était le Paradis du Crime. Blessington, les Portes qui y menaient.

Le camp occupait une superficie de six hectares. L'installation comprenait deux blocs-couchettes, une armurerie, une cahute-centre d'opérations, un terrain de manœuvres et un terrain d'atterrissage. Un ponton d'accostage et un bassin pour vedettes rapides étaient encore en construction.

Les recruteurs du Cadre étaient allés un peu vite à la manœuvre en envoyant des clients potentiels pour l'entraînement. Les péquenots du cru prirent la mouche en voyant les Espingos non invités s'installer sur leur terrain de chasse. Pete engagea quelques mecs du Klan au chômage pour travailler au ponton. Son geste facilita une paix temporaire — Klavernicoles et exilés marnaient de conserve.

Quatorze squatters étaient aujourd'hui en résidence. De nouveaux exilés fuyaient Cuba tous les jours. De nouveaux camps d'accueil CIA étaient en attente — avec le projet d'en voir une quarantaine de construits pour le milieu de l'année 60.

Castro survivrait — juste assez longtemps pour faire de Boyd et de lui des hommes riches.

La croix brûlait haut, clair et large. Pete aperçut le rougeoiement à huit cents mètres de distance.

Un chemin de terre recoupait la grand-route à l'oblique. Des panneaux indiquaient la route : « Negros dehors ! » « KKK — Pour l'unite des Blancs ! »

Des insectes se mettaient de la partie, avalés par les ouïes d'aération. Pete s'en débarrassait en les écrabouillant. Il aperçut une clôture en fil de fer barbelé et des hommes du Klan au repos, alignés comme des militaires.

Ils avaient revêtu robes et capuches blanches gansées de violet. Visez-moi un peu leurs kompagnons kanins : des dobermans Pinschers emmaillottés de draps.

Pete montra le laissez-passer de Banister. Les têtes-pointues vérifièrent et lui firent signe d'entrer.

Il se gara à côté de quelques camions et partit se balader. La croix illuminait une clairière de forêt de pins, aux publics clairement séparés, ségrégation oblige.

Des Cubains traînaient d'un côté. Des Blancs guinchaient le boogie de l'autre. Une rangée de caravanes plâtrées d'affiches les séparait.

Sur sa gauche : kermesse du Klan, stand de tir du Klan, vendeurs à la criée en train de faire l'article pour des insignes du Klan. A sa droite : le camp de Blessington, en copie conforme.

Pete arpentait le côté bouseux. Des capuchons à pointe se pointaient sur lui — hé, mec, où t'as mis ton drap ?

Les insectes bombardaient la croix. Venaient se chevaucher à leurs bourdonnements tirs de carabine et bruits de cible. L'humidité était proche de 100 p. 100.

Les brassards nazis se vendaient deux dollars quatre-vingt-dix-neuf. Les poupées vaudoues de rabbins juifs — une affaire : trois pour cinq dollars.

Pete avançait le long des caravanes. il vit un panneau d'homme-sandwich posé contre une vieille Airstream : « WKKK — Croisade anti-communiste du rev. Evans. »

Un haut-parleur hi-fi était boulonné à l'essieu. En sortait un bafouillis de crachotements, du plus pur baratin délire complètement marteau.

Il regarda par la fenêtre. Il vit une vingtaine de chats en train de pisser, en train de chier, en train de baiser. Un taré de grande taille hurlait dans un microphone. Un chat était occupé à jouer des griffes côté câblages ondes courtes, sur le point de se faire frire dans un monde meilleur.

Pete raya un élément potentiel de ses tablettes et continua son chemin. Tous les caucasoïdes portaient des cagoules — impossible de faire correspondre Hudspeth ou Lockhart à leurs photos de l'Identité.

— Bondurant ! Par ici.

C'était la voix de Guy Banister qui beuglait. Elle sortait de sous le niveau du sol.

Une trappe s'ouvrit dans la poussière. Un machin périscopique monta et se mit à tressauter.

Guy s'était monté un putain d'abri anti-bombes.

Pete se laissa tomber à l'intérieur. Banister referma la trappe derrière lui.

Une carrée de quatre mètres sur quatre. Des pin-up de *Playboy* couvraient les murs. Guy s'était entassé une chiée de boîtes de conserve — porc aux haricots de Van Camp — et de bourbon.

Banister rentra son périscope.

— T'avais l'air tellement esseulé, tout seul sans ton drap.

Pete s'étira. Sa tête frôla le plafond.

— C'est mignon, Guy.

— Je me disais bien que ça pourrait te plaire.

— Qui est-ce qui paie pour tout ça ?

— Tout le monde.

— Ce qui veut dire ?

— Ce qui veut dire que le terrain m'appartient, et que c'est l'Agence qui a financé les bâtiments. Carlos Marcello a fait une donation de trois cent mille dollars pour les armes, et Sam Giancana a allongé un peu de pognon pour acheter la police d'Etat. Les mecs du Klan paient leur entrée pour vendre leur quincaillerie, et les exilés travaillent quatre heures par jour comme cantonniers et ils remettent la moitié de leur paie pour la Cause.

Un climatiseur bourdonnait plein pot. L'abri était un foutu igloo.

Pete frissonna.

— Tu m'as dit que Lockhart et Hudspeth seraient ici.

— Hudspeth a été arrêté ce matin pour vol qualifié d'automobile. C'est son troisième délit, donc pas de caution. Mais Evans est ici. Et ce n'est pas le mauvais mec, si tu te tiens à l'écart du sujet religion.

— Ça doit être un psycho, pas possible autrement, dit Pete. Et Boyd et moi nous ne voulons pas de psycho sous nos ordres.

— Mais tu vas employer des psychos plus présentables.

— Pense ce que tu veux. Mais si c'est Lockhart par défaut, je veux quelques minutes seul à seul avec lui.

— Pourquoi ?

— N'importe quel mec qui parade vêtu d'un drap doit être capable de me convaincre qu'il sait garder les choses bien compartimentées.

Banister éclata de rire.

— C'est un bien grand mot pour un mec comme toi, Pete.

— On n'arrête pas de me le répéter.

— C'est parce que tu as affaire à des personnes plus relevées maintenant que tu es Agence.

— Comme Evans.

— Bien répondu. Mais je dirais comme ça que cet homme-là a des références anticommunistes bien plus solides que les tiennes.

— Ce communisme, c'est mauvais pour les affaires. Ne viens pas prétendre que ça va plus loin que ça.

Banister crocheta les pouces dans sa ceinture.

— Si tu crois que ça te fait paraître plus réaliste, tu te trompes lourdement.

— Ouais ?

Banister sourit, trop suffisant pour mériter de vivre.

— Accepter le communisme, c'est synonyme de promouvoir le communisme. Ta vieille Nemesis Ward Littell accepte le communisme, et un de mes amis de Chicago m'a dit que M. Hoover était en train de bâtir un dossier contre lui comme procommuniste, fondé sur ses inactions plutôt que ses actions. Tu vois où ça mène d'être réaliste et d'accepter les choses dans les moments cruciaux ?

Pete fit craquer quelques jointures.

— Va chercher Lockhart. Tu sais ce que désire Boyd, alors explique-lui. Et à partir de maintenant, aux chiottes, tes leçons de morale.

Banister tressaillit. Banister commença à ouvrir la bouche.

— Boo ! fit Pete.

Banister prit la poudre d'escampette, jaillit de la trappe vitesse grand V.

Le silence et l'air froid étaient bien agréables. Les conserves et l'alcool avaient l'air goûteux. Le papier peint avait l'air bien agréable — Miss Juillet, en particulier.

Disons que les Russes larguent la bombe atomique. Disons que tu te terres dans ce trou. La fièvre du reclus pourrait bien te prendre et te convaincre que les femmes sont vraies.

Lockhart laissa retomber la trappe. Il portait une chemise constellée de sueur, ceinturée d'une cartouchière avec deux revolvers.

Il avait les cheveux roux carotte et des taches de rousseur. Son accent traînant sortait du fin fond du Mississippi.

— L'argent, ça me plaît bien, et le déménagement en Floride ne me gêne pas. Mais la règle « Pas de lynchage », ça, faut que ça saute !

Pete le gifla d'un revers de main. Dougie Frank resta debout, bien droit — donne-lui A-plus pour l'équilibre.

— Mec, j'ai déjà tué des ordures de Blancs taillés armoire pour moins que ce que tu viens de faire !

Bravoure de bravache : donne-lui C-moins.

Pete le gifla à nouveau. Lockhart dégaina son calibre de droite — sans le pointer.

Nerfs — A-plus. Sens de la prudence : B-moins.

Lockhart essuya le sang de son menton.

— J'aime les Cubains. Je pourrais tirer un peu et élargir ma politique d'exclusion raciale, en laissant vos mecs entrer dans ma Klaverne.

Sens de l'humour : A-plus.

Lockhart recracha une dent.

— Donnez-*moi* quelque chose. Que je sache que je ne suis pas qu'un simple punching-ball.

Pete cligna de l'œil.

— M. Boyd et moi-même t'avons souscrit un plan à primes. Et l'Agence pourrait t'offrir ton propre Ku Klux Klan.

Lockhart s'offrit quelques pas de danse en traînant des pieds, mode Stepin Fetchit [1].

— Merci, Missié ! Si z'étez pro-Klan comme un vrai Blanc, j'vous baiserai l'ourlet du drap.

Pete lui allongea un coup de pied dans les couilles.

Lockhart tomba au sol — mais sans geindre ni couiner. Il arma son revolver — mais ne tira pas.

Au total, les notes du bonhomme lui donnaient son passage.

----

1. Danseur et homme de spectacle. (*N.d.T.*)

34

New York City, 29 septembre 1959.

Le taxi se traînait dans les quartiers résidentiels. Kemper avait posé ses dossiers en équilibre sur sa mallette.

Un diagramme montrait les Etats d'élections primaires, divisés par comtés. Des colonnes les recoupaient donnant la liste de ses contacts dans les services du maintien de la loi et de l'ordre.

Il cocha les démocrates présumés. Il barra les durs à cuire présumés membres du GOP[1].

C'était un boulot mortellement ennuyeux. Joe devrait simplement acheter la Maison-Blanche à Jack.

La circulation se traînait. Le chauffeur joua de son avertisseur. Kemper s'offrit une partie d'avocat du Diable — un entraînement à la dissimulation ne faisait jamais de mal.

Bobby émettait des doutes sur ses séjours en Floride. Sa réaction en fut presque indignée.

— Je suis chargé de redistribuer à qui de droit les pièces à conviction du Comité McClellan, n'est-il pas vrai ? Très bien. L'affaire de Sun Valley me reste au travers de la gorge, et la Floride est un Etat que Jack a besoin de se gagner lors de l'élection. Je suis descendu là-bas pour bavarder avec quelques Camionneurs mécontents.

Le taxi traversa des taudis. Ward Littell envahit soudain ses réflexions.

Ils n'avaient pas discuté ni correspondu depuis un mois. Le meurtre de D'Onofrio avait brièvement fait la une et restait non résolu. Ward n'avait pas appelé ni écrit pour commenter la chose.

---

1. Grand Old Party, appellation du Parti républicain. *(N.d.T.)*

Il devrait contacter Ward. Il devrait découvrir si la mort de Sal le Fou était une conséquence de son travail d'informateur pour Ward.

Le chauffeur s'arrêta au St. Regis. Kemper le régla et rejoignit la réception d'un pas rapide.

L'employé était désœuvré.

— Voudriez-vous appeler ma suite et demander à Mlle Hughes de descendre ? dit Kemper.

Le réceptionniste mit son casque et connecta son standard. Kemper consulta sa montre — ils étaient bigrement en retard pour le dîner.

— Elle est au téléphone, monsieur Boyd. Elle est en pleine conversation.

Kemper sourit.

— Il s'agit probablement de ma fille. Mlle Hughes et elle bavardent des heures ensemble, au tarif hôtel.

— C'est avec un homme qu'elle parle, en fait.

Kemper se surprit à serrer les poings.

— Passez-moi votre casque, voulez-vous ?

— Eeeeh bien...

Kemper lui glissa dix dollars.

— Eeeeh bien...

Kemper monta jusqu'à cinquante. L'employé empalma l'argent et lui tendit ses écouteurs.

Kemper les plaça sur ses oreilles. Lenny Sands parlait, d'une voix haut perchée et complètement déjantée.

— ... aussi terrible qu'il ait pu être, il est mort, et il travaillait pour l'ivrogne tout comme moi. Il y a l'ivrogne et la brute, et aujourd'hui la brute m'oblige à écrire ces articles grotesques sur Cuba. Je ne peux pas citer de noms mais Laura mon Dieu...

— Tu ne veux pas parler de mon ami Kemper Boyd ?

— Ce n'est pas de lui que j'ai peur. C'est de la brute et de l'ivrogne. Tu ne sais jamais ce que l'ivrogne va faire, et je n'ai pas eu de ses nouvelles depuis le meurtre de Sal, ce qui me plonge dans un délire complètement fou...

C'était une turbulence compartimentée. Il allait falloir la contenir.

35

Chicago, 1er octobre 1959.

Les vagues poussaient les débris flottants sur le rivage. Gobelets en carton et programmes de bateaux de croisière s'étalèrent en lambeaux à ses pieds.

Littell les chassa de son chemin d'un coup de pied. Il dépassa l'endroit où il avait largué le butin du cambriolage de Montrose.

Des ordures à l'époque, des ordures aujourd'hui.

Il avait trois hommes morts à honorer de ses cierges. Jack Ruby lui paraissait encore sans risques — il appelait le « Carousel Club » une fois par semaine pour entendre sa voix.

Sal avait résisté à la torture. Sal n'avait jamais dit « Littell » ou « Ruby ». Kabikoff ne le connaissait que comme flic en cagoule de ski.

« Sal le Fou » et « Sid le Youde » — les appellations l'amusaient jadis. On prétendait que Bobby Kennedy adorait les surnoms de la Mafia.

Il se débarrassait de la corvée des rapports Phantôme. Il se débarrassait de la corvée boulot Brigade Rouge. Il avait dit à l'ASC Leahy que Dieu et Jésus-Christ étaient des gauchistes.

Il avait limité Helen à une nuit par semaine. Il avait cessé d'appeler Lenny Sands. Il avait deux compagnons permanents et fidèles : Whiskey Old Overholt et bières Pabst Blue Ribbon.

Une revue détrempée fut rejetée par le flot. Il vit une photo de Jack Kennedy et de Jackie.

Kemper disait que le sénateur avait du sang de chien de meute dans les veines. Kemper disait que, pour Bobby, les liens du mariage étaient sacrés.

Sid le Gras avait dit que leur Papa connaissait Jules Schiffrin.

Schiffrin tenait les vrais livres comptables de la Caisse de Retraite — même l'alcool ne pouvait obscurcir ce détail-là.

Littell coupa en direction de Lake Shore Drive. Il avait mal aux pieds et ses revers de pantalon débordaient de sable.

Le soir était tombé. Il marchait plein sud depuis des heures.

Ses repères reprirent leur place. Il vit qu'il se trouvait à trois blocs d'une destination vraie, un être en chair et en os.

Il se rendit jusque-là et frappa à la porte de Lenny Sands. Lenny ouvrit et resta sur le seuil, immobile.

— C'est fini, dit Littell. Je ne demanderai plus rien.

Lenny s'approcha plus près. Les mots sortirent en un long chapelet de rugissements.

Littell entendit « stupide » et « bon à rien » et « lâche ». Il regarda Lenny dans les yeux, sans bouger, pendant que celui-ci rugissait jusqu'à en perdre haleine.

36

Chicago, 2 octobre 1959.

Kemper crocheta la serrure avec sa carte du Diner's Club. Lenny n'avait jamais appris qu'il fallait un verrou à pêne pour empêcher les flics pourris d'entrer.

Littell n'avait jamais appris que *les informateurs ne prennent pas leur retraite.* Il avait observé la petite soirée de gala pour le départ en retraite depuis la rue — et vu Ward s'abreuver d'insultes comme un vrai Flagellant.

Kemper referma la porte et s'immobilisa dans l'obscurité. Lenny s'était rendu au A & P dix minutes auparavant : il devrait être de retour dans la demi-heure.

Laura avait appris à ne pas insister sur les sujets embarrassants. Elle n'avait jamais parlé de ce coup de fil au St. Regis.

Kemper entendit des bruits de pas et de clé. Il se dirigea vers l'interrupteur et vissa le silencieux sur son calibre.

Lenny entra.

— Ce n'est pas terminé, dit Kemper.

Un sac à provisions tomba au sol. Avec un bruit de verre cassé.

— Tu ne parles plus à Laura ni à Littell. Tu travailles à *L'Indiscret* pour Pete. Tu trouves tout ce que tu pourras trouver sur les livres comptables de la Caisse de Retraite et tu adresses tes rapports à moi exclusivement.

— Non, dit Lenny.

Kemper appuya sur l'interrupteur. Le salon s'illumina, surchargé d'antiquités, et très, très efféminé.

Lenny cligna des yeux. Kemper fit feu et sectionna les pieds d'une armoire. Dont l'effondrement fit voler en éclats porcelaine fine et cristal.

324

Il mitrailla une bibliothèque. Il transforma un canapé Louis-XIV en boulettes de capiton et éclats de bois. Il mitrailla une garde-robe Chippendale peinte à la main.

Sciure et fumée du canon tourbillonnaient. Kemper sortit un nouveau chargeur.

— Oui, dit Lenny.

DOCUMENT EN ENCART : 5/10/59. *Article de* L'Indiscret.
Rédigé par Lenny Sands, sous le pseudonyme de « Politicopundit-sans-Pair ».

CASTRO LE CANCEREUX CALCIFIE COMMUNISTEMENT CUBA
PENDANT QUE LES HERMANOS HEROIQUES
PLEURENT LE PAYS PERDU !

Il est au pouvoir depuis dix mois à peine, mais le Monde libre a tout compris de ce fier-à-bras de Fidel Castro, asseneur de slogans et trouillotant du trabuco.

Castro a viré le premier Cubain, anticommuniste et démocratiquement élu, Fulgencio Batista, le jour de l'An de l'année dernière. Le barde beatnik au baratin bouffi et boursouflé et à la barbe en broussaille a promis réformes agraires, justice sociale et plantain pimenté dans chaque assiette — rétributions régulières des commissaires cocos bavassant de bien-être verbeux. Il s'est emparé d'un petit bastion de liberté à cent cinquante kilomètres des côtes américaines, en piquant pathologiquement les poches des patriarches patriotes, en « nationalisant » jusqu'à la nausée des hôtels-casinos propriétés américaines, en faisant frire les champs aux effluves fragrants de nos amis de la United Fruit Company et, plus généralement, en mettant la main sur des montants astronomiques de la denrée d'exportation américaine entre toutes, protectrice des péons et contraignant les cocos à se cantonner à l'écart : l'argent !!!

Oui, matous et minettes, tout en revient à ces déboulées de dollars divinement daignées — américains, naturellement, ces dos verts enserpentés de spirales somptueuses remplies de portraits présidentiels palpitant d'un pouls puissant, caricatures captivantes par leur condamnation corrosive du communisme !

Exemple : le barde beatnik a embabaouté les chasseurs assiégés des hôtels naguère classe Capri et Nacional de La Havane, en nationalisant nuisiblement leurs pourboires, pour les remplacer rapidement par un régiment de régulateurs rouges et rustauds — *bandidos* poids coq aux quilles arquées qui servent également de croupiers de craps corrompus à vous crucifier sur place !

Exemple : tous ces champs de fruits frénétiquement frits ! Les péons passionnément protégés par l'économie égalitariste américaine autrement altruiste sont aujourd'hui des récidivistes rouges alanguis par l'assistance instituée, en péril de paupérisation, creusant dur et profond en quête des compensations cocos !

Exemple : Raul Castro, dit « l'Outil », a inondé de façon flamboyante la Floride de quantités horribles, affreuses, infernales du démoniaque et mortel « Grand H », l'héroïne, au risque d'encamer l'Etat tout entier. Il compte sur ses vastes légions d'esclaves cubains immigrés empalmeurs de piquouzes : des zombies emmazoutés jusqu'à l'os prêts à répandre le credo cancéreux castriste entre deux euphories faciles d'envapé en plein hiatus héroïné.

Exemple : il y a un nombre croissant d'exilés cubains et de patriotes américains de souche qui s'offensent et s'offusquent de manière insigne devant les bombardements de baratin embobineur des frères beatniks. En ce moment même, ils sont occupés à recruter à Miami et en Floride du Sud. Ces hommes sont des tigres terriblement attirants, des purs et des durs, qui se sont gagné leurs galons à rayures orange et noires — et non pas rouges — dans les jungles des geôles de Castro, bâties de bric et de broc, et bondées à déborder. Tous les jours, de nouveaux hommes pareils à eux arrivent sur les rivages américains, impatients d'entonner les mélopées mélodieuses de *My Country Tis of Thee*.

Le journaliste a bavardé avec un Américain du nom de « Grand Pete », un anticommuniste fervent actuellement en train d'entraîner des guérilleros anticastristes. « Tout n'est qu'une question de patriotisme », a dit le Grand Pete. « Voulez-vous une dictature communiste à cent cinquante kilomètres de nos rivages ou non ? Moi, je ne veux pas, j'ai donc décidé de rejoindre la Cause de la Liberté cubaine. Et j'aimerais étendre mon invitation à tous les exilés cubains et tous les hommes d'origine cubaine nés dans notre pays. Rejoignez-nous. Si vous êtes à Miami, renseignez-vous. Les Cubains du cru vous diront que nous sommes des plus sérieux. »

Exemple : avec des hommes comme le Grand Pete à la barre, Castro devrait envisager une nouvelle carrière. Hé ! je connais quelques cafés d'avant-garde, de West Venice à L.A., qui auraient l'usage d'un poète beatnik aussi bath que Fidel ! Hé, Fidel ! tu peux t'imaginer ça, mon coco !

Souviens-toi, cher lecteur, c'est ici que tu l'as entendu en premier : silence et discrétion, vite fait, bien fait, ça ne sera pas répété, et très « indiscret ».

DOCUMENT EN ENCART : 19/10/59. *Note personnelle — de J. Edgar Hoover à Howard Hughes.*

Cher Howard,

J'ai grandement apprécié la petite participation du Politicopundit-sans-pair dans le numéro du 5 octobre de *L'Indiscret*. C'était, naturellement, tiré par les cheveux, mais soustrayez-en la prose ampoulée et ce qui reste se tient, politiquement parlant.

Lenny Sands a incontestablement adopté le style *Indiscret*. Ce sont ses premières armes comme propagandiste : il promet. J'ai trouvé les petits coups de pouce subliminalement plantés pour la Tiger Kab Kompany autant de jolis apartés réservés aux connaisseurs et j'ai tout particulièrement apprécié les nobles sentiments exprimés par notre pragmatique ami Pete Bondurant.

L'un dans l'autre, un numéro des plus salutaires.

Mes plus chaleureuses pensées,

Edgar.

DOCUMENT EN ENCART : 30/10/59. *Rapport résumé — de John Stanton à Kemper Boyd — Marqué : CONFIDENTIEL/A REMETTRE EN MAINS PROPRES.*

Cher Kemper,

Un petit mot pour vous tenir informé de quelques récentes décisions de politique interne. Vous restiez difficile à joindre, aussi vous adressé-je ceci par courrier.

En premier lieu, nos supérieurs sont maintenant plus que jamais convaincus que le problème Castro prendra de l'ampleur. Bien que la dernière attribution présidentielle ait été inférieure à nos attentes, nous avons tous les espoirs de croire que la puissance d'obstination de Castro fera ouvrir plus largement les cordons de la bourse de la Maison-Blanche. Pour paraphraser notre ami le Politicopundit-sans-pair : « Personne ne veut d'une dictature communiste à cent cinquante kilomètres de nos côtes. » (Je regrette de ne pouvoir rédiger mes rapports à la manière dont il rédige ses articles de journaliste à sensation.)

M. Dulles, le directeur adjoint Bissell et des officiers sélectionnés, tous experts en affaires cubaines, commencent à envisager une invasion par les exilés fin 60 ou début 61. Il est estimé qu'à cette date, l'Agence disposera d'un vivier à demeure d'au moins dix mille hommes, tous exilés et bien entraînés, et que l'opinion publique sera fortement de notre côté. L'idée générale est de lancer des forces d'assaut amphibies, avec soutien aérien, au départ de sites répartis dans les camps de la côte du Golfe. Je vous tiendrai informé au fur et à mesure de l'avancement du projet. Et vous, de votre côté, poursuivez, auprès de notre ami Jack. Si ce projet tient bon jusqu'après le 20 janvier 1961, il y a des chances pour que ce soit lui qui l'entérine ou le jette à la poubelle.

Depuis notre dernière conversation, onze bateaux-bananes supplémentaires ont débarqué en Floride et en Louisiane. Les officiers régionaux se sont vu affecter les cargaisons d'immigrants qu'ils dispersent vers divers camps. Nombre de ceux qui déclinent l'assistance normale de l'Agence se dirigeront vers Miami. Je serais curieux de savoir si notre Cadre va s'en récupérer quelques-uns. Comme vous devez très certainement le savoir, le site de Blessington est maintenant officiellement prêt à abriter des troupes. J'ai donné mon approbation à l'engagement de Douglas Frank Lockhart comme directeur du camp, et je pense que le moment est venu de faire tourner notre Cadre sur un axe double, les activités sur Miami et l'entraînement à Blessington. Attelez immédiatement Pete Bondurant et Chuck Rogers à cette tâche, et demandez à Bondurant de me remettre en mains propres un rapport avant six semaines.

Concernant les « activités » sur Miami et notre Cadre et pour nous en tenir aux formes elliptiques dont nous usons pour en discuter, je dirais que je suis heureux de constater que les bénéfices semblent croître et que l'accord que vous avez conclu avec notre source mexicaine amie de l'Agence semble donner des résultats florissants. Je vois clairement le moment où nos supérieurs donneront leur aval à ces « activités » sur la base du simple bon sens, mais jusqu'à ce que les rancœurs de Castro ou autres atteignent à ce stade, je dois absolument insister sur le secret et le cloisonnement. La participation de M. Trafficante doit rester secrète et, plus généralement, je n'aimerais pas qu'il fût connu que M. S. Giancana et M. C. Marcello ont également apporté leur contribution à la Cause.

Tenez-moi informé, et brûlez ce communiqué.

Bien à vous,

John.

DOCUMENT EN ENCART : 1/11/59. *Rapport résumé — de Kemper Boyd à Robert F. Kennedy.*

Cher Bob,

J'ai eu une discussion avec James Dowd, chef de la section Crime organisé au ministère de la Justice. (Je l'ai connu à l'époque où il appartenait au bureau du procureur.) Par politesse, j'avais transmis à M. Dowd des copies carbones des dossiers que j'ai fait suivre aux divers grands jurys en quête de preuves contre Hoffa. Il semblerait que ma politesse me fût rendue en portant aujourd'hui ses fruits.

Comme vous le savez, la loi Landrum-Griffith sur la main-d'œuvre a été votée par le Congrès, de sorte que le ministère de la Justice sous majorité républicaine a aujourd'hui un mandat clair : « Faire tomber Hoffa ». Dowd a déployé ses enquêteurs et ses avocats pour assister les unités d'enquête des grands jurys, en Ohio, Louisiane et Floride. Le Comité McClellan a donné jour à Landrum-Griffith ; tout le monde le sait. Dowd a été touché par la grâce politique et il a décidé de concentrer son énergie sur nos pièces à conviction concernant Sun Valley. (Il pense que les deux témoins manquants — Gretzler et Kirpaski — leur donnent un poids moral.) A dater du 25/10/59, il a affecté six hommes à la tâche de servir auprès de trois grands jurys de Floride du Sud. Ces hommes recherchent activement des Camionneurs mécontents qui avaient acheté des lots à Sun Valley. Dowd est d'avis que l'entreprise « Faire tomber Hoffa » perdra de sa virulence, tant la tâche est ardue et décourageante, ce qui, dans une certaine mesure, cadre bien avec nos finalités politiques.

Ma perception la plus forte de la chose est que *nous ne voulons pas que la rancœur du « Faire tomber Hoffa » devienne trop bipartisane*. En revanche, nous voulons *effectivement* que Jack ressorte comme *le vrai* candidat anticorruption syndicale. Dowd m'a déclaré qu'il s'attendait de la part de Hoffa à une tournée des popotes rurales dans les Etats d'élections primaires, au cours desquelles celui-ci déversera un déluge d'arguments anti-Kennedy, et je pense que cela pourrait servir nos desseins. Malgré tout le mal qu'il se donne pour le masquer, sous la tension, Hoffa apparaît toujours comme une brute psychopathe. Nous voulons que les Camionneurs appuient la candidature républicaine. Nous voulons que Richard Nixon accepte l'argent de Hoffa et élude totalement la corruption syndicale comme thème de la campagne électorale. Ceci dit, je pense qu'il est impératif que Jack redouble d'efforts dans sa cour auprès des authentiques responsables syndicaux afin de les convaincre qu'il les différencie des adeptes de Hoffa.

Je vais désormais concentrer tous mes efforts sur les primaires. L'image des Kennedy grands combattants du crime a impressionné nombre de mes relations — normalement républicaines — des services de la loi et de l'ordre. J'avance, comté par comté, par le Wisconsin, le New Hampshire et la Virginie-Ouest. Vos organisations locales paraissent saines, et j'ai dit à tous les volontaires sans exception que j'ai rencontrés d'ouvrir grandes leurs oreilles et d'être à l'affût des plus petits bruits répandus par Hoffa lors de sa tournée des campagnes.

D'autres détails ultérieurement. Ecrivez votre livre ; je pense que ce pourrait être un outil précieux, pour la campagne.

Cordialement,

Kemper.

DOCUMENT EN ENCART : 9/11/59. *Mémorandum — de Robert F. Kennedy à Kemper Boyd.*

Kemper,

Merci pour le petit mot. Vous commencez à réfléchir en termes politiques, et j'ai trouvé vos observations sur Hoffa et les républicains tout à fait astucieuses. Je suis heureux d'apprendre que le ministère de la Justice a concentré son attention sur Sun Valley, que j'ai toujours considéré comme notre élément le plus solide contre Hoffa.

J'ai toujours eu la conviction que des fonds de la Caisse de Retraite illégalement obtenus (les trois millions-*mirage*) ont financé l'investissement de Hoffa pour Sun Valley, et que Hoffa s'est largement « sucré » au passage. Des pistes et/ou des renseignements sur cette Caisse de Retraite et l'éventualité de « véritables » livres comptables nous feraient en ce moment le plus grand bien. Qu'est-ce que fait le Phantôme de Chicago ? Vous m'avez toujours dépeint ce Croisé jésuite anonyme comme quelqu'un qui ne comptait pas sa peine, mais il y a des mois que vous ne m'avez pas transmis de rapports du Phantôme.

Bob.

DOCUMENT EN ENCART : 7/11/59. *Note — de Kemper Boyd à Robert F. Kennedy.*

Cher Bob,

Je suis d'accord. Nous aurions certainement l'usage maintenant de quelques bonnes pistes sur la Caisse de Retraite. Le Phantôme travaille dur, mais il se heurte à des impasses, les unes après les autres. Et n'oubliez pas, c'est un agent du FBI occupé à plein-temps à l'exercice de ses fonctions. Il persiste mais, ainsi que je l'ai déjà dit, il avance très lentement.

Kemper.

DOCUMENT EN ENCART: 4/12/59. *FBI — Rapport de Surveillance de Terrain — De : Agent spécial en charge de Chicago Charles Leahy à J. Edgar Hoover — Marqué : EXTREMEMENT CONFIDENTIEL / DESTINATAIRE UNIQUE : LE DIRECTEUR.*

Monsieur,

Aux termes de votre requête, des agents cooptés du Bureau de Sioux City ont placé l'AS Ward J. Littell sous surveillance ponctuelle, et ce depuis le 15/9/59. Celui-ci n'a pas été aperçu aux abords de la boutique de tailleur de Celano, et il s'est apparemment abstenu d'activités cachées anti-crime organisé. Il n'a pas été vu en compagnie de l'AS Kemper Boyd, et l'écoute (à compter du 20/11/59) placée sur le téléphone de son domicile indique qu'il ne parle qu'à Helen Agee, avec quelques coups de fil occasionnels à son ex-femme Margaret. Il n'appelle pas sa fille Susan, pas plus qu'il ne reçoit de coups de fil d'elle, et depuis la date de la mise sur écoute, le 20/11/59. L'AS Boyd ne lui a pas téléphoné.

Les résultats de Littell dans le cadre de son travail se sont régulièrement détériorés. Ce déclin était déjà effectif avant même la mise en place des filatures. Affecté à la surveillance de membres du PC américain à Hyde Park et Rogers Park, Littell abandonne fréquemment ses postes de surveillance pour aller boire dans les tavernes ou visiter diverses églises catholiques.

Les rapports Brigade Rouge de Littell sont bâclés. Régulièrement, il triche sur le nombre d'heures qu'il passe à ses postes d'affectation, et ses commentaires sur les membres du PC américain peuvent être considérés comme ouvertement charitables.

Le 26/11/59, l'AS W.R. Hinckle a observé le chef de cellule du PC américain Malcolm Chamales, qui accostait Littell à la sortie de son immeuble. Chamales a accusé Littell de « tromperie à la mode mallette noire du FBI » en le mettant au défi de réagir. Littell a invité Chamales dans une taverne. L'AS Hinckle les a observés, engagés dans une discussion politique. Ils se sont retrouvés à nouveau les 29/11 et 1/12. L'AS Hinckle, qui les a observés lors des deux réunions, est convaincu que les deux hommes sont en train de devenir amis ou, tout au moins, compagnons de beuverie.

Des sources amies du Bureau à l'université de Chicago ont déclaré que l'AS Littell et Helen Agee ont été aperçus sur le campus en train de se disputer violemment. Leur liaison semble tendue, et Mlle Agee a été entendue en train de presser Littell de se trouver une aide pour régler son problème de boisson. Le 3/11/59, l'AS J.S. Butler a observé Littell et Mlle Agee engagés dans une discussion politique. Mlle Agee a exprimé son admiration pour le vice-président Richard Nixon. Littell a fait référence à M. Nixon sous le terme de « Tricky Dick » — Dick la Combine — et l'a qualifié de « crypto-fasciste persécuteur de Rouges et financé par une caisse noire ».

En conclusion : un profil pro-communiste de Littell est en train d'être constitué. Je crois que ses déclarations subversives, ses omissions-trahisons des rapports Brigade Rouge et son amitié avec Malcolm Chamales se poursuivront et feront du personnage un risque grave pour la sécurité.

Respectueusement,

Charles Leahy, ASC, Bureau de Chicago.

DOCUMENT EN ENCART : 21/12/59. *Rapport de Terrain — de Pete Bondurant à Kemper Boyd — « A faire suivre à John Stanton » — Marqué : « KB — FAIS BIEN ATTENTION A LA MANIERE DONT TU TRANSMETTRAS CECI. »*

KB,

Désolé que le rapport demandé par Stanton arrive si tard. Je n'aime pas mettre les choses sur le papier, alors barre tout ce que tu désires et fais-lui parvenir le reste. Assure-toi que Stanton le détruise. Je sais qu'il pense que l'Agence finira un jour ou l'autre par donner son aval à 100 p. 100 à ce que nous faisons, mais ça pourrait bien demander très longtemps.

1. — Mes ouvriers du Klan ont terminé le ponton et l'embarcadère de vedettes rapides. Blessington est opérationnel à 100 p. 100.

2. — Dougie Frank Lockhart est solide. Il a les idées de cinglé habituelles, communes à tous les mecs dans son type de boulot, mais c'est ainsi, on n'y peut rien et je ne pense pas que ce soit trop méchant si ça n'interfère pas avec ses fonctions. Son contact du FBI a fait la gueule parce que Lockhart n'a pas voulu cafter les KKK rivaux en Louisiane, mais il a changé de chanson quand Lockhart lui a appris que c'était toi qui dirigeais les opérations. Je me risquerais à dire qu'il a consulté Hoover, lequel lui a dit que tu avais carte blanche. Lockhart a fait du bon travail jusqu'ici. J'ai eu un peu de blé de Trafficante pour lui, et il s'en est servi pour monter son propre Klan à l'extérieur de Blessington. Il a offert des primes à l'engagement et tous les mecs du cru ont quitté leurs Klans respectifs pour s'engager auprès de Dougie Frank. Je lui ai dit que tu ne voulais pas de lynchages, bombardements d'églises ou passages à tabac. Il est déçu, mais il s'en accommode. Lockhart s'entend bien avec les Cubains et il a dit aux mecs de son Klan de ne pas créer de troubles raciaux avec le Cadre ou les hommes en formation. Jusqu'ici, les mecs ont obéi à ses ordres.

3. — Nos activités sur Miami sont bonnes et s'améliorent. Les recettes brutes du mois dernier à la cité à loyers modérés Booker T.-Washington ont été supérieures de 14 p. 100 au meilleur mois jamais obtenu par l'Organisation de Trafficante. Les recettes brutes d'octobre à la cité George Washington-Carver ont été supérieures de 9 p. 100 aux meilleures obtenues par ST. Chuck Rogers dit qu'on peut compter sur les hommes de la ferme mexicaine. Ils ont arrangé le coup de manière à ce qu'il puisse débarquer et repartir sans remplir de plan de vol auprès de la police d'Etat mex. Nous disposons maintenant d'un terrain d'atterrissage à Blessington, de sorte que Chuck peut faire ses vols d'approvisionnement d'autant plus en sécurité. J'apporte personnellement la part de ST à Tampa toutes les semaines. Il est très satisfait de ses bénéfices, et il arrose régulièrement le Cadre de primes en liquide. Il me refile 15 p. 100 directement, à reverser à la Cause, et 5 p. 100 destinés à un fonds de roulement pour les achats d'armes monté par Guy à La Nouvelle-Orléans. Jusqu'ici, Fulo, Chuck, Paez, Obregon, Delsol et Guittierez ont été d'une honnêteté

absolue. Il n'y a pas eu de ponctions, en marchandises ou en dollars.

4. — Stanton voulait des rapports d'aptitude des hommes. A moins que quelqu'un ne dérobe de la marchandise, ou de l'argent ou se dégonfle sur un boulot donné, mon sentiment est qu'ils méritent tous A-plus. Obregon n'est pas très porté à faire le coup de feu lors des incursions en vedette rapide jusqu'à Cuba, et son cousin Delsol est un peu faux-jeton, mais jusqu'ici, ce ne sont que des détails mineurs. Ce qui importe, c'est que ce sont tous des jusqu'au-boutistes réactionnaires proaméricains et anti-castristes, qui ne voleront pas Trafficante. Je dis, laissons-les gonfler le prix de leurs courses à la station et relâcher la vapeur à la gnôle et aux putes. Je dis, on ne peut pas trop leur tirer sur la laisse, sinon on ne les tiendra plus.

5. — En tant que recruteurs, ils ne sont pas mauvais. Nous disposons de quarante-quatre couchettes à Blessington et ils les tiennent occupées jusqu'à la dernière. Chuck, Fulo, Lockhart et moi-même entraînons les hommes par cycles de quinze jours. Nous leur enseignons le maniement des armes légères, le tir à la cible, le combat à mains nues et les techniques de sabotage par vedettes rapides, avant de les diriger sur Miami avec des propositions d'emplois. Les hommes recrutent sur place et adressent leurs propres candidats à un officier spécialiste répondant au nom de code de HK/Cougar, qui les envoie à son tour à l'un des camps d'entraînement de résidents soutenus par l'Agence, en fonction des places disponibles. Si cette invasion dont tu m'as parlé arrive un jour, nous devrions disposer d'un surplus de soldats bien entraînés parmi lesquels faire notre choix.

6. — Paez, Obregon, Delsol, Guttierez et moi-même avons tous fait des incursions de nuit par vedette rapide jusqu'à Cuba. Nous avons déposé la marchandise auprès de nos contacts résidents sur l'île et descendu quelques bateaux de patrouille de la milice. Fulo et Guttierez ont fait un trajet et aperçu des miliciens endormis sur la plage. Ils les ont tués tous les trente à la mitraillette. Fulo a scalpé le gradé et le scalp bat maintenant les airs, accroché à l'antenne radio de notre bateau de tête.

7. — Comme tu le désirais, je me répartis la tâche entre Blessington, nos activités sur Miami et la station de taxis. Jimmy Hoffa fait comme qui dirait la gueule que tu sois pote avec les Kennedy. Mais le contrat-bail lui plaît bien, et plus il y a d'immigrés cubains qui débarquent à Miami, plus les Tiger Kabs font de pognon. Et merci de la marchandise que tu m'as donnée pour H.H. [1]. Dans la mesure où je suis en Floride tout le temps, je me dis que c'est encore ce truc qui me permet de toucher salaire de sa part. Je laisserais bien tomber, mais je sais que tu tiens à cultiver une sorte de liaison-Agence avec lui. Je l'appelle une fois par semaine pour ne pas perdre la main. H.H. dit qu'il a maintenant des mormons qui s'occupent de lui. Ils l'aident à esquiver les délivreurs d'assignation pour l'affaire TWA et font le boulot que je faisais, moi, excepté la fourniture de la marchandise. Je pense que tant que je pourrai continuer à le fournir, je toucherai mon chèque de paie à L.A.

8. — C'est Lenny Sands qui dirige la publication de L'*Indiscret* en solo. Je me suis dit que cet article qu'il a écrit sur Cuba était plutôt bien et qu'il a enfoncé quelques bons clous pour la Cause.

C'est tout ! Je n'aime pas mettre les choses noir sur blanc, alors dis à Stanton de détruire ça.

Viva La Causa !

PB.

---

1. Howard Hughes. *(N.d.T.)*

37

Blessington, 24 décembre 1959.

Lockhart posa les pieds sur le tableau de bord. Son costume molletonné de Père Noël le faisait dégouliner de sueur.

— Vous voulez pas me laisser faire sauter les églises ou tuer les Négros. Et pour l'application du code moral du Klan, je fais quoi ?

Pete joua le jeu — Dougie Frank était doué pour la plaisanterie.

— Et c'est quoi, ça ?

— Eh bien, vous entendez dire que Sally la sœur de Joe le Bouseux fait les yeux doux à Leroy dont la rumeur dit qu'il se trimbale une trique de trente centimètres, et vous les surprenez en pleine action. Vous chauffez au rouge votre fer à braiser du KKK et vous marquez Sally parce qu'elle a mélangé les races.

— Et Leroy, il lui arrive quoi ?

— Vous lui demandez où il a trouvé la sienne, et si on les fait dans la même taille en blanc.

Pete éclata de rire. Dougie Frank se moucha par la fenêtre.

— Je suis sérieux, Pete. Je suis le Sorcier Impérial des Chevaliers Impériaux du Ku Klux Klan pour la Floride du Sud, et tout ce que j'ai fait jusqu'à présent, ç'a été de distribuer des primes de la CIA et de mettre sur pied une équipe de softball pour défier vos foutus exilés crypto-bamboulas.

Pete évita d'un coup de volant un chien en vadrouille. Le camion toucha une ornière ; les dindes sous emballage cadeau à l'arrière bondirent en l'air et glissèrent.

— Ne me dis pas que ton opérateur du FBI t'autorise les lynchages.

— Non, il ne m'a pas autorisé. Mais il ne m'a pas dit non plus : « Dougie Frank, ne va pas me tuer de Négros pendant que tu seras sur les tablettes du gouvernement », non. Vous voyez la différence ? Vous, vous me *dites* que je ne peux pas le faire, et vous êtes sérieux.

Pete vit des cahutes au-devant de lui — le bon coin pour larguer quelques dindes. Santos Jr. avait dit de graisser les rouages auprès des mecs du cru — il disposait de volailles en rab d'un braquage, et s'était dit que de la poulaille gratis pour Noël encouragerait les bonnes volontés.

— Fais ton boulot. Nous sommes impliqués dans un gros morceau à traiter ça sérieusement.

— C'est ce que je fais, dit Lockhart. Je fais mon boulot, et je la boucle à propos de Chuck Rogers qui fait atterrir ses courriers de blanche poudreuse à l'intérieur de Fort Blessington, oui, m'sieur. Ce que j'dis aussi, c'est que mes gars ont besoin de se distraire un peu.

Pete s'engagea dans un virage.

— Je parlerai à Jimmy Hoffa. Peut-être qu'il pourra emmener tes gars faire une partie de tir aux requins.

— Ce que j'avais plutôt en tête, c'était de faire appliquer la clause 69 du Kode moral.

— Et c'est quoi ?

— C'est quand on chope les frères de Leroy, Tyrone et Rufus en train de taper à la porte de Sally.

— Qu'est-ce que vous faites alors ?

— On passe Sally au goudron et aux plumes.

— Et Tyrone et Rufus ?

— On leur fait baisser le pantalon pour voir si c'est bien de famille.

Pete éclata de rire. Dougie Frank se gratta la barbe d'un blanc neigeux.

— Comment ça se fait que c'est moi qui dois me déguiser en Père Noël ?

— Je n'ai pas pu trouver de costume rouge à ma taille.

— Vous auriez pu faire déguiser un des Cubains.

— Allons. Un Père Noël espingo ?

— Je suis d'avis que ce boulot est dégradant.

Pete s'engagea sur une aire de jeux minable au sol en terre.

Quelques mômes de couleur aperçurent le Père Noël et en restèrent babas.

Dougie Frank sortit du camion et leur balança ses dindes de tir en cloche. Les mômes coururent jusqu'à lui pour lui tirer la barbe.

Les Blancs du coin eurent droit à des dindes. Les bronzés du coin eurent droit à des dindes. Les flics de Blessington eurent droit à des dindes et du Jim Beam volé.

Les stagiaires en formation eurent droit à des dîners de dinde et de l'équipement prophylactique marque Trojan. Santos Jr. avait expédié un super cadeau de fête : un autocar entier de putes de Tampa. Quarante-quatre hommes et quarante-quatre racoleuses furent la raison des grincements de ressorts de quarante-quatre couchettes.

Pete renvoya les filles à minuit. Lockhart se brûla une petite croix de Noël en pleine cambrousse. Pete se sentit une envie pressante de débarquer à Cuba et de tuer des cocos.

Il appela Fulo à Miami. L'idée lui bottait bien, à Fulo. Je rassemble quelques mecs, dit Fulo, et on arrive.

Chuck Rogers débarqua avec une cargaison de came. Pete fit le plein de la vedette de tête.

Lockhart faisait la tournée avec de la gnôle de contrebande. Pete et Chuck s'offrirent quelques rasades à la régalade. Personne ne fumait — cette saloperie pourrait bien prendre feu.

Ils étaient assis sur le ponton. Des projecteurs illuminaient le camp.

Un stagiaire hurla dans son sommeil. Des braises volaient de la croix enflammée. Pete se souvint du Noël 45 : les services du shérif de L.A. l'avaient recruté tout frais émoulu du Corps des Marines.

La voiture de Fulo traversa la piste, tanguant et roulant, ivrognesse en mal d'équilibre. Chuck empila mitraillettes-camembert et munitions près des bittes d'amarrage du ponton.

— Puis-je y aller ? dit Dougie Frank.

— Bien sûr, dit Pete.

Delsol, Obregon et Fulo s'extirpèrent de la Chevy. Ils

marchaient, ventre en barrique en plein roulis — défoncés par trop de bière et de dinde.

Ils se traînèrent à pas lourds jusqu'au ponton. Tomas Obregon portait des lunettes de soleil — à 2 heures du mat'. Des lunettes et des manches longues — par une nuit chaude.

Un chien aboya au loin. Chuck Rogers imitait des jappements de chien à la manière du D.J. fêlé qui était l'idole de ses nuits. On s'échangea de grandes tapes visibles net et clair sous l'éclat des projecteurs.

Obregon se pétrifia sur place. Rogers l'immobilisa d'un étranglement.

Personne ne parla. Ce n'était pas la peine — la réalité du message passa rapidement.

Obregon gigotait. Fulo lui remonta les manches. Des traces de piqûres lui couraient sur la peau, rouges, laides.

Tout le monde regarda Delsol — le putain de cousin d'Obregon. Le message passa : à *lui* de le faire.

Chuck lâcha Obregon. Pete tendit son arme à Delsol.

Obregon se mit à trembler et faillit dégringoler du ponton. Delsol lui tira six balles dans la poitrine.

Il tomba à l'eau en tournoyant. La vapeur siffla au contact des plaies de sortie des balles.

Fulo plongea et le scalpa.

Delsol détourna les yeux.

38

Hyannisport, 25 décembre 1959.

Un sapin de Noël venait frôler le plafond. Une neige artificielle empoussiérait une énorme pile de cadeaux sous ses flocons.

Kemper sirotait un lait de poule.

— Les vacances te rendent triste, dit Jack. Ça se voit.

— Pas exactement.

— Mes parents en ont un peu trop fait question enfants, mais les tiens auraient dû avoir la prévoyance de rajouter un ou deux membres à la famille.

— J'avais un petit frère. Il est mort lors d'un accident de chasse.

— Je ne le savais pas.

— Mon père et moi étions en train de courser un wapiti près de notre maison de vacances. Nous l'apercevions de temps à autre et nous n'arrêtions pas de tirer dans les fourrés. A un moment, ce que nous avons entr'aperçu, c'était Compton Wickwire Boyd, âgé de huit ans. Il portait une veste beige et une casquette avec des rabats blancs pour les oreilles. C'était le 19 octobre 1934.

Jack détourna les yeux.

— Je suis désolé, Kemper.

— Je n'aurais pas dû en parler. Tu as dit que tu voulais bavarder, et il me faut quitter New York dans une heure. Cette petite histoire met un terme à toutes les conversations, je te le garantis.

La petite pièce était surchauffée. Jack recula son fauteuil de la cheminée.

— Tu retrouves Laura ?

— Oui. Ma fille fête son dîner de Noël avec quelques amis à South Bend. Ensuite elle part au ski. Elle nous rejoindra, Laura et moi, à New York.

La bague de Pete était astiquée et brillait de tous ses feux. Il devait poser la question ce soir.

— Toi et Laura, ç'a été un sacré choc.

— Mais tu commences à t'y faire ?

— Je crois que tout le monde s'y fait, plus ou moins.

— Tu es nerveux, Jack.

— J'annonce ma candidature dans huit jours. Des tas d'obstacles ne cessent de me sauter aux yeux, et je n'arrête pas de me demander comment les résoudre.

— Par exemple ?

— La Virginie-Ouest. Qu'est-ce que je réponds à un mineur qui me dit : « Fils, j'ai entendu dire que votre père est l'un des hommes les plus riches d'Amérique, et que vous n'avez jamais eu à travailler un seul jour de votre vie ?

Kemper sourit.

— Tu réponds : « C'est vrai. » Et un vieil acteur spécialisé dans les rôles de composition de vieillards chenus que nous aurons planté dans la foule ajoutera : « Et fils, t'as foutrement rien raté. »

Jack explosa de rire. Un rapprochement sauta aux yeux de Kemper : Giancana et Trafficante avaient la mainmise sur des morceaux entiers de la Virginie-Ouest.

— Je connais certaines personnes là-bas qui seraient susceptibles de vous aider.

— Alors fais de moi leur débiteur sans le moindre scrupule, que je puisse embrasser le destin que je porte inscrit dans mes gènes d'homme politique irlandais et corrompu.

Kemper se mit à rire.

— Tu es encore nerveux. Et tu as dit que tu voulais me parler, ce qui sous-entendait une discussion sérieuse.

Jack balança son fauteuil en arrière et épousseta quelques flocons factices de son chandail.

— Nous pensons à M. Hoover. Nous nous disons qu'il connaît l'histoire des origines de Laura.

L'avocat du Diable se mit en place, automatiquement.

343

— Il sait depuis des années. Il sait que je vois Laura, et il m'a parlé de ses origines avant qu'elle ne m'en parle elle-même.

Les mômes de Robert déboulèrent à travers la pièce. Jack les chassa et referma la porte du bout du pied.

— Espèce de petit enculé de voyeur pédé.

Kemper poursuivit sur sa ligne en improvisant.

— Il est également au courant de tes paternités diverses, que tu as achetées pour faire taire le scandale, et de la plupart de tes liaisons un peu durables. Jack, je suis ton meilleur garant contre Hoover. Il m'aime bien et me fait confiance, et tout ce qu'il désire, c'est conserver son emploi quand tu seras élu.

Jack se tapota le menton d'une boîte à cigares.

— Papa s'est à moitié convaincu que Hoover t'avait adressé à nous pour nous espionner.

— Ton père n'a rien d'un imbécile.

— *Quoi ?*

— Hoover m'a surpris en train de m'en mettre à gauche lors d'une enquête sur des vols de voitures et m'a fait prendre ma retraite anticipée. J'ai demandé de mon propre chef à être engagé par le Comité McClellan, et Hoover a commencé à me tenir à jour sur ses tablettes. Il a appris que je voyais Laura et m'a demandé des renseignements sur vous. J'ai dit : « Non », et Hoover a répondu : « Vous m'en devez une. »

Jack hocha la tête. Son expression disait : Oui, je veux bien croire ça.

— Papa t'a fait suivre dans Manhattan par un détective privé. L'homme lui a appris que tu avais une suite au St. Regis.

Kemper lui adressa un clin d'œil.

— Ta manière de vivre déteint sur les autres, Jack. J'ai une retraite, un salaire et des dividendes boursiers, et je courtise une femme chère.

— Tu passes beaucoup de temps en Floride.

— Hoover me demande d'espionner les groupes pro-castristes. C'est ça, *celle* que je lui dois.

— C'est pour cette raison que tu es tellement partant pour que Cuba devienne un thème majeur de la campagne.

— Exact. Je pense que Castro est une foutue menace, et je pense que tu devrais t'opposer fermement à lui.

Jack alluma son cigare. Son expression disait : Dieu merci, c'en est fini pour aujourd'hui.

— Je dirai à Papa que c'est okay. Mais il veut une promesse.

— Laquelle ?

— Que tu n'épouseras pas Laura dans un avenir proche. Il craint que les journalistes ne se mettent à fouiner.

Kemper lui tendit la bague.

— Garde ça pour moi. J'avais l'intention de faire ma demande à Laura ce soir, mais je crois qu'il va me falloir attendre que tu sois élu.

Jack la glissa dans sa poche.

— Merci. Est-ce que ça veut dire que tu n'as plus de cadeau pour Noël ?

— Je trouverai quelque chose à New York.

— Il y a une épingle en émeraude sous le sapin. Laura a belle allure en vert, et ça ne manquera pas à Jackie.

39

South Bend, 25 décembre 1959.

Littell descendit du train et vérifia s'il n'était pas filé.

Arrivées et départs lui semblèrent normaux — rien que des mômes de Notre-Dame et des parents inquiets. Quelques-uns des membres de la claque frissonnèrent — des filles à pompons et en jupette par une température de 12 degrés.

La foule se dispersa. Pas de traînards sur le quai à lui coller aux basques. En un mot : le Phantôme voit des fantômes.

Les filoches qu'il avait cru voir étaient probablement une conséquence de la gnôle. Les déclics sur sa ligne téléphonique étaient très vraisemblablement une question de nerfs suractivés.

Il avait démonté ses deux combinés. Sans trouver d'appareillage d'écoute. La Mafia était dans l'impossibilité de coller des mouchards *extérieurs* — seules les agences en avaient la possibilité. Cet homme qui les avait observés, Mal Chamales et lui, la semaine dernière, probablement rien qu'un pilier de bistrot titillé par leur conversation plus gauchiste que centriste.

Littell se rendit au bar de la gare et descendit trois rye-bière. Le dîner de Noël avec Susan exigeait qu'il prît des forces.

Les civilités d'usage traînaient. La conversation oscillait entre des sujets de tout repos.

Susan s'était crispée lorsqu'il l'avait serrée contre lui. Helen s'était mise hors de portée de ses mains. Claire tirait de plus en plus du côté de Kemper, la ressemblance s'était étonnamment marquée.

Susan ne s'adressait jamais à lui par son nom. Claire l'appelait *Ward Baby*. Helen dit qu'elle était très dans le coup — sa phase fan de Sinatra. Susan fumait maintenant, tout comme sa mère — jusqu'à sa manière de craquer ses allumettes et d'exhaler sa fumée.

Son appartement imitait celui de Margaret : trop de babioles en porcelaine et trop de meubles droits et raides.

Claire passa des disques de Sinatra. Susan servit des laits de poule dilués — Helen avait dû lui dire que son père buvait trop.

Il dit qu'il n'avait pas eu de nouvelles de Kemper depuis des mois. Claire sourit, elle connaissait tous les secrets de son père. Susan servit le dîner : le sempiternel jambon glacé de Margaret, accompagné de patates douces.

Ils se mirent à table. Littell baissa la tête et offrit une prière :

— Notre Père des Cieux, nous Te demandons de nous bénir, ainsi que tous nos amis absents. Je Te recommande les âmes de trois hommes récemment disparus, dont les morts furent le résultat de tentatives arrogantes, pour sincères qu'elles étaient, de faciliter la justice. Je Te demande de tous nous bénir en ce jour sacré et tous les jours de l'année à venir.

Susan roula les yeux au ciel et dit :

— *Amen.*

Claire découpa le jambon. Helen servit le vin.

Les filles eurent droit à des verres pleins. Lui en eut un petit fond. C'était du cabernet sauvignon bon marché.

— Mon papa demande sa maîtresse en mariage ce soir, dit Claire. Un petit bravo pour mon Papa et ma nouvelle Maman qui est terrible et n'a que neuf ans de plus que moi.

Littell faillit s'étrangler. Kemper l'Arriviste comme gendre secret des Kennedy...

— Claire, vraiment, dit Susan. Maîtresse et terrible dans la même phrase ?

Claire sortit ses griffes.

— Tu as oublié de mentionner la différence d'âge. Comment as-tu pu ? Nous savons toutes les deux que les différences d'âge, c'est ta bête noire.

Helen grogna. Susan repoussa son assiette et alluma une cigarette.

Littell remplit son verre.

— Ward Baby, dit Claire, tu veux faire une évaluation des trois juristes que tu as en face de toi ?

Littell sourit.

— Ce n'est pas difficile. Susan requiert sur des délits mineurs. Helen défend les hommes du FBI qui n'en font qu'à leur tête, et Claire se dirige vers le droit d'entreprise pour financer les goûts dispendieux de son père quand il sera vieux.

Helen et Claire éclatèrent de rire. Susan dit :

— Je n'apprécie guère d'être définie en termes de petitesse et d'insignifiance.

Littell engloutit son vin.

— Tu peux t'engager au Bureau, Susie. Je prendrai ma retraite dans un an et vingt et un jours, et tu pourras prendre ma place et tourmenter les gauchistes pathétiques pour M. Hoover.

— Je ne qualifierais pas les communistes de pathétiques, Père. Et je ne pense pas qu'une pension après vingt ans de service pourrait suffire à couvrir tes notes de bar.

Claire tressaillit.

— Susan, je t'en prie, dit Helen.

Littell attrapa la bouteille.

— Peut-être bien que j'irai travailler pour John F. Kennedy. Peut-être bien qu'il sera élu président. Son frère hait le crime organisé plus encore que les communistes. Alors peut-être que c'est de famille.

— Je n'arrive pas à croire, dit Susan, que tu places de vulgaires truands au même rang qu'un système politique qui a mis la moitié du monde en esclavage. Je n'arrive pas à croire que tu aies pu te laisser aveugler par un politicien libéral aussi niais dont le père a l'intention de lui acheter la présidence.

— Kemper Boyd l'aime bien.

— Excuse-moi, Père, et excuse-moi, Claire, mais Kemper Boyd vénère l'argent. Et nous savons tous que John F. Kennedy en a beaucoup.

Claire sortit de la pièce en courant. Littell but son vin à la régalade.

— Les communistes ne châtrent pas les innocents. Les communistes ne branchent pas de batterie de voiture aux parties génitales des gens et ils ne les électrocutent pas. Les communistes ne laissent pas tomber des postes de télé dans les baignoires ou...

Helen sortit en courant.

— Père, que Dieu Te damne pour Ta faiblesse, dit Susan.

Il demanda à prendre des congés-maladies cumulés et se terra jusqu'à la nouvelle année. A & P lui livra nourriture et alcool.

Les examens de fin de semestre à la fac de droit gardèrent Helen éloignée. Ils se parlèrent au téléphone — pour l'essentiel, petits bavardages et soupirs. Il entendit bien quelques déclics sur la ligne, et les mit au rang de ses nerfs à vif.

Kemper n'appela pas, pas plus qu'il n'écrivit. Le bonhomme l'ignorait.

Il lut le livre de Bobby Kennedy sur les guerres Hoffa. L'histoire l'enthousiasma. Kemper Boyd n'apparaissait pas dans le texte.

Il regarda le Rose Bowl et le Cotton Bowl à la télé. Il fit l'éloge de Tony Pic-à-Glace Iannone — mort depuis un an exactement.

Quatre rye-bière, pas un de plus, pas un de moins, le plongeaient dans l'euphorie. Il fantasma sur une forme exacte de courage : la volonté de s'attaquer à Jules Schiffrin et aux livres comptables de la Caisse.

Un peu d'alcool supplémentaire étouffa l'idée dans l'œuf. Passer à l'action signifiait sacrifier des vies. Son courage n'était que faiblesse poussée à force pour se changer en grandeur pompeuse.

Il regarda John Kennedy annoncer sa candidature présidentielle. La Salle des Débats du Sénat était bondée de ses partisans.

Des caméras cadrèrent un groupe de manifestants à l'extérieur. Les Camionneurs clamaient.

— Hé, hé, ha, ha, Kennedy dit « NON aux syndicats » !

Un journaliste commenta en voix off :

— Un grand jury de Floride a placé le président des Camionneurs James R. Hoffa sous étroite surveillance. Il est soupçonné de fraude immobilière dans l'affaire du lotissement des Camionneurs à Sun Valley.

Un plan en insert saisit Hoffa en train de rire comme une baleine de Sun Valley.

Littell juxtaposa des paroles :

Pete, tu veux bien tuer quelques hommes pour moi, s'il te plaît ?

Père, Dieu Te damne pour Ta faiblesse.

40

Tampa, 1er février 1960.

— Je suis désespéré, dit Jack Ruby. Cet indigent bien connu de Sal D. me devait un paquet quand il est mort, et le Service fédéral des Impôts est en train de me grimper sur le tu-sais-quoi pour des arriérés que j'ai pas. Je n'arrive plus à couvrir les remboursements de ma boîte de nuit, Sal m'a déjà refusé, et tu sais que je suis un grand ami de la Cause cubaine. Un pote et moi, on a amené les filles jusqu'à Blessington pour distraire les gars, ce qui était strictement volontaire de ma part et n'a rien à voir avec la requête que je viens de faire.

Santos Jr. était assis à son bureau. Ruby était debout, devant ledit bureau. Trois bergers allemands étaient vautrés, débordant du canapé.

Pete regardait Ruby, qui léchait le parquet. Le bureau puait. Santos laissait libre cours à ses chiens pour user du mobilier à leur guise.

— Je suis désespéré, dit Ruby. Je suis ici comme un mendiant en train de supplier son pontife local.

— Non, dit Trafficante. Tu as bien amené quelques filles, quand j'étais bouclé à La Havane, mais ça ne vaut pas dix bâtons en supplément. Je peux t'offrir un mille de ma poche, mais c'est tout.

Ruby tendit la main. Santos lui graissa la patte d'une série de billets de cent prélevés sur un rouleau bien dodu. Pete se leva et ouvrit la porte.

Ruby sortit en caressant son argent. Santos aspergea d'eau de Cologne l'endroit où il s'était tenu.

351

— La rumeur dit que cet homme a des goûts étranges en matière sexuelle. Il serait capable de te refiler des maladies qui rendraient le cancer honteux. Et maintenant, raconte-moi quelques bonnes choses, parce que je n'aime pas commencer ma journée par des mendiants.

— Les bénéfices ont augmenté de 2 p. 100 en décembre et janvier. Je pense que Wilfredo Delsol est okay rapport à son cousin, et je ne crois pas qu'il cafte jamais le Cadre. Personne ne nous vole, et je suis d'avis que le truc Obregon a semé une bonne petite trouille salutaire.

— Y a quelqu'un qui doit déconner, sinon t'aurais pas demandé à me voir.

— Fulo dirige une écurie de putes. Il leur fait faire des passes et les paie cinq dollars le miché, plus dosettes de came. Il remet tout l'argent, mais je continue à penser que c'est mauvais pour nos affaires.

— Oblige-le à arrêter, dit Trafficante.

Pete s'assit sur le bord du canapé. Le Roi Tut lâcha un grognement rapide.

— Lockhart et ses copains du Klan ont construit un petit club mondain au bas de la rue qui mène au camp, et ils parlent maintenant de lyncher des mal-blanchis. En plus de ça, Lockhart est pote avec un flic de Dallas, J.D., qui a débarqué ici avec Ruby. Chuck Rogers veut emmener J.D. dans son avion et lâcher quelques brochures de haine. Il parle de saturer le Sud de la Floride avec ses bombardements.

Trafficante claqua son buvard de la main.

— Mets un terme à ces idioties.

— C'est ce que je ferai.

— Ce n'était pas la peine de me demander mon aval.

— Kemper est d'avis que toute la discipline doit vous revenir, en tout premier lieu. Il veut que les hommes pensent que nous sommes plus simples soldats que membres de l'encadrement.

— Kemper est un mec subtil.

Pete caressa le Roi Farouk et le Roi Arthur. Ce putain de Roi Tut lui faisait un œil méchant.

— Il est subtil jusqu'au dernier degré.

— Castro a transformé mes casinos en porcheries. Il laisse les

chèvres chier sur les moquettes que mon épouse a personnellement sélectionnées.

— Il paiera, dit Pete.

Il retourna à Miami. La station de taxis était bondée de
badauds : Lockhart, Fulo, et le putain de Cadre au grand
complet.

Moins Chuck Rogers — dans les airs, à bord de son avion,
occupé à larguer ses bombes de haine.

Pete ferma la station et établit la Loi. Il appela ça la
DECLARATION DE LA NON-INDEPENDANCE DU CADRE ET LA NOU-
VELLE ORDONNANCE DES NON-DROITS POUR LE KKK.

Pas de maquereautage. Pas de vols. Pas de truandage. Pas de
cambriolages. Pas de chantage. Pas de braquages de camions
dirigés contre les Cubains.

Mandat spécifique du Klan de Blessington :

Aimez tous les Cubains. Laissez-les tranquilles. Foutez en l'air
tous ceux qui foutent la merde chez vos nouveaux frères cubains.

Lockhart qualifia le mandat de quasi-génocide. Pete fit
craquer ses jointures. Lockhart ferma son bec.

Le groupe se sépara. Jack Ruby arriva et mendia un taxi —
son carburateur avait pété, et il lui fallait emmener ses filles
jusqu'à Blessington.

Pete dit, okay. Les filles portaient pantalon corsaire et boléros
— les choses pourraient être pires.

Ruby était à l'avant. J.D. Tippit et les stripteaseuses occupaient l'arrière du camion. Les nuages de pluie s'amassaient — si
un orage éclatait, ils étaient baisés.

Pete emprunta les routes à deux voies direction sud. Il avait
mis la radio pour faire taire Ruby. Chuck Rogers descendit des
profondeurs de nulle part, et leur offrit une succession de
battements d'ailes au niveau des arbres.

Les filles l'acclamèrent. Chuck laissa tomber un pack de six
canettes ; J.D. l'attrapa. Des brochures de haine descendirent des
airs — Pete en piqua une au vol.

SIX RAISONS POUR LESQUELLES JESUS ETAIT PRO-KLAN. Le n° 1
donnait le ton : parce que les cocos avaient fluorisé la mer Rouge.

Ruby reluquait le panorama. Tippit et les filles se litronaient à la bière. Chuck foira son itinéraire de vol et bombarda de briques une église négro.

Le signal radio se mit à perdre de son intensité. Ruby commença à geindre.

— Santos n'a pas la meilleure mémoire du monde. Santos m'entube avec un dixième de ce que je lui ai demandé parce que sa mémoire est aux neuf dixièmes hors circuit, plus de son, plus d'image. Santos ne comprend pas les souffrances que j'ai traversées en emmenant ces dames jusqu'à La Havane. Sûr que le Barbu lui cause bien du chagrin. Mais il avait pas de Fédé cinglé de Chicago qui lui collait au cul comme une sangsue.

Pete ne laissa pas échapper.

— Quel Fédé de Chicago ?

— Je ne connais pas son nom. Je ne l'ai rencontré qu'une fois en chair et en os, Allah soit loué.

— Décris-le-moi.

— Peut-être un mètre quatre-vingt-deux, peut-être quarante-six ou quarante-sept ans. Des lunettes, des cheveux gris qui s'éclaircissent, et si tu veux mon humble avis, complètement engnôlé, car la seule fois où je l'ai rencontré nez à nez, il avait une haleine au whisky.

La route plongea. Pete écrasa les freins et faillit faire caler le camion.

— Dis-moi comment il s'est collé à tes fesses.

— Pourquoi ? Donne-moi une seule bonne raison pour que je partage cette injure sur ma personne avec toi.

— Je te donnerai mille dollars pour que tu me racontes l'histoire. Si j'aime l'histoire, je t'en donnerai quatre mille de plus.

Ruby compta sur ses doigts — de un à cinq, une demi-douzaine de fois.

Pete tapota un petit rythme musical sur le volant. La mesure donnait 1-2-3-4-5.

Ruby synchronisa les chiffres en lecture muette : 1-2-3-4-5, 1-2-3-4-5.

Pete leva cinq doigts. Ruby les compta à haute voix.

— Cinq mille si elle te plaît ?

— Exact, Jack. Et mille si elle ne me plaît pas.

— Je prends un risque terrible à te raconter tout ça.

354

— Alors ne me dis rien.

Ruby tripota sa chaîne avec étoile de David. Pete écarta cinq doigts sur le tableau de bord. Ruby embrassa l'étoile et prit une prrrofonde inspiration.

— En mai dernier, ce merdaillon de Fédé me met la main au collet à Dallas. Il me fait toutes les menaces imaginables à la surface de cette verte Terre que Dieu a faite, et je le crois, pas'que je sais que c'est bien un cinglé de zélote goy qui n'a rien à perdre. Il sait que j'ai requiné à Big D et aussi à Chicago, et il sait que j'ai envoyé des gens qui cherchaient des prêts importants à Sam Giancana. C'est pour ça qu'il en bande, d'une queue colossale. Il veut retracer l'itinéraire que suit l'argent qui est prêté à partir des fonds de la Caisse de Retraite des Camionneurs.

C'était du Littell millésimé : intrépide *et* stupide.

— Il m'oblige à l'appeler dans une cabine publique de Chicago une fois par semaine. Il me donne quelques dollars quand je lui dis que je n'ai plus rien à me mettre sous la dent et que je vis de l'air du temps. Il m'oblige à lui parler de ce mec du cinéma que je connais, Sid Kabikoff, qui est intéressé par une rencontre avec un requin-prêteur qui s'appelle Sal D'Onofrio, et qui va le pousser au train jusqu'à le faire remonter à Momo pour un prêt de la Caisse de Retraite. Ce qui est arrivé après ça, je ne sais pas. Mais j'ai lu dans les journaux de Chicago que Kabikoff et D'Onofrio s'étaient tous les deux fait assassiner, style « torture » comme on dit, et que les deux meurtres ne sont toujours pas résolus. Je ne suis pas Einstein, mais « torture » à Chicago, ça veut dire Sam G. Et je sais aussi que Sam y sait pas que je suis impliqué dans l'affaire, sinon on m'aurait déjà rendu visite. Et y a pas besoin d'être Einstein pour comprendre que c'est ce cinglé de Fédé qui est à l'origine de tous ces emmerdes.

Littell travaillait en hors-la-loi. Littell était le meilleur ami de Boyd. Lenny Sands travaillait avec Littell et D'Onofrio.

Ruby ôta un poil de chien sur sa cuisse.

— Est-ce que tu en as eu pour cinq mille dollars avec cette histoire ?

La route devint floue. Pete faillit s'emplafonner un foutu gator.

— Est-ce que le Fédé t'a appelé depuis la mort de Sal D. et de Kabikoff ?

— Non, Allah soit loué. Et si on parlait de mes cinq...

— Tu les auras. Et je t'en rajouterai trois mille s'il te rappelle et tu me refiles le tuyau. Et si, au bout du compte, tu finis par me donner un vrai coup de main dans l'affaire, tu auras droit à un autre rab de cinq mille.

Ruby en devint rouge d'apoplexie.

— Pourquoi ? Putain, mais pourquoi tu t'intéresses à ça au point d'y mettre tout ce pognon ?

Pete sourit.

— Gardons ça entre nous si tu le veux bien, d'accord ?

— Tu veux le secret, je te donnerai ton secret. Je suis bien connu comme le mec secret qui sait tenir sa langue.

Pete dégaina son Magnum et conduisit en s'aidant des genoux. Ruby sourit — ho, ho — qu'est-ce que c'est que ça ?

Pete ouvrit le barillet, en dégagea cinq balles et le fit tourner.

Ruby sourit — ho, ho — même, t'es trop.

Pete lui tira dans la tête. La cote de 5 contre 1 tint bon : le chien percuta une chambre vide.

Ruby vira au blanc d'un drap du Klan.

— Renseigne-toi autour de toi, dit Pete. Vois ce qu'on a dit de moi.

Ils arrivèrent à Blessington au crépuscule. Ruby et Tippit préparèrent leur spectacle de strip.

Pete appela Midway Airport et se fit passer pour un officier de police. Un employé confirma le récit de Ruby : un dénommé Ward J. Littell avait bien fait un aller-retour Dallas en mai dernier, le 18.

Il raccrocha et appela l'Eden Roc Hotel. La standardiste lui dit que Kemper Boyd était « sorti pour la journée ».

Pete laissa un message : « 10 heures ce soir, le " Luau Lounge " — urgent. »

Boyd prit la chose sans s'émouvoir. Il dit :

— Je sais que Ward s'est mis en chasse, sur la piste de la Caisse de Retraite, dit-il, comme s'il s'ennuyait trop pour vouloir même respirer.

Pete souffla ses ronds de fumée. Il faisait la gueule en entendant le ton de Boyd — il s'était tapé cent trente kilomètres pour se voir étaler ce putain d'*ennui*.

— Ça n'a pas l'air de te tracasser.

— Je me suis déjà trop commis personnellement avec Littell mais sinon, je ne pense pas qu'il faille se tracasser sur le sujet. Est-ce que tu voudrais me divulguer ta source ?

— Non. Il ne connaît pas le nom de Littell et je l'ai complètement mis à ma botte.

Une torche-tiki éclairait leur table. Boyd allait et venait au rythme du vacillement des étranges petites flammes.

— Je ne vois pas en quoi cela te concerne, Pete.

— Ça concerne Jimmy Hoffa. Il est lié à nous sur l'affaire cubaine, et c'est Jimmy en personne, la putain de Caisse de Retraite.

Boyd tambourina sur la table.

— Littell fait une fixation sur la Mafia de Chicago et la Caisse. Ça ne touche pas notre boulot sur Cuba, et je ne pense pas qu'on soit en dette avec Jimmy au point de l'avertir. Et je ne veux pas que tu ˉparles de ça à Lenny Sands. Il n'est pas au courant du problème, et ce n'est pas la peine de l'embêter avec ça.

Du vrai Boyd millésimé. Toujours le même principe, du début jusqu'à la fin : « N'informer qu'en cas de nécessité absolue ».

— Nous ne sommes pas obligés d'avertir Jimmy, mais je vais te dire ça haut et clair. Jimmy m'a engagé pour descendre Anton Gretzler, et je n'ai aucune envie de voir Littell me coller sur la chaise pour ça. Il m'a déjà cadré comme responsable du contrat, et il est juste assez cinglé pour répandre ça sur les toits, Hoover ou pas.

Boyd fit tourner son bâtonnet à Martini.

— Tu as aussi descendu Roland Kirpaski.

— Non. Jimmy s'en est chargé tout seul.

Boyd sifflota, très, très *rien de plus normal*.

Pete l'attaqua en face.

— Tu as trop laissé la bride sur le cou à Littell. Tu l'as autorisé à faire des putains de trucs que t'aurais jamais dû.

— Nous avons l'un et l'autre perdu un frère, Pete. Restons-en là sur le sujet.

Sa réplique ne collait pas. Boyd avait parfois des manières bizarres de dire les choses.

357

Pete bascula en arrière dans son fauteuil.

— Est-ce que tu fais le chien de garde pour Littell ? Et est-ce qu'au moins tu lui serres un peu la laisse ?

— Il y a des mois que je ne l'ai pas contacté. Je prends mes distances avec lui et M. Hoover.

— Pourquoi ?

— Rien qu'un instinct.

— Du genre instinct de survie ?

— Plutôt du genre instinct utile. Tu t'écartes de certains, tu te rapproches de ceux qui comptent sur le moment.

— Comme les Kennedy.

— Oui.

Pete se mit à rire.

— C'est à peine si je t'ai vu depuis que Jack a pris la route.

— Tu ne me verras pas d'ici la fin des élections. Stanton sait que je ne peux pas me permettre de diviser mon temps.

— Il *devrait* le savoir. Il t'a engagé pour que tu approches les Kennedy.

— Il ne le regrettera pas.

— Moi, je ne le regrette pas. Ça me permettra de diriger le Cadre en solo.

— Et tu en es capable ?

— Les Négros, ça sait danser, tu crois ?

— Aucun doute là-dessus.

Pete but une gorgée de sa bière. Elle était éventée — il avait oublié qu'il l'avait commandée.

— Tu as dit *élection* comme si tu étais convaincu que le boulot allait se continuer jusqu'en novembre.

— Je suis raisonnablement certain que ce sera le cas. Jack est en tête dans le New Hampshire et le Wisconsin, et si nous réussissons à franchir l'obstacle de la Virginie-Ouest, je crois qu'il ira jusqu'au bout.

— Alors j'espère qu'il est anti-Castro.

— Il l'est. Il n'est pas aussi volubile que Richard Nixon. Mais il faut dire que Dick bouffe du Rouge depuis un bail.

— Président Jack. Seigneur Jésus.

Boyd fit signe au serveur. Un nouveau Martini arriva vite fait sur la table.

— C'est la séduction, Pete. Il va acculer le pays dans un coin, comme une femme, rien qu'au charme. Quand l'Amérique s'apercevra qu'elle a le choix entre Jack et le vieux Dick Nixon et ses tics, avec qui crois-tu qu'ils vont décider de se coller dans les draps ?

Pete leva sa bière.

— *Viva la Causa. Viva* Jack Dos Cassé !

Ils trinquèrent.

— Il soutiendra la Cause, dit Boyd. Et si l'invasion est décidée, nous voulons que ce soit sous son Administration.

Pete alluma une cigarette.

— Ce n'est pas ça qui me tracasse. Littell mis à part, il n'y a qu'une seule chose qui mérite qu'on se fasse de la bile.

— Tu crains que l'Agence proprement dite ne découvre le genre d'affaires que traite notre Cadre.

— C'est exact.

— Je veux qu'ils le découvrent, dit Boyd. En fait, je vais les informer un peu avant novembre. Il est inévitable qu'ils apprennent la vérité à un moment ou à un autre, et d'ici à ce que cela se produise, ma position auprès des Kennedy sera devenue trop précieuse pour qu'on me jette aux orties. Le Cadre aura recruté bien trop d'hommes de valeur et aura gagné bien trop d'argent, et morale pour morale, peut-on comparer la revente d'héroïne aux Nègres avec l'invasion illégale d'une île ?

Encore du Boyd millésimé :

« Auto-budgétisé », « autonome ».

— Et ne te fais pas de souci pour Littell. Il essaie d'accumuler des preuves à adresser à Bobby Kennedy, mais c'est moi qui gère toute l'information retransmise à Bobby, et je ne laisserai pas Littell vous mettre en danger, en aucun cas, ou placer Jimmy en position délicate à cause du meurtre de Kirpaski ou quoi que ce soit qui puisse être rattaché à vous comme à la Cause. Mais tôt ou tard, Bobby va faire *tomber* Hoffa, et je ne veux pas que tu mettes ton grain de sel là-dedans.

Pete se sentit pris de vertige.

— Je n'ai rien à redire à tout ça. Mais j'ai maintenant quelqu'un qui peut me mener à Littell, et si je pense que notre homme a besoin d'une bonne trouille, je vais lui en coller une.

— Et je n'ai rien à redire à ça de mon côté. Tu peux faire tout ce que tu juges nécessaire, tant que tu ne le tues pas.

Ils se serrèrent la main.

— *Les gens que l'on comprend — ce sont eux que l'on domine*, dit Boyd[1].

_____

1. En français dans le texte. *(N.d.T.)*

41

New York Hyannisport/New Hampshire/Wisconsin/Illinois/ *Virginie-Ouest 4 février-4 mai 1960.*

C'est le jour de Noël qu'il avait acquis sa conviction. Il était sûr. Et chaque jour dès lors s'était bâti sur cette certitude.

Jack avait gardé l'épingle de Laura. Et Kemper avait pris la broche en émeraude de Jackie. Sa voiture n'avait pas voulu démarrer — un chauffeur des Kennedy lui avait réglé l'allumage. Kemper se promenait dans la propriété et il avait surpris Jack au milieu d'une transformation.

Jack était debout sur la plage, seul. Il répétait sa *persona* publique à haute voix.

Kemper se tint hors de vue et l'observa.

Jack passa de presque grand à grand. Il perdit de son braiment, sa voix se prit à gronder. Sa gestuelle en coups de poignard touchait des cibles qu'il avait ratées jusque-là.

Jack riait, Jack penchait la tête de côté pour écouter. Jack résumait de main de maître la Russie, les droits civiques, la course à l'espace, Cuba, le catholicisme, l'image de jeunesse qu'il projetait, Richard Nixon, réactionnaire bon à rien plein de duplicité inadapté à la conduite de la plus grande nation de la terre en des temps périlleux.

Il avait l'air héroïque. De revendiquer ainsi l'instant le vidait de tout ce qui restait de gamin en lui.

L'assurance, la maîtrise de soi étaient toujours là. Il avait reporté sa revendication à longue échéance, jusqu'à ce qu'elle fût à même de lui offrir le monde.

Jack savait qu'il allait gagner. Kemper savait qu'il incarnerait la grandeur avec la force d'une énigme soudain chargée de la capacité de prendre forme. Cette nouvelle liberté ferait que les gens allaient l'adorer.

Laura adora la broche.

Jack gagna le New Hampshire et le Wisconsin.

Jimmy Hoffa s'était offert une tournée de popotes dans les deux Etats. Jimmy avait mobilisé les Camionneurs et déliré sur la télé nationale. Sa folie intrinsèque venait trahir Jimmy chaque fois qu'il ouvrait la bouche.

Kemper mobilisa les forces contraires. Des manifestants pro-Jack en décousaient avec les Camionneurs qui manifestaient. Les pro-Jack avaient de la voix et savaient manier les pancartes.

Le livre de Bobby était devenu un best-seller. Kemper en distribuait des exemplaires gratis dans les rencontres syndicales. Consensus après quatre mois de campagne : Jimmy Hoffa était réduit à néant.

Jack était d'une beauté, d'une élégance ensorcelantes. Hoffa était bouffi et ravagé. Toutes ses affiches portaient une note en pied : « Fait actuellement l'objet d'une enquête judiciaire pour escroquerie foncière. »

Les gens adoraient Jack. Les gens voulaient le toucher. Kemper laissait les gens s'approcher, en deçà de toutes les limites de sécurité.

Kemper laissaient les photographes s'approcher. Il voulait convaincre les gens que l'abord affable et amusé de Jack n'était que le rayonnement en retour de l'amour qu'il leur portait.

Ils n'avaient pas d'adversaire au Nebraska. Les Primaires de Virginie-Ouest étaient dans six jours — Jack devrait éliminer Hubert Humphrey de la course. Pour le compte.

Frank Sinatra emballait les votants de la cambrousse. Un membre de la valetaille accrochée à la Bande des quatre composa un hymne frime et flon flon à la gloire de Jack. Payola le diffusait de manière ininterrompue.

Laura qualifiait Sinatra de petit pénis avec une belle voix.

L'ascension de Jack la mettait en furie. Elle était de son sang et elle était paria. Kemper Boyd était un étranger qui s'était vu octroyer le droit d'être dans le secret des dieux.

Il l'appelait tous les soirs, à chaque étape. Aux yeux de Laura, c'était des coups de fil de complaisance.

Il savait que Lenny Sands manquait à Laura. Laquelle ne savait pas qu'il l'avait banni.

Lenny avait changé son numéro de Chicago — Laura n'avait plus aucun moyen de l'appeler. Kemper alla rechercher les factures de téléphone de Lenny et obtint confirmation que celui-ci n'avait pas repris contact avec elle.

Bobby se souvint du Lenny « Maître de Diction ». Quelques membres de l'équipe décrétèrent qu'une remise en forme s'imposait et invitèrent Lenny au New Hampshire.

Jack « présenta » Lenny à Kemper. Lenny joua le jeu et ne fit montre de rien, pas même de la plus petite once de crainte ou de rancœur.

Lenny fit travailler Jack et lui remit sa voix d'orateur en pleine forme. Bobby l'inscrivit au rôle des salariés pour le Wisconsin — comme compère et homme de paille chargé de chauffer la salle. Lenny fit les salles et se gagna des foules avec un petit budget — Bobby était aux anges.

Claire passait la plupart de ses week-ends avec Laura. Elle disait que la demi-sœur de Jack était une fan enragée de Nixon.

Tout comme M. Hoover.

Ils se parlèrent à la mi-février. Ce fut M. Hoover qui appela.

— Seigneur, cela fait bien longtemps ! dit-il d'un ton d'une fausseté parfaite.

Kemper remit ses allégeances au fait et repassa par le détail les vieux soupçons de Joe Kennedy.

— Je vais bâtir un dossier pour étayer vos dissimulations, dit Hoover. Nous y ferons apparaître que tous vos voyages en Floride ont été effectués uniquement à ma demande. Je vous sacrerai agent spécial-contrôleur du Bureau sur les groupes pro-castristes.

Kemper fournit les dates clés de ses séjours en Floride. Hoover lui adressa de pseudo-itinéraires à mémoriser.

Hoover ne fit jamais référence à la campagne. Kemper savait que le Directeur avait l'intuition d'une victoire Kennedy.

Hoover ne fit pas allusion à Jack et les femmes. Hoover ne suggéra pas de coller d'éventuels micros sur des prostituées. Hoover fut incapable de mettre le doigt sur les raisons qui avaient poussé Kemper Boyd à prendre ses distances.

Il ne voulait pas remettre sur pied un nouveau chantage sexuel. Il voulait se conserver un compartiment de loyauté sans failles.

Chantage de mac ? — Non. *Service* de mac ? — Certainement.

Il trouvait à Jack une call-girl par nuit. Il appelait ses contacts dans les brigades des Mœurs locales pour avoir des recommandations, et il passait toutes les filles que Jack baisait à la fouille au corps.

Les filles adoraient Jack.

Tout comme l'adorait l'AS Ward Littell.

Ils ne s'étaient pas parlé depuis plus de six mois. Ward avait fait une apparition au grand meeting qu'avait tenu Jack à Milwaukee — le vieux Phantôme de Chicago sous la forme du nouveau Spectre de Chicago, l'ombre de lui-même.

Il avait l'air frêle et malpropre. Il ne ressemblait en rien à l'idée qu'on pouvait se faire d'un G-man.

Ward refusa de discuter des rumeurs et bavardages de la Mafia, comme de la stratégie pour la Caisse de Retraite. Ward refusa de discuter de l'homicide D'Onofrio.

Ward dit qu'il négligeait le travail qui lui était affecté à la Brigade Rouge. Il dit qu'il s'était lié d'amitié avec un gauchiste qu'il filait.

La campagne Kennedy l'enthousiasmait. Il arborait des insignes Kennedy au travail et fit une scène lorsque l'ASC Leahy lui ordonna de cesser.

La croisade anti-Mafia de Littell était morte. M. Hoover ne pouvait plus rien contre eux maintenant : la collusion Boyd/Littell était nulle et non avenue.

Kemper racontait à Bobby que le Phantôme continuait à s'échiner. Bobby dit, ne m'embêtez pas avec des détails de rien.

Littell devait prendre sa retraite dans huit mois. Son rêve d'ivrogne était une affectation auprès des Kennedy.

Ward adore Jack.

Le New Hampshire adore Jack.

Le Wisconsin adore Jack.

La Virginie-Ouest offrait son cœur à prendre. Le comté de Greenbriar était crucial pour l'élection et sous le contrôle absolu de la Mafia.

Il décida de ne pas demander l'aide des gars. Pourquoi mettre Jack en dette à l'égard d'hommes que Bobby détestait ?

L'Amérique adore Jack.

C'est Sinatra qui trouva la meilleure formule.

« Ce bon vieux Jack la Magie me tient sous son charme ! »

42

Blessington/Miami, 4 février-4 mai 1960.

Cette réplique sur les *Frères perdus* continuait à lui bourdonner aux oreilles. Pete n'arrivait pas à se la sortir de la tête.

John Stanton fit une tournée du campement à la mi-mars. Pete l'asticota de colles sur le passé de Kemper Boyd.

Stanton répondit que la CIA avait fait des recherches. L'accident de chasse lui avait valu d'excellentes notes — Kemper n'était pas du genre à se laisser déprimer par une petite merde.

Boyd parlait français. Boyd donnait vie aux grands mots ronflants. Boyd avait fait passer son petit monde à la vitesse grand V, comme un bolide...

Ses trois derniers mois : « Autonome », droit sorti du Webster version intégrale.

Le temps de Kemper était plein, et se lisait strictement KENNEDY. Le temps de Pete était plein aussi, mais se lisait aujourd'hui strictement CUBA.

Fulo avait cessé de driver les putes. Lockhart avait embrassé le nouveau Kode Klan. Six cycles de formation de deux semaines étaient passés par Blessington, sept cent quarante-six hommes au total.

Ils y avaient appris des principes de base : maniement des armes, judo, manœuvres de vedettes rapides et utilisation des explosifs. Chuck Rogers leur avait inculqué la doctrine pro-américaine.

Le Cadre continuait son recrutement sur Miami. Les têtes brûlées cubaines signaient.

L'Agence disposait maintenant de soixante camps opérationnels. Elle avait établi une « école supérieure » au Guatemala : une caserne militaire avec tout l'équipement.

Ike relâcha les cordons de sa bourse. Ike approuva les plans d'invasion. C'était un changement complet de politique — trois tentatives pour dessouder Fidel avaient foiré et embrouillé la matière grise de Langley.

Les tireurs ne pouvaient pas s'approcher d'assez près. Les aides de camp de Castro fumaient les cigares explosifs destinés au Barbu. Langley se dit alors : Rien à foutre — on envahit Cuba.

Peut-être au début de l'année prochaine. Peut-être sous l'Administration de Jack Dos Cassé.

Boyd dit que Jack approuverait le plan. Boyd se montra foutrement persuasif. Santos Jr. fit passer le mot : Kemper Boyd a l'oreille de Jack Kennedy.

L'Organisation refila quelques piastres à la campagne de Jack — sans faire de bruit, anonymement. Des dons bien juteux et très compartimentés.

Jimmy Hoffa n'était pas au courant. Jack n'était pas au courant — il n'en saurait rien avant le moment optimal, quand viendrait l'heure de présenter les créances.

Sam G. dit qu'il pourrait acheter l'Illinois à Jack. Lenny Sands dit que Sam avait dépensé une fortune dans le Wisconsin. *Idem* pour la Virginie-Ouest — le fric de la Mafia de Chi avait verrouillé l'Etat, Jack n'avait plus qu'à prendre.

Pete demanda à Lenny si Boyd était au courant de tout ce maquignonnage. Lenny répondit : Je ne pense pas. Pete dit : Que ça reste comme ça — Kemper n'aimerait pas l'idée de savoir qu'il avait mis Jack au clou.

Boyd inspirait confiance. Trafficante l'adorait. Santos fit passer la cagnotte de la Cause cubaine — Giancana, Rosselli et Marcello crachèrent au bassinet sans lésiner.

C'était du cloisonnement classique.

Les huiles de la CIA fermaient les yeux sur les cadeaux. Et ils furent mis au courant des activités came du Cadre, avant que Kemper les en informe.

Ils fermèrent les yeux. Ils considérèrent qu'il serait plausible de nier les faits et dirent à John Stanton de poursuivre. Ils dirent à Stanton de cacher ce détail au personnel non-CIA.

Comme les services de police extérieurs. Comme les politiciens moralisateurs.

Stanton fut soulagé. Kemper fut amusé. Il dit que le problème illustrait la dichotomie Jack/Bobby : le trafic de came comme sujet de discorde et de désaccord.

Grand Frère ferait la grimace et essaierait d'ignorer l'alliance. Petit Frère choisirait de s'allier à Dieu et bannirait tout contact Mafia-CIA.

Grand Frère était mondain et savait vivre, comme son Papa. Petit Frère était bégueule, un vrai Ward Littell déjuté, sans pouvoir, avec des couilles en état de fonctionnement.

Bobby disposait de l'argent de son père, et de l'aile de son père pour s'y planquer. Littell avait la gnôle et la religion. Jack Ruby avait cinq bâtons, honoraires de ses talents de chien d'arrêt — s'il reprenait fantaisie à Littell de changer de cap et de réapparaître dans sa vie, Grand Pete serait mis au courant.

Boyd lui avait dit de ne pas tuer Littell. Boyd avait cosigné aux côtés de Littell, qui en bandait tellement pour la Caisse de Retraite, ce qui signifiait au moins une occasion extérieure de se coopter un beau paquet de pognon.

Littell adorait Jack Dos Cassé.

Tout comme Darleen Shoftel. Tout comme Gail Hendee.

Hé, Jack, t'as baisé mon ancienne petite amie. Je m'en fiche — Kemper Boyd dit que t'es blanc.

Je vends de la came pour toi. Je fais le courrier et le transport du pognon jusqu'à un dénommé Banister, qui fait de TOI un membre d'une conspiration juifs/papistes pour empaffer l'Amérique jusqu'au trognon.

Fort Blessington, ça te botterait, Jack. On dirait aujourd'hui une vraie station balnéaire de la Mafia — les gars débarquent rien que pour voir le grand numéro anti-Castro sur la piste. Santos Jr. a acheté un motel en dehors de la ville. Il te logerait gratis — si tu larguais ton jeune frangin dans les Everglades.

Sam G. nous fait sa petite visite de temps en temps. Il y a aussi Carlos Marcello qui passe. Johnny Rosselli amène Dick Contino et son accordéon. Lenny Sands monte des spectacles, son numéro de baratin sur Fidel travesti fait crouler les salles.

Les bénéfices de la came avaient augmenté. Le moral du Cadre était au plus haut. Ramon Guttierez tenait un décompte des scalpés au fil des missions en vedette rapide. Heshie Ryskind avait démarré une cagnotte prime-au-scalp.

Lenny Sands bossait à tartiner ses calomnies, force majeure oblige : le Barbu, bouc émissaire d'un torchon à scandales. L'impact politique bottait bien à M. Hughes, mais M. Hughes préférait voir L'*Indiscret* exposer et argumenter des ragots sexuels, exclusivement.

Pete appelait Hughes une fois par semaine. L'enfoiré délirait non-stop.

Le numéro TWA se traînait. Dick Steisel était gardien des sosies de Hughes, contre honoraires. Hughes était convaincu que les Négros donnaient le cancer — et il pressait Ike de réinstituer l'esclavage.

Des fêlés mormons obsédés par les microbes tenaient compagnie au Grand Howard. Ils lui tenaient son bungalow en parfait état sanitaire : les insecticides qui giclaient avec la force d'une bombe A faisaient des merveilles. Un bizarro du nom de Duane Spurgeon dirigeait toute l'équipe. Il plaçait des capotes lubrifiées sur tous les boutons de porte susceptibles d'avoir été touchés par des mal-blanchis.

Hughes avait une nouvelle lubie : des transfusions sanguines hebdomadaires. Il ne se tétait exclusivement que du sang de mormon — acheté à une banque de sang non loin de Salt Lake City.

Hughes disait toujours : Merci pour la came. Pete disait toujours : Remerciez l'Agence.

Il continuait à percevoir son chèque de paie Hughes. Il continuait à toucher vingt-trois parts de pensions alimentaires. Il touchait 5 p. 100 de Tiger Kab et sa paie d'agent contractuel.

Il faisait le mac jadis et montait des opérations de chantage. Aujourd'hui, il était le garde au fusil qui veillait à la diligence de l'Histoire.

Jimmy Hoffa passait de temps à autre à la station de taxis. Jamais plus de quelques jours entre deux visites. Son *modus operandi* standard : partir en plein délire contre les chauffeurs qui ne parlaient pas anglais. Wilfredo Delsol s'occupait du standard maintenant — d'avoir dessoudé son cousin avait tué dans l'œuf ses ambitions de gros bras.

Wilfredo comprenait l'anglais. Il disait que Jimmy déblatérait à n'en plus pouvoir sur les Cubains, mais était incapable de soutenir son effort. Quiconque se ramassait les premières « têtes de nœud » avait droit à un répit. Hoffa ne pouvait pas hurler la moindre phrase sans qu'elle se termine par « Kennedy ».

Pete vit Jack et Jimmy à la télé, dos à dos. Kennedy prit un trublion sous le charme, au point de le laisser sans voix. Hoffa portait des chaussettes blanches et une cravate décorée de giclures d'œuf.

Pas besoin de boniments ni de pronostics — je suis capable de repérer les gagnants et les perdants.

Parfois, il lui arrivait tout bonnement de ne pas pouvoir dormir. Le putain de bolide qu'était devenue sa vie était comme une bombe à hydrogène dans sa tête.

43

Greenbriar, 8 mai 1960.

Des cordons de flanc s'entassaient jusqu'à l'estrade. Pro-Jack et pro-Camionneurs en pleine manif, rien que des durs.

L'avenue principale était interdite aux véhicules. La foule d'avant-meeting s'étendait sur une longueur de trois blocs : au moins six mille personnes tassées comme des sardines, épaule contre épaule.

Ça bavassait, ça bourdonnait. Les pancartes jaillissaient à trois mètres de haut.

Il était prévu que Jack prendrait la parole en premier. Humphrey avait perdu à un pile ou face pipé et parlait en dernier. Insignes et cocardes Jack écrasaient en nombre les Hubert, à 3 contre 1 — bref, la campagne de Virginie-Ouest.

Les nervis Camionneurs hurlaient dans leurs porte-voix. Quelques pécores brandissaient une bannière BD : Jack avec des crocs de vampire et un béret papal.

Kemper se couvrit les oreilles des mains, le grondement de la foule lui faisait mal. Des pierres déchiquetèrent la banderole — il avait payé des gamins pour se planquer accroupis au milieu de la foule et balancer leurs caillasses.

Jack était attendu. Une mauvaise acoustique et les invectives modèle Hoffa allaient noyer son discours.

Pas une grande perte — les gens le *verraient* quand même. La foule allait se disperser à l'apparition de Humphrey — l'alcool gratis coulait à flots dans des tavernes choisies du centre ville.

C'était l'alcool Kemper Boyd. Un vieux pote avait braqué un camion de chez Schenley[1] et lui avait vendu la cargaison.

---

1. Whiskey bon marché. *(N.d.T.)*

La rue était bondée. Les trottoirs étaient bondés. Peter Lawford balançait en cloche des fixe-cravates à un troupeau de nonnes.

Kemper se mêla à la foule et surveilla l'estrade. Il vit deux visages qui ne collaient pas l'un avec l'autre, séparés de quelques mètres : Lenny Sands et un prototype de mafieux.

Le mec de la Mafia lança un pouce en l'air à l'adresse de Lenny. Lenny lui renvoya deux pouces en l'air.

Lenny n'était *plus* salarié de la campagne. Lenny n'avait aucune fonction *officielle* ici.

Le mec de la Mafia vira à droite toute. Lenny se fraya un chemin sur la gauche et s'enfila dans une allée où s'alignaient des poubelles.

Kemper le suivit. Coudes et genoux égarés le ralentirent.

Des lycéens le bousculèrent sur le trottoir. Lenny était à mi-chemin de l'allée, en conciliabule avec deux flics.

Le bruit de la foule se stabilisa. Kemper s'accroupit derrière une poubelle et tendit l'oreille.

Lenny étala en éventail un rouleau de billets. Un flic se picora quelques biftons. Son pote dit :

— Pour deux cents de rab, on peut bloquer le bus de Humphrey et faire venir quelques crieurs de première pour lui couper la chique.

— Allez-y, dit Lenny. Et tout ceci relève strictement de M. G, alors n'en parlez à personne qui soit de la campagne.

Les flics s'attrapèrent tout le rouleau de liquide et s'enfilèrent avec bien du mal dans une porte de l'allée. Lenny s'appuya contre le mur et alluma une cigarette.

Kemper s'avança jusqu'à lui. Lenny, très mec dans le vent, dit :

— Et alors ?

— Alors, tu me racontes.

— Qu'est-ce qu'il y a à raconter ?

— Remplis-moi les blancs, dans ce cas.

— Qu'est-ce qu'il y a à remplir ? On est tous les deux des mecs Kennedy.

Lenny savait manœuvrer. Question glace, Lenny était capable de battre la tête la plus froide de la terre.

— Giancana a mis de l'argent dans le Wisconsin aussi. Est-ce que c'est exact ? Tu n'aurais pas pu jouer le coup comme tu l'as joué avec ce que Bobby t'a donné.

Lenny haussa les épaules.

— Sam et Hesh Ryskind.

— Qui leur a dit ? Toi ?

— Mes conseils ne cotent pas si haut. Vous le savez.

— Crache le morceau, Lenny. Tu joues au chérubin timide, et ça commence à m'agacer.

Lenny écrasa sa cigarette sur le mur.

— Sinatra se faisait mousser à propos de son influence sur Jack. Il disait que Jack président, ce ne serait pas la même chose que le Jack qui siégeait au Comité McClellan, si vous comprenez ce que je veux dire.

— Et Giancana a acheté tout le toutime ?

— Non. Je pense que vous avez donné un putain de coup de pouce à Frank. Tout le monde est sacrément impressionné par ce que vous faites sur le front cubain, alors ils se sont dit, si vous aimez Jack, c'est qu'il ne peut pas être aussi mauvais que ça.

Kemper sourit.

— Je ne veux pas que Bobby et Jack découvrent quoi que ce soit sur ce sujet.

— Personne ne le veut.

— Jusqu'à ce qu'on représente la créance pour règlement ?

— Sam ne croit pas aux petits pense-bêtes futiles pour rafraîchir les mémoires. Et au cas où vous songeriez à me rafraîchir la mienne, je vous le dis tout de suite. J'ai trouvé peau de balle sur la Caisse de Retraite.

Kemper entendit un bruit de cavale. Il vit des Camionneurs à gauche, des Camionneurs à droite — manieurs de chaînes, ramassés sur eux-mêmes, aux deux extrémités de l'allée.

Ils avaient Lenny en ligne de mire. Lenny le Petit, Lenny le Juif, Lenny la Carpette à Kennedy...

Lenny ne les vit pas. Lenny Tire-la-Tronche était trop pris par ses numéros de valses-hésitations, de matou au parfum ou de gros dur.

— Je te recontacterai, dit Kemper.

— A se revoir à la synagogue, dit Lenny.

Kemper franchit à reculons la porte d'entrée, qu'il verrouilla derrière lui à double tour. Il entendit des cris, des cliquetis de chaînes, des coups sourds — prise en tenaille classique des nervis de Syndicat.

Lenny jamais ne cria ni ne hurla. Kemper chronométra le passage à tabac : une minute et six secondes.

44

Chicago, 10 mai 1960.

Le travail rendait Littell complètement schizophrène. Il lui fallait satisfaire le Bureau *et* sa conscience.

Chick Leahy haïssait Mal Chamales. La commission des Activités anti-américaines de la Chambre avait relié Mal à seize associations de paille couleur coco. Le mentor de Leahy au FBI était l'ancien ASC de Chicago, Guy Banister.

Banister haïssait Mal. La collante Brigade Rouge de Mal courait sur quatre-vingts pages.

Lui aimait bien Mal. Ils prenaient le café de temps à autre. Mal avait séjourné de 46 à 48 à Lewisburg — Banister avait bâti un dossier à son encontre pour sédition et convaincu le procureur de l'inculper.

Leahy l'avait appelé ce matin.

— Je veux une surveillance rapprochée de Mal Chamales, Ward. Tu ne le quittes pas d'une semelle. Je veux que tu ailles à toutes les réunions auxquelles il se rend et que tu le prennes sur le fait à faire des remarques incendiaires que nous pourrons utiliser.

Littell appela Chamales et l'avertit.

— Je m'adresse à un groupe SLP[1] cet après-midi, dit Mal. Faisons simplement semblant de ne pas nous connaître.

Littell se prépara un rye-soda. Il était 17 h 40 — il avait le temps de travailler avant les informations nationales.

Il gonfla son rapport de détails inutiles. Il omit la tirade de Mal contre le Bureau. Il conclut par des remarques évasives, non compromettantes.

---

1. Socialist Labour Party : Parti des travailleurs socialistes. *(N.d.T.)*

Le discours du sujet aux membres du Parti des Travailleurs socialistes a été tiède et rempli de clichés nébuleux d'une nature incontestablement gauchiste mais non séditieuse. Ses commentaires pendant les questions-réponses n'ont été ni incendiaires ni provocateurs d'aucune manière.

Mal avait qualifié M. Hoover de « fasciste efféminé en bottes à l'écuyère et short à la bavaroise couleur lavande ». Déclaration incendiaire ? A peine.

Littell alluma la télévision. John Kennedy remplit l'écran, il venait de remporter les Primaires de Virginie-Ouest.

On sonna à la porte. Littell appuya sur le vibreur et sortit de l'argent pour le gamin de l'A&P.

Lenny Sands fit son entrée. Il avait le visage plein de croûtes, meurtri, suturé. Un pansement en attelle maintenait son nez en place.

Lenny vacillait. Avec un petit sourire suffisant sur le visage. Lenny agita les doigts à l'adresse de la télé :

— Salut, Jack ! ô toi, superbe tranche d'agneau rôti irlandais !

Littell se leva. Lenny chancela, entra en collision avec une étagère à livres et s'y appuya, bras tendus, pour reprendre son équilibre.

— Ward, tu as l'air magnifique ! Ce falzar élimé de chez J.C. Penneys et cette chemise blanche bon marché, mais c'est TOI tout craché !

Kennedy haranguait les militants des droits civiques. Littell coupa la télé à mi-discours.

Lenny fit signe au revoir.

— Salut, Jack, mon beau-frère dans le meilleur des mondes possibles si seulement j'aimais les filles et si tu avais en toi le courage de reconnaître mon amie chère Laura que ce superbement cruel de Boyd a chassée de ma vie.

Littell avança vers lui.

— Lenny...

— Putain, ne t'approche pas plus près, n'essaie pas de me toucher, n'essaie pas de soulager ta culpabilité pathétique, et ne viens en aucune manière déranger ma superbe planante au percodan, sinon je ne te cracherai pas le morceau sur les livres comptables de la Caisse de Retraite, alors que ce sont des infos que je possède depuis le premier jour, espèce d'excuse toute triste au métier de policier.

Littell s'arc-bouta bras tendus contre un fauteuil. Ses doigts déchirèrent le tissu. Il commença à vaciller sur place, tout comme Lenny.

L'étagère branlait sur son assise. Lenny chancelait sur les talons — chargé de came, groggy par les coups.

— Jules Schiffrin garde les livres quelque part à Lake Geneva. Il y possède une super propriété et il a placé les registres dans des coffres ou des coffres forts de dépôt dans les banques du coin, je le sais parce que j'ai fait un spectacle là-bas et j'ai entendu Jules et Johnny Rosselli qui bavardaient. Ne me demande pas de détails parce que je n'en ai pas et le simple fait de me concentrer me fait mal au crâne.

Son bras glissa. Le fauteuil glissa à sa suite. Littell se redressa en trébuchant pour s'appuyer au meuble télé.

— Pourquoi me racontes-tu tout ça ?

— Parce que t'es juste un chouïa meilleur que M. La Bête et M. Boyd et, à mon avis, M. Boyd ne veut les renseignements que pour son avantage personnel, et qui plus est, je me suis fait passer à tabac alors que je travaillais pour M. Sam...

— Lenny...

— ... et M. Sam a dit qu'il allait obliger un puissant à se mettre à genoux pour ça, mais j'ai dit : Je vous en supplie, ne faites pas ça...

— Lenny...

— ... et Jules Schiffrin était avec lui, et ils discutaient d'un certain « Joe l'Irlandais », dans les années 20, et comment ils avaient obligé des figurantes à se mettre à genoux...

— Lenny, allons...

— ... et tout ça me faisait l'effet d'être tellement dégueulasse que je me suis enfilé quelques cachets de rab, et me voici, et si j'ai de la chance, je ne me souviendrai plus de rien au matin.

Littell s'approcha. Lenny se débattit, de gifles, de griffes, de moulinets des bras et de coups de pied, pour l'éloigner.

Les rayonnages dégringolèrent. Lenny s'emmêla les pieds et sortit en chancelant.

Des bouquins de droit tombèrent au sol. Une photographie encadrée d'Helen Agee vola en morceaux.

Littell se rendit à Lake Geneva. Il arriva à minuit et prit une chambre dans un motel en retrait de l'inter-Etat. Il paya d'avance, en liquide, et signa d'un faux nom.

L'annuaire téléphonique de sa chambre comportait un Jules Schiffrin. L'adresse était marquée, « *Rural Free Delivery* », distribution postale sans supplément pour les endroits retirés. Littell consulta une carte du cru et repéra l'endroit : une propriété boisée près du lac.

Il se rendit jusque-là et se gara en bordure de la route. Une paire de jumelles lui firent voir les choses de près.

Il vit une grande demeure en pierre sur un terrain d'au moins cinq hectares. La propriété était close d'une haie d'arbres. Il n'y avait ni murs ni clôtures.

Pas de projecteurs. Deux cents mètres, de la porte jusqu'à la route. Des fils d'alarme sous bandeau encadraient les fenêtres en façade.

Pas de cabane de gardien, pas de grille. La police d'Etat du Wisconsin surveillait la maison de manière informelle.

Lenny avait dit : « Coffres forts ou coffres de dépôt de banque. » Lenny avait dit : « M. Boyd — Renseignements — Avantage personnel. »

Lenny était drogué jusqu'aux yeux, mais lucide. Sa petite phrase sur M. Boyd était facile à décoder.

Kemper était en chasse, il cherchait la piste des livres comptables, en indépendant.

Littell retourna au motel. Il consulta les Pages jaunes et trouva une liste de neuf banques locales au total.

Il se comporterait discrètement et masquerait ainsi le fait qu'il n'était investi d'aucun pouvoir officiel. Kemper Boyd insistait toujours sur la témérité *et* la discrétion.

Kemper avait extorqué des renseignements à Lenny de sa propre autorité. La révélation ne le choqua pas du tout.

Il dormit jusqu'à 10 heures. Il consulta une carte et vit que toutes les banques étaient accessibles à pied.

Les quatre premiers directeurs coopérèrent. Leurs réponses furent directes : M. Schiffrin ne loue pas de coffre chez nous. Les deux suivants secouèrent la tête. Leurs réponses furent directes : Nous n'offrons pas dans nos services la location de coffres personnels.

Le directeur n° 7 demanda à voir une autorisation écrite signée d'un juge. Ce ne fut pas une grosse perte : le nom de Schiffrin lui passa aux oreilles, sans rien éveiller.

Banques n°s 8 et 9 : pas de coffres personnels dans l'agence.

Il y avait plusieurs grandes villes toutes proches. Il y avait deux douzaines de petites villes qui s'étendaient sur un rayon de cent soixante kilomètres. Accéder aux coffres personnels était un rêve d'enfumé.

« Coffres » signifiait, sur les lieux mêmes. Les compagnies chargées des systèmes d'alarme conservaient les schémas des circuits et des emplacements — et ne les divulguaient que sur menaces de poursuites légales.

Lenny avait eu un engagement dans la place. Peut-être avait-il même vu le ou les coffres de ses yeux ?

Lenny était bien trop allumé pour qu'il pût l'approcher maintenant.

Mais...

Jack Ruby était probablement une connaissance de Schiffrin. Jack Ruby se laissait acheter et était consentant.

Littell trouva une cabine téléphonique. L'opératrice des appels interurbains le mit en contact avec Dallas.

Ruby décrocha à la troisième sonnerie.

— Ici le « Carousel Club », là où vous venez vous distraire en y plaçant vos dollars.

— C'est moi, Jack. Ton ami de Chicago.

— Putain... c'est pas le genre d'emmerdes que je...

A l'entendre, il avait l'air d'en avoir le sifflet coupé, complètement scié, avec une vraie tronche de dyspeptique.

— Est-ce que tu connais bien Jules Schiffrin, Jack ?

— Une vague relation. Au mieux, c'est une vague relation. Pourquoi ? Pourquoi ? Pourquoi ?

— Je veux que tu prennes l'avion jusqu'au Wisconsin et que tu fasses un saut chez lui à Lake Geneva sous un prétexte quelconque. J'ai besoin de connaître la disposition des lieux à l'intérieur de sa maison, et je te donne toutes mes économies si tu le fais.

— Putain. Vous êtes un emmerde que je...

— Quatre mille dollars, Jack.

— Putain. Vous êtes un emmerde que je...

Des jappements de chiens interrompirent la communication.

45

Blessington, 12 mai 1960.

— Je sais ce que Jésus a dû éprouver, dit Jimmy Hoffa. Ces putains de pharaons ont pris le pouvoir en profitant de lui, tout comme ces putains de Kennedy qui montent en se servant de moi.

— Apprends un peu ton histoire, dit Heshie Ryskind. C'est Jules César qui s'est fait Jésus.

— Joe Kennedy est un homme avec lequel on peut raisonner, dit Santos Jr. Il n'y a que Bobby, et lui seul, comme brebis galeuse. Joe expliquera un certain nombre de choses de la vie à Jack si celui-ci réussit.

— J. Edgar Hoover hait Bobby, dit Johnny Rosselli. Et il sait qu'on ne peut pas combattre l'Organisation et gagner. Si le môme est élu, il y aura des mecs à la tête un peu plus froide que ce petit enculé de Bobby qui prendront le pas sur lui.

Les gars s'étaient installés sur le ponton aux vedettes rapides, vautrés sur des transats. Pete leur rafraîchissait leurs boissons et les laissait déblatérer à leur guise.

— Ce putain de Jésus, dit Hoffa, changeait le poisson en pain, et c'est à peu près le seul truc que j'aie pas essayé. J'ai claqué six cents bâtons dans les Primaires, j'ai acheté jusqu'au plus petit putain de flic, secrétaire municipal, conseiller ou maire, jusqu'au dernier putain de grand juré, sénateur, juge, procureur et de putain d'enquêteur du ministère public qui a bien voulu se laisser faire. Je suis comme Jésus qui essaierait de séparer les eaux de cette putain de mer Rouge et qui n'arriverait pas plus loin qu'à un fichu motel sur la plage.

— Jimmy, calme-toi, dit Ryskind. Va donc te faire tailler une bonne petite pipe et décontracte-toi. J'ai quelques numéros de nanas du coin. Des nanas sûres. Des filles qui connaissent leur métier et qui adoreraient satisfaire un mec célèbre comme toi.

— Si Jack est élu, dit Rosselli, Bobby va disparaître du circuit et s'évanouir dans la nature. Je parierais qu'il va être candidat au poste de gouverneur du Massachusetts. Raymond Patriarca et les mecs de Boston pourront se faire du souci.

— Ça n'arrivera jamais, dit Santos Jr. Le Vieux Joe et Raymond, ça remonte à bien trop loin tous les deux. Et quand ça tourne au vinaigre pour de bon, c'est Joe la Loi, c'est lui qui donne les ordres — pas Jack ou Bobby.

— Ce qui me tracasse, dit Hoffa, ce sont les inculpations que vont rendre les grands jurys. Mon avocat me dit que l'affaire Sun Valley a peu de chances de m'être favorable, ce qui signifie des inculpations d'ici la fin de l'année. Alors ne faites pas passer Joe Kennedy pour Jésus-Christ en train de refiler à Dieu les Dix Commandements sur le putain de mont Vesuve.

— Santos se contentait juste de faire une remarque, dit Ryskind.

— C'est le mont Ararat, Jimmy, dit Rosselli. Le mont Vesuve, c'est dans le putain de parc de Yellowstone.

— Les mecs, vous ne connaissez pas Jack Kennedy, dit Hoffa. Ce putain de Kemper Boyd vous a convaincus que c'est un anti-castriste à tous crins alors qu'en réalité, c'est un putain d'homo de socialo qui cherche à apaiser les cocos et qui adore les Négros, et y se fait passer pour un amateur de chattes fraîches.

Des embruns éclaboussèrent le ponton. On entendait la cadence des marches au pas à cinquante mètres — Lockhart dirigeait ses troupes à l'entraînement en rangs serrés.

— Je serais bien partant pour une pipe, dit Ryskind.

— T'en es à combien, Hesh ? dit Rosselli.

— Quelque chose comme dans les dix-sept mille, dit Ryskind.

— Déconne pas avec un déconneur, dit Santos Jr. Je dirais huit mille maxi. Au-dessus, tu es bien trop occupé, putain, pour faire du pognon.

Le téléphone du ponton sonna. Pete bascula son fauteuil en arrière et attrapa le combiné.

— Bondurant à l'appareil.

— Je suis content que ce soit vous, mais les grands soldats comme vous, ça dit jamais salut ?

Jack Ruby — im-putain-possible de se tromper.

Pete mit la main en coupe autour du récepteur.

— Qu'est-ce qu'il y a ? Je t'avais dit de ne pas appeler sauf si c'était important.

— Ce qu'il y a, c'est le Fédé fêlé. Il m'a appelé hier, et j'essaie de gagner du temps.

— *Qu'est-ce qu'il voulait ?*

— Il m'a offert quatre bâtons pour prendre l'avion jusqu'à Lake Geneva dans ce foutu Wisconsin pour aller repérer la disposition des lieux au domicile que Jules Schiffrin possède là-bas. Il me semble que ça a rapport avec cette fichue Caisse de Retraite.

— Dis-lui que tu es d'accord pour le faire. Arrange un rencart quelque part, un petit coin tranquille d'ici quarante-huit heures et rappelle-moi.

Ruby déglutit et se mit à bredouiller. Pete raccrocha et fit claquer ses jointures, l'une après l'autre, jusqu'à 10.

Ce foutu téléphone sonna à nouveau...

Pete le chopa.

— Jack, qu'est-ce que tu veux encore ?

— C'est pas Jack, dit une voix d'homme. Ici, c'est un certain M. Giancana qui est à la recherche d'un certain M. Hoffa, qui, m'a dit mon petit doigt, se trouve là-bas avec toi.

Pete agita le combiné en l'air.

— C'est pour toi, Jimmy. C'est Mo.

Hoffa rota.

— Branche-moi c'te haut-parleur qui fait un gros bouton au poteau là-bas. Sam et moi, on a rien à cacher, les mecs.

Pete enclencha l'interrupteur. Hoffa beugla droit en direction du micro :

— Ouais, Sam.

Le haut-parleur cracha, haut et clair :

— Tes mecs de Virginie ont collé une branlée à mon gars, Lenny Sands, Jimmy. Débrouille-toi pour qu'un truc pareil ne se reproduise jamais plus, sinon je serais tenté de t'obliger à présenter tes excuses en public. Si j'ai un conseil à te donner, c'est de laisser tomber cette putain de politique et concentrer tous tes efforts pour éviter la prison.

Giancana reposa son combiné avec violence. Le bruit fit

trembler tout le ponton. Heshie, Johnny et Santos avaient tous en partage la même expression pâlotte et défaite.

Hoffa explosa en jurons. Les oiseaux en jaillirent des arbres comme une volée de plombs et recouvrirent le ciel.

46

Lake Geneva, 14 mai 1960.

La route passait au milieu de deux pâturages clôturés. Des nuages masquaient la lune — la visibilité était voisine de zéro.

Littell se rangea et fourra son argent dans un sac à provisions. Il était 22 h 6 — Ruby était en retard.

Littell éteignit ses phares. Des nuages défilèrent. La lune illumina une forme imposante qui s'avançait vers la voiture.

Le pare-brise explosa. Le tableau de bord lui dégringola sur les genoux. Une barre d'acier fit éclater le volant et arracha le levier de vitesse.

Des mains se saisirent de lui pour le projeter sur le capot. Du verre lui déchira les joues et vint se loger dans sa bouche.

Des mains le balancèrent dans le fossé.

Des mains le ramassèrent pour l'épingler contre une clôture de barbelés.

Il pendait dans le vide. Les barres d'acier perçaient ses vêtements et le tenaient debout.

Le monstre lui arracha son étui. Le monstre le frappa, le frappa et le frappa encore.

La clôture vibrait. Des tortillons de métal lui déchiraient le dos jusqu'à l'os. Il cracha le sang, des morceaux de verre, un gros fragment de l'enjoliveur de capot de la Chevy.

Il sentit une odeur d'essence. Sa voiture explosa. Un souffle brûlant lui roussit les cheveux.

La clôture s'effondra. Il leva les yeux et vit les nuages qui s'embrasaient.

DOCUMENT EN ENCART : *19/5/60. Mémorandum FBI : de l'agent spécial en charge à Milwaukee John Campion au directeur J. Edgar Hoover.*

Monsieur,

Notre enquête sur l'agression au cours de laquelle l'AS Ward Littell a presque trouvé la mort suit son cours mais progresse chichement, en tout premier lieu du fait même de l'état peu reluisant de l'AS Littell et de son manque de coopération.

Des agents des bureaux de Milwaukee et Chicago ont quadrillé Lake Geneva à la recherche de témoins oculaires de l'agression et de témoins qui auraient remarqué la présence de Littell dans la région : ils n'ont pu en trouver aucun. L'ASC de Chicago Leahy m'a informé que Littell était placé sous surveillance lâche pour des raisons relevant de la sécurité interne du Bureau et qu'à deux occasions récentes (les 10 et 14 mai) les agents en filature mobile ont perdu Littell sur un parcours conduisant au nord, vers la frontière du Wisconsin. La nature des occupations de Littell dans la région de Lake Geneva nous est jusqu'à présent inconnue.

Détails spécifiques de l'enquête :

1. — L'agression s'est produite sur une route rurale à six kilomètres au sud-est de Lake Geneva. 2. — Des marques de balayage au sol près des restes de la voiture de Littell indiquent que l'assaillant a effacé toutes traces de ses marques de pneus, ce qui rend impossible tout moulage à des fins d'analyse en laboratoire. 3. — La voiture de Littell a été incendiée au moyen d'un composé nitreux à haute inflammabilité, du genre de ceux qu'on utilise pour la fabrication d'explosifs militaires. De tels composés se consument très rapidement et sont utilisés parce qu'ils minimisent les risques de détruire la zone entourant la cible. De toute évidence, l'assaillant a une expérience militaire et/ou

accès à des fournitures de l'armée. 4. — L'analyse en laboratoire a révélé la présence de billets de banque américains calcinés mêlés à des restes de sac en papier. Le poids global des résidus indique que Littell transportait une grosse somme d'argent dans un sac à épicerie. 5. — Des fermiers ont secouru Littell, qui était épinglé à une section effondrée de clôture en fil de fer barbelé. On l'a emmené à l'Overland Hospital près de Lake Geneva, où il a été soigné pour une multitude de coupures et lacérations postérieures, côtes cassées, contusions, nez fracturé, clavicule brisée, hémorragie interne et blessures faciales profondes dues au contact avec les échardes de verre du pare-brise. Littell a quitté l'hôpital de son propre chef quatorze heures après son admission et loué un taxi qui l'a conduit à Chicago. Les agents du Bureau de Chicago affectés à sa filature à distance ont vu Littell pénétrer dans son immeuble. Il s'est effondré dans le hall d'entrée, et les agents ont intercédé de leur propre autorité et l'ont conduit au St.Catherine's Hospital. 6. — Littell reste à l'hôpital. Son état est considéré comme « satisfaisant » et il sera très vraisemblablement autorisé à sortir dans moins d'une semaine. Un médecin responsable de service a déclaré aux agents que les cicatrices sur le visage et le dos de Littell seront permanentes et qu'il devrait se remettre de ses autres blessures. 7. — Les agents se sont enquis auprès de Littell, de façon répétée, et insistante, sur trois sujets : Sa présence à Lake Geneva, la présence de l'argent brûlé et d'éventuels ennemis qui lui voudraient du mal. Littell a déclaré qu'il se trouvait à Lake Geneva en repérage d'une éventuelle maison ou propriété pour sa retraite, et nié la présence de l'argent. Il a dit qu'il n'avait pas d'ennemis et qu'il considérait que son agression était une méprise, son assaillant s'étant trompé de cible. Interrogé sur d'éventuels membres du PC américain qui pourraient chercher à se venger de lui à cause de son travail pour le Bureau au sein de la Brigade Rouge, Littell a répondu : « Vous plaisantez ? Ces cocos, c'est tous de gentils mecs. » 8. — Son nom n'est apparu dans aucun registre d'hôtel ou de motel, nous présumons en conséquence qu'il s'est inscrit sous un faux nom, ou alors qu'il résidait chez des amis ou des relations. La réponse de Littell — il avait fait quelques petits sommes dans sa voiture — n'a pas été convaincante.

L'enquête se poursuit. J'attends respectueusement vos ordres.

John Campion
Agent Spécial en charge
Bureau de Milwaukee

DOCUMENT EN ENCART : 3/6/60. *Mémorandum FBI — de l'ASC de Chicago Charles Leahy au Directeur J. Edgar Hoover.*

Monsieur,

Concernant l'A.S Ward J. Littell, veuillez être informé de ce qui suit :

L'AS Littell a repris son travail, et a été affecté à des tâches légères, à savoir réviser les dossiers fédéraux de déportation en conjonction avec le bureau du procureur des Etats-Unis, travail qui lui permet de mettre en œuvre ses talents d'analyste en documents légaux qu'il a acquis et développés à la faculté de droit. Littell se refuse à discuter de son agression avec d'autres agents, et ainsi que l'ASC Campion a pu vous le dire, il nous reste encore à trouver des témoins de ses visites à Lake Geneva. Helen Agee a déclaré aux agents que Littell n'avait pas discuté de l'agression avec elle. J'ai personnellement interrogé l'AS Court Meade, le seul ami de Littell au Bureau de Chicago, et je tiens à vous signaler ceci :

A. — Meade a déclaré que fin 1958 et début 1959, à la suite de son expulsion du Programme Grands Criminels, Littell est allé « traîner » aux abords du poste d'écoute PGC et a manifesté son intérêt pour le travail de la Brigade. Cet intérêt s'est dissipé, a déclaré Meade, lequel a estimé, en poussant le raisonnement plus loin, qu'il est extrêmement peu probable que Littell se soit engagé dans des actions anti-Mafia de son propre chef. Meade s'est moqué à l'idée que la Mafia de Chicago pût être responsable de l'agression ou que des gauchistes surveillés par Littell fussent en quête de vengeance pour ses efforts au sein de la Brigade Rouge. Meade pense que les penchants marqués de Littell pour les jeunes femmes, ainsi qu'en témoigne sa liaison prolongée avec Helen Agee, ont été le mobile de l'agression. Meade a ajouté de manière pittoresque : « Remontez jusqu'au Wisconsin et cherchez une fille aux tendances idéalistes avec des frères méchants qui n'ont pas été très chaleureux à l'idée de voir Frangine se trouver comme consort un engnôlé de quarante-sept ans, G-man ou pas. » Je trouve cette théorie plausible.

B. — Le registre des arrestations de Littell dans le cadre du Bureau depuis 50 a été vérifié avec l'intention précise d'y découvrir d'éventuels criminels récemment libérés sur parole aux penchants marqués pour la vengeance. Une liste de douze hommes a été constituée, et leurs alibis vérifiés. Ils ont été lavés de tout soupçon. Je me suis souvenu de l'arrestation par Littell en 53 d'un certain Pierre *Pete* Bondurant, et de la manière dont ce dernier avait raillé Littell lors des procédures de mise en détention. Des agents ont vérifié l'endroit où se trouvait Bondurant pendant la période de l'agression et confirmé qu'il était bien en Floride.

Le profil pro-communiste de Littell continue à se préciser. Littell reste un ami confirmé de Mal Chamales, subversif de longue date, et les registres d'écoutes téléphoniques donnent exactement un total de neuf conversations téléphoniques entre Littell et Chamales, qui contiennent toutes un étalage détaillé et complaisant des sympathies de Littell pour les causes gauchistes et des expressions de son dédain pour la « Chasse aux Sorcières » du FBI. Le 10 mai, j'ai appelé Littell et lui ai ordonné de mettre immédiatement en œuvre une surveillance très rapprochée de Mal Chamales. Cinq minutes plus tard, Littell appelait Chamales pour prévenir ce dernier. Chamales, cet après-midi-là, prenait la parole devant des membres du Parti socialiste des Travailleurs. Littell et un informateur de confiance du Bureau y ont assisté, sans se connaître. L'informateur m'a présenté une transcription mot à mot des remarques de Chamales, séditieuses, anti-Hoover, violemment anti-Bureau. Le rapport de Littell sur la réunion en date du 10 mai qualifiait ces remarques de non incendiaires. Le rapport était également rempli de nombreux autres mensonges et distorsions flagrants dignes d'un traître.

Monsieur, j'ai la conviction que le moment est venu de confronter Littell à la fois à son manque de coopération dans l'affaire de son agression et, de façon plus pertinente, à ses récentes actions séditieuses. Voudriez-vous avoir l'obligeance de réagir ? Je suis d'avis que cette situation requiert une action immédiate.

Respectueusement,

Charles Leahy.

DOCUMENT EN ENCART : 11/6/60. *Mémorandum FBI — du Directeur J. Edgar Hoover à l'ASC de Chicago Charles Leahy.*

Monsieur Leahy,

Concernant Ward Littell : Ne faites rien encore. Remettez Littell en fonction de surveillance du PC américain, relâchez sa surveillance et tenez-moi informé des progrès de l'enquête sur l'agression.

JEH

DOCUMENT EN ENCART : 9/7/60. *Transcription d'une conversation téléphonique FBI officielle — Enregistrée à la demande du Directeur — Classée Confidentiel 1-A — Destinataire unique : le Directeur — Interlocuteurs — Directeur Hoover, Agent spécial Kemper Boyd.*

KB. — Bonjour, monsieur.

JEH. — Kemper, je suis en rogne contre vous. Il y a un certain temps que vous m'évitez.

KB. — Je ne dirais pas les choses en ces termes, monsieur.

JEH. — Naturellement. Vous les diriez de manière calculée afin de minimiser ma rancœur. La question est : M'auriez-vous contacté si je ne vous avais pas contacté en premier ?

KB. — Oui, monsieur, je vous aurais contacté.

JEH. — Avant ou après le couronnement du Roi Jack Premier ?

KB. — Je ne qualifierais pas le couronnement de certitude, monsieur.

JEH. — Dispose-t-il d'une majorité de délégués ?

KB. — Pratiquement. Je pense qu'il sera choisi dès le premier tour.

JEH. — Et vous pensez qu'il remportera la victoire ?

KB. — Oui. J'en suis raisonnablement certain.

JEH. — Je ne peux le contester. Grand Frère et l'Amérique présentent tous les signes d'une histoire d'amour entre niais.

KB. — Il vous gardera à votre poste, monsieur.

JEH. — Naturellement. Tous les présidents depuis Calvin Coolidge ont fait de même, et il vous faudrait tempérer votre processus de distanciation par le savoir que Prince Jack sera au pouvoir pour un maximum de huit années, tandis que je resterai en poste jusqu'au second millénaire.

KB. — Je garderai cela à l'esprit, monsieur.

JEH. — Je vous le conseillerais volontiers. Vous devriez également garder à l'esprit le fait que mon intérêt à l'égard de Grand Frère s'étend au-delà des limites de mon simple souhait de conserver mon poste. Au contraire de vous, j'ai des soucis très altruistes, tels que la sécurité interne de notre nation. Au contraire de vous, mon souci premier n'est pas l'auto-préservation et un avancement d'ordre financier. Au contraire de vous, je ne me targue pas d'avoir pour simple talent digne de ce nom ma capacité à la duplicité.

KB. — Oui, monsieur.

JEH. — Permettez-moi d'interpréter vos réticences à prendre contact avec moi. Craigniez-vous que je ne vous demande de présenter à Grand Frère des femmes en affinité avec le Bureau ?

KB. — Oui et non, monsieur.

JEH. — Ce qui signifie ?

KB. — Ce qui signifie que Petit Frère ne me fait pas entièrement confiance. Ce qui signifie que le programme de la campagne des Primaires a été démentiel et qu'il ne m'a laissé le temps que de trouver des call-girls locales. Ce qui signifie que j'aurais pu éventuellement loger Grand Frère dans des chambres d'hôtel prééquipées de mouchards du Bureau, mais Petit Frère traîne ses guêtres dans les services de la loi et de l'ordre depuis des années, et il pourrait peut-être savoir que de tels mouchards existent.

JEH. — J'en arrive toujours aux mêmes conclusions à votre égard.

KB. — Ce qui signifie ?

JEH. — Ce qui signifie que je ne sais jamais si vous mentez ou non, et que, dans une certaine mesure, cela m'est égal.

KB. — Merci, monsieur.

JEH. — A votre service. C'était un compliment monstrueux, mais néanmoins sincère. Allez-vous à Los Angeles pour la convention ?

KB. — Je pars demain. Je serai logé au Statler, en centre ville.

JEH. — On vous contactera. Le Roi Jack ne voudra pas rester en manque de compagnie féminine, s'ennuierait-il, le cas échéant, entre deux marques d'approbation.

KB. — Des amies aux atours électroniques ?

JEH. — Non. Qui sachent simplement écouter. Nous discuterons d'éventuelles entreprises électroniciennes lors de la campagne d'automne, si Petit Frère vous confie ses projets de déplacements.

KB. — Bien, monsieur.

JEH. — Qui a agressé Ward Littell ?

KB. — Je ne suis pas sûr de savoir.

JEH. — Avez-vous parlé à Littell ?

KB. — Helen Agee a appelé et elle m'a parlé du passage à tabac. J'ai appelé Ward à l'hôpital, mais il a refusé de me donner l'identité de son agresseur.

JEH. — Pete Bondurant vient à l'esprit. Il est impliqué dans vos escapades cubaines, n'est-ce pas ?

KB. — Effectivement.

JEH. — Effectivement, et puis encore ?

KB. — Nous discutons dans le cadre et les limites imposés par les entreprises de l'Agence.

JEH. — Le Bureau de Chicago a été satisfait de l'alibi de Bondurant. La personne qui lui a fourni ledit alibi est un célèbre trafiquant d'héroïne, condamné pour viol à de multiples reprises à Cuba, mais comme l'a dit un jour Capone, un alibi est un alibi.

KB. — Oui, monsieur. Et comme vous l'avez dit un jour vous-même, l'anticommunisme donne le jour à d'étranges compagnons de lit.

JEH. — Au revoir, Kemper. J'espère très fort que notre prochaine entrevue téléphonée se fera à votre instigation.

KB. — Au revoir, monsieur.

47

Los Angeles, 13 juillet 1960.

L'employé de l'hôtel lui tendit une clé plaquée or.

— Nous avons eu un petit problème de réservations, monsieur. Votre chambre a été attribuée par inadvertance, mais nous allons vous offrir une suite au tarif d'une chambre normale.

Les nouveaux arrivants se pressaient devant la réception.

— Merci, dit Kemper. C'est le genre de problème avec lequel je peux vivre.

L'employé brassa ses liasses de papiers.

— Puis-je me permettre de vous poser une question ?

— Permettez-moi à mon tour de deviner. Si ma chambre m'est réglée au titre de défraiements de la campagne Kennedy, pourquoi serais-je ici au lieu de résider au Biltmore avec le reste du personnel ?

— Oui, monsieur. C'est exactement cela.

Kemper lui fit un clin d'œil.

— Je suis un espion.

L'employé rit. Quelques présents à l'allure de délégués lui firent signe pour attirer son attention.

Kemper passa à leur côté et prit l'ascenseur jusqu'au douzième. Sa suite : la présidentielle, doubles portes, scellée d'or, meublée d'antiquités.

Il en fit le tour. Il en savoura les avantages et contempla la vue offerte nord-nord-est.

Deux chambres, trois télévisions et trois téléphones. Du champagne offert par la direction dans son seau à glace en étain marqué du sceau du président des Etats-Unis.

Il déchiffra le « petit problème » instantanément : J. Edgar Hoover à l'œuvre.

Il veut te coller la trouille. Il est en train de te dire : « Tu m'appartiens. » Il tourne en dérision la ferveur dont tu fais montre pour les Kennedy et ta passion pour les suites d'hôtel. *Il cherche des renseignements, par mouchard ou par écoute, dont il pourrait se servir.*

Kemper alluma la télé du salon. Des commentaires sur la convention envahirent l'écran.

Il alluma les autres télés — et mit le volume en pleine puissance.

Il quadrilla la suite. Il trouva des micros à condensateur à l'intérieur de cinq lampes et faux panneaux derrière les miroirs de salle de bains.

Il trouva deux micros auxiliaires couverts d'enduit dans le lambrissage du salon. De minuscules perforations transmettaient les sons — jamais un non-professionnel ne les aurait repérés. Il vérifia les téléphones. Tous les quatre étaient équipés de mouchards.

Kemper repensa la situation du point de vue de Hoover.

Nous avons discuté de mouchards il y a quelques jours. Il sait que je ne veux pas piéger Jack avec des femmes « en affinité avec le Bureau ».

Il a dit qu'à son avis, Jack au pouvoir était une chose inévitable. Il se peut qu'il mente délibérément. Il se peut qu'il cherche à obtenir des preuves d'adultères — pour aider son bon ami Dick Nixon.

Il sait que tu perceras à jour son *petit problème de réservations*. Il se dit que tu vas passer tes coups de fil confidentiels à partir de cabines publiques. Il se dit que tu vas écourter délibérément tes conversations ensuite, sinon détruire les micros/mouchards/écoutes dans un accès de rogne.

Il sait que Littell t'a enseigné les principes des écoutes/micros espions. Il ne sait pas que Littell t'a enseigné quelques finesses du métier.

Il sait que tu découvriras les *micros principaux*. Il se dit que tu ne découvriras pas les mouchards qu'il a placés en réserve, ceux grâce auxquels il va te coller au tapis.

Kemper éteignit les télés. Kemper fit semblant de piquer une crise de folie furieuse — « Nom de Dieu de Hoover » et autres petits mots bien pis.

Il arracha les micros/mouchards de première ligne.

Il repassa la suite au quadrillage — de manière plus diligente encore.

Il trouva les mouchards téléphoniques secondaires. Il repéra des perforations du microphone sur deux étiquettes de matelas et trois coussins de fauteuils.

Il descendit dans le hall d'entrée et loua la chambre 808 sous un pseudonyme. Il appela le service de John Stanton et laissa ses coordonnées, faux nom et numéro de chambre.

Pete était à L.A., il était allé retrouver Howard Hughes. Il appela la maison du chien de garde et laissa un message au nettoyeur de piscine.

Il avait du temps libre devant lui. Bobby n'avait pas besoin de ses services avant 17 heures.

Il alla jusqu'à une quincaillerie. Il acheta pince coupante, pince plate, tournevis à tête Phillips, trois rouleaux d'adhésif et deux petits aimants. Il retourna au Stalter et se mit au travail.

Il recâbla les logements des vibreurs. Il refit les circuits d'alimentation. Il étouffa les sonneries à l'aide de garniture d'oreiller. Il racla les gaines de caoutchouc sur les câbles primaires — les conversations d'éventuels correspondants seraient reprises en termes incohérents sur tous les autres postes équipés de mouchards.

Il étala les pièces pour un remontage facile. Il appela le service pour se faire monter Beefeater et saumon fumé.

Il reçut des coups de fil. Son système de neutralisation marcha à la perfection.

C'est tout juste s'il entendait ses interlocuteurs. Les grésillements de la ligne noyaient toutes les conversations reçues — les micros ne captaient que sa seule voix.

Son contact au LAPD l'appela. Comme prévu, une escorte de motocyclistes accompagnerait le sénateur Kennedy à la convention.

Bobby appela. Pouvait-il trouver quelques taxis qui feraient la navette et ramèneraient les membres de l'équipe au Biltmore ?

Kemper appela un service de location et mit à exécution l'ordre de Bobby. Il dut tendre l'oreille pour entendre le répartiteur.

Un concert d'avertisseurs résonnait sur Wilshire Boulevard. Kemper consulta sa montre et regarda par la fenêtre du salon.

Sa procession automobile des « Protestants pour Kennedy » passa. A l'heure et à la minute près — déjà payés, à cinquante dollars par voiture.

Kemper alluma les postes de télévision et arpenta la pièce de l'un à l'autre. L'histoire se mit à rayonner des écrans en noir et blanc tranchés.

CBS qualifiait Jack de vainqueur facile à ce premier ballet. ABC diffusait des plans panoramiques, une grande manifestation Stevenson venait d'éclater. NBC montrait une Eleanor Roosevelt bégueule : « Le sénateur Kennedy est tout bonnement trop jeune ! »

ABC bourrait le crâne de balivernes sur Jackie Kennedy. NBC montrait Frank Sinatra à l'œuvre au milieu des délégués. Frankie était vaniteux — Jack racontait qu'il se peignait la tonsure à la bombe pour atténuer les reflets devant les caméras.

Kemper arpentait la pièce en changeant de chaînes. Il tomba sur un pot-pourri de fin d'après-midi.

Analyse de la convention et match de base-ball. Des interviews de la convention et un film de Marilyn Monroe. Des plans de la convention. Des plans de la convention. Des plans de la convention.

Il tomba sur quelques jolis cadrages de la suite de Jack qui faisait office de quartier général. Il vit Ted Sorensen, Kenny O'Donnel et Pierre Salinger.

Il avait rencontré Salinger et O'Donnel à une occasion. Jack lui avait montré Sorensen — « le mec qui a écrit *Profiles in Courage* pour moi ».

C'était du cloisonnement, dans l'acception classique du terme. Jack et Bobby le connaissaient — mais personne d'autre ne savait vraiment qui il était. C'était juste ce flic qui arrangeait les choses et trouvait des femmes à Jack.

Kemper rapprocha les chariots de télé côte à côte. Il créa un tableau : Jack en gros plans et plans moyens.

Il éteignit les lumières de la pièce et baissa le volume. Il avait trois images et un murmure homogène.

Le vent ébouriffait la chevelure de Jack. Pete qualifiait la crinière de Jack d'attribut premier.

Pete avait refusé de discuter de l'agression sur Littell. Il avait contourné le problème pour parler argent.

Pete l'avait appelé pendant que Littell se trouvait encore à l'hôpital. Pete alla droit au but.

— Tu es complètement remonté sur les livres comptables de la Caisse de Retraite, tout comme Littell. Tu le pousses au cul pour qu'il leur mette la main dessus, de manière à trouver le moyen de te faire de l'argent dans l'histoire. Je dis : Après l'élection, on *alpague* Littell tous les *deux*. On le chauffe. Et quel que soit le biais qu'on trouve, on partage les bénéfices.

Pete avait émasculé Ward. Pete avait livré à domicile la « Trouille » promise, ainsi qu'il l'avait dit.

Il avait appelé Littell à l'hôpital. Ward avait cloisonné ses réponses.

— Je ne te fais pas confiance là-dessus, Kemper. Tu peux obtenir les détails de labo auprès du Bureau, mais je refuse de te dire *qui* et *pourquoi*.

Le *où* était Lake Geneva, Wisconsin. Le lieu devait *inévitablement* se relier de façon significative à la Caisse de Retraite. « Je ne te fais pas confiance là-dessus » ne pouvait signifier qu'une chose : Lenny Sands lui racontait des conneries.

Pete savait ce que cloisonnement signifiait. Ward et Lenny le savaient aussi. John Stanton disait que c'était la CIA qui avait forgé ce concept particulier.

John l'avait appelé à D.C. à la mi-avril. En lui disant que Langley venait d'ériger un mur, pour les cloisonner.

— Ils coupent les ponts avec nous, Kemper. Ils sont au courant des affaires de notre Cadre, et ils approuvent, mais ils nous refusent un centime de budget. Nous sommes salariés comme membres du personnel du camp de Blessington, mais les affaires de fait que mène notre Cadre sont excommuniées.

Ce qui signifiait : Pas de messages codés de la CIA. Pas de sigles CIA. Pas de noms de code CIA et pas de charabia CIA sans initiales directes ou détournées.

Le Cadre était purement et simplement cloisonné.

Kemper changea de chaînes, son coupé. Il se trouva une juxtaposition superbe : Jack et Marilyn Monroe sur deux écrans voisins.

Il rit. Et trouva instantanément la touche finale de l'entourloupe Hoover.

Il décrocha le téléphone et composa le numéro de la Météo. Il entendit un bourdonnement monotone — à peine audible.

— Kenny ? dit-il. Salut, c'est Kemper Boyd.

Il attendit quatre secondes.

— Non, il faut que je parle au Sénateur.

Il attendit quatorze secondes.

— Comment vas-tu, Jack ? — d'un ton enjoué, la voix allègre.

Il attendit cinq secondes, le temps d'une réponse plausible.

— Oui, tout *est* arrangé avec l'escorte.

Vingt-deux secondes.

— Oui. Très bien. Je sais que tu es occupé.

Huit secondes.

— Oui. Dis à Bobby que les hommes de la sécurité sont à pied d'œuvre à la maison.

Douze secondes.

— Exact. L'objet de ce coup de fil *est* de savoir si tu veux tirer un coup, parce que si c'est le cas, j'attends des coups de fil de quelques filles qui adoreraient te rencontrer.

Vingt-quatre secondes.

— Je ne le crois pas.

Neuf secondes.

— C'est Lawford qui a tout arrangé ?

Huit secondes.

— Allons, Jack. *Marilyn Monroe* ?

Huit secondes.

— Je le croirai si tu me dis de ne pas t'envoyer de filles.

Six secondes.

— Seigneur Jésus.

Huit secondes.

— Bien. Naturellement, que je voudrais des détails. Bien. Au revoir, Jack.

Kemper raccrocha. Jack et Marilyn se cognèrent la tête, télévisuellement parlant.

Il venait de créer un paradis pour voyeur/mouchard. Hoover allait en juter dans ses jeans et peut-être bien faire naître quelque mythe complètement cinglé.

48

Beverly Hills, 14 juillet 1960.

Le Wyoming accorda son vote à Jack Dos Cassé. Les délégués étaient tous des putains de fêlés de première.

Hughes baissa le volume et se redressa péniblement sur ses oreillers.

— Il est nominé. Mais il est encore loin d'être élu.

— Oui, monsieur, dit Pete.

— Tu te montres obtus comme par un fait exprès. « Oui, monsieur » n'est pas la réponse qui convient. Et tu restes assis là, dans ce fauteuil, en te montrant délibérément irrespectueux.

Une publicité apparut sur l'écran : l'OLDSMOBILE YEAKEL, LE CHOIX DE L'ELECTEUR !

— Et que diriez-vous de ceci ? « Oui, monsieur, Jack a une bien belle crinière mais notre homme Nixon lui filera la pâtée lors de l'élection générale. »

— C'est mieux, dit Hughes. Mais je détecte une certaine impertinence.

Pete fit craquer ses pouces.

— J'ai pris l'avion jusqu'ici parce que vous m'avez dit que vous aviez besoin de moi. Je vous ai apporté assez de came pour tenir trois mois. Vous m'avez dit que vous vouliez discuter de la stratégie à suivre pour éviter les citations à comparaître, mais tout ce que vous avez fait jusqu'alors, c'est de délirer sur les Kennedy.

— C'est de la plus grossière impertinence, dit Hughes.

Pete soupira :

— Faites venir vos mormons qu'ils me montrent la porte, en ce cas. Demandez à Duane Spurgeon de vous procurer de la came en violation de six milliards de petits de lois, fédérales ou autres.

Hughes tressaillit. Ses tubes d'intraveineuses se tendirent, sa bouteille de sang se mit à trembloter. Howard le Vampire : à se téter ses transfusions pour s'assurer une longévité sans microbes.

— Tu es un homme très cruel, Pete.

— Non. Ainsi que je vous l'ai déjà dit, je suis *votre* homme très cruel.

— Tes yeux sont plus petits et plus cruels. Et tu ne cesses de me regarder d'un œil étrange.

— J'attends que vous me mordiez au cou. J'ai pas mal roulé ma bosse, mais cette nouvelle petite fantaisie Dracula, c'est quelque chose à voir.

Putain, mais Hughes *sourit* !

— Ce n'est pas plus stupéfiant que de te voir combattre Fidel Castro.

Pete sourit.

— Y avait-il quelque chose d'important dont vous vouliez me parler ?

La convention réapparut sur l'écran. Les partisans de Jack Dos Cassé acclamaient et se pâmaient.

— Je veux que tu vérifies les plans conçus par mes collègues mormons pour me permettre d'échapper aux assignations à comparaître. Ils ont trouvé quelques ingénieuses...

— Nous aurions pu faire cela par téléphone. Vous avez réussi à vous accrocher à vos dossiers TWA depuis 57, personne n'a mis la main dessus, et je pense que le ministère de la Justice n'en a plus rien à branler.

— C'est peut-être un fait attendu, mais j'ai maintenant une raison spécifique pour éviter de me séparer de la TWA, jusqu'au moment le plus opportun.

Pete soupira.

— J'écoute.

Hughes tapota ses machins de goutte-à-goutte. Un flacon de sang se vida, passant de rouge à rose.

— Lorsque je me séparerai de la société, au bout du compte, je veux utiliser l'argent pour acheter des hôtels-casinos à Las Vegas. Je tiens à accumuler d'énormes bénéfices en liquide, indétectables, et je veux respirer du bon air bien pur, l'air du désert sans microbes. J'engagerai mes collègues mormons comme administrateurs des hôtels, pour m'assurer que les Nègres susceptibles de polluer l'environnement soient poliment mais fermement découragés d'y entrer, et je me créerai ainsi une masse de fonds propres qui me permettra de me diversifier dans différents secteurs des industries de la Défense sans avoir à payer d'impôts sur mes capitaux de départ. Je...

Pete débrancha. Hughes continua à crachoter ses nombres : millions, milliards, billions. Jack K était sur l'écran — en train de cracher ses « VOTEZ POUR MOI », son baissé.

Pete fit ses décomptes personnels, de tête.

Il y a Littell à Lake Geneva — en train de pourchasser la Caisse de Retraite. Il y a Jules Schiffrin — une barbe chenue de la Mafia de Chi, et personnage respecté. Jules *pourrait* tout bonnement tenir les livres de comptes planqués dans sa crèche.

— Pete, dit Hughes, tu ne m'écoutes pas. Cesse de regarder ce politicien puéril et accorde-moi toute ton attention.

Pete appuya sur le bouton d'arrêt. Jack la Belle Coupe disparut.

Hughes toussa.

— C'est mieux. Tu regardais ce garçon avec quelque chose qui ressemblait à de l'admiration.

— C'est ses cheveux, Patron. Je me demande comment il fait pour les faire tenir de cette manière.

— Tu as la mémoire courte. Et je disjoncte très vite lorsqu'on me répond avec ironie.

— Ouais ?

— Oui. Tu pourrais peut-être te rappeler qu'il y a deux ans de cela, je t'ai offert vingt mille dollars pour essayer de compromettre ce garçon avec une prostituée.

— Je me souviens.

— Ta réponse n'est pas complète.

— La réponse complète, c'est que « les choses changent ». Vous ne pensez quand même pas que l'Amérique va se coller dans les draps avec un Dick Nixon alors qu'elle peut faire câlin-câlin avec Jack, non ?

Hughes se redressa sur son lit. Pied et tête de lit branlèrent ; sa potence à I-V vacilla.

— *Je possède Richard Nixon.*

— Je le sais, dit Pete. Et je suis sûr qu'il vous est très reconnaissant pour ce prêt que vous avez lâché à son frère.

401

Dracula se prit à trembler. Dracula se coinça le râtelier contre le palais.

Dracula réussit à sortir quelques mots.

— J'a-j'a-j'avais oublié que tu étais au courant.

— Un mec aussi occupé que vous ne peut pas se souvenir de tout.

Drac tendit la main vers une nouvelle seringue.

— Dick Nixon est un brave homme, et la famille Kennedy tout entière est pourrie jusqu'à la moelle. Joe Kennedy prête de l'argent aux gangsters depuis les années 20, et je sais comme un fait certain que l'infâme Raymond L.S. Patriarca lui doit jusqu'à la chemise qu'il porte sur le dos.

Il disposait de tous les dossiers du prêt. Il pourrait refiler tout le topo à Boyd et se gagner une grosse dette auprès de Jack.

— Tout comme je vous dois, dit Pete.

Hughes se mit à bicher.

— Je savais bien que tu comprendrais où je voulais en venir.

49

Chicago, 15 juillet 1960.

Littell étudia son nouveau visage.

La ligne molle du maxillaire avait été reconstruite, à l'aide de broches et de fragments d'os. La ligne molle du menton, réduite en bouillie, se marquait d'une fossette. Le nez qu'il avait toujours détesté était aplati et crénelé de chair.

Helen avait dit qu'il avait l'air dangereux. Helen avait dit que les cicatrices qu'il portait rendaient les siennes dérisoires.

Littell se recula du miroir. La lumière changeante lui offrit de nouveaux angles à savourer.

Il boitait maintenant. Sa mâchoire claquait. Il avait repris dix kilos à l'hôpital.

Pete Bondurant avait fait du vrai travail de chirurgien.

Littell avait un nouveau visage. Vigoureux. Son ancienne psyché pré-Phantôme n'était plus à la hauteur de son apparence.

Il avait peur de s'attaquer à Jules Schiffrin. Il avait peur d'affronter Kemper. Il avait peur de parler au téléphone — de petits déclics ne cessaient de lui claquer aux oreilles.

Les déclics pouvaient correspondre à des effets auditifs du D.T.

Il était à six mois de la retraite. Mal Chamales disait que le Parti avait besoin d'avocats.

Une télé résonnait à pleine puissance dans la chambre voisine. Le discours d'acceptation de John Kennedy fut noyé sous les applaudissements.

Le Bureau avait mis un terme à son enquête sur l'agression.

Hoover savait qu'il pouvait saboter l'infiltration de Boyd chez les Kennedy.

Littell se rapprocha du miroir. Les cicatrices au-dessus de ses sourcils se plissèrent.

Il ne pouvait plus s'arrêter de regarder.

50

Pete eut quarante ans lors d'une incursion en vedette rapide à Cuba. Il conduisait un raid contre un poste de la Milice et ramena seize scalps.

Ramon Guttierez avait dessiné une mascotte pour le Cadre : un pitt-bull avec une gueule d'alligator et des dents affûtées comme des rasoirs. La petite amie de Ramon avait cousu des mascottes en écusson d'épaule.

Un imprimeur conçut des cartes de visite mascottes : « LIBE-REZ CUBA », rugissait la bulle, au sortir de la gueule de la Bête.

Carlos Marcello en avait une sur lui. Sam G. en avait une sur lui. Santos Jr. en avait distribué des dizaines, à des amis et à des associés.

La Bête se repaissait de sang. La Bête voulait se repaître de la barbe de Castro au bout d'un bâton.

Les cycles d'entraînement s'enchaînaient à Blessington. Le plan d'invasion exigeait du matériel lourd. Dougie Frank Lockhart acheta des péniches de débarquement à bord desquelles il « envahissait » l'Alabama une fois par cycle.

La côte du Golfe simulait Cuba. Les stagiaires débarquaient sur la plage et foutaient une trouille à en chier à tous les baigneurs.

Dougie Frank entraînait les troupes à plein-temps. Pete entraînait les troupes à mi-temps. Chuck, Fulo et Wilfredo Delsol dirigeaient la société de taxis.

Pete menait les attaques par vedettes rapides sur Cuba. Tout le monde était de la fête, à l'exception de Delsol.

Le meurtre d'Obregon lui avait coupé net une part de ses

couilles. Pete ne le jugeait pas — perdre un parent proche en l'espace d'un éclair, ce n'était pas du gâteau.

Tout le monde vendait de la came.

Le Cadre ne fournissait que les camés négros, exclusivement. Les services de police de Miami approuvaient, de manière implicite. Les enveloppes à la brigade des Stups servaient de garantie contre une éventuelle désapprobation.

Une bande de péquenots essaya d'envahir leur territoire en août. Un taré avait tiré et descendu un adjoint du shérif du comté de Dade.

Pete retrouva le mec, terré avec soixante-dix bâtons et une caisse de Wild Turkey. Il lui avait réglé son compte avec la machette de Fulo et fait don du pognon à la veuve de l'adjoint.

Les bénéfices grimpaient en flèche. Le système de pourcentages fonctionnait au quart de poil, comme une lettre à la poste — Blessington et Guy Banister se récupéraient des parts juteuses. Lenny Sands dirigeait la guerre de propagande à *L'Indiscret*. Des morceaux de bravoure venaient asticoter le Barbu toutes les semaines.

Dracula passait son coup de fil hebdomadaire. Il déblatérait des conneries qui battaient les records : Je veux acheter Las Vegas et la nettoyer de tous ses microbes. Drac était mi-lucide, mi-fêlé — seul point sur lequel le grand crachotier ne se mouillait pas : le pognon.

Boyd appelait deux fois par semaine. Boyd était au service de Jack Dos Cassé, comme responsable de la sécurité et mac en chef.

M. Hoover n'arrêtait pas de le harceler avec ses coups de fil que Kemper n'arrêtait pas d'esquiver. Hoover attendait de lui qu'il colle entre les pattes de Jack une nana truffée de micros.

Boyd appelait ça une course contre la montre : éviter L'Homme jusqu'à ce que Jack devienne L'Homme.

Hoover avait collé des micros dans la suite de Boyd à L.A. Kemper lui avait refilé quelques faux tuyaux bien épicés : Jack K. saute Marilyn Monroe !

Hoover avait gobé le mensonge. Un agent de L.A. apprit à Boyd que Monroe se trouvait sous étroite surveillance : micros, écoutes téléphoniques et six hommes à plein-temps.

Lesquels agents étaient déconcertés. Jack la Belle Coupe et M. n'avaient pas été en contact.

Pete éclata de rire, à s'en faire péter la rate. Dracula confirma la rumeur : Marilyn et Jack, le dernier cancan brûlant !

Boyd disait qu'il fouillait au corps toutes les filles de Jack.

Boyd disait que Kennedy et Nixon étaient au coude à coude.

Pete ne dit pas, *Moi*, j'ai des tuyaux bien crasses. Je peux les *vendre* à Jimmy Hoffa ; je peux te les *donner* pour en salir Nixon.

Jimmy est un collègue ; Boyd, un partenaire. Qui est plus pro-Cause — Jack ou Nixon ?

Dick l'Escroc était violemment anti-Barbu. Jack donnait de la voix, mais il était loin d'être enragé.

John Stanton appelait Nixon « monsieur Invasion ». Kemper disait que Jack donnerait le feu vert à tous les plans d'invasion.

Pour Boyd, le problème clé de la campagne, était le CLOISON-NEMENT.

Ike et Dick savaient que l'Agence et la Mafia avaient partie liée sur Cuba. Les Kennedy ne le savaient pas — ils l'apprendraient peut-être, ou peut-être pas, si Jack se mettait la Maison-Blanche dans la poche.

Qui décide de cracher le morceau ? Kemper Cathcart Boyd en personne. Le facteur décisif ? Sa perception de l'influence moralisatrice de Bobby sur Grand Frère.

Bobby pouvait trancher dans le vif tous les liens Mafia/CIA. Bobby pouvait trancher dans le vif le marché — très motivant — Boyd/Bondurant sur les casinos.

Jack ou Dick — dur, très dur de choisir.

Le pari intelligent : Ne pas salir Nixon, bouffeur de Rouges blanchi sous le harnais. Un peu moins intelligent, mais sexy : le salir et mettre Jack à la Maison-Blanche.

Votez Boyd. Votez la Bête. Votez la barbe à Fidel Castro au bout d'un bâton.

DOCUMENT EN ENCART 13/10/60. *Mémorandum FBI : de l'ASC Charles Leahy à Chicago au Directeur J. Edgar Hoover — Marqué : « Confidentiel/Destinataire unique : le Directeur ».*

Monsieur,

Le profil peu reluisant de l'AS Ward J. Littell procommuniste est terminé. Ce mémo rend nuls et non avenus tous les rapports confidentiels précédents relatifs à Littell : pièces à conviction détaillées et documentées suivent sous pli séparé.

Pour vous remettre à jour des récents développements :

1. — Claire Boyd (fille de l'AS Kemper C. et de longue date amie de la famille Littell) a été contactée. Elle a accepté de ne pas parler à son père de l'entrevue. Mlle Boyd a déclaré qu'à Noël dernier, l'AS Littell avait fait des réflexions obscènes et très désobligeantes anti-Bureau et anti-Hoover, en vantant le Parti communiste américain.

2. — Il n'y a pas de pistes dans l'enquête sur l'agression Littell. Nous ne connaissons toujours pas les raisons de sa présence à Lake Geneva dans le Wisconsin.

3. — La maîtresse de l'AS Littell, Helen Agee, a été placée sous surveillance pendant une période de deux semaines le mois dernier. Plusieurs des professeurs de Mlle Agee à la faculté de droit de l'université de Chicago ont été questionnés sur ses déclarations politiques. Nous disposons aujourd'hui de quatre rapports confirmés que Mlle Agee s'est elle aussi montrée critique à l'égard du Bureau. Un professeur (informateur 179 du Bureau de Chicago) a déclaré que Mlle Agee s'était enflammée contre le FBI parce que celui-ci s'était montré incapable de résoudre une « simple affaire d'agression dans le Wisconsin ». Elle a poursuivi en qualifiant le Bureau de « Gestapo américaine : à cause d'elle, son père était mort et son amant n'était plus qu'un infirme ». (Un doyen de l'U. de C. va recommander que la bourse d'études de Mlle Agee soit

rapportée aux termes d'une déclaration de loyauté que signent tous les étudiants acceptés en faculté de droit.)

En conclusion :
Je pense que l'heure est venue d'approcher l'AS Littell.
J'attends vos ordres.

Respectueusement,

Charles Leahy, ASC, Chicago.

DOCUMENT EN ENCART : 15/10/60. *Mémorandum FBI — du Directeur J. Edgar Hoover à l'ASC Charles Leahy.*

M. Leahy,
Pas d'approche de l'AS Littell sans mon ordre.

JEH.

51

Chicago, 16 octobre 1960.

Sa gueule de bois était brutale. De mauvais rêves l'avaient laissé schizo, tous les hommes présents dans le restau ressemblaient à des flics.

Littell remua son café. Ses mains tremblaient. Mal Chamales jouait avec un rouleau de pastilles et tremblait presque aussi fort.

— Mal, tu veux en arriver quelque part.

— Je ne suis pas en position de quémander des faveurs.

— S'il s'agit d'une faveur officielle du FBI, il faut que tu saches que je prends ma retraite dans exactement trois mois, jour pour jour.

Mal se mit à rire.

— Comme j'ai dit, le Parti a toujours besoin d'avocats.

— Il faudrait que je réussisse d'abord les examens du barreau d'Illinois. C'est soit ça, soit déménager à D.C. et exercer en loi fédérale.

— Elles ne vont pas bien loin, tes sympathies gauchistes.

— Mes apologies du Bureau non plus. Mal...

— Je pose ma candidature comme enseignant. On dit que les services de l'Education de l'Etat mettent un terme à la liste noire. Je veux me couvrir, et je pensais que tu pourrais rédiger tes rapports en montrant que je quitte le Parti.

L'homme de grande taille au comptoir lui paraissait familier. Tout comme celui qui traînait dehors, d'ailleurs.

— Ward...

— Bien sûr, Mal. Je le mettrai clairement dans mon prochain rapport. Je dirai que tu quittes le Parti pour prendre un emploi dans la campagne Nixon.

Mal ravala quelques larmes. Mal faillit faire dégringoler la table en essayant de donner l'accolade à Littell.

— Fiche le camp d'ici, dit Littell. Je n'aime pas enlacer les cocos en public.

Le restau faisait face à son immeuble. Littell s'accapara un siège près de la fenêtre et tua le temps à décompter les autocollants de pare-chocs.

Deux voitures Nixon étaient garées au bord du trottoir. Il vit une décalco Nixon-Lodge sur le pare-brise de son propriétaire.

Les voitures passaient en flèche. Littell n'avait droit qu'à des visions fugitives : six Nixon et trois Kennedy.

La serveuse vint lui compléter sa tasse de café. Il y ajouta deux doses de sa flasque.

Résultats du sondage d'opinion de l'instant : Nixon balaie Chicago !

Le soleil frappa la fenêtre. De merveilleuses distorsions lui arrivèrent en pleine figure : son nouveau visage, sa nouvelle raie irrégulière dans les cheveux.

Helen monta les marches de son immeuble en courant. Elle avait l'air complètement ravagée — pas de maquillage, pas de manteau, jupe et chemisier non assortis.

Elle aperçut la voiture de Littell. Elle regarda de l'autre côté de la rue et le vit derrière la fenêtre.

Elle se mit à courir. Des feuilles de cahier s'échappèrent de son sac à main.

Littell alla jusqu'à la porte. Helen l'ouvrit, d'une *poussée* violente des deux mains.

Il essaya de l'attraper. Helen sortit l'arme qu'il avait dans son étui et se mit à l'en frapper.

Elle le frappa dans la poitrine. Elle le frappa dans les bras. Elle essaya d'écraser la détente, cran de sûreté en place. Elle le frappa de grands moulinets de fille — trop rapides pour qu'il pût les arrêter.

Le mascara lui coulait sur les joues. Son sac à main se renversa, déversant tous ses livres. Elle criait des mots étranges : bourse d'études rapportée et serment de loyauté et TOI TOI TOI...

Des têtes se tournèrent vers eux. Deux hommes au comptoir dégainèrent leur arme.

Helen cessa de le frapper.

— Nom de Dieu, c'est TOI, ça, je sais que c'est TOI.

Il roula jusqu'au Bureau. Il emplafonna la voiture de Leahy et courut jusqu'à la salle de brigade.

La porte de Leahy était fermée. Court Meade l'aperçut et détourna la tête.

Deux hommes passèrent, en bras de chemise, étui à l'épaule. Littell se souvint d'eux : les deux mecs qui montaient des lignes à l'extérieur de son appartement.

La porte de Leahy pivota sur ses gonds. Un homme sortit la tête dans le couloir. Littell se souvint de lui : le mec à la poste, hier.

La porte se referma. Des voix filtrèrent : « Littell », « la fille Agee ».

Il défonça la porte du pied. Il cadra la scène à la Mal Chamales.

Quatre fascistes en flanelle grise, en pleine conférence. Quatre parasites de droite exploiteurs...

— Rappelez-vous ce que je sais, dit Littell. Rappelez-vous à quel point je peux faire mal au Bureau.

Il acheta pinces, lunettes de protection, plaques de protection magnétiques, diamant de vitrier, gants de caoutchouc, un fusil de chasse calibre 10, cent cartouches de chevrotines double-zéro, une caisse de dynamite industrielle, trois cents mètres d'isolant phonique, un marteau, des clous et deux grands sacs en toile.

Il déposa sa voiture dans un garage.

Il loua une Ford Victoria 57, avec de fausses pièces d'identité.

Il acheta trois litres de scotch, juste assez pour se sevrer jusqu'à plus soif.

Il se rendit à Sioux City, dans l'Iowa.

Il déposa sa voiture de location et prit un train vers le nord, direction Milwaukee.

DOCUMENT EN ENCART : 17/10/60. *Mémorandum confidentiel — de John Stanton à Kemper Boyd.*

Kemper,

J'ai reçu un coup de fil inquiétant de Guy Banister, alors je me suis dit que j'allais vous relater l'information. Vous êtes difficile à joindre ces temps derniers, alors j'espère que vous recevrez ceci dans des délais raisonnables.

Guy est un ami de l'ASC de Miami, lequel est très lié à l'officier commandant de la Brigade des Renseignements, Services de Police de Miami. La Brigade garde sous surveillance lâche les Cubains pro-castristes, avec vérification de routine des plaques minéralogiques de tous les Latins de sexe masculin qu'ils rencontrent. Notre homme Wilfredo Olmos-Delsol a été aperçu à deux reprises avec *Gaspar Ramon Blanco,* trente-sept ans, procommuniste connu et membre du *Comité pour la Compréhension cubaine,* organisation de façade et de propagande financée par Raul Castro. Cela m'inquiète, essentiellement à cause de la prise de bec entre P.B. et le cousin de Delsol, Tomas Obregon. Demandez à P.B. de vérifier, voulez-vous ? Nos procédures de cloisonnement excluent que je le contacte directement.

Bien à vous,

John.

52

Miami, 20 octobre 1960.

Le pilote annonça du retard. Kemper consulta sa montre : Le temps alloué à Pete venait de s'évaporer.

Pete l'avait contacté finalement à Omaha ce matin. Il avait dit : J'ai quelque chose pour toi — quelque chose que tu voudras voir *de tes yeux*.

Il avait promis que l'arrêt en transit ne prendrait pas plus de vingt minutes. Il avait dit : Je te renverrai à Jack par le prochain avion.

Miami scintillait en contrebas. A Omaha l'attendait un travail crucial — retardé par ce détour de six heures.

La course était trop proche de son terme. Nixon pourrait bien avoir un léger avantage — et il restait dix-huit jours à courir.

Il avait appelé Laura depuis la salle d'embarquement. Elle lui était tombée dessus à bras raccourcis, à cause de ses liens avec les Kennedy. Claire ne cessait de répéter que Laura espérait à tous crins une victoire Nixon.

Claire lui apprit que les hommes du FBI l'avaient interrogée le mois dernier. Leur seul et unique sujet : les tendances politiques de Littell.

Les agents l'avaient intimidée. Ils lui avaient recommandé avec force de ne pas mentionner leur entrevue à son père.

Claire avait rompu sa promesse en l'appelant trois jours auparavant. Il avait immédiatement contacté Ward.

Son téléphone avait sonné et sonné. Les sonneries avaient cette stridence caractéristique des postes sous écoute.

Il appela Court Meade pour essayer de savoir où pouvait se trouver Ward. Meade lui apprit que Ward avait défoncé la porte de l'ASC avant de s'évanouir dans la nature.

Claire l'avait appelé à Omaha la nuit dernière. Pour lui apprendre que le Bureau avait fait retirer sa bourse universitaire à Helen.

M. Hoover avait cessé de l'appeler deux jours auparavant. Tout était lié, d'une manière ou d'une autre. La campagne électorale le faisait courir bien trop vite pour qu'il eût la trouille.

Des vents de travers les secouèrent à la descente. L'avion atterrit et se rangea en chassant de l'arrière dans un bruit de glissade.

Kemper regarda par le hublot. Il vit Pete qui l'attendait au-dehors, en compagnie de l'équipe au sol. Dont les membres avaient les mains pleines de billets, qu'ils agitaient en vrais lèche-bottes à l'adresse du grand mec.

La passerelle de débarquement se verrouilla. Voilà Pete — avec un tracteur à bagages garé sur la piste, juste en dessous d'eux.

— Ton avion est retardé. Nous disposons d'une demi-heure.

Kemper bondit sur le tracteur. Pete écrasa le champignon. Ils slalomèrent entre des piles de bagages avant d'arriver dans un dernier virage sur la cahute du gardien.

Un bagagiste leur ouvrit la porte. Pete lui glissa vingt dollars.

Une nappe en toile était drapée sur un établi. Avec, posés dessus : gin, vermouth, un verre et six feuilles de papier.

— Lis-moi ça, dit Pete.

Kemper lut en diagonale la première page. Son poil se hérissa immédiatement.

Howard Hughes avait prêté au jeune frère de Dick Nixon deux cent mille dollars. Photocopies des chèques, notes comptables et reçus de banque comme preuves à l'appui. Quelqu'un avait établi une liste détaillée : les propositions de loi présentées par Nixon liées aux contrats que Hughes avait obtenus du gouvernement.

Kemper se prépara un verre. Ses mains tremblaient. Il renversa du Beefeater à travers tout l'établi.

Il regarda Pete.

— Tu n'as pas demandé d'argent.

— Si j'avais voulu de l'argent, j'aurais appelé Jimmy.

— Je dirai à Jack qu'il a un ami à Miami.

— Dis-lui de nous laisser envahir Cuba, et nous serons quittes.

Le Martini était superbement sec. La cabane de gardien resplendissait comme le Carlyle.

— Garde Wilfredo Delsol à l'œil. Ça fait un peu l'effet d'une douche froide maintenant, mais je pense qu'il pourrait être en train de déconner.

— Appelle Bobby, dit Pete. Je veux t'entendre mettre cette petite ordure au clou pour moi.

DOCUMENT EN ENCART : 23/10/60. *Sur cinq colonnes à la une :* Cleveland Plain-Dealer :

LES REVELATIONS SUR LE PRET HUGHES-NIXON SECOUENT LA CAMPAGNE.

DOCUMENT EN ENCART : 20/10/60. *Sous-titre du* Chicago Tribune :

KENNEDY TIRE A BOULETS ROUGES SUR LA « COLLUSION » NIXON-HUGHES.

DOCUMENT EN ENCART : 25/10/60. *Cinq colonnes et sous-titre du* Los Angeles Herald Express :

NIXON NIE LES ACCUSATIONS DE TRAFIC D'INFLUENCE.
LE REMUE-MENAGE AUTOUR DU PRET HUGHES FAIT DEGRINGOLER L'AVANCE DU V.P DANS LES SONDAGES.

DOCUMENT EN ENCART : 26/10/60. *Sous-titre du* New York Journal-American :

NIXON QUALIFIE LE TUMULTE SUR LE PRET DE « TEMPETE DANS UN VERRE D'EAU ».

DOCUMENT EN ENCART : 28/10/60. *Cinq colonnes* — San Francisco Chronicle :

> LE FRERE DE NIXON QUALIFIE LE PRET HUGHES DE « NON POLITIQUE ».

DOCUMENT EN ENCART : 29/10/60. *Sous-titre* — Kansas City Star :

> KENNEDY TIRE SUR NIXON A BOULETS ROUGES DANS L'AFFAIRE DU PRET HUGHES.

DOCUMENT EN ENCART : 3/11/60. *Cinq colonnes* — Boston Globe :

> SONDAGES GALLUP : LES DEUX CANDIDATS A LA COURSE PRESIDENTIELLE *EX AEQUO* !

53

Lake Geneva, 5 novembre 1960.

Littell repassa sa liste au contrôle :
Lunettes, tampons d'oreilles, cisailles, diamant de vitrier — parés. Plaquettes aimantées, gants, fusil de chasse, munitions — parés.
Dynamite à amorce étanche — parée. Isolant phonique, marteau, clous — parés.
Paré : Tu as essuyé toutes les surfaces susceptibles de porter des empreintes dans cette chambre de motel.
Paré : Tu as laissé la note de la chambre en liquide sur la commode.
Paré : Tu as évité tout contact avec les autres locataires du motel.
Il passa en revue la liste des précautions tenues et respectées pour les trois semaines écoulées.
Tu as changé de motel tous les deux jours — en suivant des itinéraires en zigzag à travers tout le Wisconsin Sud.
Tu t'es toujours déguisé, fausse barbe et fausse moustache.
Tu as changé de voiture de location à des moments imprévisibles. Tu as pris le bus entre deux locations de voitures, à deux endroits différents. Tu t'es procuré lesdites voitures en des lieux éloignés : Des Moines, Minneapolis, et Green Bay.
Tu as loué lesdites voitures sous de fausses identités.
Tu as payé en liquide.
Tu n'as jamais garé les voitures à proximité immédiate des motels où tu t'es installé.
Tu n'as jamais téléphoné des motels. Tu as essuyé toutes les empreintes possibles avant de quitter tes chambres.

Tu as utilisé des tactiques pour déjouer les filatures. Tu as limité ta consommation d'alcool : six doses par soir pour te tenir les nerfs solides.

Tu n'as repéré aucune filature.

Tu as dévisagé les hommes seuls, les yeux dans les yeux, tu as évalué leurs réactions et tu n'as rien remarqué ressemblant à un flic ou à un mec de la Mafia. La plupart des hommes en question ont affiché clairement leur malaise : tu n'as plus l'air commode aujourd'hui.

Tu as surveillé la propriété de Jules Schiffrin. Tu as déterminé que l'homme n'avait pas de serviteurs sous le même toit ou de gardiens à demeure.

Tu as appris les habitudes de Schiffrin :

Dîner et partie de cartes le samedi soir au « Badger Glen Country Club ». Séjours prolongés jusqu'à une heure avancée le dimanche soir chez une dénommée Glenda Rae Mattson.

Jules Schiffrin était absent de 19 h 5 à 2 heures du matin tous les dimanches. Sa propriété était patrouillée par la police toutes les deux heures — vérifications de routine par la route en périmètre.

Tu t'es procuré emplacements de coffre et schémas des alarmes. Tu as consulté dix-sept sociétés pour les obtenir. Tu t'es fait passer pour un lieutenant de la police de Milwaukee et étayé ton faux personnage de documents et justificatifs forgés de toutes pièces par un faussaire que tu avais arrêté des années de cela.

Toutes impostures policières ont été menées sous déguisement.

Deux coffres d'acier blindé étaient installés sur les lieux. Ils pesaient quarante kilos chacun. Tu as mémorisé leur emplacement exact.

Vérifications ultimes :

Ta nouvelle chambre de motel à la périphérie de Beloit : louée en toute sécurité.

L'article de journal sur la collection d'art de Schiffrin : découpé, à laisser sur les lieux du crime.

Littell prit une profonde inspiration et sécha trois doses vite fait. Ses nerfs se mirent à palpiter avant de se stabiliser — *presque*.

Il vérifia son visage dans le miroir de salle de bains — un dernier coup d'œil pour se donner du courage...

Des nuages bas couvraient la lune. Littell se rendit au point prévu — à huit cents mètres de la cible.

Il était 23 h 47. Il disposait de deux heures et treize minutes pour tout mener à bien.

Une berline de patrouille de la police d'Etat le dépassa, se dirigeant vers l'est. A l'heure : la vérification du périmètre à 23 h 45. La routine habituelle.

Littell quitta la chaussée. Ses pneus s'agrippèrent à une terre dure. Il mit pleins phares et commença à slalomer dans la descente, à flanc de colline.

La pente s'adoucissait en à-plat. Il repassa sur ses traces afin d'oblitérer ses marques de pneus.

Des arbres parsemaient la clairière — on ne pouvait pas voir sa voiture depuis la route.

Il éteignit ses phares et attrapa son sac en toile. Il vit des lumières d'une maison plein ouest en sommet de crête — petites lueurs qui lui serviraient à repérer sa direction.

C'est vers elles qu'il se dirigea. Des feuilles agglutinées à ses chaussures masquaient ses empreintes de pas. Les lueurs se faisaient plus vives au fur et à mesure de son approche.

Il arriva sur l'allée à voitures jouxtant l'auvent. L'Eldorado Bougham de Schiffrin n'était plus là.

Il courut jusqu'à la fenêtre de la bibliothèque et s'accroupit au ras du sol. Une lampe intérieure lui fournit une lumière blafarde à la lueur de laquelle il se mit au travail.

Il sortit ses outils et sectionna deux câbles fixés à une descente de gouttière. Une lampe à arc extérieure se mit à crachoter. Il vit le ruban du circuit d'alarme qui encadrait le verre de la fenêtre — monté entre deux vitres épaisses.

Il en estima le périmètre.

Il sectionna des bandes de ruban magnétique pour le couvrir.

Des bandes qu'il colla sur la vitre extérieure en un contour presque parfait.

Il avait mal aux jambes. Des gouttes de sueur froide lui piquaient les coupures de rasoir qu'il portait au visage.

Il passa un aimant sur le ruban. Il traça un cercle à l'intérieur de son périmètre à l'aide de son aimant.

Le verre était EPAIS — il lui fallut les deux mains, en pressant de tout son poids, pour creuser une entaille.

Aucune alarme ne retentit. Aucune lumière ne se mit à clignoter.

Il creusa des cercles dans le verre. Aucune sirène ne se mit à vibrer dans l'air ; aucun bruit de poursuite ne se déclencha.

Ses bras le brûlaient. La roulette de son diamant s'émoussa. Sa sueur se figeait et le faisait frissonner.

La vitre extérieure se brisa. Il enfonça les manches à l'intérieur de ses gants et appuya plus fort.

VINGT-NEUF MINUTES S'ETAIENT ECOULEES.

Sous la pression du coude, la vitre intérieure céda. Littell élimina à coups de pied les morceaux de verre en pourtour afin de se ménager un espace suffisant pour entrer.

Il enjamba la fenêtre. C'était juste — des échardes de verre lui entamèrent la peau.

La bibliothèque était lambrissée de chêne et meublée de fauteuils en cuir vert. Les murs latéraux étaient décorés d'œuvres d'art : un Matisse, un Cézanne, un Van Gogh.

Des lampadaires lui offrirent quelque lumière, juste suffisante pour lui permettre de faire le travail.

Il disposa ses outils.

Il trouva les coffres : derrière les lambris de bois, séparés de soixante centimètres.

Il couvrit jusqu'au dernier centimètre carré d'espace mural d'isolant phonique en couche triple. Il le cloua serré — des pointes de cinquante dans le chêne vernis.

Il marqua d'un x les deux secteurs abritant les coffres. Il mit ses lunettes de protection et s'enfonça des tampons dans les oreilles. Il chargea son fusil et lâcha la sauce.

Une cartouche, deux cartouches — des explosions énormes, contenues. Trois cartouches, quatre cartouches — des morceaux de capitonnage et de bois dur en train de se décomposer.

Littell rechargea et fit feu, rechargea et fit feu, rechargea et fit feu.

Des échardes de bois lui entaillaient le visage. La fumée au sortir du canon lui donnait des haut-le-cœur. La visibilité était réduite à 0 : un paillage de débris venait s'écraser contre ses verres de lunettes.

Littell rechargea et fit feu, rechargea et fit feu, rechargea et fit feu. Une quarantaine de cartouches eurent raison des poutres du mur et du plafond situé derrière. Elles s'effondrèrent.

Un mélange de bois et de plâtre s'écrasa au sol. Le mobilier du premier étage dégringola et vola en morceaux. Deux coffres tombèrent des gravats.

Des gravats que Littell dégagea à coups de pied — s'il vous plaît, mon Dieu, laissez-moi respirer.

Il vomit esquilles de bois et scotch. Il cracha fumées de fusil et mucosités noirâtres. Il creusa au milieu des amas de bois et transporta les coffres jusqu'à son sac de toile.

SOIXANTE-DOUZE MINUTES S'ETAIENT ECOULEES.

La bibliothèque était détruite, jusqu'à la salle à manger. La quarantaine d'explosions avaient fait dégringoler les œuvres d'art.

Le Cézanne était intact. Le Matisse avait le cadre légèrement abîmé. Le Van Gogh était réduit en miettes, le néant total.

Littell laissa tomber sa coupure de journal.

Littell attacha le sac dans son dos à l'aide de bandelettes de tentures.

Littell attrapa les peintures et sortit par la porte d'entrée au pas de course.

L'air pur lui donna le vertige. Il l'avala à grandes goulées et courut.

Il glissait sur les feuilles et se cognait aux troncs en rebondissant d'arbre en arbre. Sa vessie le lâcha — rien ne lui avait jamais paru aussi agréable. Il trébuchait, plié littéralement en deux — près de cent kilos d'acier l'obligeaient à descendre la pente comme un boulet.

Il tomba. Son corps se changea en caoutchouc — impossible de se relever ou de soulever le sac de toile.

Il rampa et traîna sa cargaison le restant du chemin. Il chargea sa voiture et rejoignit la route d'accès en dérapages, le souffle court tout ce temps, en quête d'un peu d'air.

Il surprit son visage dans le rétroviseur. Le mot « héroïque » lui vint aux lèvres — un peu court.

Il prit au nord/nord-ouest, en zigzag et montagnes russes. Il trouva l'endroit où il avait prévu à l'avance de faire sauter ses coffres : une clairière dans une forêt à l'extérieur de Prairie Du Chien.

Il illumina la clairière à l'aide de trois grosses lanternes tempête. Il brûla les toiles et éparpilla les cendres.

Il tortilla les extrémités de six bâtons de dynamite, qu'il glissa contre les logements des cadrans du coffre.

Il tira des cordons de mise à feu sur cent mètres et présenta une allumette enflammée.

Les coffres explosèrent. Les portes volèrent dans les airs jusqu'à la cime des arbres. Une petite brise éparpilla des liasses de billets roussis.

Littell les passa au crible. L'explosion avait détruit au moins cent mille dollars.

Restaient intacts :

Trois grands registres enveloppés de plastique.

Littell enfouit en terre les restes de billets et largua les morceaux de coffre dans un ruisseau d'évacuation des égouts jouxtant la clairière. Il repartit vers son nouveau motel et respecta toutes les limites de vitesse sur la route.

Trois registres. Deux cents pages par livre. Des notations par colonnes avec recoupements sur chaque page, parfaitement quadrillées à la mode comptable.

Des nombres imposants, alignés, de gauche à droite.

Littell étala les registres sur le lit. Son premier instinct :

Les montants excédaient toutes les compilations imaginables des cotisations mensuelles ou annuelles de la Caisse de Retraite.

Les deux registres sous cuir marron étaient en code. Les listes en nombres/lettres dans la colonne d'extrême gauche correspondaient grosso modo, vu leur longueur, à des noms.

Ainsi :

AH795/WZ458YZ = Un prénom en cinq lettres et un nom de famille en sept lettres.

PEUT-ETRE.

Le registre en cuir noir n'était pas codé. Il contenait lui aussi des colonnes comptables aux relevés financiers tout aussi vastes — et des listes de deux ou trois lettres dans la colonne d'extrême droite.

Les listes *pouvaient* être : les initiales des prêteurs ou des emprunteurs.

Le livre noir était subdivisé en colonnes verticales. Celles-ci étaient clairement désignées : « Prêt % » et « Transfert ».

Littell mit le livre noir de côté. Son deuxième instinct : casser le code ne serait pas facile.

Il retourna aux livres marron.

Il suivit noms-symboles et nombres, et vit les masses d'argent croître horizontalement. Des sommes soigneusement doublées lui donnèrent le taux de remboursement de la Caisse de Retraite : 50 p. 100 — un tarif d'usure.

Il repéra les répétitions des lettres — en groupements de quatre ou six — très vraisemblablement un simple code des dates. A pour 1, B pour 2 — quelque chose lui dit que c'était aussi simple que ça.

Il fit correspondre lettres et nombres et EXTRAPOLA :

Les bénéfices des prêts de la Caisse remontaient sur trente ans. Lettres et nombres croissaient de gauche à droite, jusqu'au début de 1960.

Le montant moyen des prêts était de 1,6 million de dollars. Avec intérêts de remboursement : 2,4 millions.

Le prêt le plus petit était de 425 000 dollars. Le plus important, de 8,6 millions.

Nombres croissant de gauche à droite. Multiplications et divisions dans les colonnes d'extrême droite — calculs de pourcentages bizarres.

Il EXTRAPOLA.

Les nombres bizarres étaient les bénéfices des prêts, établis indépendamment des intérêts de remboursement.

Il avait mal aux yeux. Il dut arrêter. Trois doses rapides de scotch lui redonnèrent du jus.

Une tempête sous le crâne :

Cherche l'argent écrémé par Hoffa à Sun Valley.

Il passa les colonnes en revue, crayon à la main. Il relia les points : de mi-56 à mi-57, et dix symboles correspondant à « Jimmy Hoffa ».

Il trouva 1,2 et 1,8 — par hypothèse les 3 millions *mirages* de Bobby Kennedy. Il trouva des symboles à cinq éléments, six, puis cinq, en une colonne qui recoupait parfaitement le reste.

5, 6, 5 = « James Riddle Hoffa ».

Hoffa avait ri aux accusations sur Sun Valley. Avec raison et assurance : son stratagème était merveilleusement bien déguisé.

Littell lut les pages en diagonale et repéra des totaux bizarres. De minuscules zéros s'étiraient en chaîne — la Caisse était milliardaire.

Il commença à voir double. Il corrigea ce détail à l'aide d'une loupe.

Il balaya les registres à nouveau, d'un œil rapide. Des nombres identiques réapparaissaient régulièrement — en groupements de quatre chiffres entre parenthèses.

(1408) — encore et encore et encore.

Littell reprit les livres marron page par page. Il trouva vingt et un 1408, y compris deux entrées tout à côté des 3 millions mirages. Une addition rapide lui donna le total : 49 millions de dollars prêtés ou empruntés. Monsieur 1408 était bien en fonds, d'un côté comme de l'autre.

Il vérifia la colonne initiale du livre noir. Elle était disposée de manière alphabétique et rédigée de la main de Jules Schiffrin, en capitales d'imprimerie bien nettes.

Il était 9 heures du matin. Il était au travail depuis près de cinq heures.

La rubrique « Prêt % » en sous-titre le titillait. Il vit « B-E » à travers toute la liste — le cadre nombre/lettre décodé donnait 25 p. 100.

Il EXTRAPOLA.

Les initiales étaient des numéros de comptes bancaires — remboursements d'argent mafieux blanchi, tout propre. Lesdites initiales se terminaient toutes en « B » — très vraisemblablement un raccourci pour le mot « Branche ».

Littell recopia les lettres sur un bloc.

BOABHB = Bank of America, Beverly Hills Branch.
HSALMBB = Home Savings and Loan, Miami Beach Branch.

Ça marchait.

Il était capable de reconstituer des noms de banques connues à partir de chaque série de lettres.

Il sauta de colonne en colonne à la recherche du 1408. En plein dans le mille : JPK, SR/SFNBB/811512404.

SFN signifiait Security-First National. BB pouvait signifier Buffalo Branch, Boston Branch, ou autres agences de villes en « B ».

Le SR correspondait probablement à *Señior*. Pourquoi cet ajout ?

Juste au-dessus de JPK, SR : JPK (1963) BOADB. L'homme était un gagne-petit, comparé au 1408 : Il avait prêté à la Caisse 6,4 misérables millions de dollars.

Le « SR » ajouté servait simplement à distinguer le prêteur de quelqu'un qui avait les mêmes initiales.

JPK/SR/1408/SFNBB/811512404. Riche à en crever, le prêt...

Arrête.

Arrête-toi, là, tout de suite.

JPK. SR.

Joseph P. Kennedy Sr.

« BB » pour « Boston Branch ».

Août 59 — Sid Kabikoff en train de discuter avec Sal le Fou.

J'ai connu Jules Schiffrin dans le temps quand « / » Quand il VENDAIT DE LA CAME et UTILISAIT LES BENEFICES pour financer les films de la RKO, à l'époque où JOE KENNEDY en était le propriétaire.

Arrête. Passe le coup de fil. Fais-toi passer pour un gros du Bureau. Confirme ou refuse.

Littell composa le « 0 ». La sueur dégoulinait sur son combiné.

Un opérateur décrocha.

— Quel numéro, s'il vous plaît ?

— Je veux la Security-First National Bank, à Boston, Massachusetts.

— Un moment, monsieur. Je recherche le numéro et je vous mets en communication.

Littell resta en ligne. Il eut une poussée d'adrénaline : tête en vertige et soif terrible.

— Security-First National, répondit un homme.

— Agent spécial Johnson, du FBI, à l'appareil. Je voudrais parler au directeur, s'il vous plaît.

— Ne quittez pas, s'il vous plaît. Je vous passe son poste.

Littell entendit les déclics du transfert.

— M. Carmody à l'appareil, dit un homme. En quoi puis-je vous être utile ?

— Ic-ici l'agent special Johnson du FBI. J'ai devant les yeux un numéro de compte à votre banque, et j'ai besoin de savoir le nom de son titulaire.

— C'est tout à fait irrég... s'agit-il d'une demande *officielle* ?

— Absolument. Je peux obtenir une ordonnance du juge, mais je préférerais vous éviter le désagrément d'une visite en personne.

— Je vois... Eh bien... Je pense...

Littell s'imposa avec fermeté.

— Le numéro est 811512404.

L'homme soupira.

— Eh bien, euh... les numéros répertoriés 404 correspondent à des coffres de dépôt personnels. Et donc, si vous vous intéressez aux états de compte, je crains...

— Combien de coffres personnels sont-ils loués au titulaire de ce compte ?

— Eh bien, ce compte m'est tout à fait familier, eu égard à sa taille. Voyez-vous...

— *Combien de coffres ?*

— Une salle entière, soit quatre-vingt-dix au total.

— Liquidités et objets précieux peuvent-ils être transférés directement dans cette salle depuis l'extérieur ?

— Certainement. Ils pourraient être déposés dans les coffres en toute discrétion, à l'abri de tout regard, par quiconque aurait connaissance du mot de passe du titulaire du compte.

Quatre-vingt-dix coffres. Jolie planque. Des millions en LIQUIDE, l'argent de la Mafia blanchi...

— A qui appartient ce compte ?

— Eh bien...

— Me faudra-t-il une ordonnance du juge ?

— Eh bien, je...

Littell en cria presque.

— *Le titulaire du compte est-il Joseph P. Kennedy, monsieur ?*

— Eh bien... euh... oui.

— Le père du sénateur ?

— Oui, le père du...

Le combiné lui glissa des doigts. Littell le chassa d'un coup de pied à l'autre bout de la pièce.

Le livre noir. Monsieur 1408, requin-prêteur millionnaire.

Il repassa les nombres en revue et obtint confirmation. Il vérifia chaque chiffre trois fois de suite, jusqu'à ce que sa vision se trouble.

Oui : Joe Kennedy avait prêté à la Caisse la mise de fonds initiale pour Sun Valley. Oui : la Caisse avait prêté l'argent à James Riddle Hoffa.

Sun Valley constituait une escroquerie foncière caractérisée. Sun Valley avait donné lieu à deux meurtres, par Pete Bondurant : Anton Gretzler et Roland Kirpaski.

Littell repéra les 1408 sur le papier. Il vit des virgules continues — et pas un seul report de total de bénéfices en bas de colonne.

Joe ne sortait que les intérêts. Les mises de fonds initiales réservées aux prêts restaient en liquidités dans la Caisse.

Et augmentaient.

-Lavées, cachées, masquées, hors impôts, à l'abri, et canalisées — déboursées aux nervis des syndicats, fourgueurs de came, requins de l'usure, et dictateurs fascistes mouillés avec la Mafia.

Les livres tout en code contenaient tous les détails. Il allait pouvoir casser le code et savoir exactement où l'argent s'était réparti.

Mes secrets, Bobby — je ne vous laisserai jamais haïr votre père.

Littell dépassa sa limite. De huit verres. Il sombra dans l'inconscience en hurlant des nombres.

54

Jack avait un millier de voix d'avance, il était largement en tête chez les grands électeurs. Nixon mordait sur son avance — le Middle West paraissait problématique.

Kemper regardait trois postes de télévision en jonglant avec quatre téléphones. Sa chambre n'était plus qu'une énorme prise où se branchaient des câbles — le Service secret exigeait une multitude de lignes, d'accès comme de sortie.

Le téléphone rouge était sa ligne personnelle. Les deux téléphones blancs étaient raccordés directement à la propriété Kennedy. Le téléphone bleu reliait le Service secret à l'élu-presque-président.

Il était 23 h 35.

CBS disait la lutte serrée en Illinois. NBC disait : « Suspense ! » ABC disait que Jack allait gagner, avec 51 p. 100 des voix.

Kemper regarda par la fenêtre. Les hommes du Service secret se mêlaient à la foule — ils avaient loué tout le complexe du motel.

Le téléphone blanc n° 2 sonna. C'était Bobby, avec des jérémiades.

Un journaliste avait franchi le mur de la propriété à la perche. Un bolide arborant des banderoles Nixon avait labouré la pelouse principale.

Kemper appela deux flics qui n'étaient pas de service et les envoya sur les lieux. Il leur dit de passer à tabac tous ceux qui entraient sans y être invités et de confisquer leurs véhicules.

Le téléphone rouge sonna. C'était Santos Jr., avec les derniers potins mafieux.

430

Il dit : L'Illinois, ç'a pas l'air tout cuit. Il dit : Sam G. avait jeté un peu de son poids dans la balance pour aider Jack.

Lenny Sands était occupé à bourrer les urnes. Avec l'aide d'une centaine de conseillers municipaux pour le coup de main. Jack devait logiquement remporter une victoire éclair dans le comté de Cook et se gagner l'Etat tout entier ; juste, juste, par un poil de con de nonne d'avance.

Kemper raccrocha. Le téléphone rouge sonna à nouveau. C'était Pete, avec d'autres ragots de seconde main.

Il dit que M. Hoover avait appelé M. Hughes. M. Hughes lui avait appris que Marilyn Monroe était tout à fait coquine.

Les Fédés lui avaient collé des mouchards. Au cours des deux dernières semaines, elle s'était envoyé Buddy Greco, Billy Eckstine, Skip Homeier, Freddy Otash, l'entraîneur de Rintintin, Jon « Ramar de la Jungle » Hall, son nettoyeur de piscine, deux livreurs de pizzas, Tom Dugan grand spécialiste du « talk-show », et le mari de sa bonne — mais pas de Sénateur John F. Kennedy.

Kemper éclata de rire et raccrocha. CBS qualifiait la course de « trop serrée pour émettre un pronostic ».

ABC se rétracta quant à ses prédictions. La course était « trop serrée pour émettre un pronostic ».

Le téléphone blanc n°1 sonna.

Kemper décrocha.

— Bob ?

— C'est moi. J'appelais juste pour dire que nous sommes bien en tête chez les grands électeurs, et l'Illinois et le Michigan devraient nous donner la victoire sans ambiguïté. Les infos sur le prêt Hughes ont bien aidé, Kemper. Votre « source anonyme » devrait savoir que cela a été un élément décisif.

— Vous n'avez pas l'air très enthousiaste.

— Je n'y croirai pas tant que ce ne sera pas net et définitif. Et un ami de Papa vient de mourir. Comme il était plus jeune que lui, Papa encaisse mal le coup.

— Quelqu'un que je connais ?

— Jules Schiffrin. Je crois que vous l'avez rencontré il y a quelques années. Il a eu une crise cardiaque dans le Wisconsin. Il est rentré chez lui et a trouvé sa maison cambriolée. Il s'est effondré. Un ami de Papa à Lake Geneva a appelé...

— Lake Geneva ?

431

— Exact. Au nord de Chicago. Kemper...

Le lieu de l'agression de Littell. Schiffrin : le genre fripouille avec ses quartiers à Chicago.

— Kemper...

— Désolé. J'ai été distrait.

— J'allais dire quelque chose...

— A propos de Laura ?

— Comment le saviez-vous ?

— Vous ne manifestez jamais la moindre hésitation sauf lorsqu'il s'agit de Laura.

Bobby s'éclaircit la gorge.

— Appelez-la. Dites-lui que nous lui serions reconnaissants de ne pas reprendre contact avec la famille avant un moment. Je suis sûr qu'elle comprendra.

Court Meade disait que Littell avait disparu. C'était une preuve indirecte, mais...

— Kemper, est-ce que vous m'écoutez ?

— Oui.

— Appelez Laura. Soyez gentil, mais ferme.

— Comptez sur moi.

Bobby raccrocha. Kemper se servit du téléphone pour passer par le standard : Chicago, BL-84908.

La communication fut établie. Il entendit deux sonneries et deux déclics très faibles, caractéristiques d'une écoute.

— Allô ? dit Littell.

Kemper couvrit le micro de sa main.

— Est-ce que c'est toi, Boyd ? dit Littell. Serais-tu en train de revenir dans ma vie parce que tu as la trouille, ou parce que tu penses que je suis susceptible d'avoir quelque chose que tu veux ?

Kemper coupa la communication.

Ward J. Littell — Putain de Christ.

55

Miami, 9 novembre 1960.

Guy Banister couinait au téléphone — de bien loin. Pete sentit qu'il commençait à avoir mal à l'oreille.

— Ce qui nous attend, c'est une nouvelle hégémonie papiste. Il adore les Négros et les Juifs, et il a un petit faible pour le communisme depuis le jour où il a été élu au Congrès. Je n'arrive pas à croire qu'il a gagné. Je n'arrive pas à croire que le peuple américain ait gobé ses conn...

— Viens-en au fait, Guy. Tu as dit que J.D. Tippit était tombé sur quelque chose.

Banister coupa les gaz sur son baratin.

— J'oubliais que je t'appelais pour une raison. Et j'oubliais que tu avais un petit faible pour Kennedy.

— J'aime ses cheveux. Ça me fait durcir la queue, dit Pete.

Banister remit les gaz. Pete le coupa *illico*.

— Il est 8 heures du matin, putain. J'ai des appels pour des taxis qui s'accumulent et trois chauffeurs malades qui ne sont pas là. Dis-moi ce que tu veux.

— Je veux que Dick Nixon exige un nouveau décompte.

— Guy...

— Très bien, dans ce cas. Boyd était censé te dire d'aller parler à Wilfredo Delsol.

— C'est ce qu'il a fait.

— Est-ce que toi, tu lui as parlé ?

— Non. J'ai été très occupé.

— Tippit a dit qu'il avait entendu raconter qu'on avait vu Delsol avec des mecs de Castro. Y en a un certain nombre parmi nous qui pensent qu'il devrait s'expliquer.

— J'irai le voir.

433

— C'est ça. Et pendant que tu y es, essaie donc de te développer la cervelle question politique.

Pete se mit à rire.

— Jack est blanc. Et je me prends une belle trique rien qu'à penser à sa chevelure.

Pete roula jusqu'à la crèche de Wilfredo et frappa à la porte. Delsol ouvrit en maillot de corps.

Il avait les yeux chassieux. Il n'avait que la peau et les os. Il avait l'air trop ensommeillé pour tenir debout.

Il frissonna et se tirailla les couilles. Il secoua la tête pour en chasser les toiles d'araignées et pigea vite fait.

— Quelqu'un vous a raconté des trucs pas bien sur mon compte.

— Continue.

— Vous ne rendez visite aux gens que pour leur coller la trouille.

— C'est exact. Ou pour leur demander d'expliquer certains détails.

— Demandez-moi, alors.

— On t'a vu discuter avec des pro-castristes.

— C'est vrai.

— Et alors ?

— Alors, ils ont su comment mon cousin Tomas est mort. Ils se sont dit qu'ils pourraient me convaincre de trahir le Cadre.

— Et puis ?

— Et je leur ai répondu que je haïssais ce qui arrivait à Tomas, mais que je hais Fidel Castro encore plus.

Pete s'appuya contre la porte.

— Tu n'aimes pas beaucoup les virées en vedette.

— Tuer quelques miliciens par-ci par-là, c'est futile.

— Suppose que tu sois affecté à un groupe d'invasion ?

— J'irai.

— Suppose que je te dise de descendre un des mecs avec lesquels on t'a vu discuter ?

— Je dirais que Gaspar Blanco habite à deux blocs d'ici.

— Tue-le, dit Pete.

Pete partit en balade dans Nègreville — rien que pour marquer ce putain de grand moment. La radio ne diffusait que des informations sur les élections.

Nixon avait cédé le pas. *Frau* Nixon y allait de ses *boo-hoo*. Jack Dos Cassé remerciait son équipe et annonçait que *Frau* Dos Cassé était enceinte.

Des camés négros s'étaient regroupés autour d'un étal de cireur. Fulo et Ramon roulèrent jusqu'à eux pour les fournir en dope. Chuck échangeait les dosettes contre des chèques de l'Assistance endossés.

Jack tartinait les ondes de sa Nouvelle Frontière. Fulo largua un gros paquet de shit au cireur de godasses.

Un flash d'informations locales interrompit le programme.

Coups de feu devant la bodega de Coral Gables ! La police avait indentifié le mort : un dénommé Gaspar Ramon Blanco.

Pete sourit. La journée du 8 novembre 1960 était une grande classique qui resterait dans les annales.

Il s'arrêta chez les Tiger Kabs après le déjeuner. Teo Paez avait organisé une vente sauvage sur le parking : des télés chauffées à vingt sacs la pièce.

Les postes étaient branchés sur une pile de batteries. Jack K. rayonnait au sortir de deux douzaines d'écrans.

Pete se mêla aux acheteurs en puissance. Jimmy Hoffa surgit de la foule comme un diable de sa boîte, la sueur lui sortant des pores par cette belle journée fraîche.

— Salut, Jimmy.

— Te réjouis pas. Je sais que toi et Boyd, vous vouliez voir gagner cette pédale lécheuse de chattes.

— Ne t'en fais donc pas. Il va serrer la laisse à son jeune frangin.

— Comme si c'était mon seul souci.

— Qu'est-ce que tu veux dire par là ?

— Je veux dire que Jules Schiffrin est mort. On lui a cassé sa

435

maison de Lake Geneva pour lui piquer des putains de peintures hors de prix, et des putains de papiers hors de prix se sont perdus dans l'opération. Jules s'est payé une crise cardiaque, et toutes nos merdes ont probablement été cramées dans le putain de sous-sol d'un quelconque cambrioleur.

LITTELL. Fou à lier, à 100 p. 100, certificat à l'appui.

Pete se mit à rire.

— Qu'est-ce qu'il y a de si drôle, bordel? dit Hoffa.

Pete hurlait littéralement.

— Arrête de rigoler, putain de grenouilleux, dit Hoffa.

Pete ne pouvait plus s'arrêter. Hoffa dégaina un calibre et fit sauter la tête de Jack la Belle Coupe sur six écrans de télé.

56

Washington, D.C., 13 novembre 1960.

Le facteur lui apporta une lettre recommandée. Elle portait le cachet de Chicago, sans indication d'expéditeur.

Kemper ouvrit l'enveloppe. Une seule page à l'intérieur, soigneusement tapée à la machine.

> J'ai les registres. Ils sont couverts et protégés dans l'éventualité de ma mort ou de ma disparition d'une douzaine de manières différentes. Je ne les remets qu'à Robert Kennedy, si l'on m'offre un poste dans l'Administration Kennedy, et ce dans les trois mois à venir. Les registres sont à l'abri, en sécurité. Leur est adjointe une déposition de 83 pages, détaillant tout ce que je sais de ton infiltration au sein du Comité McClellan et des Kennedy. Je ne détruirai cette déposition qu'à la condition citée, à savoir un poste dans l'Administration Kennedy. Je te reste très attaché et te suis reconnaissant des leçons que tu m'as enseignées. Par moments, tu t'es comporté de manière étonnamment peu égoïste — chose peu coutumière de ta part — et tu as couru le risque de mettre au grand jour la duplicité de tes nombreuses relations pour essayer de m'aider à atteindre ce que je dois qualifier stupidement de virilité. Ceci dit, j'ajouterais que je n'ai aucune confiance dans tes motivations concernant ces registres. Je te considère toujours comme un ami, mais je n'ai pas un iota de confiance en toi.

Kemper jeta sur le papier un petit mot pour Pete Bondurant.

> Oublie les livres des Camionneurs. Littell a été plus fin que nous, et je commence à regretter amèrement le jour où je lui ai enseigné certaines choses. J'ai fait quelques investigations

discrètes auprès de la police d'Etat du Wisconsin, qui est franchement déroutée. Je te fournirai les détails de police scientifique à notre prochaine entrevue. Je crois que tu seras impressionné, à contrecœur. Assez de gémissements sur cette chienlit. Déposons Fidel Castro.

57

Chicago, 8 décembre 1960.

Le vent secouait la voiture. Littell augmenta le chauffage et repoussa le siège pour étendre les jambes.

Sa planque était de pure forme, rien de plus. Il irait peut-être même bien se joindre aux invités — Mal prendrait un pied terrible s'il le voyait.

C'était la fiesta des A-bas-la-Liste-noire. Les services de l'Education de Chicago avaient recruté Mal pour enseigner les maths de rattrapage.

Des invités arrivaient à la maison. Littell reconnut des gauchistes de la Brigade Rouge avec des collantes d'un kilomètre de long.

Quelques-uns le saluèrent au passage. Mal lui avait dit qu'il demanderait peut-être à sa femme de lui apporter café et petits gâteaux. Littell observait la maison. Mal brancha ses illuminations de Noël — l'arbre près du perron d'entrée s'épanouit en bleu et jaune.

Il resterait jusqu'à 21 h 30. Il décrirait la fiesta comme une soirée de vacances anodine. Leahy accepterait son évaluation *pro forma* — leurs échanges de bons procédés interdisaient toute confrontation directe.

Sa porte défoncée à coups de pied et son petit séjour à Lake Geneva étaient passés comme une lettre à la poste. Il lui restait trente-neuf jours à faire avant son départ à la retraite. La politique de non-confrontation du Bureau serait respectée et tiendrait jusqu'à son retour à la vie civile.

Il avait planqué les livres comptables de la caisse dans un coffre de banque à Duluth. Il avait deux douzaines de manuels de cryptographie à la maison. Il en était à son dix-septième jour sans une goutte d'alcool.

Il pouvait adresser les registres de la caisse à Bobby sans préavis. Il pouvait effacer le nom de Joe Kennedy de quelques coups de crayon.

Les feuilles mortes bombardaient son pare-brise. Littell sortit de la voiture et se dégourdit les jambes.

Il vit des hommes qui remontaient l'allée à voitures de Mal au pas de course. Il entendit un bruit de métal sur métal, une culasse de fusil à pompe qu'on manœuvrait.

Il entendit des bruits de pas derrière lui. Des mains le plaquèrent violemment sur le capot et lui arrachèrent son ceinturon armé.

Une cornière tranchante en chrome lui mordit la chair du visage. Il vit Chick Leahy et Court Meade défoncer la porte de Mal à coups de pied.

De grands balèzes en costards et manteaux lui tombèrent dessus de toutes parts. Ses lunettes tombèrent. Tout devint flou et claustrophobe.

Des mains le traînèrent jusque dans la rue. Des mains lui mirent menottes et entraves.

Une limo bleu nuit vint se ranger.

Des mains l'agrippèrent pour le tirer à l'intérieur. Des mains le collèrent nez à nez avec J. Edgar Hoover.

Des mains le bâillonnèrent au sparadrap.

La limo reprit la route. Hoover dit :

— Il est actuellement procédé à l'arrestation de Mal Cha-males pour sédition et prône du renversement par la violence des Etats-Unis d'Amérique. Votre emploi au service du FBI est terminé à dater de ce jour, votre pension a été révoquée, et il a été établi à votre encontre un profil détaillé de sympathisant commu-niste qui a été adressé au ministère de la Justice, aux barreaux des cinquante Etats, ainsi qu'aux doyens de toutes les facultés de droit de toutes les universités sur le territoire des Etats-Unis. Serait-il dans vos intentions de livrer en pâture au public quelque renseignement concernant les activités clandestines de Kemper Boyd, je vous donne l'assurance que jamais votre fille Susan ni Helen Agee ne sauront exercer comme juristes. Je vous garantis par ailleurs que la coïncidence intéressante entre vos trois semaines d'absence et la destruction de la propriété de Jules Schiffrin à Lake Geneva se verra mentionnée à des figures clés du crime organisé, qui pourraient trouver ladite coïncidence pour le moins intrigante. Afin de rester dans la ligne de vos sympathies gauchistes et de votre souci larmoyant des financièrement démunis et des moralement déficients, vous serez maintenant déposé en un lieu où vos tendances instinctuelles à l'abnégation personnelle, l'autoflagellation et les vicissitudes sociales, seront appréciées à leur juste valeur. Chauffeur, arrêtez la voiture.

La limo ralentit. Des mains déverrouillèrent menottes et entraves.

Des mains le tirèrent à l'extérieur de la voiture. Des mains le jetèrent comme un paquet de linge sale dans un ruisseau du quartier Sud.

Des pochards clodos de couleur s'approchèrent et examinèrent le colis. Alors, quoi, blandin ?

DOCUMENT EN ENCART : 18/12/60. *Note personnelle — de Kemper Boyd au futur Procureur général[1] Robert F. Kennedy.*

Cher Bob,

Félicitations, tout d'abord. Vous ferez un Procureur général magnifique, et je vois d'ores et déjà Jimmy Hoffa et quelques autres en train de se balancer à bout de vergue.

Hoffa est une excellente transition pour passer au point qui m'intéresse. Le but de cette lettre est de vous recommander l'ancien agent spécial Ward J. Littell comme conseiller au ministère de la Justice. Littell (le Phantôme de Chicago qui travaille pour nous en sous-main depuis début 59) est diplômé en droit de Notre-Dame, mention Très Bien, et il est habilité à exercer comme juriste fédéral. Il est réputé pour sa connaissance du domaine des Statuts fédéraux sur la Déportation et il amènera avec lui nombre de récentes révélations, preuves à l'appui, anti-Mafia et anti-Camionneurs.

J'ai parfaitement conscience que Littell, dans sa position d'informateur anonyme, n'a pas repris contact avec vous depuis maintenant un long moment, et j'espère que ce fait ne refroidira pas votre enthousiasme à son égard. C'est un avocat remarquable et un Combattant du Crime sincère et convaincu.

Bien à vous,

Kemper.

DOCUMENT EN ENCART : 21/12/60. *Note personnelle — de Robert F. Kennedy à Kemper Boyd.*

Cher Kemper,

Concernant Ward Littell, ma réponse est « non », et j'insiste sur ce point. J'ai reçu de M. Hoover un rapport qui, malgré des

---

1. Procureur général est l'équivalent américain de ministre de la Justice. *(N.d.T.)*

côtés éventuellement partiaux, dépeint, avec conviction et preuves à l'appui, Littell comme un alcoolique avec une propension marquée aux tendances d'extrême gauche.

M. Hoover a également inclus preuves et documents qui indiquent que Littell recevait des pots-de-vin de la part de membres de la Mafia de Chicago. Ce qui, à mes yeux, nie la validité de ses prétendues pièces à conviction anti-Mafia, anti-Camionneurs.

Je comprends parfaitement que Littell est votre ami, qu'il a été une époque où il s'est donné bien du mal pour nous. Néanmoins, je vous avoue franchement que nous ne pouvons nous permettre la plus petite tache susceptible de salir les nouveaux cadres de nos services.

Considérons l'affaire Littell définitivement close. Reste la question de votre nomination à un poste de l'Administration Kennedy, et je pense que vous serez satisfait de ce que le futur président et moi-même vous avons trouvé.

Bien à vous,

Bob.

DOCUMENT EN ENCART : 17/1/61. *Lettre personnelle — de J. Edgar Hoover à Kemper Boyd.*

Cher Kemper,

Triples félicitations.

En premier lieu, vos récentes tactiques de dérobade ont été d'une superbe efficacité. En deuxième, votre petite digression sur Marilyn Monroe m'a fait courir pendant un temps tout à fait appréciable. A quel mythe vous avez là donné naissance ! Avec un peu de chance, il trouvera sa place dans ce que *L'Indiscret* qualifierait de « Panthéon du Pertuis Epieur ! ».

En dernier lieu, bravo pour votre nomination au poste de conseiller itinérant du ministère de la Justice. Mes contacts me disent que vous allez porter vos efforts sur le non-respect du droit de vote dans le Sud. Admirable retour des choses ! Vous serez dorénavant à même de vous faire le champion des Nègres à tendance gauchisante avec la même ténacité que celle dont vous faites montre en embrassant la cause des Cubains d'extrême droite !

Je pense que vous avez trouvé votre terrain de prédilection. Je serais bien en peine de concevoir tâche plus appropriée à un homme manifestant autant d'indulgence dans son code de loyauté personnelle.

J'espère que nous aurons l'occasion d'être à nouveau collègues un jour.

Ainsi qu'il en a toujours été,

JEH.

58

New York City, 20 janvier 1961.

Elle avait pleuré. Les larmes zébraient son maquillage défait.

Kemper arriva dans l'entrée. Laura resserra son peignoir et prit ses distances.

Il lui tendit un petit bouquet.

— Je vais aux cérémonies d'investiture. Je serai de retour dans quelques jours.

Elle ignora les fleurs.

— C'est ce que j'avais pu comprendre. Je n'ai pas pensé un seul instant que tu avais mis ce smoking pour m'impressionner.

— Laura...

— Je n'ai pas été invitée. Au contraire de quelques-uns de mes voisins. Ils avaient fait un don de dix mille dollars pour la campagne de Jack.

Son mascara coulait. Son visage tout entier donnait l'impression d'être de traviole.

— Je serai de retour dans quelques jours. Nous pourrons parler à ce moment-là.

Laura fit un geste en direction d'une armoire.

— Il y a un chèque de trois millions de dollars dans le tiroir supérieur. Il est à moi, si je ne contacte plus jamais la famille.

— Tu pourrais le déchirer.

— Tu le ferais, toi ?

— Je ne peux pas répondre à cette question.

Elle avait les doigts jaunis de nicotine. Elle avait laissé, au vu et au su de tous, des cendriers débordant de mégots.

— Eux ou moi ? dit Laura.

— *Eux,* dit Kemper.

Troisième partie

COCHONS

Février-Novembre 1961

DOCUMENT EN ENCART : 7/2/61. *Mémorandum — de Kemper Boyd à John Stanton — Marqué : CONFIDENTIEL/A REMETTRE EN MAINS PROPRES.*

John,

Je fais pression tout en douceur sur Petit Frère et quelques assistants de la Maison-Blanche pour avoir de plus amples renseignements et j'ai le regret de vous informer qu'à ce jour, le président a une position ambiguë sur nos plans d'invasion. La nature imminente desdits plans le plonge apparemment dans l'indécision. De toute évidence, il ne veut pas traiter d'une affaire aussi pressante à ce stade, au tout début de son Administration.

Le président et le Procureur général Kennedy ont été mis au courant par le directeur Dulles et le directeur adjoint Bissell. Petit Frère assiste à de nombreux briefings présidentiels aux plus hauts échelons ; il apparaît évident qu'il est en train de devenir le conseiller en chef du président sur toutes les affaire urgentes. Petit Frère (à la consternation de quelques-uns de nos amis) garde toujours la même fixation sur le crime organisé et semble se désintéresser du problème cubain. Mes contacts me disent que le président ne l'a pas tenu au courant du tout dernier statut de nos plans d'invasion, à savoir que nous sommes aujourd'hui « parés à faire feu ».

Le camp de Blessington est prêt, en état d'alerte pré-invasion. L'entraînement des nouvelles recrues a été suspendu ; à dater du 30/01/61, les quarante-quatre couchettes ont été affectées à des individus entraînés et sélectionnés dans d'autres camps d'incorporation : ils ont tous été spécifiquement formés aux tactiques de guerre amphibie. Ces hommes représentent aujourd'hui la Force d'Invasion de Blessington. Pete Bondurant et Douglas Frank Lockhart les soumettent à des manœuvres quotidiennes rigoureuses et me signalent que le moral des troupes est au plus haut.

J'ai visité Blessington la semaine dernière, pour m'assurer *de visu* du statut « parés à faire feu » de ses troupes, avant l'inspection de M. Bissell le 10/02/61. Je suis heureux de vous

449

faire part du fait que Pete et Lockhart ont mené l'affaire rondement et sans atermoiements, et que tous sont au mieux de leur forme, prêts au combat.

Les péniches de débarquement sont amarrées à quai, sous camouflage, à des pontons bâtis par des travailleurs recrutés dans la Klaverne du Klan de Lockhart. Chuck Rogers a donné à Ramon Guttierez quelques cours de vol pour le remettre au point : cela fait partie d'un plan conçu par Bondurant visant à faire endosser à Guttierez le personnage d'un transfuge castriste qui atterrit à Blessington le jour de l'Invasion, les mains pleines de photos-montages dépeignant les atrocités castristes et destinées à être discrètement transmises à la presse comme authentiques. Armes et munitions ont été inventoriées : tout est prêt. Une petite anse à huit cents mètres du camp est actuellement en voie d'aménagement afin d'abriter le navire transporteur de troupes qui mènera la Force d'Invasion de Blessington sur les lieux. Tout devrait être terminé pour le 16/02/61.

J'ai maintenant tout loisir de passer de temps à autre par la Floride, essentiellement parce que les Frères sont convaincus du mensonge que j'avais établi voilà maintenant un an : à savoir, que M. Hoover m'avait contraint à aller espionner les groupes anti-castristes dans la région de Miami. Le poste que j'occupe actuellement au ministère de la Justice (je suis chargé d'enquêter sur les accusations de refus de laisser voter certains Nègres) devrait me voir cantonné dans les Etats du Sud pour quelque temps. J'ai très précisément demandé cette affectation à cause de sa proximité par rapport à Miami et Blessington. Mes origines sudistes ont convaincu Petit Frère de me donner le travail, et il m'a autorisé à choisir mes cibles, à savoir, les premiers districts par lesquels je commencerai mon enquête. J'ai choisi la région aux alentours d'Anniston, en Alabama. Il y a huit vols quotidiens sur Miami, ce qui devrait réduire mes petits allers et retours d'affectations à de simples trajets de quatre-vingt-dix minutes. Au cas où vous auriez besoin de moi, appelez mon service à D.C. ou contactez-moi directement au Wigwam Motel à la sortie d'Anniston. (Ne dites pas ce que vous êtes en train de penser : je sais que c'est indigne de moi.)

Une fois encore, permettez-moi d'insister sur l'importance de tenir tous les liens Agence-Organisation à couvert de Petit

Frère. J'ai été aussi stupéfait et consterné que nos collègues siciliens lorsque Grand Frère l'a proposé au poste de Procureur général. Sa fièvre anti-Organisation s'est encore accrue si la chose est concevable, et nous ne voulons pas qu'il apprenne que MM. C.M., S.G. et J.R. ont contribué financièrement à la Cause, ou même que les affaires menées par notre Cadre existent tout simplement.

J'en termine. A vous revoir à Blessington le 10/02.

KB.

DOCUMENT EN ENCART 9/2/61. *Mémorandum : de John Stanton à Kemper Boyd. Marqué : CONFIDENTIEL/A REMETTRE EN MAINS PROPRES.*

Kemper,

J'ai reçu votre mémo. Tout me paraît excellent, bien que je regrette que Grand Frère tergiverse autant. J'ai mis au point quelques rajouts aux principes premiers de notre Plan d'Invasion Blessington. Voulez-vous me faire part de vos réflexions lors de notre prochaine rencontre pour l'inspection ?

1. — J'ai affecté Pete Bondurant et Chuck Rogers à la tâche de coordonner toute la sécurité à Blessington même et les communications entre Blessington et les autres sites de lancement situés au Nicaragua et au Guatemala. Rogers peut faire la navette entre ces différents sites, par avion, et je pense que Pete sera tout particulièrement efficace comme grand pacificateur.

2. — Teo Paez a ramené une nouvelle recrue : Nestor Javier Chasco, DDN : 12/4/23. Teo a connu l'homme à La Havane à l'époque où celui-ci dirigeait un réseau d'informateurs pour la United Fruit. Chasco a infiltré de nombreux groupes gauchistes et, à une occasion, a déjoué une tentative d'assassinat contre un cadre de la U.F.

451

Lorsque Castro a pris le pouvoir, Chasco a infiltré le réseau de trafic d'héroïne sur l'île, dirigé par Raul Castro, en détournant la came au profit de rebelles anti-castristes, lesquels naturellement revendaient la drogue et utilisaient l'argent pour acheter des armes. Chasco est un trafiquant de came expérimenté ; il est passé maître dans l'art de l'interrogatoire et il a été tireur d'élite, entraîné par l'armée cubaine et prêté par le président Batista à divers chefs de gouvernement sud-américains. Teo dit que Chasco a assassiné pas moins de quatorze insurgés gauchistes entre les années 51 et 58.

Chasco, qui subvenait à ses besoins en revendant de la marijuana, s'est enfui de Cuba par vedette rapide le mois dernier. Il a contacté Paez à Miami et l'a supplié de lui trouver un emploi pro-Cause. Teo l'a présenté à Pete Bondurant et a décrit par la suite la rencontre en parlant de « coup de foudre ».

Vous n'étiez pas joignable, aussi Pete m'a-t-il contacté en recommandant Nestor Chasco pour un emploi immédiat à Blessington, au rang de *cadre*. J'ai rencontré Chasco et j'ai été *très* impressionné. J'ai engagé l'homme immédiatement et demandé à Pete de le présenter aux autres membres du Cadre. Paez m'a dit que les présentations se sont déroulées dans une atmosphère amicale. Chasco apprend les ficelles du métier côté « affaires » du Cadre et fait également fonction d'instructeur-formateur à Blessington. Il sera en déplacement entre Blessington, Miami et nos installations plus officielles au Guatemala et au Nicaragua — un agent de la CIA qui passait par Blessington a noté ses qualités d'instructeur et a déposé une requête personnelle directement à M. Bissell pour accélérer les choses.

Vous verrez Chasco lors de l'inspection. Je pense que vous serez également impressionné.

3. — Pendant la période d'invasion proprement dite, je veux que vous et Chasco patrouilliez les sites d'où le Cadre exerce ses activités sur Miami. Nos sources en l'île s'attendent à ce que des informations sur le plan d'invasion filtrent jusqu'à Cuba, et je veux m'assurer que les groupes pro-castristes locaux n'en profitent pas pour nous attaquer en se disant que nous nous consacrons uniquement sur la logistique de l'invasion. Il devrait vous être facile de vous échapper. Miami est accessible

452

depuis Anniston et vous pouvez dire à Petit Frère que M. H. vous a envoyé pour vérifier l'état des activités pro-castristes.

Je vais conclure par une requête embarrassante.

Carlos M. a donné à Guy Banister 300 000 dollars supplémentaires pour l'achat d'armes. L'homme est un grand ami de la Cause, et il a quelques grandes (justifiées, à mon avis) craintes concernant Petit Frère. Pouvez-vous essayer de découvrir quels sont les plans de Bobby concernant Carlos ?

Merci d'avance de prendre ma requête en compte. A demain à Blessington.

John.

59

Blessington, 10 février 1961.

Tête à gauche, gauche, à droite, droite. Pour l'inspection, armes à bout de bras, déverrouillez la culasse — voyons un peu ces chambres de M-1 sans traces de carbone.

Le terrain de manœuvre étincelait. Les recrues se déplaçaient comme des Rockettes espingos — toutes les variations de pas, tours, demi-tours, arrêts, étaient synchronisées.

Lockhart donnait la cadence. Nestor Chasco jouait au porte-étendard. Etoiles et rayures avec monstre pit-bull battaient au vent.

Pete menait l'inspection en gants blancs. Avec sur les talons, en file indienne, Richard Bissell et John Stanton — de vrais caves en civil vêtus de complets en lainage à chevrons.

Les recrues portaient treillis amidonnés et casques chromés. Fulo, Paez, Delsol et Guttierez se tenaient à l'écart, en position de flanc, comme des chef d'escadron.

Boyd surveillait les opérations depuis le ponton. Il ne voulait pas être connu des recrues de deuxième classe.

Pete inspectait les armes avant de les rendre à leur propriétaire. Bissell tapotait quelques épaules au passage et souriait. Stanton étouffait des bâillements — il savait qu'il ne s'agissait là que de conneries de relations publiques.

— Aaaarmes à l'épaule ! hurla Lockhart. En avant, marche ! Premier rang, centre !

Quarante-quatre fusils se levèrent. Chasco avança de dix pas et fit demi-tour.

Chasco salua. Chasco déroula ses étendards à bout de bras.

— Repos ! hurla Lockhart.

Les hommes prirent la position l'un à la suite de l'autre, pour un petit effet de vague très chic.

Bissell en resta bouche bée. Stanton applaudit.

Boyd reluquait Chasco. Stanton lui avait monté le petit merdaillon comme un Jésus-Christ sans merci.

Chasco bouffait de la viande de tarentule et buvait de la pisse de panthère. Chasco tuait les Rouges de Rangoon à Rio.

Chasco toussa et cracha au sol.

— C'est un plaisir d'être ici avec vous en Amérique. C'est un honneur de pouvoir combattre le tyran Fidel Castro, et un honneur de vous présenter Señor Richard Bissell.

Montèrent des acclamations locomotive — cinquante voix à faire *Choo-choo-choo*.

Bissell fit taire les clameurs du geste.

— Le Señor Chasco a raison. Fidel Castro est un tyran meurtrier qui a besoin qu'on lui rabatte son caquet. Je suis ici pour vous dire que c'est ce que nous allons faire, et très probablement dans un avenir des plus proches.

Choo-choo-choo-choo-choo-choo-choo-choo-

Bissell poignarda l'air à la manière de Kennedy.

— Votre moral est au plus haut, et c'est sacrément bien. Il y a aussi un sacré bon moral à l'intérieur de Cuba, et j'aimerais ajouter qu'en ce moment, ce moral a la mesure de trois ou quatre brigades. Je veux parler des Cubains-en-l'île qui attendent que vous établissiez une tête de pont sur la plage avant de leur montrer le chemin jusqu'au salon de Fidel Castro.

Choo-choo-choo-choo-choo-

— Vous, et de nombreux autres, allez envahir et reprendre votre terre patrie. Vous allez vous joindre aux forces anti-castristes vivant en l'île et déposer Fidel Castro. Nous disposons de près de mille six cents hommes stationnés au Guatemala, au Nicaragua et le long de la côte du Golfe, à pied d'œuvre, prêts à partir au départ de leurs postes côtiers. Vous faites partie de ces hommes. Vous êtes une unité d'élite qui sera dans le feu de l'action. Vous disposerez d'un soutien aérien de B-52 des surplus de l'armée et vous serez escortés jusqu'à votre terre par une force d'intervention composée de bateaux d'approvisionnement de la U.S. Navy. Vous réussirez. Vous passerez Noël auprès de ceux que vous aimez dans une Cuba libérée.

455

Pete donna le signal. Un salut de quarante fusils laissa un Bissell sans voix, en état de choc.

Stanton offrit le déjeuner au Breakers Motel. Liste d'invités : que du Blanc bon teint. Uniquement Pete, Bissell, Boyd, Chuck Rogers.

Santos Jr. était propriétaire du lieu. Les hommes de Blessington dînaient et buvaient à crédit. La cafet' ne servait que de la bouffe ritale pleine de féculents — strictement merdeville.

Ils s'accaparèrent une place de choix, une table près de la fenêtre. Bissell tenait le crachoir — personne ne pouvait placer un mot. Pete était assis tout à côté de Boyd et picorait dans une assiette de *linguine*.

Chuck fit la distribution des bières. Boyd passa un petit mot à Pete.

> J'aime bien Chasco. Il a cette allure à la « ne-me-sous-estimez-pas-parce-que-j'ai-l'air-chétif » que j'associe à W.J. Littell. Peut-on l'envoyer abattre Fidel ?

Pete gribouilla sur sa serviette.

> Demandons-lui d'abattre Fidel *et* WJL. Jimmy a la trouille et il fait la gueule parce qu'on a chouré les livres de la Caisse et nous sommes les seuls à savoir qui a fait ça. Est-ce qu'on ne peut pas y faire quelque chose ?

Boyd écrivit NON sur son menu. Pete éclata de rire.

Bissell prit la mouche.

— Aurais-je dit quelque chose de drôle, monsieur Bondurant ?

— Non, monsieur. Aucunement.

— Je ne le pensais pas non plus. Je disais que le président Kennedy a été informé à plusieurs reprises, mais il se refuse toujours à s'engager sur une date précise, ce que je ne trouve pas amusant du tout.

Pete se versa une bière.

— M. Dulles, dit Stanton, décrit le président comme étant « enthousiaste, mais prudent ».

Bissell sourit.

— Notre arme secrète est M. Boyd ici présent. Il est notre confident auprès des Kennedy, et j'imagine que si les choses en arrivaient à un point critique, il pourrait révéler sa position au sein de l'Agence et se faire ouvertement l'avocat de notre plan d'invasion.

Pete cadra le moment, comme un cliché-souvenir : Boyd sur le point de tout paumer de toutes les manières possibles dans toutes les directions.

Stanton mit son épingle dans le jeu.

— M. Bissell plaisante, Kemper.

— Je sais cela. Et je sais qu'il comprend à quel point nos alliances sont devenues complexes.

Bissell tortilla sa serviette.

— Je le sais, monsieur Boyd. Et je connais la générosité dont M. Hoffa, M. Marcello et quelques autres messieurs italiens ont fait preuve à l'égard de la Cause, et je sais que vous possédez une certaine influence dans le camp Kennedy. Et en tant qu'agent de liaison en chef pour l'affaire cubaine auprès du président, je sais également que Fidel Castro et le communisme sont bien pis que la Mafia, même s'il ne me viendrait pas à l'esprit de vous demander d'intercéder de la part de nos amis, parce que cela pourrait vous faire perdre toute crédibilité auprès de vos sacro-saints Kennedy.

Stanton en laissa tomber sa cuillère à potage. Pete lâcha un profond soupir, tout doux, tout doux.

Boyd afficha un grand rictus, du genre avaleur de couleuvres et fier de l'être.

— Je suis heureux que vous voyiez les choses de cette façon, monsieur Bissell. Parce que si vous m'aviez effectivement posé la question, j'aurais été bien obligé de vous répondre d'aller vous faire foutre.

60

Washington, D.C., 6 mars 1961.

Il prenait ses trois doses tous les soirs — pas plus, pas moins.

Il était passé du whiskey au gin pur. La brûlure compensait le volume un peu chiche.

Trois doses lui titillaient ses haines. Quatre doses et plus, et ces mêmes haines se mettaient à battre la campagne.

Trois doses disaient, tu projettes une image de danger. Quatre doses ou plus, tu es laid et tu boites.

Il buvait toujours face au miroir du couloir. Le verre était ébréché et craquelé — son nouvel appartement était meublé au rabais.

Littell descendit ses trois verres, 1-2-3. L'embrasement le laissa livré à son combat contre lui-même.

Tu es à deux jours de fêter tes quarante-huit ans. Helen t'a quitté. J. Edgar Hoover t'a baisé — tu l'as baisé et il t'a baisé en retour de manière bien plus efficace.

Tu as risqué ta vie pour rien. Robert F. Kennedy t'a tourné le dos. Tu es allé en enfer et retour pour une lettre officielle de refus en bonne et due forme.

Tu as essayé de contacter Bobby en personne. Des bénis-oui-oui t'ont montré la porte. Tu as adressé quatre lettres à Bobby. Elles sont toutes restées sans réponse.

Kemper a essayé de te faire engager au ministère de la Justice. Bobby a mis son veto — l'ennemi prétendument haineux de Hoover s'est allongé devant Hoover. C'est Hoover qui a réglé les détails du coup monté : Aucun cabinet d'avocats, aucune faculté de droit ne t'engagera jamais.

Kemper sait que c'est toi qui détiens les livres comptables de la

458

Caisse de Retraite. C'est sa peur qui définit aujourd'hui ton engagement.

Tu es allé faire retraite chez les jésuites à Milwaukee. Les journaux ont chanté les louanges de ton exploit de cambrioleur : LE MYSTERIEUX VOLEUR D'ŒUVRES D'ART DEMOLIT UNE RESIDENCE DE LAKE GENEVA ! Tu as fait quelques petits boulots pour le Monsignor et imposé ton propre code de silence.

Tu as évacué la gnôle de ton organisme. Tu as pris du muscle. Tu as étudié des manuels de cryptographie. La prière t'a appris à choisir entre ceux qui méritaient tes haines ou tes pardons.

Tu as lu la rubrique nécrologique du *Chicago Trib* : Court Meade était mort d'une crise cardiaque violente. Tu as fait la tournée des lieux de jadis. Les foyers d'adoption qui t'ont vu grandir continuaient toujours à baratter les jeunes esprits pour en faire des robots jésuites.

Tu as les qualifications requises pour pratiquer ton métier à D.C. Hoover t'a laissé un sas d'échappée — dans son petit jardin personnel.

Le retour vers l'est t'a requinqué. Les cabinets d'avocats de Washington en quête de nouvelles recrues ont été scandalisés par ton pedigree coco.

Kemper a refait son apparition. Kemper l'Egalitariste était toujours en relations amicales avec d'anciens confrères voleurs de voitures. Les voleurs de voitures étaient prédisposés à des inculpations fédérales et toujours en quête d'avocats bon marché pour les représenter.

Les voleurs de voitures lui offraient des emplois occasionnels — suffisamment pour lui permettre de s'offrir un appartement et trois doses de gnôle par soir.

Kemper l'avait appelé pour bavarder. A aucun moment il n'avait fait état des livres de la Caisse. On ne peut pas haïr un homme aussi haut placé, sur sa petite vire près des sommets. On ne peut pas haïr un homme aussi immunisé contre la haine.

Il t'a fait de grands cadeaux. Des cadeaux qui compensent ses trahisons.

Kemper qualifie son travail sur les droits civiques d' « émouvant ». C'est cette même noblesse oblige facile et coûtant peu que les Kennedy affichent de manière aussi condescendante.

Tu hais l'entreprise de séduction de masse financée par Joe

Kennedy. Tes pères d'adoption t'offraient un seul jouet bon marché par Noël. Joe offrait à ses fils le monde avec de l'argent cancérigène.

La prière t'a enseigné à haïr les faux-semblants. La prière t'a donné le pouvoir de percevoir et d'éclairer tes perceptions. La prière était comme une prise d'étranglement sur toute propension au mensonge.

Tu vois le visage du président et tu perces l'image qu'il offre. Tu vois Jimmy Hoffa qui s'en tire blanc comme neige dans l'affaire de Sun Valley — un journaliste parle de manque de preuves.

Tu détiens une marchandise à même de renverser cette injustice. Tu détiens une marchandise à même d'inculper la séduction Kennedy.

Tu peux casser le code restant de la caisse. Tu peux dénoncer au grand jour le Baron voleur et son fils, le Gamin-Führer priapique.

Littell sortit ses manuels de cryptographie. Trois doses par soir lui avaient enseigné ceci :

Tu es dans le trente-sixième dessous, mais tu es capable de tout.

61

Washington, D.C., 14 mars 1961.

Bobby présidait. Quatorze juristes se prirent chacun un fauteuil, calepins et cendriers en équilibre sur les genoux.

La salle de réunion était pleine de courants d'air. Kemper s'appuya contre le mur du fond, le pardessus simplement pendu à ses épaules.

Le Procureur général beuglait — inutile de s'approcher plus près. Il avait du temps de libre — une tempête avait retardé son vol pour l'Alabama.

— Vous savez les raisons pour lesquelles je vous ai convoqués, dit Bobby. Et vous savez l'essentiel de votre travail. Je me débats dans la paperasse depuis l'Investiture, et je n'ai pas pu m'attaquer aux dossiers adéquats. J'ai donc décidé de vous laisser faire. Vous constituez l'unité Crime organisé, et vous connaissez les termes de votre mandat. Et que je sois damné si je laisse encore traîner les choses plus longtemps.

Les hommes sortirent crayons et stylos. Bobby s'installa face à eux, à califourchon sur une chaise.

— Nous disposons de juristes et d'enquêteurs, et n'importe quel avocat désireux de mériter son salaire est en même temps enquêteur improvisé, prêt à user de tous les moyens possibles. Nous disposons d'agents du FBI que nous pouvons utiliser à notre convenance, si je parviens à convaincre M. Hoover de modifier légèrement ses ordres de priorité. Il est toujours intimement persuadé que les communistes sur le sol national sont plus dangereux que le crime organisé, et je pense que l'obstacle majeur à vaincre sera de rendre le FBI plus coopératif.

Les hommes rirent. Un flic ex-McClellan dit :

461

— Nous vaincrons.

Bobby desserra sa cravate.

— Nous vaincrons effectivement. Et le Conseiller itinérant Kemper Boyd, qui nous épie depuis le poulailler, vaincra les pratiques d'exclusion raciales dans le Sud. Je ne demanderai pas à monsieur Boyd de se joindre à nous, car ses façons furtives de se planquer au fond de la pièce ressemblent fort à son *modus operandi.*

— Je suis un espion, salua Kemper d'un geste.

Bobby salua à son tour.

— C'est ce que le président a toujours soutenu.

Kemper éclata de rire. Bobby l'appréciait aujourd'hui, couci-couça — sa rupture avec Laura avait emporté la décision. Claire et Laura restaient proches — il avait régulièrement des comptes-rendus depuis New York.

— Arrêtons-là les conneries, dit Bobby. Les audiences du Comité McClellan nous ont fourni une liste de cibles prioritaires, en tête de laquelle nous avons Jimmy Hoffa, Sam Giancana, Johnny Rosselli, et Carlos Marcello. Je veux que l'on me sorte les dossiers du Service fédéral des Impôts pour chacun d'eux, et je veux que l'on passe au peigne fin, les dossiers des services de police de Chicago, New York, Los Angeles, Miami, Cleveland et Tampa en relevant toutes les fois où il sera fait mention de leurs noms. Je veux également qu'on rédige des requêtes en suspicion légitime, afin de pouvoir obtenir du tribunal le droit de consulter leurs livres de comptes et dossiers personnels.

— Et concernant Hoffa plus précisément ? dit quelqu'un. Le jury a été incapable de rendre son verdict dans l'affaire de Sun Valley, mais il doit bien y avoir d'autres manières d'attaquer le problème.

Bobby remonta ses manches.

— Un jury sans verdict unanime la première fois, cela signifie à coup sûr un acquittement la fois suivante. J'ai abandonné l'espoir de retrouver la trace des 3 millions mirages, et je commence à croire que les soi-disant *véritables* livres comptables de la Caisse de Retraite ne sont rien d'autre qu'un rêve de fumée. Je suis d'avis qu'il nous faut constituer des grands jurys et les inonder de pièces à conviction concernant Hoffa. Et pendant que nous sommes sur le sujet, je désire faire voter une loi fédérale exigeant de tous les services de police municipale qu'ils soient soumis à une autorisation écrite préalable du ministère de la Justice avant toute mise en place d'écoute téléphonique, de manière à ce que nous ayons, de notre côté, accès à tout renseignement obtenu par écoute téléphonique sur tout le territoire national.

Les hommes applaudirent. Un ancien des McClellan envoya quelques directs en l'air.

Bobby se leva.

— J'ai retrouvé un vieil avis de déportation au nom de Carlos Marcello. Il est né à Tunis, en Afrique du Nord, de parents italiens, mais il a un faux extrait de naissance du Guatemala. Je veux qu'il soit déporté au Guatemala, et je veux que cela se fasse vite, bon Dieu.

Kemper se piqua une petite suée, modèle poids léger...

62

Campagne mexicaine, 22 mars 1961.

Une mitraille de champs de pavots couvraient l'horizon. Les bulbes sur tige suintant de came noyaient une vallée vaste comme la moitié de Rhode Island.

Des prisonniers de droit commun étaient chargés de la cueillette. Des flics mexicains menaient la troupe au fouet et se chargeaient de transformer la matière première.

Heshie Ryskind dirigeait la visite. Pete et Chuck Rogers lui serraient les talons en le laissant jouer au maître de cérémonie.

— Cette ferme me fournit ainsi que Santos depuis des années. Ils transforment l'O en morphine pour l'Agence, en plus, pas'que l'Agence a toujours quelques insurgés d'extrême droite à soutenir. Ils se font tirer dessus, il y a beaucoup de blessés et ils ont toujours besoin de morph comme médicament. La plupart des zombies qu'ils font bosser ici restent une fois leur peine accomplie pas'que tout ce qui les intéresse, c'est de se tirer une pipe en se goinfrant de tortillas comme à-côté. J'aimerais bien avoir des besoins aussi simples. J'aimerais bien ne pas être obligé de tenir neuf putains de toubibs à pied d'œuvre, tellement ch'suis qu'un connard d'hypocondriaque, et j'aimerais bien ne pas avoir la chutzpah[1] — qui pour vous, les goys, est la même chose que l'audace — d'essayer de battre le record du monde des tailleurs de plumes, pas'que je crois que j'en suis arrivé au point où toutes ces succions me font plus de mal que de bien à la prostate. Et je ne suis plus l'aimant à pipes que j'étais dans le temps. Il faut que je

---

1. Yiddish : qualité de l'homme qui, ayant assassiné père et mère, s'en remet à l'indulgence du tribunal parce qu'il est orphelin. *(N.d.T.)*

me balade en compagnie d'un beau chéri de ces dames, amateur de chattes, pour m'en payer une petite tranche. Ces temps derniers, c'est Dick Contino qui me levait mon gibier. J'assiste à tous ses numéros de salons ringards, et Dick me refile toutes les succions de rab que je peux encore me permettre.

Le soleil cuisait, comme une chape. Ils étaient montés sur des rickshaws, avec des prisonniers camés à la barre.

— Il nous faut dix livres de précoupée pour le Cadre, dit Pete. Je ne pourrais revenir ici qu'une fois l'invasion effectuée.

Chuck se mit à rire.

— Si ton petit copain Jack donne son accord. Et quand il le donnera.

Pete donna une pichenette dans un bulbe — de la merde blanchâtre se mit à suinter.

— Et je veux de la morphine en quantité suffisante pour les infirmiers de Blessington. Disons tout simplement que c'est notre dernière visite avant un bon moment.

Heshie s'appuya contre son rickshaw. Le pilote portait un pagne et une casquette de base-ball des Dodgers.

— Tout cela peut s'arranger sans problèmes. C'est bien plus simple que d'essayer d'arranger un numéro de pipes pour soixante lors d'une foutue convention de Camionneurs.

Chuck se passa un peu de mélasse de bulbe sur une coupure de rasoir.

— J'ai la mâchoire qui s'engourdit. C'est pas désagréable, mais je n'irai pas me détruire l'existence pour ça.

Pete se mit à rire.

— Je suis fatigué, dit Heshie. Je retourne vous faire charger votre camelote puis je vais faire un petit somme.

Chuck sauta dans son rickshaw. Le pilote avait l'air d'un putain de Quasimodo.

Pete se mit sur la pointe des pieds. La vue portait loin loin.

Peut-être sur un millier de rangs. Peut-être vingt esclaves par rang. Limités, les frais généraux en main-d'œuvre : un pieu, du riz et des fayots ne coûtaient pas bien cher.

Chuck et Heshie s'en allèrent — visez-moi un peu cette course de fêlés entre rickshaws ! On dirait des dragsters !

Boyd disait que Hoover avait une maxime : l'anticommunisme fait naître d'étranges compagnons de lit.

465

Ils prirent l'avion du Mexique au Guatemala. Le Piper avec ses deux moulins se traînait comme une limace — Chucky avait bourré la soute jusqu'à la gueule.

Au nombre des colis : fusils, pamphlets de haine, héroïne, morphine, tortillas, téquila, bottes de saut des surplus de l'armée, poupées vaudoues Martin Luther le Noircif, vieux numéros de *L'Indiscret*, et cinq cents tirages stencil d'un rapport diffusé par Guy Banister, issu du Bureau du FBI à L.A., déclarant que même si M. Hoover savait pertinemment que le président John F. Kennedy ne jouait *pas* à fourrer le frétillant avec Marilyn Monroe, il gardait néanmoins cette dernière sous surveillance intensive, en notant comme il se doit qu'au cours des six dernières semaines, Mlle Monroe avait baisé Louis Prima, deux Marines en perm, Spade Cooley, Franchot Tone, Yves Montand, le valet d'Yves Montand, le jardinier d'Yves Montand, le chauffeur d'Yves Montand, Stan Kenton, David Seville des « David Seville et les Chipmunks », quatre jeunes livreurs de pizzas, le poids coq Fighting Harada, et un disc-jockey d'une station de radio R&B tout noircif.

Chuck appelait ça « du matériel de première nécessité ».

Pete essaya de somnoler. Le mal d'avion le tint éveillé. Le camp d'entraînement jaillit au milieu d'une batterie de nuages, exactement à l'heure prévue.

Impressionnant, é-é-énorme. Des airs, on aurait dit Blessington.

Chuck coupa ses aérofreins et descendit en douceur. Pete dégueula par sa fenêtre juste avant la piste.

Ils se rangèrent. Pete se gargarisa à la téquila pour se rincer l'haleine. Les recrues cubaines à l'entraînement arrivèrent à la soute et déchargèrent les fusils.

Un officier débarqua en trottinant, formulaires de livraison à la main. Pete sortit et les détailla : armes, gnôle pour les perms, propagande anti-Barbu de *L'Indiscret*.

— Vous pouvez manger maintenant, dit le mec, ou attendre M. Boyd et M. Stanton.

— Je vais d'abord faire un petit tour. Je ne suis encore jamais venu ici.

Chuck pissa sur la piste d'atterrissage.

— Des nouvelles du Grand Jour ? dit Pete.

Le mec secoua la tête.

— Kennedy parle beaucoup mais ne fait rien. M. Bissell commence à penser que nous aurons de la chance si nous passons à l'action avant l'été.

— Jack finira par faire ce qu'on attend de lui. Il verra bien que l'affaire est trop juteuse pour la laisser passer.

Pete se baladait au gré de sa fantaisie. Le camp était un Disneyland pour tueurs.

Six cents Cubains. Cinquante Blancs pour rameuter le troupeau. Douze baraquements, un terrain de manœuvres, un stand de tir, un terrain d'atterrissage, un mess, un parcours du combattant, et un tunnel de simulation de guerre chimique.

Trois criques de lancement entaillaient le rivage du Golfe à deux kilomètres au sud. Quatre douzaines d'auto-chenilles amphibies équipées de mitrailleuses calibre 50.

Un tas de munitions. Un hôpital de campagne. Une chapelle catholique avec un aumônier bilingue.

Pete se baladait. Des anciens diplômés de Blessington le saluaient au passage. Des officiers lui montraient de super trucs.

Visez-moi Nestor Chasco — à orchestrer ses simulacres d'assassinat.

Visez-moi cet atelier d'endoctrinement anti-Rouges.

Visez-moi ces filées d'insultes à encaisser — calculées pour augmenter la docilité des troupes.

Visez-moi la réserve d'amphétamines des infirmiers — du courage pré-emballé pré-invasion.

Visez-moi le spectacle sur le terrain clos de barbelés — des péons en train de planer grâce à une came du nom de LSD.

Certains hurlaient. Certains pleuraient. Certains étaient tout rictus comme si le LSD était une affaire du feu de Dieu. Un officier dit que l'idée venait de John Stanton — inondons Cuba de cette merde avant l'invasion.

Langley avait contresigné sa tempête sous crâne. Langley avait

467

embelli le programme : créons des hallucinations de masse pour orchestrer la deuxième venue du Christ sur scène !!!!

Langley avait déniché quelques acteurs-suicides. Langley les avait attifés de manière à les faire ressembler à J.-C. Langley les tenait prêts pour la pré-invasion de Cuba, en même temps que le programme de saturation par came.

Pete se mit à hennir de rire.

— Ce n'est pas drôle, dit l'officier.

Un péon complètement allumé par la drogue sortit coquette et s'offrit une branlette.

Pete se baladait. Tout brillait et scintillait.

Visez-moi ces entraînements à la baïonnette. Visez-moi ces jeeps polies-salive. Visez-moi ce prêtre à l'allure d'engnôlé en train de dispenser la Sainte Communion en extérieurs.

Des haut-parleurs annoncèrent l'heure de la bouffe. Il était 17 heures et le soir était encore loin — les militaires aimaient dîner tôt.

Pete s'avança jusqu'à la cabane-foyer. Une table de billard et un bar avec alcools occupaient les deux tiers de l'espace.

Boyd et Stanton arrivèrent à leur tour. Un immense empaffé bloqua la porte d'entrée — resplendissant en tenue kaki de parachutiste français.

— Entrez, Laurent, dit Kemper.

L'homme avait les oreilles en cruchon. C'était une vraie masse. Il avait cette allure condescendante qui est une seconde nature chez les grenouilleux impérialistes.

Pete fit la courbette.

— Salut, Capitaine.

Boyd sourit.

— Laurent Guery, Pete Bondurant.

Grenouilleux claqua des talons.

— *Monsieur Bondurant. C'est un grand plaisir de faire votre connaissance. On vous dit grand patriote*[1].

Pete se retrouva un peu de québécois.

— *Tout le plaisir est à moi, Capitaine. Mais je suis beaucoup plus profiteur que patriote*[1].

---

1. En français dans le texte. *(N.d.T.)*

468

Grenouilleux éclata de rire.

— Traduisez pour moi, Kemper, dit Stanton. Je commence à me sentir le vrai péquenot.

— Vous ne ratez pas grand-chose.

— Vous voulez dire que c'est juste Pete qui essaie de faire le civilisé avec le seul autre Français d'un mètre quatre-vingt-quinze à avoir vu le jour?

Grenouilleux haussait les épaules — *Quoi? Quoi? Quoi*[1]?

Pete lui fit un clin d'œil.

— *Vous êtes quoi donc, Capitaine? Etes-vous un* « fêlé d'extrême droite[1] »? *Etes-vous un* « mercenaire partant pour la vache à lait cubaine »?

Grenouilleux haussait les épaules — *Quoi? Quoi? Quoi*[1]?

Boyd fit passer Pete sur le perron. Des Espingos arrivant du terrain de manœuvres traversèrent au pas de gymnastique la file pour la bouffe.

— Sois gentil, Pete. Il est de l'Agence.

— A quel putain de titre?

— Il descend les gens.

— Alors dis-lui de dessouder Fidel et d'apprendre l'anglais. Dis-lui de faire quelque chose qui m'impressionne, sinon, il restera pour moi un autre de ces clowns de bouffeurs de grenouilles.

Boyd éclata de rire.

— Il a tué un homme au Congo le mois dernier. Un homme du nom de Lumumba.

— Et alors?

— Il a tué un nombre respectable d'Algériens trop arrogants.

Pete alluma une cigarette.

— Alors va dire à Jack de l'expédier à La Havane. Et envoie Nestor avec lui. Et dis à Jack qu'il m'en doit une pour l'histoire Nixon-Hughes, et qu'en ce qui me concerne, je trouve que l'histoire n'avance pas assez vite. Dis-lui de nous donner une date pour le Grand Jour. Sinon, je me prends un bateau jusqu'à Cuba et je dessoude le Fidel personnellement.

— Sois patient, dit Jack. Jack a toujours encore les guibolles

---

1. En français dans le texte. *(N.d.T.)*

qui flageolent, et envahir un pays tenu par les communistes est un engagement très sérieux. Dulles et Bissell ne le lâchent pas d'une semelle, et je suis convaincu qu'il dira oui avant qu'il soit longtemps.

Pete sur le perron chassa une boîte en fer-blanc d'un coup de pied. Boyd dégaina son calibre et vida le chargeur. La boîte dansa la gigue à travers tout le terrain de manœuvres.

Les mecs dans la file pour la bouffe applaudirent. La puissance de l'écho du gros calibre en avait obligé quelques-uns à se boucher les oreilles.

Pete chassa les douilles du pied.

— A *toi* de parler à Jack. Dis-lui que l'invasion, c'est bon pour les affaires.

Boyd fit tournoyer son arme autour d'un doigt.

— Je ne peux ouvertement jouer au prosélyte de l'invasion sans éventer ma couverture Agence, et j'ai une sacrée foutue chance de disposer de la couverture FBI pour justifier ma présence en Floride, en tout premier lieu.

— Ton petit numéro droits civiques, ça doit être mignon tout plein. Tu fais juste ce qu'il faut pour faire illusion et tu décolles pour Miami quand les Négros commencent à te taper sur le système.

— Ce n'est pas du tout ça.

— Non?

— Non. J'aime les Nègres avec lesquels je travaille tout comme tu aimes nos Cubains et, spontanément, je dirais que leurs griefs sont considérablement plus justifiés.

Pete balança sa cigarette.

— Raconte tout ce que tu veux. Et c'est moi qui vais le redire encore une fois. Tu laisses aux gens bien trop la bride sur le cou.

— Tu veux dire que je ne me laisse pas influencer par les gens.

— Ce n'est pas ce que je veux dire. Ce que je veux dire, c'est que tu acceptes bien trop de conneries faiblardes chez les gens, et au prix qu'on te paie, c'est là une qualité de fils de richard condescendant que tu as piquée aux Kennedy.

Boyd engagea un nouveau chargeur et fit monter une balle dans la chambre.

— Je t'accorde que Jack a cette qualité, mais pas Bobby. Bobby est un pur quand il juge et quand il hait.

470

— Il hait quelques-uns de nos amis très proches.

— Effectivement. Et il commence à haïr Carlos Marcello plus que je n'aimerais.

— Est-ce que tu l'as dit à Carlos ?

— Pas encore. Mais si l'escalade continue un cran de plus, je pourrais bien te demander de l'aider à se sortir du pétrin.

Pete fit craquer quelques jointures.

— Et je dirai « oui », sans poser de questions. Maintenant, à toi de dire « oui » à quelque chose.

Boyd visa un tas de terre à vingt mètres.

— Non. Tu ne peux pas tuer Ward Littell.

— Pourquoi ?

— Il a planqué les livres. En toute sécurité. Garantie tous risques.

— Alors je le torture pour obtenir les informations pertinentes et je le tue.

— Ça ne marchera pas.

— Pourquoi ?

Boyd fit sauter la tête à un serpent à sonnettes.

— J'ai dit : « Pourquoi ? », Kemper.

— Parce qu'il préférerait mourir rien que pour prouver qu'il en était capable.

63

Washington, D.C., 26 mars 1961.

Ses cartes portaient imprimé :

> Ward J. Littell
> *Conseiller juridique*
> *Agréé en Législation fédérale*
> OL — 64809

Pas d'adresse — il ne voulait pas que ses clients sachent qu'il exerçait depuis son appartement. Pas de bristol brillant ni de lettres en relief — il ne pouvait pas vraiment se le permettre.

Littell arpentait le couloir au second étage. Les criminels inculpés prenaient ses cartes et le regardaient comme s'il était cinglé.

Avocat marron. Chasseur d'ambulance. Juriste entre deux âges dans la débine.

Le tribunal fédéral ne chômait pas. Six divisions et un rôle des causes plein pour les audiences préliminaires — tous autant qu'ils étaient, des raclures non représentées et donc, autant de clients potentiels.

Littell distribuait ses cartes. Un homme lui balança son mégot.

Kemper s'avança jusqu'à lui. Le beau Kemper — dans une telle forme et tellement tiré à quatre épingles qu'il en étincelait !

— Puis-je t'offrir un verre ?

— Je ne bois plus comme par le passé.

— Déjeuner, en ce cas ?

— D'accord.

472

La salle à manger du Hay-Adams faisait face à la Maison-Blanche. Kemper ne cessait de regarder par la fenêtre.

— ... et mon travail consiste à relever les dépositions et à les déposer au rôle du tribunal fédéral de District. Nous essayons de nous assurer que les Nègres que l'on a empêchés de voter n'ont pas été exclus sur la base d'impositions locales illégalement levées ou contraints à subir des tests d'alphabétisme auxquels les responsables des inscriptions aux listes électorales voulaient qu'ils échouent.

Littell sourit.

— Et je suis sûr que les Kennedy établiront un nombre de clauses légales exécutoires pour faire en sorte que le dernier Nègre d'Alabama soit inscrit sur les listes électorales comme démocrate. Il te faut envisager ce genre de choses lorsqu'on en est au tout début de bâtir une dynastie.

Kemper se mit à rire.

— La politique des droits civiques du président n'est pas conçue avec un tel cynisme.

— Et ta manière de l'appliquer, l'est-elle ?

— A peine. J'ai toujours considéré qu'empêcher délibérément les gens de voter était peu judicieux et futile.

— Et tu aimes ces gens ?

— Oui. Je les aime.

— Ton accent du Sud a fait un retour en force.

— Il désarme les gens auxquels j'ai affaire. Ils apprécient le fait d'avoir dans leur camp un Blanc du Sud. Tu souris de toutes tes dents, Ward. Qu'est-ce qu'il y a ?

Littell but une gorgée de café.

— Il m'est venu à l'idée que l'Alabama était plutôt proche de la Floride.

— Tu as toujours compris vite.

— Le Procureur général sait-il que tu travailles au noir ?

— Non. Mais je suis relativement couvert, officiellement parlant, lors de mes visites en Floride.

— Laisse-moi deviner. M. Hoover te fournit une couverture, et malgré toutes ses professions de haine à son endroit, Bobby ne ferait jamais *rien* pour déranger M. Hoover.

Kemper éloigna un serveur du geste.

— Ta haine se voit, Ward.

— Je ne hais pas M. Hoover. On ne peut pas haïr quelqu'un qui se conduit d'une manière aussi conforme à son image.

— Mais Bobby...

Littell chuchota.

— Tu sais les risques que j'ai pris pour lui. Et tu sais ce que j'ai obtenu en retour. Et ce que je ne peux pas admettre, c'est que les Kennedy se prétendent meilleurs que cela.

— Tu as les registres, dit Kemper.

Il dégagea ses manchettes de chemise en révélant une Rolex en or massif.

Littell montra la Maison-Blanche du doigt.

— Oui, je les ai. Et je les ai piégés d'une douzaine de manières différentes. J'ai déposé auprès d'une douzaine d'avocats différents des séries d'instructions avec des clauses de réserve lorsque j'étais ivre, et je ne me souviens même plus moi-même de toutes.

Kemper croisa les mains.

— Avec déposition sur mon infiltration des Kennedy destinée à être adressée au ministère de la Justice dans l'éventualité de ta mort prématurée ou d'une disparition prolongée ?

— Non. Avec déposition sur ton infiltration, sur Joseph P. Kennedy et ses malversations financières astronomiquement lucratives liées à la Mafia, destinées à être transmises à toutes les brigades anti-gangsters de tous les services de police municipaux sur tout le territoire des Etats-Unis, et à tous les membres républicains de la Chambre des représentants et du Sénat.

— Bravo, dit Kemper.

— Merci, dit Littell.

Un garçon posa un téléphone sur leur table. Kemper plaça une chemise cartonnée tout à côté.

— Est-ce que tu es fauché, Ward ?

— Presque.

— Tu n'as pas exprimé la plus petite rancœur concernant mon comportement ces temps derniers.

— Cela n'aurait servi à rien.

— Quel est ton sentiment actuel à l'égard du crime organisé ?

— Mes sentiments actuels sont relativement charitables.

Kemper tapota la chemise cartonnée.

— Voici un dossier chapardé aux Services fédéraux des Impôts. Et tu es le meilleur avocat que Dieu ait jamais mis sur cette belle terre pour la rédaction d'arrêtés de déportation.

Ses manchettes de chemise étaient grises et élimées. Kemper arborait des boutons de manchettes en or massif.

— Dix mille dollars pour commencer, Ward. Je suis certain de pouvoir t'obtenir ce travail.

— *En échange de quoi* ? Pour que je te livre les registres ?

— Oublie les registres. Tout ce que je te demande, c'est de ne les remettre à personne.

— Kemper, qu'est-ce que tu...

— Ton client sera Carlos Marcello. Et c'est Bobby Kennedy qui veut le déporter.

Le téléphone sonna. Littell en laissa tomber sa tasse.

— C'est Carlos, dit Kemper. Sois obséquieux, Ward. Il s'attend à ce qu'on lui lèche un peu les bottes.

DOCUMENT EN ENCART : 2/4/61. *Transcription mot à mot d'une conversation téléphonique FBI. — TRANSCRITE A LA DEMANDE DU DIRECTEUR — DESTINATAIRE UNIQUE : LE DIRECTEUR — Interlocuteurs : Directeur J. Edgar Hoover, Procureur général Robert F. Kennedy.*

RFK. — Bob Kennedy à l'appareil, monsieur Hoover. J'avais l'espoir que vous pourriez me consacrer quelques minutes de votre temps.

JEH. — Très certainement.

RFK. — Il y a quelques points de protocole dont j'aimerais discuter.

JEH. — Oui.

RFK. — Les communications, pour commencer. Je vous ai adressé une directive requérant des copies carbones de tous les rapports-résumés que vous soumettent vos brigades du Programme Grands Criminels. Cette directive était en date du 17 février. Nous sommes aujourd'hui le 2 avril, et je n'ai pas encore vu l'ombre d'un rapport.

JEH. — Ces directives demandent du temps pour être mises en place.

RFK. — Six semaines me paraissent amplement suffisantes.

JEH. — Vous avez le sentiment d'un retard indu. Ce n'est pas mon cas.

RFK. — Allez-vous accélérer la mise en œuvre de cette directive ?

JEH. — Certainement. Voudriez-vous me rafraîchir la mémoire quant aux raisons qui vous l'ont fait établir ?

RFK. — Je veux évaluer jusqu'au plus petit détail tous les renseignements anti-Mafia qu'obtient le Bureau et les partager là où le besoin s'en fait sentir avec les différents grands jurys régionaux que j'ai l'espoir de constituer.

JEH. — Ce n'est peut-être pas une attitude très judicieuse. Transmettre des renseignements dont la seule origine n'a pu être que des sources PGC pourrait mettre en position délicate les informateurs du PGC et compromettre les emplacements choisis pour la surveillance électronique. L'éventualité est toujours à envisager.

476

RFK. — Tous les renseignements de cet ordre seront tous évalués en priorité sur des critères de sécurité.

JEH. — Cette fonction ne devrait pas être confiée à du personnel non-FBI.

RFK. — Je suis totalement en désaccord avec vous sur ce point. Il va falloir que vous partagiez vos renseignements, monsieur Hoover. La pratique consistant à simplement cultiver l'accumulation de renseignements ne mettra jamais le crime organisé à genoux.

JEH. — Le mandat accordé au Programme Grands Criminels ne fait pas état de partage de renseignements destinés à accélérer les inculpations par les grands jurys.

RFK. — En ce cas, il nous faudra le réviser.

JEH. — Je considérerais ce geste comme téméraire et irréfléchi.

RFK. — Considérez-le comme vous voulez, mais considérez la chose faite. Considérez que le mandat du Programme Grands Criminels est à dater de ce jour remplacé par mes ordres directs.

JEH. — Puis-je vous rappeler ce simple fait : vous ne pouvez poursuivre la Mafia et gagner.

RFK. — Puis-je vous rappeler que, pendant de nombreuses années, vous avez personnellement nié que la Mafia pût exister. Puis-je vous rappeler que le FBI n'est qu'un simple rouage de la grande roue du ministère de la Justice. Puis-je vous rappeler que le FBI n'édicte pas la politique du ministère de la Justice. Puis-je vous rappeler que le président et moi-même considérons que 99 p. 100 des groupes gauchistes que le FBI surveille et contrôle par habitude sont inoffensifs sinon totalement moribonds, et il est risible de voir combien ils sont inoffensifs comparés au crime organisé.

JEH. — Puis-je me permettre de souligner que je considère cet éclat d'invectives du plus mauvais aloi et totalement imbécile dans sa perspective historique ?

RFK. — Vous pouvez.

JEH. — Y avait-il un autre point de nature similaire ou moins insultante que vous eussiez voulu ajouter ?

RFK. — Oui. Vous devriez savoir qu'il est dans mes intentions de présenter un projet de loi visant à réglementer les écoutes téléphoniques. Je veux que le ministère de la Justice soit informé de toute occurrence de mise sur table d'écoute par tous les services de police municipale, et ce à l'échelle de la nation.

JEH. — Nombreux seraient alors ceux qui considéreraient qu'il s'agit d'interférences indues de la part des autorités fédérales et d'un abus flagrant du Droit des Etats...

RFK. — Le concept du Droit des Etats a servi d'écran de fumée qui n'a fait qu'obscurcir absolument tout, depuis la ségrégation de fait jusqu'aux lois obsolètes sur l'avortement.

JEH. — Je ne suis pas d'accord.

RFK. — Je le note bien. Et j'aimerais que vous notiez aussi bien qu'à dater de ce jour, vous devez m'informer de la moindre opération de surveillance électronique dans laquelle le FBI serait engagé.

JEH. — Oui.

RFK. — C'est bien noté ?

JEH. — Oui.

RFK. — Je veux que vous appeliez personnellement l'ASC de La Nouvelle-Orléans afin de lui demander de désigner quatre agents qui procéderont à l'arrestation de Carlos Marcello. Je veux que cela soit fait dans les soixante-douze heures. Dites à l'ASC que je vais faire déporter Marcello au Guatemala. Dites-lui que la police des Frontières se mettra en contact avec lui pour régler le détail de l'opération.

JEH. — Oui.

RFK. — Bien noté ?

JEH. — Oui.

RFK. — Je vous souhaite le bonjour, monsieur Hoover.

JEH. — Moi de même.

64

La Nouvelle-Orléans, 4 avril 1961.

Il arriva en retard — de quelques secondes.

Quatre hommes agrippaient Carlos Marcello et le poussaient dans une charrette fédé. Juste devant le domicile de Marcello — avec Mme Carlos sur le perron, en train de piquer une crise.

Pete se rangea contre le trottoir opposé et assista au déroulement des événements. Il venait de pointer pour sa mission de sauvetage avec une demi-minute de retard.

Marcello était en maillot de corps et mules de plage. Marcello ressemblait à un *Duce* de bas étage dans la débine.

Boyd avait foiré.

Il avait dit, Bobby veut que Carlos soit déporté. Il avait dit : Toi et Chuck, vous allez à New York et vous le piquez les premiers. Il avait dit : Ne l'appelez pas, ne le prévenez pas — allez-y, c'est tout.

Boyd avait dit que le baratin bureaucratique leur donnerait du temps. Boyd s'était putain-gouré dans ses prévisions.

Les Fédés dégagèrent. *Frau* Carlos était toujours debout sur son perron, à se tordre les mains, style épouse-en-chagrin.

Pete fila la voiture des Fédés. Des voitures vinrent s'intercaler à cette heure du petit matin. Il reluquait l'antenne des Fédés et collait au pare-chocs d'une Lincoln mauve.

Chuck était reparti à Moisant Airport faire le plein du Piper. Les Fédés se dirigeaient dans cette direction.

Ils allaient faire embarquer Carlos dans un vol régulier ou le larguer entre les bras de la police des Frontières. Destination Guatemala, dans un avenir plus ou moins lointain — et le Guatemala adorait la CIA.

La voiture des Fédés emprunta des voies en surface, direction est. Pete aperçut un pont droit devant — guichets de péage et deux voies direction est qui franchissaient le fleuve.

Les deux voies étaient délimitées par des garde-fous. D'étroits passages pour piétons couraient en bordure du pont.

Des voitures s'entassaient devant les postes de péage — au moins une vingtaine sur chaque voie.

Pete passa de file en file et donna un brusque coup de volant pour se placer devant la voiture des Fédés. Il repéra un espace où se faufiler entre la cabine de gauche et le garde-fou.

Il accéléra. Un support de rambarde lui fit sauter un rétroviseur d'aile.

Concert d'avertisseurs. Ses enjoliveurs côté gauche dégagèrent en tournoyant. Un préposé au péage jeta un œil et arrosa de café une vieille dame.

Pete *passa de justesse* les cabines de péage et arriva sur le pont à 70. La charrette fédé était bloquée, loin, loin derrière.

Il fit le trajet jusqu'à Moisant en vitesse. Sa tire de location cliquetait de partout, tôle froissée et peinture rayée.

Il la largua dans un parking souterrain. Il graissa la patte à un porteur de bagages pour quelques renseignements sur l'aéroport.

Des vols commerciaux pour le Guatemala ? Non, monsieur, pas un seul aujourd'hui. Le bureau de la police des Frontières — à côté du comptoir Trans-Texas.

Pete s'offrit une balade et alla traîner à l'abri d'un journal. La porte du bureau s'ouvrit et se referma.

Des hommes entrèrent, chargés de fers et d'entraves. Des hommes sortirent, plans de vol à la main. Des hommes se postèrent devant la porte et taillèrent une bavette.

— J'ai entendu dire qu'on l'avait chopé en calcif et maillot de corps, dit un mec.

— Le pilote déteste vraiment les Ritals, dit un mec.

— Ils décollent à 8 h 30, dit un mec.

Pete courut jusqu'au hangar des avions privés. Chuck était perché sur le nez de son Piper, en train de lire une revue de haine.

Pete reprit son souffle.

— Ils ont Carlos. Il faut qu'on se débrouille pour arriver à Guatemala City avant eux et voir ce qu'on peut mettre sur pied.

— C'est un foutu pays étranger, dit Chuck. On était juste censés ramener le bonhomme à Blessington. On a à peine assez d'essence pour...

— Allons-y. On va passer quelques coups de fil et mettre quelque chose sur pied.

Chuck obtint l'autorisation de décoller et atterrir. Pete appela Guy Banister et expliqua la situation.

Guy dit qu'il allait contacter John Stanton et essayer de monter un plan vite fait. Il avait du matériel ondes courtes à Lake Ponchartrain et il pouvait se brancher sur la fréquence du Chuck.

Ils décollèrent à 8 h 16. Chuck enfila ses écouteurs et se mit à pomper les infos en vol.

L'avion de la police des Frontières avait décollé en retard. Leur heure d'arrivée estimée à Guatemala City : quarante-six minutes après eux.

Chuck volait à moyenne altitude, casque sur les oreilles. Pete feuilletait des pamphlets haineux, mort d'ennui, pour tuer le temps.

Les titres valaient leur pesant de rigolade. Le plus beau : « KKK : Kroisade de krucifixion kommuniste ».

Il trouva sous son siège un canard, mi-filles à poil, mi-haine. Visez-moi cette blonde bien roulée avec ses boucles d'oreilles svastika.

Le Grand Pete veut une femme. Expérience du chantage souhaitée, mais pas obligatoire.

Les lumières du tableau de bord clignotaient. Chuck pirata un message avion-à-base et le nota sur sa feuille de route.

Les mecs de la police des Frontières glandouillent avec le Carlos à qui mieux mieux. Ils viennent d'informer leur QG par radio qu'il n'y avait pas de toilettes à bord et que Carlos refuse de pisser dans une boîte à conserve. (Ils pensent qu'il en a une toute petite.)

Pete éclata de rire. Pete pissa dans une tasse et arrosa le Golfe à six mille pieds d'altitude.

Le temps se traînait. Des barbouillis d'estomac allaient et venaient. Pete fit passer une Dramamine d'une bière chaude.

Des lumières se mirent à clignoter. Chuck accusa réception d'un message après liaison avec Ponchartrain, un message qu'il transcrivit.

> Guy a réussi à joindre J.S. J.S. a tiré quelques ficelles et joint ses contacts au Guatemala. Nous avons l'autorisation d'atterrir sans passer au contrôle passeports et si nous ne réussissons pas à mettre la main sur C.M., tout est arrangé pour le mettre au Hilton de G.C. où un appart lui a été réservé au nom de José Garcia. J.S. ajoute que K.B. dit de demander C.M. d'appeler avocat à Washington D.C. ce soir à OL — 64809.

Pete empocha le message. La Dramamine fit tout son effet dans son organisme : Bonne nuit, mon doux prince.

Il fut réveillé par des crampes aux jambes. En vue, jungle et grande piste d'atterrissage toute noire.

Chuck fit sa descente en douceur et coupa les moteurs. Quelques Espingos déroulèrent un tapis rouge. Littéralement.

Un peu élimé sur les bords, mais joli.

Les bouffeurs de fayots avaient l'air de lèche-bottes de droite. L'Agence avait jadis sauvé les miches du Guatemala — un coup d'Etat monté de toutes pièces avait permis d'éliminer une chiée de Rouges.

Pete sauta au sol et battit des pieds pour se réveiller les quilles. Chuck et les Espingos parlaient espagnol comme des mitraillettes.

Ils étaient de retour au Guatemala — trop vite, putain de merde.

La discussion s'échauffa. Pete sentit ses oreilles faire pan-pan-pan. Ils avaient quarante-six minutes pour mettre *quelque chose* sur pied.

Pete s'avança jusqu'à la cahute des Douanes. Une petite

lumière en Technicolor avait clignoté : Carlos Marcello a besoin d'uriner.

Les toilettes jouxtaient le comptoir des Douanes. Pete inspecta les lieux.

La salle faisait trois mètres cinquante au carré. Une moustiquaire de pacotille couvrait la fenêtre du fond. La vue donnait sur les pistes et une file de biplans déglingués.

Carlos était corpulent. Chuck, mince comme un haricot. Lui-même était du genre énorme, sous toutes les coutures.

Chuck entra et défit sa braguette près de l'urinoir.

— On a un gros sac de nœuds sur les bras. Je ne sais pas si c'est une bonne ou une mauvaise nouvelle.

— Qu'est-ce que tu racontes ?

— Je dis que le zinc de la police des Frontières doit atterrir dans dix-sept minutes. Il faut qu'ils refassent le plein ici avant de rejoindre un autre aéroport à cent kilomètres. C'est là-bas que la Douane doit récupérer Carlos. L'heure estimée d'arrivée que j'ai piquée au vol, c'est pour l'*autre* foutu...

— De combien d'argent disposons-nous dans l'avion ?

— Seize mille. Santos a dit de le refiler à Banister.

Pete secoua la tête.

— On arrose les mecs des Douanes avec ça. Putain, on les inonde de fric, de cette façon, ils courront le risque. Tout ce qu'il nous faut, c'est une voiture et un chauffeur à l'extérieur de cette fenêtre, et toi pour pousser Carlos.

— J'ai pigé, dit Chuck.

— S'il n'a pas besoin de pisser, dit Pete, on est baisés.

Les Espingos pigèrent. Le plan les bottait. Chuck leur graissa la patte à raison de deux plaques par homme. Ils dirent qu'ils allaient tenir les mecs de la police des Frontières occupés pendant que Carlos Marcello allait se payer le plus long coup de lisbroque de l'histoire.

Pete descella la moustiquaire de la fenêtre. Chuck colla le Piper en attente deux hangars plus loin.

Les Espingos leur fournirent une voiture pour l'évasion, une Merc de 49. Les Espingos leur fournirent un chauffeur — une tapette aux muscles gonflette du nom de Luis.

Pete recula la Merc en marche arrière jusqu'à la fenêtre. Chuck s'accroupit sur le siège des toilettes avec le numéro de *L'Indiscret* de la semaine précédente.

L'avion de la police des Frontières atterrit. Une équipe se dépêcha de sortir les pompes pour faire le plein de carburant. Pete était accroupi derrière la cahute des Douanes et observait.

Les Espingos déroulèrent le tapis rouge. Un gugusse de petite taille se mit à le brosser à l'aide d'une époussette.

Deux clowns de la police des Frontières débarquèrent.

— Laissez-le aller, dit le pilote. Où est-ce que vous voulez qu'y se taille ?

Carlos sortit de l'appareil en trébuchant. Carlos partit en courant vers la cahute, cognant de ses genoux cagneux en calcif trop serré.

Luis tenait le moteur au ralenti. Pete entendit la porte des toilettes claquer.

Carlos hurla.

— ROGERS, PUTAIN DE MERDE...

La moustiquaire de la fenêtre sauta. Carlos Marcello força le passage — et y laissa du tissu, pour se retrouver le cul nu à la fin de la manœuvre.

Le trajet jusqu'au Hilton prit une heure. Marcello incendia Bobby Kennedy non-stop.

En anglais. En bon italien. En dialecte sicilien. En patois français-cajun de La Nouvelle-Orléans — pas mal pour un Rital.

Luis fit un détour par une boutique pour hommes. Chuck nota les mesures de Marcello et lui acheta quelques fringues.

Carlos s'habilla dans la voiture. De petites écorchures, restes de son coincement-fenêtre, lui ensanglantèrent la chemise.

Le patron de l'hôtel les attendait à l'entrée réservée aux livraisons. Ils montèrent fissa par le monte-charge jusqu'à l'appart en terrasse, au dernier étage.

Le patron déverrouilla la porte. Un seul coup d'œil suffit : Stanton avait *assuré*.

La crèche comprenait trois chambres, trois salles de bains et une salle de jeux où s'alignaient des machines à sous. Le salon avait la taille qui faisait fantasmer Kemper Boyd.

Le bar était fourni, à déborder. Un buffet froid rital était préparé. L'enveloppe à côté du plateau à fromages contenait vingt bâtons et un petit mot.

Pete et Chuck,

Je parie que vous avez réussi à mettre la main sur M. Marcello. Prenez bien soin de lui. C'est un ami précieux de la Cause.

JS.

Marcello s'empara du pognon. Le patron fit la génuflexion. Pete lui montra la porte en lui glissant un billet de cent.

Marcello s'empiffra de salami et de bâtonnets de pain. Chuck se concocta un grand Bloody-Mary.

Pete arpenta la suite. Quarante-deux mètres de long — whoa !

Chuck se colla en boule avec une revue de haine.

— Y fallait vraiment que je pisse, dit Marcello. Quand on se retient de pisser aussi longtemps, c'est du vinaigre qui vous pisse par la gueule.

Pete se chopa une bière et quelques biscuits secs.

— Stanton vous a déniché un avocat à D.C. Vous êtes censé l'appeler.

— Je lui ai déjà parlé. J'ai les meilleurs avocats juifs que l'argent peut offrir, et maintenant, c'est lui que je me récupère.

— Vous devriez l'appeler maintenant et en finir avec cette corvée.

— A vous de l'appeler. Et restez à l'écoute au cas où j'aurais besoin d'une traduction. Les avocats ont un langage que je ne pige pas toujours du premier coup.

Pete décrocha le poste sur la table basse. La standardiste de l'hôtel lui passa la communication.

Marcello prit le combiné du bar. Les sonneries de l'appel interurbain résonnèrent faiblement.

— Allô ? dit une voix d'homme.

— Qui est à l'appareil ? dit Marcello. Etes-vous le mec à qui j'ai parlé au Hay-Adams ?

— Oui. C'est Ward Littell à l'appareil. Etes-vous monsieur Marcello ?

Pete faillit en CHIER SUR PLACE.

Carlos s'affala dans un fauteuil.

— Lui-même, qui appelle de Guatemala City, Guatemala, là où il n'a aucune envie d'être. Maintenant, si vous voulez retenir mon attention, dites-moi quelque chose de bien méchant sur l'homme qui m'a expédié ici.

Pete serra les poings, les dents, et le reste. Mauvais, cruel. Il couvrit le micro du combiné, qu'on ne l'entende pas hyperventiler.

— Je hais cet homme, dit Littell. Il m'a fait du mal à une occasion, et il n'y a pas grand-chose que je ne sois capable de faire pour lui créer des ennuis.

Carlos ricana — hee-hee-hee — bizarre pour une voix de baryton.

— Vous avez retenu mon attention. Laissez tomber votre numéro de lèche-cul auquel j'ai déjà eu droit, et dites-moi quelque chose pour me convaincre que vous êtes doué dans votre branche.

Littell s'éclaircit la gorge.

— Je suis spécialisé dans la rédaction d'arrêtés d'expulsion. J'ai été agent du FBI pendant près de vingt ans. Je suis un ami de Kemper Boyd, et malgré ma défiance à l'égard de son admiration pour les Kennedy, je suis convaincu qu'il est largement plus dévoué à la Cause cubaine. Il veut vous voir retrouver, en toute sécurité et en toute légalité, ceux qui vous sont chers, et je suis ici afin de faire en sorte qu'il en soit effectivement ainsi.

Pete avait envie de vomir. BOYD, ESPÈCE D'ENCULÉ.

Marcello cassa quelques bâtonnets de pain.

— Kemper m'a dit que vos talents valaient bien dix bâtons. Mais si vous assurez aussi bien que vous causez, alors, dix bâtons, ce sera qu'un début pour vous et moi.

Littell reprit, servile.

— C'est un honneur de travailler pour vous. Et Kemper vous adresse ses excuses pour ce fâcheux contretemps. Il a été informé de la descente à la dernière seconde, et il ne pensait pas qu'ils seraient capables de faire aussi vite.

Marcello se gratta le cou d'un bâtonnet de pain.

— Kemper se débrouille toujours pour que le boulot soit fait. Je n'ai pas de plaintes particulières à formuler contre lui qui ne peuvent pas attendre la prochaine fois que je verrai sa trop belle gueule face à face. Et les Kennedy ont entubé 49,8 p. 100 des électeurs américains, y compris quelques bons amis à moi, alors je ne lui en veux pas de son admiration pour eux, tant qu'elle ne vient pas foutre le bordel. Dans ma vie comme dans celle de ceux qui me sont chers.

— Il sera très heureux de l'entendre, dit Littell. Et il faut que vous sachiez que je suis en train de rédiger un mémoire de réintégration temporaire qui sera examiné par trois juges fédéraux. Je vais contacter votre avocat à New York, et nous commencerons à mettre sur pied une stratégie à long terme sur le plan légal.

Marcello se débarrassa de ses chaussures.

— Faites-moi ça. Appelez ma femme et dites-lui que je vais bien, et faites tout ce qu'il y a à faire pour que je puisse foutre le camp d'ici.

— Ce sera fait. Et je vais vous apporter quelques papiers à signer. Vous pouvez vous attendre à recevoir ma visite dans les soixante-douze heures.

— Je veux rentrer à la maison, dit Marcello.

Pete raccrocha. La fumée lui sortait des oreilles en sifflant comme s'il était Donald le putain de Canard.

Ils tuèrent le temps. L'appart mahousse leur permit de le tuer séparément.

Chuck regardait la télé espingo. Le Roi Carlos bigophonait ses serfs en longue distance. Pete fantasmait sur quatre-vingt-dix-neuf manières d'assassiner Ward Littell.

John Stanton appela. Pete le régala avec son récit du kidnapping des toilettes. Stanton lui apprit que l'Agence couvrirait leur note de frais pour graissage de pattes.

Pete dit, Boyd a trouvé un avocat à Carlos. Stanton dit, je me suis laissé entendre qu'il était plus que doué. Pete faillit ajouter, maintenant, je ne peux plus le tuer.

BOYD, ESPECE D'ENCULE.

Stanton dit que tout était réglé. Pour dix bâtons, Carlos allait s'offrir un visa temporaire. Le ministre des Affaires étrangères était fin prêt à déclarer publiquement :

M. Marcello *est né* au Guatemala. Son extrait d'acte de naissance est légal. Le Procureur général Kennedy se trompe. Les origines de M. Marcello ne sont aucunement ambiguës.

M. Marcello s'était taillé en Amérique — *légalement*. Malheureusement, nous ne disposons d'aucunes archives pour corroborer ce point. A charge maintenant pour M. Kennedy d'établir la preuve inverse.

Stanton dit que le ministre hait Jack K.

Stanton dit que Jack lui avait baisé sa femme et ses deux filles.

Pete dit, Jack a bien baisé mon ancienne petite amie. Stanton dit, whow — et tu as *malgré tout* aidé à le faire élire !

Stanton dit, demande à Chuck d'arroser le ministre. Et pendant qu'on y est, Jack continue à branloter sur la date du jour J.

Pete raccrocha et regarda par la fenêtre. Guatemala City au crépuscule — le trou du cul du monde, rien d'autre.

Ils s'assoupirent tous de bonne heure. Pete se réveilla tôt — un cauchemar l'avait fait se pelotonner sous ses draps, à haleter en quête d'un peu d'air.

Chuck était de sortie — sa balade-corruption. Carlos en était à son deuxième cigare.

Pete ouvrit les rideaux du salon. Il vit un grand remue-ménage au niveau de la rue.

Il vit des gens bras en l'air, à faire des gestes.

Il vit une grosse caméra de cinéma pointée droit sur eux.

— On est grillés, dit Pete.

Carlos laissa tomber son cigare dans son ragoût de patates aux oignons et courut à la fenêtre.

— L'Agence a un camp à une heure d'ici, dit Pete. Si nous pouvons trouver Chuck et décoller d'ici, nous y arriverons.

Carlos regarda en contrebas. Carlos vit le chambard. Carlos poussa le chariot du petit déjeuner par la fenêtre et suivit sa chute, en plein dans le mille, dix-huit étages plus bas.

65

Campagne du Guatemala, 8 avril 1961.

L'air ondulait sous la chaleur dégagée par la piste. Une chaleur de haut-fourneau — Kemper aurait dû le prévenir de s'habiller léger.

Kemper l'avait averti de la présence de Bondurant. Il avait fait dégager Marcello de Guatemala City en quatrième vitesse trois jours auparavant et s'était arrangé pour confier le rôle de la nounou à la CIA.

Kemper avait ajouté un *post-scriptum*. Pete sait que tu détiens les livres comptables de la Caisse.

Littell s'écarta de l'avion. Il se sentait dans les vaps. Son vol de correspondance depuis Houston était un transporteur de la Seconde Guerre.

Le barattage de l'hélice augmentait la fournaise. Le camp était vaste, poussiéreux, des bâtiments de bric et de broc au beau milieu de l'argile rouge d'une clairière dans la jungle.

Une Jeep s'arrêta en dérapage. Le chauffeur salua.

— Monsieur Littell ?

— Oui.

— Je vous conduis, monsieur. Vos amis vous attendent.

Littell monta. Le rétroviseur renvoya son nouveau visage, téméraire et sûr de lui.

Il s'était enfilé trois doses à Houston. En plein jour, pour l'aider à être à la hauteur de cette occasion unique.

Le chauffeur laissa de la gomme sur place. Des soldats défilaient, en formation stricte ; les décomptes de cadence se chevauchaient.

Ils se rangèrent dans un quadrilatère de casernements. Le

chauffeur s'arrêta devant une cabane en préfa. Littell attrapa sa valise et fit son entrée, droit comme un cierge.

La pièce était climatisée. Bondurant et Carlos Marcello se tenaient près d'une table de billard.

Pete lui adressa un clin d'œil. Littell lui rendit son clin d'œil. Son visage se tordit tout entier.

Pete fit craquer ses jointures — sa vieille carte de visite, pour intimider l'adversaire. Marcello dit :

— Pourquoi vous vous faites des clins d'œil, espèces de pédales ?

Littell posa sa valise. Les sangles d'attache couinèrent. Sa petite surprise faisait un gros renflement dans sa foutue valoche.

— Comment allez-vous, monsieur Marcello ?

— Je perds de l'argent. Tous les jours, Pete et mes amis de l'Agence me traitent un peu mieux et, tous les jours, je me retrouve un peu plus en dettes envers la Cause. J'imagine que le taré qui tient cet hôtel me fait cracher vingt-cinq bâtons par jour.

Pete passa au bleu une queue de billard. Marcello fourra les mains dans les poches.

Kemper l'avait prévenu que le bonhomme ne serrait jamais la main.

— J'ai parlé à vos avocats de New York il y a quelques heures de cela. Ils veulent savoir si vous avez besoin de quoi que ce soit.

Marcello sourit.

— J'ai besoin d'embrasser ma femme sur la joue et de baiser ma petite amie. J'ai besoin de manger un peu de canard Rochambeau chez « Galatoire », et je ne peux rien faire de tout ça ici.

Bondurant arracha la table. Littell balança sa valise en l'air en guise de bouclier et bloqua la table sur sa longueur.

Marcello gloussa.

— Je commence à sentir comme une vieille dent entre vous deux.

Pete alluma une cigarette. Littell se ramassa la première exhalaison en pleine poire.

— J'ai tout un tas de papiers qu'il vous faut examiner, monsieur Marcello. Il va falloir que nous passions quelque temps ensemble afin de concocter une histoire détaillée de votre passé d'immigrant, de manière à ce que M. Wasserman puisse l'utiliser lorsqu'il déposera sa requête destinée à rapporter votre arrêté de déportation. Certaines personnes très influentes veulent vous voir rapatrié, et je vais travailler avec elles également. J'ai conscience que tous ces déplacements intempestifs et imprévus doivent être épuisants, aussi Kemper Boyd et moi-même allons prendre toutes dispositions afin que Chuck Rogers vous ramène par avion dans quelques jours en Louisiane où une cachette vous sera préparée.

Marcello exécuta une petite danse sur place, à pas coulés. L'homme était habile et bougeait vite.

— Qu'est-ce qui est arrivé à ta figure, Ward ? dit Pete.

Littell ouvrit la valise. Pete ramassa la bille 8 et l'écrasa en deux à main nue.

Des morceaux de bois claquèrent en se brisant.

— Je ne suis pas certain d'aimer où ça nous mène, tout ça, dit Marcello.

Littell sortit les registres de la Caisse de Retraite. Une brève prière lui calma les nerfs.

— Je suis sûr que vous savez l'un et l'autre que la propriété de Jules Schiffrin à Lake Geneva a été cambriolée en novembre dernier. On y a dérobé quelques toiles ainsi que des registres dont la rumeur a dit qu'ils contenaient des relevés relatifs à la Caisse de Retraite des Camionneurs. Le voleur était l'informateur d'un agent du Programme Grands Criminels en poste à Chicago, du nom de Court Meade, auquel il a remis les livres lorsqu'il a compris que les peintures étaient trop connues et trop reconnaissables pour être revendues. Meade est mort d'une crise cardiaque en janvier dernier, et il m'a transmis les livres par testament. Il m'a dit de ne jamais les montrer à quiconque et, à mon avis, il attendait de les revendre à un membre de l'organisation Giancana. Quelques feuillets en ont été arrachés, mais cela mis à part, je pense qu'ils sont intacts. Je vous les ai apportés car je connais les attaches étroites qui vous lient à M. Hoffa et aux Camionneurs.

Marcello en resta bouche bée. Pete cassa une queue de billard en deux.

Il avait arraché les quatorze pages manquantes à Houston. Toutes les références aux Kennedy étaient planquées en sécurité.

Marcello lui offrit sa main. Une main avec un gros anneau en diamant, style pape en exercice, que Littell embrassa.

66

Anniston, 11 avril 1961.

Rôles d'électeurs et registres d'impôts locaux. Résultats de tests d'alphabétisme et déclarations de témoins.

Quatre murs avec tableaux de liège dégoulinant de paperasses — déni de droit de vote systématique, dactylographié noir sur blanc.

Sa chambre était petite et sinistre. Le Wigwam Motel n'était pas tout à fait le St. Regis.

Kemper élaborait un mémoire sur une obstruction au droit de vote. Un test d'alphabétisme et la déposition d'un témoin servaient de pièces à conviction de départ.

Delmar Herbert Bowen était un Nègre, de sexe masculin, né le 14 juin 1919 à Anniston, Alabama. Il savait lire et écrire, et se décrivait lui-même comme « grand lecteur ».

Le 15 juin 1940, M. Bowen avait essayé de s'inscrire sur les listes électorales. Le responsable avait dit : Mon gars, est-ce que tu sais lire et écrire ?

M. Bowen lui prouva qu'il savait. Le préposé au rôle des électeurs lui posa des questions délibérées visant à l'exclure des listes et relatives à du calcul mathématique de haut niveau.

M. Bowen n'était pas parvenu à répondre correctement. On refusa donc à M. Bowen le droit de voter.

Il cita comme pièce à conviction le test d'alphabétisme de M. Bowen. Il établit que le préposé aux listes électorales d'Anniston avait fabriqué les résultats de toutes pièces.

Le préposé avait déclaré que M. Bowen était incapable d'orthographier « chien » et « chat ». M. Bowen ne savait pas que le coït avait pour résultat la conception.

492

Kemper rassembla les pages au trombone. Le travail l'ennuyait. Le mandat droits civiques des Kennedy ne lui paraissait pas assez ambitieux à son gré.

Son mandat, c'était la diplomatie au fusil.

Il s'était offert un sandwich pour déjeuner la veille. Dans la partie du restaurant réservée aux gens de couleur — rien que pour faire suer le monde.

Un péquenot l'avait traité d'« amoureux des Négros ». D'un atémi, il lui avait collé le nez dans un saladier de bouillie de maïs.

On avait tiré dans sa porte la nuit dernière. Des balles avaient zingué. Un homme de couleur lui apprit que le Klan avait brûlé une croix au bout du bloc.

Kemper termina la rédaction du mémoire Bowen. Vite fait, bien fait, pas de temps à perdre — il devait retrouver John Stanton à Miami dans trois heures.

Le téléphone avait sonné en rafales toute la matinée et l'avait retardé. Bobby avait appelé pour une remise à jour sur les dépositions ; Littell avait appelé et laissé tomber sa dernière bombe atomique.

Ward avait remis les livres de la Caisse à Carlos Marcello. Pete Bondurant avait assisté à la transaction. Marcello donnait l'impression d'avoir gobé le récit emberlificoté monté par Ward pour se couvrir.

— J'ai fait des copies, Kemper, dit Ward. Et les dépositions sur ton infiltration et sur les malversations de Joe Kennedy restent à l'abri. Sous protections multiples. Et je te serais reconnaissant de conseiller au Grand Pierre de ne pas me tuer.

Il avait immédiatement appelé Pete.

— Ne tue pas Littell et ne va pas raconter à Carlos que son histoire n'est qu'un tas de conneries.

— Accorde-moi un peu de jugeote, avait répondu Pete. Je suis dans la partie depuis aussi longtemps que toi.

Littell les avait eus en finesse. La perte n'était pas bien sévère — les livres auraient toujours été profits potentiels mais de bien loin.

Kemper huila son .45. Bobby savait qu'il le portait sur lui — en s'en moquant comme d'un artifice prétentieux.

Il le portait le jour de l'investiture. Il avait retrouvé Bobby sur l'itinéraire de la parade et lui avait appris sa rupture avec Laura.

Il avait retrouvé Jack lors de la réception à la Maison-Blanche. Pour la première fois, il l'avait appelé « monsieur le Président ». Premier décret présidentiel de Jack : « Trouve-moi quelques filles pour ce soir. »

Kemper lui dénicha vite fait deux étudiantes. Le président Jack lui dit de coller les filles au frais pour un petit coup rapide plus tard.

Kemper les avait collées dans les chambres d'invités de la Maison-Blanche. Jack le surprit en train de bâiller et de se passer de l'eau sur la figure.

Il était 3 heures du matin, et les galas d'investiture étaient partis pour finir au petit jour.

Jack suggéra un remontant. Ils entrèrent dans le bureau Ovale et virent un médecin en train de préparer flacons et seringues hypodermiques.

Le président remonta une manche. Le médecin lui fit sa piqûre. John F. Kennedy prit un air positivement orgasmique.

Kemper remonta une manche. Le médecin lui fit sa piqûre. Une vraie fusée lui explosa dans l'organisme.

La planante dura vingt-quatre heures. Le moment et le lieu vinrent se rassembler à son entour.

L'ascension de Jack devint la sienne. Cette simple vérité lui fit l'impression d'être plus vraie que vraie, comme par enchantement. Le moment et le lieu étaient redevables à un dénommé Kemper Cathcart Boyd. En ce sens-là, il n'existait plus de distinction entre Jack et lui.

Il passa chercher une des anciennes chéries de Jack et lui fit l'amour au Willard. Il décrivit ce Moment à des sénateurs, des chauffeurs de taxis. Judy Garland lui apprit comment danser le twist.

La virée planante finit par s'éteindre pour le laisser en manque. Il en voulait encore. Il savait que cet encore allait reléguer le Moment au vulgaire et au banal.

Le téléphone sonna. Kemper empoigna son sac de voyage et décrocha.

— Boyd à l'appareil.

— C'est Bob, Kemper. J'ai le président à mes côtés.

— Désire-t-il que je répète le compte-rendu de remise à jour que je vous ai fait ?

— Non. Nous avons besoin de vous pour nous aider à résoudre un petit problème relatif aux communications.

— En rapport avec ?

— Cuba. J'ai parfaitement conscience que vous n'êtes au courant des récents développements que de manière officieuse. Mais je persiste à croire que vous êtes le meilleur homme pour cette affaire.

— Quelle affaire ? De quoi parlons-nous ?

Bobby reprit, exaspéré.

— Du projet d'invasion par les exilés, dont vous avez peut-être entendu parler. Ou peut-être pas. Richard Bissell vient de passer dans mon bureau. Il m'a dit que la CIA ronge son frein, et que leurs Cubains se montrent juste un petit peu plus qu'impatients. Ils ont choisi le lieu clé de l'invasion. C'est un endroit appelé Playa Giron, la baie des Cochons.

La nouvelle était toute NEUVE. Stanton ne lui avait jamais dit que Langley avait choisi un endroit.

Kemper feignit la stupéfaction.

— Je ne vois pas comment je peux vous aider. Vous savez que je ne connais personne à la CIA.

Jack vint en ligne :

— Bobby ne savait pas que les choses étaient avancées à ce point, Kemper. Allen Dulles nous avait informés sur la situation avant que je ne prenne mes fonctions, mais nous n'en avons plus discuté depuis. Mes conseillers ont des opinions totalement contraires sur ce foutu truc.

Kemper enfila son étui.

— Ce dont nous avons besoin, c'est d'une évaluation indépendante de l'état de préparation des exilés.

Kemper éclata de rire.

— Parce que, si l'invasion échoue et qu'on en vient à savoir que vous avez apporté votre soutien aux soi-disant « rebelles », vous allez être complètement foutus dans la cour de l'opinion publique mondiale.

— Qu'en termes incisifs ces choses-là sont dites ! dit Bobby.

— Et tout à fait justes, dit Jack. J'aurais dû mettre Bobby dans la confidence sur ce dossier il y a quelques semaines de cela, mais il est tellement occupé, nom de Dieu, à pourchasser les gangsters, Kemper...

— Oui, monsieur le Président.

— J'hésite sur une date, et Bissell fait le forcing. Je sais que tu travailles pour M. Hoover, à essayer d'abattre Castro, et donc je sais que tu es quelque peu...

— Je suis quelque peu versé dans les choses cubaines, tout au moins d'un point de vue pro-castriste.

Bobby fit claquer le fouet.

— Cuba a toujours été chez vous une sorte de fixation, alors partez pour la Floride et faites en sorte que la visite soit positive. Visitez les camps d'entraînement de la CIA, et passez donc par Miami également. Rappelez-nous pour nous dire si vous pensez que l'opération a une chance de réussir, et faites cela le plus vite possible, nom de Dieu.

— Je pars, dit Kemper. Je vous rappelle sous quarante-huit heures.

John faillit en mourir de rire. Kemper faillit en appeler un cardiologue.

Ils étaient installés sur la terrasse privée de Stanton. Langley avait autorisé John à remonter ses ambitions d'un cran. Il était au Fontainebleau — la vie en suite était contagieuse.

Un souffle de brise remonta Collins Avenue. Kemper avait mal à la gorge — il avait répété toute la conversation téléphonique et tous les braiments bostoniens de Jack.

— John...

Stanton reprit haleine.

— Je suis désolé, mais je ne pensais jamais que l'indécision présidentielle puisse être aussi comique, bon Dieu.

— Que pensez-vous que je doive lui répondre ?

— Que diriez-vous de « l'invasion vous garantira votre réélection » ?

Kemper éclata de rire.

— J'ai du temps à tuer à Miami. Des suggestions ?

— Oui. Deux.

— Dites-moi, dans ce cas. Et dites-moi aussi pourquoi vous avez voulu me voir alors que vous saviez que j'étais débordé en Alabama.

Stanton se servit un petit scotch à l'eau.

— Ce travail sur les droits civiques doit être bougrement ennuyeux.

— Pas vraiment.

— Je pense que le vote nègre est une bénédiction mitigée. Est-ce qu'ils ne se laissent pas facilement mener par le bout du nez?

— Je répondrais qu'ils sont légèrement moins malléables que nos Cubains. Avec des tendances criminelles considérablement moins marquées.

Stanton sourit.

— Arrêtez. Sinon je vais me reprendre un fou rire.

Kemper mit les pieds sur la rambarde.

— Je suis d'avis que quelques rigolades vous feraient le plus grand bien. Langley vous fait cravacher comme un esclave, et vous commencez à boire à 1 heure de l'après-midi.

Stanton acquiesça.

— C'est vrai. Tout le monde, en commençant par M. Dulles, voudrait que l'invasion démarre quelque chose comme dans les cinq minutes qui suivent, et je ne fais pas exception à la règle. Et pour répondre à votre question initiale, je veux que vous passiez les prochaines quarante-huit heures à mettre au point un rapport raisonnable et réaliste sur l'état de préparation des troupes à soumettre au président, et je veux que vous fassiez une pré-inspection du territoire de notre Cadre en compagnie de Fulo et Nestor Chasco. Miami est notre meilleure source de renseignements chez l'homme de la rue et je veux que vous évaluiez l'étendue et la justesse des rumeurs relatives à l'invasion qui circulent au sein de la communauté urbaine.

Kemper se prépara un gin-tonic.

— Je m'y mets tout de suite. Y avait-il autre chose?

— Oui. L'Agence veut instituer un « gouvernement en exil » cubain, qui s'installera à Blessington pendant l'invasion proprement dite. C'est essentiellement pour la forme, mais il nous faut disposer au moins d'un fac-similé d'autorité dirigeante choisie par consensus à installer au pouvoir si nous parvenons à faire sortir Castro dans les — disons — trois ou quatre jours suivant le jour J.

— Et vous voulez mon opinion quant à celui qui sera choisi?

— Exact. Je sais que vous n'êtes pas trop bien versé dans les tendances politiques des exilés, mais je me disais que vous auriez pu avoir récolté quelques avis des membres du Cadre.

Kemper feignit de se plonger dans ses réflexions. Reste ferme, fais-le attendre...

Stanton leva les bras au ciel.

— Allons, je ne vous ai pas dit de vous plonger dans une foutue transe à propos...

Kemper émergea — brutalement, les yeux brillants, plein de la volonté de convaincre.

— Nous voulons des hommes d'extrême droite disposés à travailler avec Santos et nos autres amis de l'Organisation. Nous voulons un chef qui soit aussi un personnage, capable de maintenir l'ordre, et la meilleure manière de restabiliser l'économie cubaine est d'obtenir que les casinos fonctionnent à nouveau à plein rendement, et à pleins bénéfices. Si Cuba reste instable ou que les Rouges reprennent le pouvoir, il faut que nous puissions compter sur l'Organisation pour nous aider financièrement.

Stanton croisa les mains autour d'un genou.

— Je m'attendais à quelque chose de plus éclairé de la part de Kemper Boyd, le réformateur des droits civiques. Et je suis sûr que vous savez que les donations de nos amis italiens ne comptent que pour un pourcentage minuscule des fonds légitimes qui nous sont attribués sur budget gouvernemental.

Kemper haussa les épaules.

— La solvabilité de Cuba dépend du tourisme américain. L'Organisation peut aider à faire que ce soit une certitude. La United Fruit a été chassée de Cuba, et seul un réac d'extrême droite susceptible de se laisser corrompre acceptera de dénationaliser leurs avoirs.

— Continuez, dit Stanton. Vous n'êtes pas loin de m'avoir convaincu.

Kemper se leva.

— Carlos est au camp guatémaltèque avec mon ami avocat. Chuck va le faire passer en Louisiane par avion d'ici quelques jours, et le planquer, et je me suis laissé dire qu'il est chaque jour un peu plus pro-exilés. Je veux bien parier que l'invasion va effectivement réussir, mais que le chaos va continuer à régner à Cuba pendant encore quelque temps. Celui que nous installerons au pouvoir, quel qu'il soit, sera inévitablement soumis aux regards inquisiteurs du public, ce qui implique qu'il devra rendre compte de ses actes. Et nous savons l'un et l'autre que l'Agence sera elle aussi soumise aux regards inquisiteurs, ce qui limitera notre latitude à nier toute participation relative aux actions en souterrain. Nous aurons besoin du Cadre à ce moment-là, et nous aurons très probablement besoin d'une demi-douzaine de groupes supplémentaires tout aussi impitoyables et autonomes que le Cadre, et *il sera indispensable qu'ils soient financés sur fonds privés*. Notre nouveau leader aura besoin d'une police secrète, et l'Organisation lui en fournira une. Et s'il vacille dans ses convictions pro-américaines, l'Organisation le fera assassiner.

Stanton se leva. Il avait les yeux brillants, presque fiévreux.

— Ce n'est pas à moi que revient la décision finale, mais vous m'avez convaincu. Votre petit boniment n'a pas été aussi fleuri que le discours d'investiture de notre gars, mais politiquement parlant, il a été bien plus astucieux.

ET MOTIVE PAR L'ARGENT.

— Merci, dit Kemper. C'est un honneur que d'être comparé à John F. Kennedy.

Fulo conduisait. Nestor parlait. Kemper observait.

Ils couvraient le territoire du Cadre à vitesse de croisière, au hasard, en dessinant de grands 8. Défilaient cahutes-taudis et logements sociaux.

— Renvoyez-moi à Cuba, dit Nestor. Je descendrai Fidel depuis un toit. Je deviendrai le Simon Bolivar de mon pays.

La Chevy de Fulo était bourrée de came. La poudre s'échappait par bouffées des sacs plastique et recouvrait les sièges d'un voile poussiéreux..

— Renvoyez-moi à Cuba comme boxeur, dit Nestor. Je tuerai Fidel à grands coups de mes swings, comme Kid Gavilan.

Des yeux chassieux apparaissaient soudain en chemin — les camés du coin connaissaient la voiture. Les poivrots se pressaient pour la distribution gratis — Fulo avait la réputation d'être un cœur tendre.

Fulo appelait ça le Nouveau Plan Marshall. Fulo disait que ses aumônes encourageaient l'asservissement.

Kemper observait.

Nestor s'arrêtait aux points de livraison et vendait ses dosettes préemballées. Fulo était présent, en appui, lors de toutes les transactions, le fusil au poing.

Kemper observait.

Fulo repéra une transaction *non-Cadre* devant un magasin de spiritueux, le Lucky Time Liquors. Nestor alluma acheteurs et clients d'une décharge de gros sel calibre 12.

Les bonshommes se dispersèrent dans toutes les directions. Le gros sel déchirait les vêtements et piquait la peau comme une démangeaison mahousse.

Kemper observait.

— Renvoyez-moi à Cuba avec masque, tuba et palmes. Je descendrai Fidel au fusil sous-marin.

Les pochards de coins de rue tétaient leur picrate. Les camés à la colle reniflaient leurs chiffons. La moitié des pelouses de façade s'ornaient de guimbardes déglinguées.

Kemper observait. Les appels de taxis caquetaient dans la boîte à caquets. Fulo passa de Nègreville à Paquito Habana.

Les visages passèrent du noir au marron. Les couleurs en fond de décor changèrent et se firent plus pastel.

Eglises aux façades pastel. Dancings et bodegas aux façades pastel. Les hommes en chemises guayabera pastel brillant.

Fulo conduisait. Nestor parlait. Kemper observait.

Ils virent au passage : parties de craps dans les parcs de stationnement. Orateurs montés sur leur caisse à savon. Deux mômes en train de passer à tabac un distributeur de tracts pro-Barbu.

Kemper observait.

Fulo se laissa filer en douceur sur Flagler et allongea ses billets en échange des dernières rumeurs de la rue chez les prostituées.

Une fille dit que Castro était pédé. Une fille dit que Castro avait un chorizo de trente centimètres. Toutes les filles ne voulaient savoir qu'une chose : Quand est-ce qu'aura lieu la grande invasion ?

Une fille dit que Guantanamo allait se ramasser une bombe atomique. Une fille dit, t'as tort — c'est Playa Giron. Une fille dit que les soucoupes volantes allaient bientôt descendre sur La Havane.

500

Fulo conduisait. Nestor fit son sondage d'opinion parmi les Cubains qui arpentaient les trottoirs de Flagler.

Tous avaient entendu des rumeurs d'invasion. Qu'ils encourageaient avec enthousiasme.

Kemper fermait les yeux et écoutait. Des noms ressortaient des filées de phrases espagnoles ininterrompues.

Havana, Playa Giron, Baracoa, Oriente, Playa Giron, Guantanamo, Guantanamo.

Kemper pigea l'essentiel :

Les gens parlaient.

Les recrues en perm parlaient. Les hommes dans les groupes en couverture de l'Agence parlaient. Les bavardages n'étaient qu'insinuations, conneries, vœux pieux, et vérités par défaut — à spéculer sur un nombre suffisant de sites d'invasion possibles, on finira bien par tomber sur le bon par simple coup de chance.

Les bavardages ne représentaient que des fuites mineures côté sécurité.

Fulo ne donnait pas l'impression de se tracasser. Nestor haussait les épaules en entendant les réponses des bavards. Kemper plaça le tout dans la catégorie « A contenir sans mal ».

Ils firent les petites rues qui donnaient dans Flagler.

Fulo surveillait d'une oreille les appels-taxis. Nestor inventoriait les manières de torturer Fidel Castro. Kemper regardait par sa vitre et savourait le paysage.

Les filles cubaines leur soufflaient des baisers au passage. Les radios des voitures matraquaient la musique mambo. Les chalands de la rue s'empiffraient de melons trempés à la bière.

Fulo mit fin à une communication.

— C'était Wilfredo. Il a dit que Don Juan sait quelque chose à propos d'une livraison de came et que nous devrions peut-être aller le voir.

Don Juan Pimentel toussait comme un tubard. La pièce de devant était jonchée de poupées Barbie et Ken personnalisées.

Ils se tenaient à l'intérieur de la maison, juste derrière la porte. Don Juan sentait la pommade à friction mentholée.

— Tu peux parler devant M. Boyd, dit Fulo. C'est un merveilleux ami de notre Cause.

501

Nestor prit une Barbie nue. La poupée portait une perruque à la Jackie Kennedy et une toison pubienne passées à la brillantine.

Don Juan toussa.

— C'est vingt-cinq dollars pour l'histoire, et cinquante pour l'histoire et l'adresse.

Nestor laissa tomber la poupée et se signa. Fulo tendit à Don Juan deux billets de vingt et un de dix.

Lequel mit l'argent dans sa pochette de chemise.

— L'adresse, c'est 4980 Balustrol. Quatre hommes du Directoire des Renseignements cubains habitent là. Ils ont terriblement peur que votre évasion réussisse et que leur source d'approvisionnement sur l'île soit — comment vous dites — effacée. Ils ont à leur maison une très grosse quantité de dosettes toutes prêtes à être vendues afin de se faire du bon argent bien vite pour — comment vous dites — financer leur résistance à votre résistance. Ils ont plus d'une livre d'héroïne prête à être distribuée en petites quantités, là où ils doivent se faire — comment vous dites — le plus de bénéfices.

Kemper sourit.

— Est-ce que la maison est gardée ?

— Je ne sais pas.

— A qui iraient-ils vendre la camelote ?

— Certainement pas au Cubains. Je dirais aux Négritos et aux Blancs pauvres.

Kemper donna un coup de coude à Fulo.

— M. Pimentel est-il un informateur digne de confiance ?

— Oui. Je le pense.

— Est-il fortement anti-castriste ?

— Oui. Je le pense.

— Lui ferais-tu confiance au point d'affirmer qu'il ne nous trahirait jamais quelles que soient les circonstances ?

— Eh bien… C'est difficile de…

Don Juan cracha par terre.

— Vous êtes un lâche de ne pas me poser ces questions face à face.

Kemper lui assena un atemi. Don Juan fit dégringoler un présentoir à poupées et tomba au sol, haletant, essayant de trouver un peu d'air.

Nestor lui balança un oreiller sur la figure. Kemper dégaina son .45 et fit feu à bout portant.

Son silencieux étouffa le bruit de la détonation. Des plumes trempées de sang s'élevèrent en volutes dans les airs.

Nestor et Fulo eurent l'air choqué.

— J'expliquerai plus tard, dit Kemper.

LES REBELLES AU SECOURS DE CUBA ! LES COCOS FOURNISSEURS DE CAME-POISON ET REVANCHARDS RAPACES !

HOLOCAUSTE A L'HEROINE ! CASTRO LE FOURGUEUR JUBILE !

LE DICTATEUR EN EXIL DESESPERE ! LE NOMBRE DES MORTS S'ACCUMULE !

Kemper rédigea les grands titres sur une feuille d'appel. Tiger Kab était en pleins tourbillons alentour — les chauffeurs venaient prendre le poste de minuit.

Il rédigea une note de couverture.

PB,

Demande à Lenny Sands d'écrire les articles pour *L'Indiscret* en accompagnement des grands titres ci-joints. Dis-lui d'accélérer le mouvement et de consulter les journaux de Miami dans le courant de la semaine à venir pour quelques détails de fond et appelle-moi si nécessaire. Tout ceci est naturellement en rapport avec l'invasion, et j'ai le sentiment que nous sommes tout près du Grand Jour. Je ne peux pas pour l'instant entrer dans le détail de mon plan, mais je pense que tu apprécierais. Si Lenny trouve mes ordres un peu déroutants, dis-lui d'extrapoler à partir des manchettes dans le style inimitable de *L'Indiscret*.

Je sais que tu te trouves quelque part au Nicaragua ou au Guatemala, et j'espère que ce courrier te parviendra. Et essaie de penser à WJL comme à un collègue. La coexistence pacifique ne signifie pas toujours apaisement.

KB.

503

Kemper tamponna l'enveloppe : C. ROGERS/PROCHAIN VOL/ URGENT. Fulo et Nestor passèrent, les idées complètement embrouillées à voir leur allure — il n'avait jamais expliqué pourquoi il avait tué Don Juan.

Santos Jr. avait un requin de compagnie du nom de Batista. Ils allèrent jusqu'à Tampa et larguèrent Don Juan dans sa piscine.

Kemper tira un téléphone jusque dans les toilettes. Il répéta son boniment à trois reprises, jusques et y compris silences et apartés.

Il appela la secrétaire de Bobby. Il lui dit de brancher son magnétophone.

Elle s'exécuta *illico presto*. Elle avait mordu à l'urgence qu'il avait mise — parfaitement affûtée — dans sa voix.

Il glorifia. Il en rajouta. Il louangea le moral des exilés, la préparation des troupes. La CIA avait un plan brillant. La sécurité de pré-invasion était parfaitement étanche.

Il délira comme un sceptique fraîchement converti. Il intercala quelques belles paroles sur la Nouvelle Frontière. Son accent traînant du Tennessee dégoulinait de sa conviction de juste converti.

La femme lui dit qu'elle se précipitait pour transmettre la bande à Bobby. Sa voix se mit à trembloter avant de se briser.

Kemper raccrocha et sortit dans le parc de stationnement. Teo Paez fit un détour et lui passa un petit mot.

> W. Littell a appelé. Dit que tout va bien avec CM. L'avocat new-yorkais de CM dit que les agents du min. de la Justice passent la Louisiane au peigne fin à la recherche de CM. W. Littell dit que CM devrait rester au camp de Guat. ou au moins quitter le pays pour un temps.

Ward Littell en pleine ascension — véritablement stupéfiant.

Une brise se mit de la partie. Kemper s'étira sur un capot à rayures tigrées et contempla le ciel.

La lune était proche. Batista avait des dents blanches et luisantes de la même couleur.

Kemper s'assoupit. Des mélopées le réveillèrent. Il entendit GO GO GO GO GO — ce seul et unique mot. Rien d'autre.

C'était des cris d'extase. La cabane du répartiteur résonnait comme une chambre d'écho géante.

La date de l'invasion était décidée. Il ne pouvait pas s'agir de moins.

Santos nourrissait Batista de steaks et de poulets frits. Sa piscine était une flaque de graisse de dimensions olympiques.

Batista sectionna la tête de Don Juan. Nestor et Fulo détournèrent les yeux.

Pas lui. Il commençait à aimer la tuerie plus qu'il n'aurait dû.

67

Campagne du Nicaragua, 17 avril 1961.

Cochons ! Cochons ! Cochons ! Cochons ! Cochons ! Cochons ! Cochons !

Déclamés, psalmodiés par six cents hommes. Le site de ravitaillement tremblait derrière ce simple mot.

Les hommes bondirent dans les camions. Les camions, verrouillés pare-chocs contre pare-chocs, se dirigèrent vers le ponton de lancement.

Cochons cochons cochons cochons cochons

Pete observait. John observait. Ils patrouillaient le camp en Jeep et observaient la mise en place : Tout se mettait à pied d'œuvre, statut paré.

Parés sur le ponton : un navire transporteur de troupes, tous insignes américains effacés. A bord : engins de débarquement, mortiers, grenades, fusils, mitraillettes, équipement radio, matériel médical, antimoustiques, cartes, munitions, et six cents équipements prophylactiques Sheik — un psy de Langley prévoyait des viols en masse comme sous-produit de la victoire.

Parés : Six cents rebelles cubains chargés à la benzédrine.

Parés sur la piste d'atterrissage : Seize bombardiers B-26, prêts à marteler les forces aériennes de Castro. Visez-moi un peu leurs insignes US complètement couverts de noir — un vrai numéro *non-imperialisto*.

Cochons cochons cochons cochons —

L'abréviation correspondait bien à la destination. John Stanton faisait rabâcher la litanie à satiété — le psy avait dit que la répétition accroissait le courage.

506

Pete fit glisser quelques bennies dosage super d'un coup de café. Il voyait, il sentait, il pressentait...

Les avions neutralisent la puissance aérienne de Castro. Les navires prennent la mer — à départs échelonnés depuis une demi-douzaine de sites de lancement. Une seconde attaque aérienne tue les miliciens en masse. Le chaos entraîne des désertions en masse.

Les combattants de la liberté débarquent sur les plages.

Ils avancent, en ordre. Ils tuent. Ils défolient. Ils rejoignent les dissidents en l'île et reprennent Cuba — affaiblie par les préliminaires came et propagande.

Ils attendaient de Jack Dos Cassé qu'il donne son aval pour le premier raid aérien. Tous les ordres devaient émaner de Belle-Coupe.

COCHONS COCHONS COCHONS COCHONS COCHONS...

Pete et Stanton patrouillaient le site en Jeep. Ils disposaient d'un poste à ondes courtes monté sur le tableau de bord — pour faciliter les communications sur site.

Ils avaient la liaison directe avec le Guatemala, Tiger Kab et Blessington. Avec une limitation radio à ce niveau — seul Langley avait un contact direct avec la Maison-Blanche.

L'ordre était tombé : Jack dit d'envoyer six avions. Pete en sentit sa queue se ramollir. La radio dit que Jack voulait avancer très, très prudemment.

Six sur seize : énorme comme réduction, putain de merde.

Ils continuèrent leur circuit d'inspection. Pete fumait à la chaîne. Stanton tripotait une médaille de Saint-Christophe.

Boyd lui avait fait passer un courrier par messager trois jours auparavant — des ordres assez énigmatiques pour Lenny Sands et L'Indiscret. Il avait fait suivre l'information. Lenny avait répondu qu'il allait rédiger le topo vite fait.

Lenny assurait toujours. Ward Littell surprenait toujours.

La livraison des livres des Camionneurs avait été superbe. Et le léchage de cul sur Carlos par Littell encore meilleur.

Boyd les avait logés dans l'enceinte du camp guatémaltèque. Marcello s'était récupéré une ligne téléphonique privée et dirigeait ses rackets à longue distance.

Carlos aimait les fruits de mer frais. Carlos aimait offrir de grands dîners. Littell faisait venir par avion, quotidiennement, au Guatemala, cinq cents langoustes du Maine.

Carlos transforma des soldats d'élite en gloutons salivants. Carlos transforma les soldats en coolies — des guérilleros en exil bien entraînés lui ciraient ses godasses et faisaient ses petites courses.

Boyd dirigeait l'opération Marcello. Boyd avait donné à Pete un seul ordre direct : LAISSE LITTELL TRANQUILLE.

La trêve Bondurant-Littell était imposée par Boyd et *temporaire*.

Pete fumait cigarette sur cigarette. Les cigarettes et les bennies lui desséchaient la gorge. Ses mains ne cessaient de faire des choses sans qu'ils les commandent.

Le circuit d'inspection se poursuivit. Stanton avait trempé ses vêtements, à croire qu'on les avait essorés à la main.

COCHONS ! COCHONS ! COCHONS ! COCHONS ! COCHONS !

Ils se rangèrent près du ponton et regardèrent leurs troupes monter sur la passerelle d'embarquement. Six cents hommes montèrent à bord, juste en moins de deux minutes.

Leur radio à ondes courtes se mit à crachoter. L'aiguille rebondit pour s'immobiliser sur la fréquence de Blessington.

Stanton brancha son casque. Pete alluma sa millionième cigarette de la journée.

Le transporteur de troupes craquait et roulait. Un gros Cubano dégueula à la rambarde de poupe.

— Notre gouvernement en exil est en place, dit Stanton. Et Bissell a fini par donner son approbation aux gars d'extrême droite que j'avais recommandés. C'est une bonne chose, mais la pseudo-mascarade de transfuge que nous avions concoctée nous est revenue à la figure. Guttierez a atterri à Blessington, mais les journalistes que Dougie Lockhart avait convoqués ont reconnu Ramon et ont commencé à le huer. Ce n'est pas bien important. Mais un foirage reste toujours un foirage.

Pete acquiesça. Il sentait l'odeur de vomi, d'eau de fond de cale et de graisse de six cents fusils.

Stanton débrancha son casque. Son Saint-Christophe, brillant à l'origine, était tout terne à force de tripotages.

Ils continuèrent leur tournée d'inspection. De la connerie-benzédrine, qui ne servait à rien, sauf à brûler de l'essence.

S'il te plaît, Jack.

Envoie plus d'avions. Donne les ordres pour qu'on lâche les bateaux.

Pete ne se sentait plus, ça le démangeait de partout. Stanton débitait sans discontinuer ses sornettes sur ses gamins.

Les heures prenaient des jours et des jours. Pete faisait défiler des listes dans sa tête pour se couper du baratin de Stanton.

Les hommes qu'il avait tués. Les femmes qu'il avait baisées. Les meilleurs hamburgers de L.A. et Miami. Ce qu'il serait en train de faire aujourd'hui s'il n'avait jamais quitté le Québec.

Stanton s'occupait à la radio. Les rapports tombaient.

Ils entendirent que le raid aérien avait fini en eau de boudin. Les bombardiers avaient cloué au sol moins de 10 p. 100 des forces aériennes de Fidel Castro.

Jack Dos Cassé digéra mal la nouvelle. Et réagit de manière complètement conne, une vraie femmelette : Pas de seconde attaque aérienne pour l'instant.

Chuck Rogers réussit à faire passer un message au milieu de couinements. Il dit que Marcello et Littell étaient toujours au Guatemala. Il refila aussi quelques dernières infos côté continent : le FBI avait envahi La Nouvelle-Orléans suite à l'annonce bidon qu'on y avait aperçu Carlos.

L'idée en revenait à Boyd. Il s'était dit que des tuyaux téléphoniques erronés feraient diversion côté Bobby et aideraient à couvrir les traces de Marcello.

Chuck annonça la fin du message. Stanton colla ses écouteurs sur le crâne et garda l'oreille aux aguets de communiqués égarés.

Les secondes prirent des années. Les minutes, des putains de millénaires.

Pete se gratta les couilles à vif. Pete fuma à s'enrouer. Pete tirait sur les palmes des palmiers rien que pour tirer sur quelque chose.

Stanton accusa réception du message.

— C'était Lockhart. Il dit que notre gouvernement en exil est tout près de se révolter. On a besoin de toi à Blessington, et Rogers arrive du Guatemala et passe te prendre.

Ils firent un détour par la côte cubaine. Chuck avait dit que ça rajoutait que dalle à leur temps de vol prévu.

— On descend ! gueula Pete.

Chuck diminua les gaz. Pete aperçut des flammes depuis deux mille pieds, à huit cents mètres de distance.

Ils piquèrent au sol, passant sous la couverture des radars, et se mirent à rouler du ventre le long de la plage. Pete colla ses jumelles à l'extérieur de la fenêtre.

Il vit les appareils démolis — cubains et rebelles. Il vit des bouquets de palmiers en train de se consumer. Des camions à incendie garés sur le sable.

Les sirènes d'alerte d'attaques aériennes beuglaient à pleine puissance. Des projecteurs montés sur les pontons étaient opérationnels, dès avant la nuit tombée. Des casemates avaient été installées juste au-dessus de la limite marée haute — avec leurs troupes, et protégées par sacs de sable.

Des miliciens en foule occupaient le ponton. Visez-moi un peu tous ces petits tarés avec leurs mitraillettes-camembert et leurs répertoires d'identification des avions.

Ils étaient à cent trente kilomètres au sud de Playa Giron. *Cette* portion de plage-ci était prête, en alerte rouge. Si la baie des Cochons était fortifiée de la *même* manière, toute l'invasion était baisée.

Pete entendit des bruits de détonations. Un petit poivrage de crottes de moineaux claqua bip-bip-bip.

Chuck comprit vite — c'est sur *nous* qu'ils tirent.

Il bascula le Piper, passant du ventre au dos. Pete se mit à tournoyer cul par-dessus tête.

Sa tête toucha le toit. Sa ceinture l'immobilisait tout en l'étouffant. Chuck battit des ailes et vola sur le dos jusqu'à ce qu'ils retrouvent les eaux américaines.

Le crépuscule tomba. Blessington brillait sous les lampes à arc à haute puissance.

Pete s'avala deux Dramamine. Il vit des péquenots qui étaient là en spectateurs et des camions à crème glacée postés devant les grilles d'entrée.

Chuck chassa sur la piste et immobilisa l'avion. Pete sortit d'un bond, la tête en vertiges — la benzédrine et la nausée qui commençait lui faisaient comme un une-deux au corps bien vicieux.

Une cahute en préfa se dressait au beau milieu du terrain de manœuvres. Du barbelé triple résistance l'entourait de toutes parts. En jaillissait une vraie fanfare plein pot de cris non synchro — on était bien loin des COCHONS COCHONS COCHONS ! proprets et bien envoyés.

Pete s'étira et joua des muscles pour se débarrasser de quelques courbatures. Lockhart vint à sa rencontre au pas de course.

— Nom de Dieu, entrez là-dedans et calmez un peu tous ces Espingos !

— Qu'est-ce qui s'est passé ? dit Pete.

— Ce qui s'est passé, c'est que Kennedy se dérobe et gagne du temps. Dick Bissell dit qu'il veut être gagnant à coup sûr, mais il ne veut pas lâcher les chiens tout de suite pour que ça lui retombe dessus si l'invasion part en quenouille. J'ai mon vieux cargo tout rouillé qui est prêt à partir, mais cet enculé mondain adorateur du pape à la Maison-Blanche ne veut pas...

Pete lui claqua la figure. Le petit merdaillon vacilla sur ses pieds mais resta debout.

— J'ai demandé : « Qu'est-ce qui s'est passé ? »

Lockhart s'essuya le nez et gloussa.

— Ce qui s'est passé, c'est que mes gars du Klan ont vendu aux mecs du gouvernement provisoire de la gnôle de contrebande, et ils ont commencé à s'engueuler politique avec quelques-uns des soldats réguliers. J'ai constitué vite fait une équipe et j'ai isolé les fauteurs de troubles avec c'te barbelé que vous voyez là, mais ça change rien au fait que vous avez sur les bras soixante têtes brûlées cubaines complètement frustrées et bourrées de gnôle qui se bouffent les uns les autres comme des vipères cuivrées alors qu'ils devraient se concentrer sur le problème qui les occupe, et qui est de libérer une dictature coco.

— Est-ce qu'ils ont des armes ?

— Non, m'sieur. J'ai fait boucler et garder la cabane de l'armurerie.

Pete tendit le bras dans le cockpit. Juste au-dessus du tableau de bord : la longue batte de base-ball d'entraînement de Chuck et sa trousse à outils multi-usages.

Il s'en empara. Il sortit les cisailles à tôle et fourra la batte dans son ceinturon.

— Qu'est-ce que vous faites ? dit Lockhart.

— Je crois que je sais, dit Chuck.

Pete pointa le doigt sur l'abri des pompes à eau.

— Lâchez tout au tuyau à incendie dans exactement cinq minutes.

Lockhart s'esclaffa.

— Les tuyaux, y vont bousiller cette baraque en préfa.

— C'est ce que je veux.

Les Espingos en quarantaine riaient et hurlaient. Lockhart démarra et piqua un sprint jusqu'à l'abri.

Pete courut jusqu'à la clôture et dégagea une partie des rouleaux de barbelés. Chuck s'enveloppa les mains dans son coupe-vent et arracha une muraille de fil de fer.

Pete se fit tout petit et franchit la barrière en rampant. Il courut jusqu'à la cabane en préfa, tassé sur lui-même comme un arrière de football. Un coup de batte suffit pour descendre la porte.

Son entrée style bélier passa inaperçue. Les mecs du gouvernement en exil étaient préoccupés.

Par des parties de bras de fer, de cartes, et des concours de descendeurs de tord-boyaux. Plus une course de bébés alligators sur le plancher.

Visez-moi les groupes qui font la claque. Visez-moi les couvertures pleines de jetons de paris. Visez-moi les couchettes qui ploient sous les cruchons de gnôle.

Pete se chopa une bonne prise de batte. PARÉ : comme au bon vieux temps, à l'entraînement à la trique, chez les Marines.

Il s'avança dans la mêlée. Des fouettés brefs taillaient mentons et côtes. Les gars du gouvernement en exil ripostèrent — un poing le touchait de temps à autre, à l'aveuglette.

Sa batte réduisait en miettes les poutrelles des couchettes. Sa batte éclata le râtelier d'un gros lard. Les gators se dépêchèrent de prendre la poudre d'escampette pendant que l'occasion s'y prêtait.

Les gars du gouvernement pigèrent le topo : Ne pas résister à ce grand Blanc complètement pris de folie.

Pete traversa la cabane en ouragan. Les Espingos formaient

comme une arrière-garde en se postant loin-loin derrière lui.

Il déboula par la porte du fond et fouetta de sa matraque la poutraison de l'avant-toit. Cinq coups main gauche — cinq coups main droite — à cravacher comme un putain de Mickey Mantle.

Les murs tremblèrent. Le toit dansa la gigue. Les fondations vacillèrent, plutôt deux fois qu'une. Et les Espingos évacuèrent — tremblement de terre ! tremblement de terre !

Les tuyaux à incendie crachèrent. La pression des jets arracha la clôture. La force de l'eau arracha le toit de la cahute.

Pete se prit une giclée au passage et vola en trébuchant. La cabane gicla en morceaux de parpaings.

Visez-moi le gouvernement en exil.

Qui cavale. Qui s'emmêle les pieds. Visez-moi la gigue des mal-blanchis sous les jets qui giclent.

Disons ça dans le style *Indiscret* :

> FOUETTES-FLOTTE, LES DOS MOUILLES FARANDOLENT ET FANDANGOTENT ! LE BASTION IMBIBE, BEURRE BIBINE MAISON, BAT DU BRANLE !

Les tuyaux arrêtèrent de cracher. Pete se mit à rire.

Les hommes se relevaient, trempés et tremblants. Le rire de Pete se fit contagieux et se changea en grondement de masse.

Le terrain de manœuvres s'était transformé instantanément en dépôt d'ordures pour préfas.

Le rire se fit locomotive gagnée par une cadence parfaitement martiale. Une mélopée prit forme et monta dans les airs.

COCHONS ! COCHONS ! COCHONS ! COCHONS ! COCHONS !

Lockhart distribua des couvertures. Pete dessoûla les hommes au sirop à l'eau chargé d'amphétamines.

Ils chargèrent le navire transporteur à minuit. Deux cent cinquante-six exilés montèrent à bord — chauffés à blanc pour réclamer leur pays.

Ils chargèrent armes, matériel de débarquement, et fournitures médicales. Les canaux radio restaient ouverts : de Blessington à Langley et tous les postes de commandement de chaque port d'embarquement.

On se passa le mot :

Jack la Belle Coupe dit, pas de second raid aérien.

Personne ne fournit l'état des pertes à l'issue du premier raid. Personne ne fournit l'état des fortifications côtières.

Personne ne mentionna projecteurs et bunkers sur la plage. Personne ne fit état des postes de surveillance de la Milice.

Pete savait pourquoi.

Langley sait que c'est maintenant ou jamais. Pourquoi informer les troupes qu'elles sont en terrain dangereux dès cet instant ?

Pete se mit à lamper le tord-boyaux au cruchon, pour couper l'effet des bennies. Il tomba dans les pommes sur sa couchette au beau milieu d'une hallucination surnaturelle.

Des Japs, des Japs, des Japs. Saipan, 43 — en Technicolor, grand écran.

Ils pullulaient. Lui était encerclé. Et il tuait, il tuait, il tuait. A hurler qu'il était prêt à tout. Personne ne comprenait son français du Québec.

Les Japs morts revenaient à la vie. Il les tuait à nouveau, à mains nues. Ils se transformaient en femmes mortes — des clones de Ruth Mildred Cressmeyer.

Chuck le réveilla à l'aube.

— Kennedy s'est décidé à moitié, dit-il. Toutes les troupes ont été lancées à l'attaque il y a une heure.

L'attente s'étirait, longue et lente. Leur poste à ondes courtes tomba en carafe.

Les transmissions entre transports de troupes leur arrivaient embrouillées. Les rapports de site à site n'étaient que du charabia entrecoupé de grésillements parasites.

Chuck fut incapable de repérer ce qui n'allait pas. Pete essaya de communiquer directement par téléphone — avec les Tiger Kabs et son point de chute à Langley.

Il n'obtint que deux signaux continus : lignes coupées. Chuck estima qu'il s'agissait de brouillages par les pro-castristes.

Lockhart avait mémorisé un numéro brûlant : le poste d'observation de l'Agence à Miami. Boyd appelait ça le « Central Invasion » — le noyau vital, le centre d'énergie auquel les mecs du Cadre n'avaient jamais accès.

Pete composa le numéro. Un signal « occupé » retentit plein pot. Chuck repéra la source de la beuglante : des lignes téléphones tirées à la dérobée et surchargées d'appels.

Ils s'assirent autour des baraques de cantonnement. Leur radio toussotait en lâchant d'étranges petits bredouillis.

Le temps s'étirait, long et lent. Les secondes prenaient des années. Les minutes, des années-lumière.

Pete fumait cigarette sur cigarette. Dougie Frank et Chuck lui en tirèrent tout un paquet à eux deux.

Un mec du Klan passait le Piper au jet. Pete et Chuck échangèrent un long, un très long regard.

Dougie Frank vint brouiller leur longueur d'ondes :
— Je peux venir, moi aussi ?

Ils s'approchèrent, tout près, par une succession de piqués et de chandelles de diversion. Ils se prirent la baie des Cochons plein cadre, dans toute sa laideur.

Ils virent un navire de matériel échoué sur un récif. Ils virent des morts qui sortaient d'une déchirure dans la coque. Ils virent des requins remonter en surface et gober des morceaux de cadavres à vingt mètres du rivage.

Chuck vira sur l'aile et fit un second passage. Pete se cogna contre le panneau de commandes. Le passager supplémentaire les avait obligés à se serrer.

Ils virent les péniches de débarquement sur le sable. Ils virent des vivants qui escaladaient des tas de cadavres. Ils virent un alignement de corps sur une centaine de mètres en eau peu profonde couleur écarlate.

Les envahisseurs continuaient à débarquer. Les lance-flammes les clouaient sur place à la seconde où ils touchaient la ligne de ressac. Ils se faisaient frire en un éclair en bouillant sur pied.

Une cinquantaine de rebelles étaient entravés, le nez dans le sable. Un coco armé d'une tronçonneuse leur courait dans le dos.

Pete vit la lame qui bloquait. Pete vit les flaques de sang. Pete vit les têtes rouler dans l'eau.

Des flammes jaillirent à la rencontre de l'avion — trop courtes de quelques centimètres.

Chuck ôta ses écouteurs.

— Je viens de tomber sur un communiqué du poste d'observation ! Kennedy dit : « Pas de second raid aérien » et il dit qu'il n'enverra pas de troupes américaines régulières pour aider nos mecs !

Pete pointa son Magnum par la fenêtre. Une flamme claqua et le lui fit sauter de la main.

Les requins barattaient l'eau juste à leur verticale. Cet enculé de gros lard coco agitait en l'air une tête tranchée.

68

Campagne du Guatemala, 18 avril 1961.

Leur chambre jouxtait la cabane radio. Les derniers comptes rendus sur l'invasion se faufilaient à travers les murs sans y être invités.

Marcello essayait de dormir. Litttell essayait d'étudier les textes régissant la déportation.

Kennedy avait refusé d'ordonner un second raid aérien. Les soldats rebelles avaient été faits prisonniers et massacrés sur la plage.

Les troupes de réserve psalmodiaient : « COCHONS ! COCHONS ! COCHONS ! COCHONS ! COCHONS ! Ce mot stupide rugissait de toutes parts du quadrilatère du casernement.

Démence d'extrême droite : à peine distrayante. A peine satisfaisante : on sentait monter le mépris à l'égard de John F. Kennedy.

Littell regardait Marcello tourner et virer sur sa couchette. Il créchait dans la même chambre qu'un chef de la Mafia — stupéfiant, mais à peine.

Sa petite mascarade avait marché. Carlos avait parcouru les colonnes des registres et reconnu ses propres transactions dans le cadre de la Caisse. Il était en dette, une dette qui avait crû de façon exponentielle.

Carlos voyait s'accumuler d'énormes dettes, légalement parlant. Carlos devait d'être sain et sauf à un ancien chasseur de criminels du FBI mis à la réforme.

Guy Banister avait appelé ce matin. En disant qu'il avait des tuyaux de première main : Bobby Kennedy savait que Carlos se cachait en réalité au Guatemala.

Bobby faisait pression sur le plan diplomatique. Le Premier ministre guatémaltèque courbait l'échine. Carlos serait déporté.

— Mais la chose prendrait du temps.

Banister le traitait toujours de femmelette par le passé. Aujourd'hui, au téléphone, il était presque déférent.

Marcello se mit à ronfler. Il piquait son roupillon sur sa couchette de l'armée, en pyjama de soie à ses initiales.

Littell entendit des cris et des coups sur la porte voisine. Il se représenta la scène : des hommes en train de frapper leur bureau de grands plats de la main, de chasser du pied des objets inertes.

— C'est un fiasco — Ce merdaillon qui hésite — Il refuse d'envoyer des avions ou des navires pour bombarder la plage.

Littell sortit. Les soldats entamèrent une nouvelle mélopée.

KENNEDY, DIS PAS NON ! KENNEDY, NOUS PARTONS !

Ils sautaient à l'entour du quadrilatère. Ils lampaient gin et vodka à la bouteille. Ils s'avalaient des pilules par poignées et se débarrassaient des flacons du pied comme s'il s'agissait de ballons de foot.

On avait pillé le quartier de l'officier responsable. La porte du dispensaire avait été piétinée, réduite en bouillie.

KEN-NEDY, DIS PAS NON ! KENNEDY, PUTE ET CON !

Littell rentra et décrocha le téléphone mural. Douze chiffres codés et il eut en ligne directe Tiger Kab.

— *Si* ? Station de taxis, dit une voix d'homme.

— Je cherche Kemper Boyd. Dites-lui que c'est Ward Littell.

— *Si*. Une seconde.

Littell déboutonna sa chemise — l'humidité ambiante était abominable. Carlos marmonnait, pris par un mauvais rêve.

Kemper décrocha.

— Qu'est-ce qu'il y a, Ward ?

— Qu'est-ce qui t'arrive ? Tu as l'air anxieux.

— Il y a des émeutes dans tout le quartier cubain, et l'invasion ne marche pas comme nous le voudrions. Ward, qu'est-ce...

— J'ai appris que le gouvernement guatémaltèque est à la recherche de Carlos. Bobby Kennedy sait qu'il se trouve ici, et je suis d'avis de le faire déménager à nouveau.

— Vas-y. Fais-le. Loue un appartement aux abords de

Guatemala City, et rappelle-moi pour me donner le numéro de téléphone. Je vais demander à Chuck Rogers d'aller te retrouver sur place et de t'emmener dans un endroit reculé. Ward, je ne peux pas te parler maintenant. Appelle-moi quand...

La ligne fut coupée. Circuits engorgés — ennuyeux, mais à peine. Amusant, mais à peine : Kemper C. Boyd énervé, mais à peine.

Littell sortit. Les chants guerriers étaient bien plus qu'à peine agressifs.

KEN-NEDY EST UN PUTO ! KEN-NEDY A PEUR DE FIDEL CASTRO !

69

Miami, 18 avril 1961.

Kemper mélangeait la came. Nestor mélangeait le poison. Ils travaillaient de conserve, sur deux bureaux collés côte à côte.

Ils disposaient de la cahute du standard. Fulo avait fermé Tiger Kab à 18 heures et donné des ordres stricts aux chauffeurs : Faites la tournée des scènes d'émeutes et démolissez-moi les *Fidelistos*.

Kemper et Nestor n'arrêtaient pas. Leur ligne de montage de dosettes-flambe n'avançait pas vite.

Ils mélangeaient strychnine et drano en poudre blanche, imitation héroïne. Ils l'emballaient en dosettes à un coup sous plastique.

Ils écoutaient leur poste à ondes courtes. L'affreux décompte des morts n'arrêtait pas de crachoter.

L'Indiscret était passé sous presse la veille. Lenny avait appelé pour avoir des détails. Son article décrivait une éclatante victoire à la baie des Cochons.

Jack pouvait *encore* forcer la victoire. PERDRE OU GAGNER.

Ils étaient entrés par effraction dans la maison qui servait de point de chute-came deux jours auparavant — petit tour d'essai, sécurité avant tout. Ils avaient découvert deux cents dosettes de hasch planquées derrière un panneau d'isolation.

Don Juan Pimentel leur avait refilé des tuyaux solides. Sa mort éliminait un témoin possible.

Nestor concocta une dose. Kemper chargea une seringue et pressa le piston.

Un liquide laiteux en jaillit.

— Ç'a l'air plausible, dit Nestor. Je crois que ça trompera les Négritos qui vont l'acheter.

— Repassons du côté de la maison. C'est ce soir qu'il faut faire l'échange.

— Oui. Et nous devons prier que le président Kennedy se montre plus audacieux.

Une averse poussa les émeutiers à se réfugier à l'abri. Des rôdeuses étaient garées en double file devant la moitié des boîtes de nuit sur Flagler et aux alentours.

Ils roulèrent jusqu'à une cabine de téléphone. Nestor composa le numéro de la crèche-point de chute et n'obtint qu'une longue sonnerie de tonalité. La maison était à deux blocs de distance.

Ils passèrent et repassèrent. La rue était *cubano*, classe moyenne — de petites crèches avec petits jardins en façade et jouets sur les pelouses.

Le point de chute était style espagnol, en stuc couleur pêche. Tout était paisible : un calme de fin de soirée, pas encore la nuit et son absence de sécurité.

Pas de lumières. Pas de voitures dans l'allée d'accès. Pas d'ombres télé en train de se refléter par la fenêtre en façade.

Kemper se rangea contre la bordure du ruisseau. Aucune porte ne s'ouvrit. Pas un rideau ne s'ouvrit ni ne bougea.

Nestor vérifia le contenu de leur valise.

— La porte de derrière ?

— Je ne veux pas risquer ça à nouveau. Le mécanisme de la serrure a presque volé en morceaux la dernière fois.

— Comment tu comptes t'y prendre pour entrer, alors ?

Kemper enfila ses gants.

— Il y a une trappe d'accès pour le chien dans la porte de cuisine. On se laisse glisser au sol, on passe le bras et on tire le pêne de l'intérieur.

— Des trappes pour chiens, ça veut dire des chiens.

— Il n'y a pas eu de chien la dernière fois.

— La dernière fois, ça veut pas dire cette fois-ci.

— Fulo et Teo ont surveillé la place. Ils sont sûrs qu'il n'y a pas de chien.

Nestor enfila ses gants.

— Okay, dans ce cas.

Ils remontèrent l'allée à pied. Kemper inspectait leur flanc très régulièrement. Des nuages d'orage bas dans le ciel leur offraient une couverture supplémentaire.

La porte était parfaite, pour les gros chiens et les hommes de petite taille. Nestor se laissa glisser au sol et se tira vers l'intérieur de la maison.

Kemper tira sur ses gants, qu'ils collent comme une seconde peau. Nestor ouvrit la porte de l'intérieur.

Ils remirent le verrou. Otèrent leurs chaussures. Traversèrent la cuisine jusqu'au panneau d'isolation. Ils firent trois pas droit devant et quatre à droite — Kemper avait pris ses mesures exactes la fois précédente.

Nestor tenait la torche. Kemper ôta le panneau. Les dosettes étaient planquées exactement dans la même position.

Nestor les recompta. Kemper ouvrit la valise et en sortit le Polaroïd.

— Deux cents exactement, dit Nestor.

Kemper prit un cliché en gros plan de la disposition exacte.

Ils attendirent. La photo jaillit de l'appareil.

Kemper la fixa au mur à l'adhésif et la tint sous le faisceau de sa torche. Nestor échangea les dosettes. Il fit une copie conforme de l'agencement des sachets, jusqu'aux minuscules plis et replis.

Leur sueur avait mouillé le plancher. Kemper essuya le sol.

— Appelons Pete, dit Nestor. Et voyons où en sont les choses.

— On n'y peut plus rien, dit Kemper.

S'il te plaît, Jack...

Ils se remirent d'accord pour planquer, jusqu'à l'aube. Les habitants du quartier se garaient dans la rue — l'Impala de Nestor ne détonnerait pas.

Ils reculèrent leur siège et surveillèrent la maison. Kemper fantasma sur divers scénarios Jack-Sauve-La-Face.

Rentrez chez vous, s'il vous plaît, et videz votre planque. *S'il vous plaît, vendez vite la camelote que notre propagande juste sortie des presses soit confirmée.*

Nestor somnolait. Kemper fantasma sur des faits d'armes héroïques à la baie des Cochons.

Une voiture s'engagea dans l'allée. Des claquements de portières réveillèrent un Nestor aux yeux égarés.

Kemper lui bâillonna la bouche :

— Chut, maintenant. Contente-toi de regarder.

Deux hommes entrèrent dans la maison. L'éclairage intérieur délimita l'embrasure de la porte.

Kemper les reconnut. C'était des agitateurs pro-castristes dont on disait qu'ils trafiquaient dans la came.

Nestor montra la voiture.

— Ils ont laissé tourner le moteur.

Kemper surveillait la porte. Les hommes bouclèrent et sortirent, chargés d'un gros attaché-case.

Nestor entrouvrit sa vitre. Kemper saisit au vol quelques mots d'espagnol.

Nestor traduisit.

— Ils vont dans une boîte ouverte la nuit pour vendre leur camelote.

Les hommes remontèrent en voiture. Le plafonnier s'alluma. Kemper vit leurs visages comme en plein jour.

Le conducteur ouvrit la mallette. Le passager ôta l'emballage d'une dosette et sniffa.

RECUPERER LE LOT. ILS NE LE VENDRONT PLUS.

Kemper sortit de la voiture en s'emmêlant les pieds et remonta l'allée au pas de course. Kemper dégaina son calibre et chargea la voiture-came droit devant.

L'overdosé, dans un spasme des deux jambes, fit sauter le pare-brise en éclats.

Kemper visa le conducteur. L'overdosé eut un sursaut et bloqua la balle.

Le chauffeur dégaina un canon court et ouvrit le feu. Kemper riposta, droit sur lui. Nestor arrivait au pas de course en tiraillant — deux balles firent sauter une vitre latérale et zinguèrent sur le toit de la voiture.

Kemper prit une balle. Les ricochets déchiquetèrent l'homme en convulsions, au point de le rendre méconnaissable. Nestor abattit le chauffeur dans le dos et l'envoya se fracasser contre l'avertisseur.

Qui se mit à résonner AAAH — OOO- GAAAH, AAAH — OOO —
GAAH, AAAH — OOO — GAAH — HAUT ET CLAIR.

Kemper tira une balle en pleine figure du chauffeur. Dont les
lunettes volèrent en éclats et arrachèrent la banane qu'il arborait
sur sa perruque.

L'avertisseur gueulait. Nestor fit sauter le volant de la colonne
de direction. Cette saloperie d'avertisseur se mit à gueuler encore
PLUS FORT.

Kemper vit sa clavicule qui ressortait de sa chemise. Il
redescendit l'allée en vacillant, en se frottant les yeux, aveuglés
par le sang de quelqu'un. Nestor le rattrapa et le porta sur ses
épaules jusqu'à leur voiture.

Kemper entendait un bruit d'avertisseur. Kemper voyait des
spectateurs sur le trottoir. Kemper voyait des loubards *cubanos*
près de la voiture de mort — occupés à chourer cette mallette.

Kemper hurla. Nestor lui ouvrit une dosette de hasch véritable
sous le nez.

Il eut un haut-le-cœur et éternua. Son cœur monta en régime
et se mit à ronronner. Il cracha un peu de sang bien rouge.

Nestor écrasa le champignon. Les spectateurs coururent se
mettre à l'abri. Ce drôle de petit bout d'os ressortait en faisant un
drôle d'angle droit.

DOCUMENT EN ENCART : 19/4/61 : *Manchette du* Des Moines Register :

LE COUP D'ETAT MANQUE AVAIT LE SOUTIEN D'INTERETS U.S.

DOCUMENT EN ENCART : 19/4/61 : *Manchette du* Los Angeles Herald-Express.

LES DIRIGEANTS DU MONDE ENTIER CRIENT A L' « INTERVENTION ILLEGALE ».

DOCUMENT EN ENCART : 20/4/61 : *Manchette du* Dallas Morning-News.

TIR A BOULETS ROUGES SUR KENNEDY : « PROVOCATIONS IRRESPONSABLES ».

DOCUMENT EN ENCART : 20/4/61 : *Manchette et sous-titre du* San Francisco Chronicle.

LE FIASCO DE LA BAIE DES COCHONS MIS AU BANC PAR LES ALLIES U.S.
CASTRO JUBILE : LE NOMBRE DE REBELLES TUES AUGMENTE CHAQUE JOUR.

DOCUMENT EN ENCART : 20/4/61 : *Manchette et sous-titre du* Chicago Tribune.

KENNEDY DEFEND L'INTERVENTION DE LA BAIE DES COCHONS.
LE PRESTIGE PRESIDENTIEL ESTROPIE PAR LA REPROBATION
INTERNATIONALE.

DOCUMENT EN ENCART : 21/4/61 : *Manchette et sous-titre du* Cleveland Plain-Dealer.

LA CIA ACCUSEE DU FIASCO DE LA BAIE DES COCHONS.
LES CHEFS EN EXIL REPROCHENT A KENNEDY SA « COUARDISE ».

DOCUMENT EN ENCART : 22/4/61 : *Manchette et sous-titre du* Miami Herald.

KENNEDY : « UN SECOND RAID AERIEN AURAIT PU DECLENCHER LA TROISIEME GUERRE MONDIALE. »
LA COMMUNAUTE DES EXILES HONORE SES HEROS PERDUS ET CAPTURES.

DOCUMENT EN ENCART : 23/4/61 : *Manchette et sous-titre du* New York Journal-American.

KENNEDY DEFEND L'INTERVENTION DE LA BAIE DES COCHONS. LE LEADER ROUGE HURLE A L' « AGRESSION IMPERIALISTE ».

DOCUMENT EN ENCART : 24/4/61. *Article de la revue* L'Indiscret.

CASTRO LE COUARD CASTRE DEHORS !
RAVAGES REVANCHARDS A LA MORT-AUX-RATS PAR LES ROUGES EN RETRAITE !

Son règne de rancœur rouge aura duré deux années pourries. Hurlez-le, haut et fort, ne courbez pas l'échine : Fidel Castro, le barde beatnik à la barbe en broussaille, le bonneteur bilieux, a été déposé de façon décisive et dramatique la semaine dernière par une troupe de *hermanos* remontés à cran par une faim de reconquête héroïque de la terre natale, la rancœur au cœur et sûrs de leur bon droit devant les ravages assenés à leur nation par le Récidiviste Rouge !

Appelez ça le jour J de 61, matous et minettes ! La baie des Cochons, c'est le Carthage des Caraïbes ; Playa Giron, le Parthénon patriotique. Appelez-moi Castro, le débile dépoilé — on raconte qu'il s'est rasé la barbe pour esquiver l'effondrement faramineux d'être reconnu par des vengeurs en quête de revanche !

Fidel Castro : le Samson à la tonsure chiche et mesquine de 1961 ! Ses Dalila en délire de délices : des héros cubains craignant Dieu, qui vénèrent le drapeau rouge, blanc et bleu ! ! !

Castro et ses machinations meurtrièrement malignes : terminées d'un tour tranché, 10-4, fini N-I, NI. Les manœuvres maladroitement malignes du Monstre continuent à mutiler moralement Miami !

Exemple : Fidel Castro crève de l'envie d'accumuler des caisses et des caisses de cash — des finances pour sa fuite et ses futures finauderies en toute félicité !

Exemple : Fidel Castro a couardement critiqué les politiques raciales des Etats-Unis, éminemment égalitaristes et totalement intégratrices, en reprochant rageusement aux chefs américains leurs négligences négligeables à l'égard des citoyens nègres.

Exemple : comme précédemment posé en principe, Fidel Castro et son frangin factieux Raul vendent de l'héroïne délibérément homicide et hasardeuse à Miami.

Exemple : alors que la baie des Cochons pendulait pour perdurer comme le Waterloo de Castro, les minables mignons mécréants du mastiff mensonger minaient les quartiers nègres de Miami à l'héroïne rallongée au raticide ! Des douzaines de drogués nègres se sont injecté ces cocktails cocos carcinogènes pour se voir délivrer de leurs délices en décès démoniaques dramatiquement draconiens ! ! !

Exemple : ce numéro a été passé aux presses précipitamment pour assurer aux lecteurs de *L'Indiscret* qu'ils ne seraient pas abandonnés, affamés, le ventre vide, à attendre de se mettre sous la dent notre parade protectionniste et personnelle des platitudes de Playa Giron. En conséquence, nous ne pouvons citer les noms des Nègres susnommés ou offrir de plus amples détails sur leurs morts ignominieuses. Cette information viendra dans les numéros à suivre, à paraître au plus opportun, parfaitement programmés, en conjonction courageuse avec une nouvelle rubrique à suivre : « Tableau du score de la République Banane : Des Blancs et des Rouges : Qui est vivant ? Et qui bouge ? »

Adios, cher lecteur — et retrouvons-nous tous à trinquer avec un grand Cuba libre dans La Havane lancinamment libérée.

DOCUMENT EN ENCART : 1/5/61. *Note personnelle — De J. Edgar Hoover à Howard Hughes.*

Cher Howard,

Vous ne devez guère vous soucier de *L'Indiscret* ces temps derniers. Si vous jetez un coup d'œil au numéro du 24 avril, vous vous apercevrez qu'il est passé sous presse, au mieux précipitamment, au pis, avec une certaine négligence criminelle et/ou des intentions criminelles.

M. L. Sands possédait-il quelque prescience fallacieuse d'événements imprévisibles ? Son article faisait état d'un certain nombre d'overdoses par héroïne chez les Nègres de Miami, et mes contacts dans la police de Miami me disent que ces overdoses n'ont pas eu lieu.

Neuf adolescents cubains, en revanche, sont effectivement décédés des suites d'injection d'héroïne empoisonnée. Mon contact me dit que le 18 avril, deux jeunes Cubains ont dérobé un attaché-case contenant une grosse quantité d'héroïne toxique à l'intérieur d'une voiture impliquée dans une fusillade inexpliquée qui a eu pour résultat la mort de deux Cubains.

Mon contact a fait mention de l'article étonnamment

prophétique (si historiquement inexact) de *L'Indiscret*. Je lui ai répondu qu'il s'agissait simplement là de l'une de ces coïncidences bizarres de l'existence, explication qui a paru le satisfaire.

Je vous conseillerais de dire à M. Sands de tenir ses faits raisonnablement exacts. *L'Indiscret* ne doit pas publier de science-fiction, hormis s'il s'agit de servir directement nos meilleurs intérêts.

Bien à vous,

Edgar.

DOCUMENT EN ENCART : 8/5/61. *Article annexe du* Miami Herald.

LE PRÉSIDENT CONVOQUE UN GROUPE DE PERSONNALITÉS HAUT PLACÉES POUR ÉVALUER L'ÉCHEC DE LA BAIE DES COCHONS

Qualifiant l'invasion avortée de la baie des Cochons par les exilés cubains, « d'amère leçon », le président Kennedy a déclaré aujourd'hui que c'était également une leçon qui lui servirait à l'avenir.

Le président a annoncé à un groupe de journalistes présents qu'il avait constitué un Groupe d'Etudes chargé d'examiner en profondeur les raisons pour lesquelles l'invasion de la baie des Cochons a échoué et d'évaluer, dans le même temps, la politique américano-cubaine à venir, après ce qu'il a appelé « un épisode catastrophiquement embarrassant ».

Le Groupe entendra les survivants évacués de la baie des Cochons, le personnel de la Central Intelligence Agency impliqué aux plus hauts échelons de la hiérarchie dans la planification de l'invasion, ainsi que les porte-parole des exilés cubains représentant les nombreuses organisations anti-castristes qui fleurissent à l'heure actuelle en Floride.

Le Groupe d'Etudes comptera au nombre de ses membres l'amiral Arleigh Burke et le général Maxwell Taylor. Il sera présidé par le Procureur général, ministre de la Justice, Robert F. Kennedy.

DOCUMENT EN ENCART : 10/5/61. *Note personnelle — de Robert F. Kennedy à Kemper Boyd.*

Cher Kemper,

Je déteste venir déranger un blessé pour lui confier une mission, mais je sais que vous récupérez admirablement, que vos blessures sont en bonne voie de guérison et que vous êtes impatient de reprendre vos fonctions au sein du ministère de la Justice. Je me sens coupable de vous renvoyer au-devant des dangers, aussi, Dieu merci, vous serez bientôt sur pied.

J'ai une seconde mission à vous confier, qui, géographiquement parlant, cadrera parfaitement avec vos fonctions à Anniston ainsi qu'avec vos excursions occasionnelles à Miami pour M. Hoover. Le président a constitué un groupe afin d'étudier le désastre de la baie des Cochons et, sur un plan plus général, la question cubaine. Nous recevrons des administrateurs de la CIA, des agents de terrain ayant participé à l'action, des survivants de la baie des Cochons et des représentants de nombreuses factions d'exilés, qu'elles aient ou non l'appui de la CIA. Je présiderai le Groupe et je veux que vous me serviez de représentant direct et d'homme de liaison auprès du contingent de la CIA posté à Miami et des Cubains sous leur responsabilité.

Je pense que vous conviendrez parfaitement pour ce travail, bien que votre estimation de l'état de préparation des troupes exilées se fût révélée tout à fait inexacte. Il faut que vous sachiez que le président et moi-même ne vous tenons d'aucune manière aucune rigueur de l'échec final de l'invasion. A ce stade d'évaluation, je pense que le blâme devrait en revenir au trop grand zèle manifesté par les hommes de la CIA, à la sécurité bâclée avant l'invasion ainsi qu'à une mésestimation insigne du mécontentement de la population cubaine.

Profitez d'une semaine encore de repos à Miami. Le président vous envoie ses amitiés, et nous trouvons tous deux une ironie certaine au fait qu'un homme de quarante-cinq ans, qui a courtisé le danger toute sa vie d'adulte durant, soit touché par une balle perdue tirée par un agresseur inconnu sur les lieux d'une émeute.

Remettez-vous et appelez-moi la semaine prochaine.

Bob.

DOCUMENT EN ENCART : 11/5/61. *Mémorandums télégraphiques identiques — du Directeur du FBI J. Edgar Hoover aux agents spéciaux en charge, en poste à New York, Los Angeles, Miami, Boston, Dallas, Tampa, Chicago et Cleveland — Tous marqués « CONFIDENTIEL 1-A » — « A DETRUIRE APRES RECEPTION »*

Monsieur,

Votre nom a été supprimé de ce câble pour des raisons de sécurité. Considérez ce communiqué comme top-secret et adressez-moi vos rapports directement, à mon nom personnel, dès que vous aurez mis les ordres qui suivent à exécution.

Demandez à vos agents les plus sûrs du PGC d'accélérer tous leurs efforts en vue d'installer mouchards/tables d'écoute téléphoniques dans les lieux de rencontre connus de membres du crime organisé. Considérez cet ordre comme une priorité absolue. Ne communiquez en aucun cas des renseignements relatifs à cette opération par des circuits déjà existants du ministère de la Justice. Transmettez-moi exclusivement tous rapports oraux et écrits ainsi que transcriptions d'écoutes. Considérez cette opération comme autonome : en aucun cas, elle ne saurait être soumise à l'approbation de l'autorité supérieure du ministère de la Justice.

JEH.

DOCUMENT EN ENCART : 27/5/61. *Article de fond de la rubrique LE CRIME EN EXAMEN — Orlando Sentinel.*

L'étrange Odyssée de Carlos Marcello

Personne ne semble savoir où l'homme est né. Il est généralement admis que le (prétendu) chef de la Mafia Carlos Marcello a vu le jour soit à Tunis, Afrique du Nord, soit quelque part au Guatemala. Les plus vieux souvenirs personnels de Marcello ne relèvent d'aucun de ces deux lieux. Ce sont des souvenirs de sa terre d'adoption, les Etats-Unis d'Amérique, le pays d'où l'a fait déporter, le 4 avril de cette année, le Procureur général Robert F. Kennedy.

Carlos Marcello : Homme sans pays.

Ainsi que le raconte lui-même Marcello, la police des Frontières américaine l'a contraint à quitter La Nouvelle-Orléans pour le déposer près de Guatemala City, Guatemala. Il déclare s'être échappé de l'aéroport lors d'une évasion audacieuse et s'être caché dans divers terriers infernaux guatémaltèques avec un compagnon d'infortune, avocat de son métier, cherchant d'arrache-pied à lui garantir un retour en toute légalité vers ses foyers, son petit coin de feu et les (prétendus) trois cents millions de dollars annuels que lui rapporte son empire de rackets. Entre-temps, Robert F. Kennedy suivait la trace des informations anonymes qui plaçaient le (prétendu) chef de la Mafia en divers et nombreux endroits retirés de la Louisiane. Les informations n'ont pas été couronnées de succès. Kennedy s'est rendu compte que Marcello se cachait bien au Guatemala, sous la protection du gouvernement guatémaltèque, depuis le jour même de sa fameuse « évasion spectaculaire ».

Kennedy a exercé ses pressions par voie diplomatique. Le Premier ministre guatémaltèque s'est plié à ses exigences et a ordonné à la police d'Etat de se mettre à la recherche de Marcello. Le (prétendu) sultan de la Mafia et son compagnon avocat ont été découverts : ils vivaient dans un appartement de location près de Guatemala City. Les deux hommes ont été immédiatement extradés au Salvador.

Ils ont marché de village en village, mangé dans des cantinas minables et graillonneuses, dormi dans des huttes de boue séchée. L'avocat a essayé de contacter un sous-fifre de Marcello, un pilote susceptible de les emmener jusqu'à des cachettes plus adaptées. Le pilote en question n'a pas pu être contacté, et Marcello et son compagnon avocat, en dépit de leurs craintes d'une nouvelle déportation, ont continué leur marche.

Robert F. Kennedy et ses avocats du ministère de la Justice tenaient prêtes leurs ordonnances légales. Le compagnon avocat de Marcello a rédigé de son côté ses propres ordonnances, dont il a transmis le contenu par téléphone à l'ancienne équipe de juristes du (prétendu) pacha de la Mafia à New York. L'ami pilote de Marcello est sorti du néant et (selon les sources confidentielles du journaliste rédacteur de cet article) a emmené ses confrères en contrebande depuis le

Salvador jusqu'à Matamoros, Mexique, en volant en rase-mottes, à la limite de la cime des arbres, afin d'éviter toute détection radar.

Marcello et son compagnon avocat ont alors traversé la frontière, à pied. Le (prétendu) maharadjah de la Mafia s'est livré en se présentant, de son propre chef, au Centre de Détention de la police des Frontières à McAllen, Texas, convaincu qu'un comité d'appel sur l'immigration, composé de trois juges, allait lui permettre d'être libéré sous caution et de rester en Amérique.

Il avait confiance, à juste titre. Marcello a quitté le tribunal la semaine dernière en homme libre — mais en homme hanté, néanmoins, par le spectre affreux de ne trouver aucun Etat pour l'accueillir.

Un responsable du ministère de la Justice nous a déclaré que le problème de la déportation de Marcello pourrait traîner des années sur le plan légal. Lorsqu'il lui a été demandé si les deux parties pourraient éventuellement aboutir à un compromis acceptable, le Procureur général Kennedy a déclaré : « C'est possible, si Marcello est d'accord pour abandonner ses avoirs aux Etats-Unis et se trouver un nouveau lieu de résidence, en Russie ou au Bas-Mozambique. »

L'étrange odyssée de Carlos Marcello continue...

DOCUMENT EN ENCART : 30/5/61. *Note personnelle — de Kemper Boyd à John Stanton.*

John,

Merci pour le gin et le saumon fumé. L'ordinaire hospitalier est battu à plate couture. J'ai grandement apprécié.

Je suis de retour à Anniston depuis le 12. Petit Frère n'a aucun respect pour le concept de convalescence, alors, j'essaie de dénicher des combattants pour les droits civiques et de rassembler des témoignages pour son Groupe d'Etudes Cubaines. (Nous pouvons dire merci à M. Chasco pour m'avoir fait entrer à l'hôpital sans notification à la police. Nestor est excellent lorsqu'il s'agit de soudoyer des médecins bilingues.)

La création du Groupe d'Etudes me tracasse. Je me promène

dans les rangs de la Cause depuis ses tout-débuts, et un seul mot de trop à Petit Frère me détruira auprès des deux frères : Je serai rayé du barreau comme avocat et je ne pourrai plus jamais prétendre à aucun emploi dans n'importe quel service de police ou de renseignements. Ceci dit, il faut que vous sachiez qu'en me lançant à la recherche d'exilés à interroger, j'ai délibérément choisi des hommes que je n'avais jamais rencontrés et qui ne savent pas que je suis employé en secret par l'Agence. Je remets leurs déclarations au propre pour éclairer les plans de préinvasion de l'Agence de manière positive, en les mettant sous la meilleure lumière possible. Comme vous le savez, Grand Frère est devenu viscéralement anti-Agence. Petit Frère partage sa virulence, mais il manifeste également un enthousiasme sincère pour la Cause. Ce qui me donne du courage, mais je dois encore une fois insister sur l'absolue nécessité de camoufler aux yeux de Petit Frère tous les liens existant entre l'Organisation, les exilés et l'Agence. Chose qui devient dorénavant problématique, étant donné l'intérêt tout nouveau qu'il manifeste pour la Cause.

Je vais m'abstraire de mon emploi contractuel pour l'Agence afin de me concentrer uniquement sur mes deux affectations au ministère de la Justice. J'ai le sentiment que je serais à même de servir au mieux les intérêts de l'Agence en ma capacité de canaliseur unique entre eux et Petit Frère. Le problème cubain est actuellement en train d'être profondément ré-évalué sur le plan politique : Plus je reste proche de ceux qui déterminent les formes que prendra la politique à venir, mieux je pourrai servir l'Agence et la Cause.

Les affaires que gère notre Cadre restent très lucratives et bien assises. J'ai confiance dans les capacités de Fulo et de Nestor pour qu'il en reste ainsi. Santos me dit que nos collègues italiens continueront à faire des dons d'importance. Playa Giron a donné à chacun un avant-goût de ce qui pourrait être. Personne ne veut arrêter maintenant. Nos vies ne seraient-elles pas beaucoup plus faciles si Petit Frère ne haïssait pas les Italiens à ce point ?

Cordialement,

Kemper.

70

Miami/Blessington, juin-novembre 1961.

Tiger Kab affichait dans ses locaux une grande cible à fléchettes. Les chauffeurs y agrafaient des photos de Fidel Castro pour les réduire à l'état de confettis.

Pete disposait de ses propres cibles privées.

Comme Ward Littell. Le protégé de Carlos Marcello aujourd'hui — intouchable, avec ses appuis Mafia.

Comme Howard Hughes — son *ex*-patron/bienfaiteur. Hughes l'avait congédié. Lenny Sands disait que c'était les mormons qui l'y avaient obligé. Le fiasco de *L'Indiscret* avait aidé à l'affaire.

Boyd était à l'hôpital à ce moment-là, envapé par la morphine. Il n'avait pas pu appeler Lenny Sands pour lui dire : « Retire le numéro. » Lenny était injoignable, parti avec un mignard. Il ne savait pas que l'invasion avait complètement merdé.

Dracula adorait ses mormons. Le chef mormon Duane Spurgeon s'était trouvé quelques contacts-came. Drac pouvait s'envoler *via* Came-Airservice sans ticket Pete Bondurant.

Les bonnes nouvelles : Spurgeon avait un cancer. Les mauvaises : Hughes sabordait *L'Indiscret*.

L'article sur la baie des Cochons et les overdoses s'était pris une volée de bois vert très gênante. Hughes gardait Lenny au nombre de ses employés, pour qu'il lui rédige une feuille à scandales *privée*.

Le torchon en question devait révéler des torchonneries trop salement torchonnées pour la consommation publique de torchons. Il ne serait lu exclusivement que par deux fanas de torchonneries : Dracula et J. Edgar Hoover.

Drac payait Lenny cinq cents sacs la semaine. Drac appelait Lenny tous les soirs. Lenny en avait marre de Drac et de son rêve mouillé *Je veux Las Vegas*.

Hughes et Littell n'étaient que les préliminaires, bons pour la cible à fléchettes. Sa principale préoccupation était le président John F. Kennedy.

Qui avait :

Atermoyé, tâtonné, tergiversé, et, pris de chocottes, s'était dégonflé et tiré des Cochons.

Qui :

Rampait, ravalait sa chique, chiait dans le froc, chialait comme une Madeleine et laissait Cuba aux mains des cocos.

Qui :

Lanternait, louvoyait, serrait les miches et salissait sa salopette pendant que onze hommes de Blessington se faisaient massacrer.

C'était *lui*, Pete, qui avait fait cadeau à Jack du linge sale sur le prêt Hughes/Nixon. *Lui*, qui s'était porté garant pour l'hypothèque sur la Maison-Blanche de cet empaffé. Le marché Boyd/Bondurant au pourcentage sur les casinos — à peu de chose près aussi au fait du jour que Dick Nixon le Fuyant.

L'Agence continuait à cloner ses bande-dur d'exilés. Des équipages en vedette rapide continuaient à asticoter la côte cubaine. Des trucs de gamins, à peu près aussi dangereux qu'un pet dans un ouragan.

Jack parlait d'une seconde invasion comme « tout à fait possible ». Il se refusait à donner une date ou à se commettre au-delà d'une rhétorique nébuleuse.

Jack, c'est de la merdouille. Du crottin de poulette. Jack, c'est une choute boudeuse, la taille bien serrée dans sa gaine.

Blessington faisait toujours le plein. Le commerce-came du Cadre continuait à fleurir. Fulo avait acheté les témoins de la fusillade Boyd — quarante personnes s'étaient vu offrir une journée de paie bien juteuse.

Nestor avait sauvé la vie de Boyd. Nestor ne connaissait pas la peur. Nestor se faufilait jusqu'à La Havane une fois par semaine avec l'espoir de tomber, on ne sait jamais, sur le Barbu.

Wilfredo Delsol dirigeait la station de taxis. Le gamin était réglo maintenant, on pouvait compter sur lui. Son petit pas de tango pro-Castro n'avait guère duré que le temps de deux mesures.

Jimmy Hoffa faisait un saut chez les Tiger Kabs à l'occasion. Jimmy était le Haineux-Kennedy nº 1 — avec de putains de bonnes raisons.

Bobby K. faisait danser Jimmy en rythme, à sa mesure : le vieux blues Vermine à Abattre/Grand Jury. Jimmy en avait plein le cul, ça le démangeait de partout — suffisait de voir son air nostalgique au souvenir de l'arnaque-chantage Darleen Shoftel.

— On pourrait remettre ça, disait Jimmy. Je pourrais neutra-liser Bobby en m'attaquant à Jack. Il faut savoir que Jack continue à aimer la chatte fraîche.

Jimmy se montrait insistant sur le sujet. Jimmy se faisait l'écho de la haine qu'il avait en partage avec toute l'Organisation.

— Je regrette amèrement le jour où j'ai acheté à Jack l'Illinois, disait Sam G.

— Kemper Boyd aimait Jack, disait Heshie Ryskind, alors on s'était tous dit qu'il devait être cachère.

Boyd était aujourd'hui agent triple ou quadruple. Boyd racontait à qui voulait l'entendre qu'il était insomniaque. Boyd disait qu'à réarranger ses mensonges, il restait éveillé des nuits entières.

Boyd était l'agent de liaison du Groupe d'Etudes cubaines. Boyd avait pris sa sabbatique du Cadre — un stratagème, à seules fins de lui simplifier la vie.

Boyd refilait à Bobby des informations distordues pro-CIA. Boyd refilait à la CIA les secrets du Groupe d'Etudes.

Boyd faisait pression sur Bobby et sur Jack. Boyd insistait pour qu'ils fassent assassiner Castro et faciliter ainsi une seconde invasion.

Les frères répondaient : Que dalle. Boyd disait que Bobby était plus pro-Cause que Jack — mais jusqu'à un point. Un point ambigu.

Jack disait, pas de seconde invasion. Jack refusait de donner son approbation à DESSOUDER-LE-BARBU. Le Groupe d'Etudes avait concocté une solution de rechange appelée « Opération Mangouste ».

Petit qualificatif très chic, à très longue échéance. Reprenons donc Cuba un jour, le siècle n'est pas fini. Voici cinquante millions de dollars par an — attrape, la CIA, attrape !

Mangouste donna le jour à JM/Wave. JM/Wave était le petit nom de code très chic de six bâtiments du campus de l'université de Miami. JM/Wave offrait au programme des salles très chouettes avec graphiques et tout, ainsi que le tout dernier cri en matière d'ateliers d'études sous couverture.

JM/Wave était une fac à diplômer les clowns.

Attrape, la CIA, attrape. Contrôle bien tes groupes d'exilés, mais pas d'actions téméraires — ça pourrait faire foirer la cote de Jack la Belle Coupe dans les sondages.

Boyd aimait toujours Jack. Il était bien trop engagé pour voir à travers l'image. Boyd disait qu'il aimait son travail sur les droits civiques — parce que ne s'y trouvait impliqué aucun subterfuge.

Boyd avait des problèmes de sommeil. C'est une bénédiction, Kemper — jamais tu ne voudrais de mes cauchemars claustrophobes.

71

Washington D.C., juin-novembre 1961.

Il adorait son bureau. Carlos Marcello le lui avait offert.

C'était une suite spacieuse de trois pièces. L'immeuble était tout près de la Maison-Blanche.

Un professionnel l'avait meublée. Les murs de chêne et le cuir vert correspondaient presque exactement à ceux du bureau de Jules Schiffrin.

Il n'avait ni réceptionniste ni secrétaire. Carlos ne croyait pas au partage des secrets.

Carlos lui avait fait faire le tour complet. L'ex-Phantôme de Chicago était aujourd'hui un avocat de la Mafia.

Deux positions opposées dont la symétrie sonnait vrai. Il avait accroché son étoile à un homme qui partageait ses haines. Kemper avait facilité leur union. Il savait qu'elle allait prendre bonne tournure.

John F. Kennedy avait fait faire le tour complet à Kemper. C'était deux charmeurs, deux hommes pleins de vide, qui n'avaient jamais grandi. Kennedy avait lancé des brutes à l'attaque d'un pays étranger et il les avait trahies lorsqu'il s'était aperçu de la tournure des événements. Kemper protégeait certains Nègres et revendait de l'héroïne à d'autres.

Carlos Marcello continuait à jouer le même jeu truqué. Carlos se servait des gens et s'assuraient qu'ils soient bien au courant des règles. Carlos savait que le prix de sa vie était une damnation éternelle.

Ils avaient marché ensemble, sur des centaines de kilomètres. Ils étaient allés à la messe dans des villes de la jungle et contribué de manière extravagante au denier du culte.

539

Ils avaient marché seuls. Pas de gardes du corps ou de gratteurs de dos pour marcher en leur compagnie.

Ils avaient mangé dans les *cantinas*. Ils avaient payé à déjeuner à des villages entiers. Lui rédigeait ses mémoires sur la déportation à même les tables avant de les téléphoner à New York.

Chuck Rogers les avait emmenés au Mexique par avion. Carlos avait dit : « J'ai confiance en toi, Ward. Si tu me dis, rendez-vous, je le ferai. »

Il avait mérité cette confiance. Trois juges avaient réexaminé le dossier de preuves et relâché Marcello contre caution. Les actes rédigés par Littell étaient considérés comme brillants et audacieux.

Carlos le Reconnaissant lui avait arrangé le coup auprès de James Riddle Hoffa. Jimmy était prédisposé à se montrer gentil et affable — Carlos lui avait rendu les registres de la Caisse en décrivant les circonstances qui avaient entouré leur retour.

Hoffa devint son deuxième client. Robert Kennedy demeurait son seul et unique adversaire.

Il rédigea des ordonnances pour les avocats officiels de Hoffa. Les résultats confirmèrent sa brillante maîtrise.

Juillet 61 : Une seconde inculpation pour Sun Valley est rejetée. Les actes rédigés par Littell prouvaient que le grand jury n'avait pas été constitué dans les règles.

Août 61 : Un grand jury de Floride du Sud se voit couper l'herbe sous le pied. Un rapport de conclusions de Littell prouve que les preuves ont été obtenues par coup monté, sur incitation policière.

Il avait fait le tour complet.

Il avait arrêté de boire. Il avait loué un bel appartement à Georgetown et, finalement, il avait percé le code des registres comptables de la Caisse.

Nombres et lettres étaient devenus des mots. Les mots étaient devenus des noms — à aller rechercher au fil des dossiers de police, annuaires municipaux, et même les listings financiers du domaine public.

Il avait recherché lesdits noms quatre mois d'affilée. Il avait pourchassé les noms de célébrités, les noms d'hommes politiques, les noms de criminels et les noms d'anonymes. Il avait passé en revue les rubriques nécrologiques et les casiers judiciaires des criminels. Il avait contrôlé, à quatre reprises, noms, dates et chiffres, et opéré des recoupements sur toutes les données les plus marquantes.

Il avait remonté la trace de noms liés à des nombres liés à des rapports publics d'actionnaires. Il avait évalué noms et chiffres pour son propre portefeuille d'investissement — et amassé ce faisant une histoire secrète atterrante de collusions financières.

Parmi les emprunteurs à la Caisse centrale de Retraite des Camionneurs :

Vingt-quatre sénateurs des Etats-Unis, neuf gouverneurs, cent quatorze membres du Congrès, Allen Dulles, Rafael Trujillo, Fulgencio Batista, Anastasio Samoza, Juan Peron, des chercheurs Prix Nobel, des vedettes de cinéma toxicomanes, des requins sur gage, des racketteurs syndicalistes, des propriétaires d'usines briseurs de syndicats, des membres du Tout-Palm Beach, des chefs d'entreprises véreux, des fêlés de l'extrême droite française détenteurs de sociétés immenses en Algérie, et soixante-sept victimes d'homicides non résolus à mettre au rang des mauvais payeurs de la Caisse des Retraites.

La filière remontait au prêteur de liquide en chef : un certain Joseph P. Kennedy Sr.

Jules Schiffrin était mort brutalement. Il était concevable qu'il eût pressenti un potentiel inexploré de la Caisse — des machinations allant au-delà des capacités du vulgaire des mafieux.

Lui pourrait mettre en œuvre le savoir de Jules Schiffrin. Il pourrait mettre toute la force de sa volonté derrière cette unique ambition.

Cinq mois passés à être sobre comme un chameau lui avaient enseigné ceci :

Tu es capable de tout.

Quatrième Partie

HÉROÏNE

Décembre 1961-Septembre 1963

72

Miami, 20 décembre 1961.

Les mecs de l'Agence appelaient ça la « Fac Bronzette ». Des filles en shorts et boléros cinq jours avant Noël — sans déconner.

Le Grand Pete veut une femme. Expérience du chantage souhaitée, mais pas néces...

— Est-ce que tu m'écoutes, dit Boyd ?

— J'écoute, dit Pete. Et j'observe. C'est une visite bien agréable, mais les étudiantes m'impressionnent plus que JM/Wave.

Ils coupèrent entre les bâtiments.

— Pete, est-ce que...

— Tu disais que Fulo et Nestor pourraient diriger les affaires du Cadre eux-mêmes. Tu disais que Lockhart a laissé tomber son statut de contractuel pour monter son propre Klan au Mississippi et faire l'indic pour les Fédés. Chuck prend sa place à Blessington, et *mon* nouveau numéro, c'est la filière de livraison d'armes à Guy Banister à La Nouvelle-Orléans. Lockhart a quelques contacts chez les vendeurs d'armes sur lesquels je peux me brancher, et Guy est en train de racoler un dénommé Joe Milteer, qui est très impliqué avec des mecs de la John Birch Society et leurs Minutemen. Ils disposent d'un putain de paquet de pognon pour leurs armes, et Milteer passera en déposer une partie à la station.

Ils arrivèrent à une allée piétonnière ombragée et se prirent un banc à l'ombre. Pete étira ses jambes et reluqua le gymnase.

— Tu retiens bien, pour quelqu'un qui s'ennuie à écouter.

Pete bâilla.

— JM/Wave et Mangouste sont mortels. Leurs escarmouches côtières, leurs trafics d'armes, leur contrôle des groupes d'exilés, tout ça, ça me fait ronfler.

545

Boyd s'installa à califourchon sur le banc. Etudiants et Cubains purs et durs fraternisaient deux bancs plus loin.

— Décris ton mode d'action idéal.

Pete alluma une cigarette.

— On devrait descendre Fidel. Je suis pour, tu es pour, et les seuls qui ne soient pas pour, c'est tes potes Jack et Bobby.

Boyd sourit.

— Je commence à penser que nous devrions le faire malgré tout. Si on pouvait se fabriquer un porte-chapeau qui endosserait toute la responsabilité, l'attentat ne pourrait probablement jamais être retracé jusqu'à l'Agence ou jusqu'à nous.

— Jack et Bobby se contenteraient de s'imaginer qu'ils ont eu de la chance.

Boyd acquiesça.

— Je devrais proposer ça à Santos.

— Je l'ai déjà fait.

— L'idée lui plaît ?

— Ouais. Et il l'a proposée à Johnny Rosselli et Sam G. Tous deux ont dit qu'ils étaient partants.

Boyd se frotta la clavicule.

— Et tu as eu ton quorum comme ça, tout simplement ?

— Pas exactement. L'idée leur plaît bien, tous autant qu'ils sont, mais on dirait qu'il leur faudrait quelques arguments supplémentaires pour les convaincre.

— Peut-être devrions-nous engager Ward Littell pour nous rédiger vite fait quelques ordonnances. C'est lui le conseiller en chef du moment. Et il est convaincant.

— Tu veux dire que tu apprécies la manière dont il a blanchi Carlos et Jimmy.

— Pas toi ?

Pete souffla des ronds de fumée.

— J'apprécie comme tout un chacun un retour réussi sur le devant de la scène, mais je m'arrête à Littell. C'est ma limite. Et tu souris parce que ta femmelette de jeune frangin a finalement commencé à se montrer connement compétent.

Passèrent des étudiantes. Pete veut une...

— Il est de notre côté maintenant, tu te souviens ? dit Boyd.

— Je me souviens. Et je me souviens aussi que ton ami Jack l'était aussi, jadis.

— Il l'est encore. Et il écoute Bobby comme personne, et Bobby devient pro-Cause chaque jour un peu plus.

Pete souffla de jolis ronds bien concentriques.

— C'est bon à savoir. Peut-être bien que ça signifie qu'on pourra taper dans notre pognon-casino à peu près à l'époque où ce putain de Bobby en personne se fera élire président.

Boyd parut distrait. C'était peut-être les après-coups de la fusillade — les traumatismes, ça vous foirait la cervelle pour un bout de temps parfois.

— Kemper, est-ce que tu écoutes...

Boyd le coupa :

— Tu affichais un sentiment anti-Kennedy sur le plan général. Tu étais sur le point de démarrer sur le président, même s'il demeure notre meilleur moyen de pression pour accéder au pognon-casino, et même si l'incapacité de la CIA à bien préparer l'affaire, et *non* la couardise de Kennedy, était la cause majeure du désastre de la baie des Cochons.

Pete poussa un cri d'enthousiasme et claqua le banc.

— J'aurais dû y réfléchir à deux fois avant de mettre tes garçons en boîte.

— C'est *garçon* au singulier.

— Putain, excuse-moi, même si je continue toujours à ne pas voir ce qu'il y a de si excitant, putain de merde, à aller faire de la lèche au président des Etats-Unis.

Boyd eut un grand sourire.

— C'est à cause des endroits où il te laisse aller.

— Comme Meridien, dans le Mississippi, quand il s'agit de protéger les Négros ?

— J'ai du sang nègre maintenant. Le sang qu'on m'a transfusé à St. Augustine venait d'un homme de couleur.

Pete se mit à rire.

— Tout ce que t'as, c'est le complexe du Grand Bwana Blanc. T'as tes Négros et tes Espingos, et t'as cette idée de cinglé en tête que c'est toi leur grand sauveur sudiste aristocrate.

— T'en as terminé ? dit Boyd.

Pete quitta des yeux une brunette de haute taille.

— Ouais, j'en ai terminé.

— As-tu envie de discuter de manière logique et rationnelle d'un attentat sur Fidel ?

Pete balança sa cigarette sur un arbre.

— Mon seul commentaire logique et rationnel, c'est : « Laisse faire ça à Nestor. »

— Je songeais justement à Nestor et deux tireurs en appui qu'on peut sacrifier.

— Et on les trouve où ?

— On regarde, on cherche. Tu recrutes deux équipes de deux hommes, moi, une seule. Nestor part avec les finalistes, quoi qu'il arrive.

— D'accord. On fait ça, dit Pete.

Dougie Frank Lockhart tenait toute l'extrême droite sudiste sous sa coupe, bien informée. Ceux qui cherchaient des armes connaissaient l'homme à appeler : Dougie le Rouquin, à Puckett, dans le Mississippi.

Santos et Carlos avaient craché au bassinet cinquante plaques chacun. Pete avait pris le pognon et s'en était allé faire ses amplettes.

Dougie Frank prenait 5 p. 100 de commission pour frais de courtage. Il lui procura des A-1 d'occase tout chauds sortis du circuit haine raciste.

Lockhart connaissait son boulot. Il savait que la droite Dixie était en train de réévaluer ses besoins en armement.

La menace coco avait exigé du matériel « lourd ». Mitraillettes, mortiers et grenades faisaient alors l'affaire. Les Négros en mal de liberté éclipsaient aujourd'hui la Menace rouge — et c'était les armes de petit calibre les mieux adaptées à la nouvelle situation.

Le Sud profond était devenu une énorme brocante de givrés.

Pete échangea des pistolets contre des bazookas flambant neufs. Pete acheta des Thompson en état de marche pour cinquante sacs la pièce. Pete fournit à six campements un demi-million de cartouches.

Les Minutemen, le Parti des Droits nationaux, le Parti de la Renaissance nationale, les Chevaliers exaltés du Ku Klux Klan, et la Koalition du Klan du Klairon pour la Nouvelle Konfédération devinrent ses fournisseurs. Il équipa six camps d'exilés remplis de tueurs de renfort sacrifiables.

Pete passa trois semaines à faire ses emplettes d'armes. Il fit cinq circuits entre Miami et La Nouvelle-Orléans.

Les cinquante bâtons s'évaporèrent. Heshie Ryskind rallongea vingt bâtons supplémentaires. Heshie avait la trouille — ses médecins avaient diagnostiqué un cancer du poumon.

Heshie s'organisa une petite perm-détente en faisant la tournée des camps pour se vider la tête de sa santé foireuse. Il amena avec lui Jack Ruby et ses stripteaseuses, Dick Contino et son accordéon.

Les effeuilleuses s'effeuillèrent et folâtrèrent avec les exilés en entraînement. Heshie offrit des séances de pipes aux camps tout entiers. Dick Contino interpréta *Lady of Spain* six milliers de fois.

Jimmy Hoffa fit une apparition à la soirée de Lake Ponchartrain. Jimmy râla, railla, dérailla en délires non-stop contre les Kennedy.

Joe Milteer vint se joindre à la fête aux abords de Mobile. Il laissa tomber dix bâtons dans la cagnotte aux armes, sans même avoir été sollicité.

Guy Banister disait du Vieux Joe qu'il était « inoffensif ». Lockhart racontait que le brave Vieux adorait cramer les églises négros.

Pete auditionna les gâchettes de renfort pour l'attentat contr Fidel. Il définit ses critères en posant deux simples questions.

Etes-vous tireur d'élite ?

Seriez-vous prêt à mourir pour garantir la réussite du tir à mort de Nestor Chasco ?

Il s'offrit une bavette avec au moins une centaine de Cubains. Quatre hommes ressortaient du lot.

Chino Cromajor. — Survivant de la baie des Cochons. Volontaire pour faire sauter Castro grâce à une bombe-lavement qui passerait inaperçue lors d'une fouille à poil.

Rafael Hernandez-Brown. — Fabricant de cigares/Tueur professionnel. Volontaire pour aller refiler au Barbu un panatella empoisonné et partir en fumée avec l'homme qui avait violé ses champs de tabac.

Cesar Ramos. — Ancien cuisinier de l'armée cubaine. Volontaire pour préparer un cochon de lait explosif et mourir à la Cène de Castro.

Walter « Juanita » Chacon. — Transsexuel sadique. Volontaire pour s'enfiler Castro par le fondement et partir en plein orgasme sous le tir croisé des exilés.

Mémo à Kemper Boyd :
Trouve mieux que mes tireurs — si tu peux.

73

Meridien, 11 janvier 1962.

Kemper se sniffa une boulette-défonce coke-H. C'était précisément la seizième fois qu'il goûtait à la came.

La douzième depuis que le médecin avait arrêté ses médicaments. Ce qui faisait une moyenne de 1,3 dose par mois. Sans qu'il soit toxico.

Sa tête se mit à tourbillonner. Son cerveau à monter les tours. Sa chambre minable du Seminole Hotel lui en parut presque jolie.

Mémo :

Va voir ce prêcheur de couleur. Il est en train de rassembler un groupe de plaignants à qui le droit de vote a été refusé.

Mémo :

Vois Dougie Frank Lockhart. Il a deux gâchettes possibles que tu dois auditionner.

Sa boulette fit *tout* son effet.

Sa clavicule cessa de palpiter. Les broches qui la tenaient se remirent en place.

Kemper s'essuya le nez. Le portrait au-dessus de son bureau se mit à reluire.

C'était Jack Kennedy, photographié pré-Cochons. Sa dédicace post-Cochons : « A Kemper Boyd. Je crois que nous nous sommes tous les deux pris quelques balles récemment. »

Sa dégustation n° 16 lui faisait l'effet d'un coup de super. Le sourire de Jack était du sourire au super — le Dr Feelgood lui avait injecté sa dose juste avant la séance photo.

Jack avait l'air jeune et invincible. Ces derniers mois avaient effacé une bonne part de sa jeunesse et de son invincibilité.

Tout ça à cause du fiasco de la baie des Cochons. Jack avait grandi derrière un raz de marée de blâmes et de reproches.

551

Jack se blâmait lui-même — ainsi que l'Agence. Jack avait viré Allen Dulles et Jack Bissell.

— Je réduirai la CIA en mille morceaux, avait dit Jack.

Jack hait la CIA. Ce n'est pas le cas de Bobby. Bobby hait maintenant Fidel Castro de la même manière qu'il hait Hoffa et la Mafia.

L'autopsie de la baie des Cochons fut douloureuse et interminable. Il faisait fonction d'agent double : Kemper Boyd, le Chaperon. Il montrait à Bobby des dizaines d'exilés passés au désinfectant — le genre non criminel que Langley voulait qu'il vît.

Le Groupe d'Etudes qualifia l'invasion de : « Donquichottesque », « sous-équipée en hommes » et « fondée sur des renseignements spécieux ».

Il était d'accord. Langley ne fut pas d'accord.

Langley estima qu'il jouait à l'apologiste des Kennedy. Ils le considéraient comme politiquement non fiable.

Ce fut John Stanton qui lui apprit la nouvelle. Il acquiesça à l'évaluation, en silence.

Il acquiesça de vive voix : oui, JM/Wave se révélera efficace.

En lui-même, il n'était pas d'accord. Il pressait Bobby d'assassiner Fidel Castro. Bobby n'était pas d'accord. Il disait que c'était là des manières de gangsters, défavorables à la politique Kennedy.

Bobby était une petite brute pleine de grandes convictions morales. Ses lignes directrices étaient souvent difficiles à jauger.

Bobby la Brute installa des brigades anti-rackets dans dix villes importantes. Leur unique objectif était de recruter des informateurs sur le crime organisé. La décision enragea M. Hoover. Des pourfendeurs de la Mafia indépendants pourraient éclipser son Programme Grands Criminels.

Bobby la Brute hait J. Edgar la Brute. Edgar la Brute le lui rend bien. C'était une haine sans précédent dans les annales — un ferment qui mettait tout le ministère de la Justice en effervescence.

Hoover manigançait des coups de freins protocolaires. Bobby vilipendait l'autonomie FBI. Guy Banister disait que Hoover avait placé des écoutes/mouchards illégaux dans tous les lieux fréquentés par la Mafia, d'une côte à l'autre du pays.

Bobby n'en soupçonnait rien. M. Hoover savait la manière de garder des secrets.

Tout comme Ward Littell. Le meilleur secret de Ward était les « malversations » de Joe Kennedy et de la Caisse des Camionneurs.

Joe avait eu une attaque presque fatale à la fin de l'année dernière. Claire disait que Laura en était « anéantie ».

Elle avait essayé de contacter son père. Bobby l'en avait empêchée. Les trois millions de dollars qui l'avaient achetée étaient un engagement permanent qui ne souffrait pas d'exception.

Claire eut son diplôme de Tulane avec mention très bien. La faculté de droit de l'université de New York l'accepta au nombre de ses étudiants. Elle déménagea à New York et prit un appartement non loin de chez Laura.

Laura mentionnait rarement Boyd. Claire lui apprit qu'il avait été blessé par « une balle égarée » à Miami. Laura répondit, « Kemper et quelque chose d'"égaré"? *Jamais*. »

Claire croyait en sa version aseptisée, sans anicroches, de la fusillade. Elle avait foncé à St. Augustine à la seconde où le docteur l'avait appelée.

Claire lui apprit que Laura avait un nouvel ami. Claire dit qu'il était gentil. Claire dit qu'elle avait rencontré le « gentil petit ami » de Laura, Lenny Sands.

Lenny était contrevenu à ses ordres. Il avait repris contact avec Laura. Lenny jouait toujours ses coups de manière indirecte — son article de *L'Indiscret* sur la baie des Cochons était rempli d'insinuations à double tranchant.

Il s'en fichait. Lenny cédait toujours à la menace et il y avait longtemps qu'il avait disparu de son existence.

Lenny dénichait des ragots bien sales pour Howard Hughes. Lenny cafardait certains secrets et en étouffait d'autres. Lenny possédait les preuves indirectes du superbe foirage de Kemper Boyd en avril 61.

Kemper se sniffa une autre boulette-défonce.

Son cœur démarra en accéléré. Sa clavicule devint tout engourdie. Il se souvint : comment mai dernier avait compensé avril dernier.

Bobby lui avait ordonné de suivre des défenseurs itinérants des droits civiques. Il avait dit :

— Contentez-vous d'être observateur, et demandez de l'aide si les hommes du Klan ou autres cherchent la bagarre. Souvenez-vous, vous êtes toujours en convalescence.

Il avait observé. Il avait vu de plus près que les journalistes, les photographes et les caméras.

Il avait vu des défenseurs des droits civiques monter à bord d'autocars. Il les avait filés. Des hymnes ronflaient au sortir des vitres grandes ouvertes.

Des faiseurs de merde filaient les bus. Les auto-radios gueulaient *Dixie*. Il avait éloigné quelques lanceurs de pierre, avec son seul insigne, son bras — celui qui tirait — toujours en écharpe.

Il s'était arrêté à Anniston. Des péquenots lui avaient tailladé les pneus. Une populace blanche envahit la gare routière et chassa le Bus de la Liberté hors de la ville sous une grêle de pierres.

Il loua une vieille Chevy et joua à rattraper les fuyards. Il prit la Highway 78 plein pot et tomba sur une scène d'émeute.

Le bus avait été cramé. Flics, défenseurs de droits civiques et pedzouilles étaient pris dans une mêlée confuse sur le bas-côté.

Il vit une fille de couleur essayer d'éteindre les flammes de ses tresses. Il vit l'artiste de la crame laisser du caoutchouc sur le bitume. Il l'obligea à sortir de la route et le lacéra à coups de pistolet avant de le laisser à moitié mort.

Je me prends quelques doses de temps à autre. Ça m'aide à tenir les choses en juste perspective.

« ... et l'aspect le plus intéressant de ma proposition, c'est que vous n'aurez pas à témoigner devant un tribunal public. Les juges fédéraux liront vos dépositions ainsi que les déclarations sous serment que j'ai rédigées. Ce sera leur base de travail. Si quelqu'un parmi vous est appelé à témoigner, ce sera à huis clos, sans journalistes ni avocats de la partie adverse ou encore moins des représentants officiels de la police locale. »

La belle petite église n'offrait pas de places assises. Le prêcheur avait rassemblé une soixantaine de personnes.

— Des questions ? dit Kemper.

— Venez d'où ? hurla une femme.

Kemper se pencha sur son pupitre.

— Je viens de Nashville, Tennessee. Il se peut que vous ayez encore en mémoire les boycotts et les sit-ins que nous avons organisés là-bas en 60, et vous vous souvenez peut-être que nous avons avancé à grands pas vers l'intégration, avec un minimum de sang versé. J'ai parfaitement conscience que le Mississippi est bien moins civilisé que mon Etat d'origine, et pour ce qui est de votre protection, je peux seulement répondre que lorsque vous irez vous inscrire sur les listes électorales, vous ne serez pas seuls. Nombreux seront ceux qui seront à vos côtés. Plus il y a de monde qui accepte de déposer, mieux c'est. Plus il y a de monde qui s'inscrit pour voter, mieux c'est. Je ne dis pas que certains éléments accepteront tout gentiment que vous soyez électeurs, mais plus vous serez nombreux à voter, plus vous aurez de chances d'élire des représentants des autorités locales qui tiendront ces éléments en bonne ligne.

— On a un joli cimetière dehors, dit un homme. C'est juste qu'aucun d'entre nous n'a vraiment envie de s'y retrouver très bientôt.

— Vous ne pouvez pas attendre de la loi par ici qu'elle se mette tout à coup de notre côté, dit une femme.

Kemper sourit. Deux doses et deux Martini en guise de déjeuner illuminaient l'église.

— Pour ce qui est des cimetières, celui que vous avez ici est très certainement le plus joli qu'il m'ait été de voir. Mais aucun d'entre nous n'a le moindre désir d'aller lui rendre visite avant, disons, quelque chose comme l'an 2000. Et pour ce qui est de la protection, je peux simplement dire que le président Kennedy a fait un sacré bon boulot en protégeant les défenseurs des droits civiques l'an passé. Et si les raclures de péquenots de Blancs déjà cités, si des éléments de bouseux débarquaient en force pour supprimer les droits civiques que Dieu vous a donnés, alors le gouvernement fédéral acceptera le défi avec une force encore plus grande. Parce que votre volonté de liberté ne sera pas défaite, parce qu'elle est bonne, elle est juste, elle est sincère et vous avez la force de la gentillesse, de l'honnêteté et de la rectitude stoïque de votre côté.

L'assemblée se leva et applaudit.

« ... alors c'est ce que vous appelleriez une affaire en or qui arrange tout le monde. J'ai ma Klaverne des Chevaliers royaux, qui n'est au fond qu'une franchise du FBI, et tout ce que j'ai à faire, c'est de garder les oreilles à l'affût des bruits et de cafter les Chevaliers exaltés et les Chevaliers impériaux pour fraude sur la Législation postière, qui est le seul truc à l'intérieur du Klan qui intéresse vraiment M. Hoover. J'ai mes propres informateurs en sous-traitance dans les deux groupes, et je les paie avec mon allocation du Bureau, ce qui m'aide à consolider la puissance de mon propre groupe.

La cahute puait des relents de chaussettes et de fumée de marijuana rassises. Dougie Frank portait une chemise du Klan et des Levi's.

Kemper écrasa une mouche perchée sur sa chaise.

— Où en est-on des tireurs dont tu as parlé ?

— Ils sont ici. Ils crèchent avec moi, pas'que les motels du coin ne font pas la différence entre les Cubains et les Négros. Sûr que vous essayez de changer tout ça.

— Où sont-ils en ce moment ?

— J'ai un stand de tir en bas de la rue. Ils y sont, en compagnie de quelques-uns de mes Royaux. Vous voulez une bière ?

— Que dirais-tu d'un Martini sec ?

— Y a pas de ça dans ce coin-ci. Et celui qui va demander un truc pareil va se faire cataloguer comme agitateur fédéral.

Kemper sourit.

— J'ai un barman du « Skyline Lounge » qui est de mon côté.

— Ça doit être un juif ou un homo.

Kemper laissa filer un peu d'accent traînant :

— Fils, tu commences à abuser de ma patience.

Lockhart tressaillit.

— Bon... et merde alors, vous devriez savoir que j'ai entendu que Pete avait trouvé ses quatre gars. Guy Banister dit qu'il vous en manque encore deux, ce qui ne me surprend pas, vu tout le travail d'intégration qui vous occupe.

— Parle-moi des tireurs. Limite tes commentaires superflus et viens-en au fait.

Lockhart recula sa chaise à petits coups. Kemper rapprocha la sienne.

— Eh bien, euh, Banister, il me les a envoyés. Ils ont volé une vedette rapide et ils l'ont échouée au large de la côte de l'Alabama. Ils ont attaqué quelques stations-service, quelques magasins d'alcool et ils ont renoué connaissance avec le Grenouilleux, Laurent Guery, qui leur a dit d'appeler Guy pour un boulot anti-Fidel.

— Et alors ?

— Alors, Guy les a considérés bien trop givrés à son gré, nom de Dieu, ce qui veut dire trop givrés au goût d'à peu près n'importe qui. Il me les a envoyés, mais j'en ai à peu près autant l'usage qu'un chien pour les puces.

Kemper se rapprocha encore. Lockhart recula sa chaise tout contre le mur.

— Mec, vous me serrez plus près d'habitude.

— Parle-moi des Cubains.

— Seigneur Jésus, je croyais qu'on était amis.

— Nous le sommes. Parle-moi des Cubains.

Lockhart fit glisser sa chaise de côté.

— Ils s'appellent « Flash » Elorde et Juan Canestel. Flash, c'est pas le vrai nom d'Elorde. Il se l'est donné juste pas'qu'y a un fameux boxeur espingo avec le même nom de famille qui l'a pris comme surnom.

— Et puis ?

— Et puis, ce sont tous les deux des tireurs d'élite champions et ils haïssent Fidel bien fort. Flash dirigeait un commerce de prostitution d'esclaves à La Havane, et Juan, c'est le violeur qui s'est fait castrer par la Police secrète de Chicago, pasqu'il avait violé quelque chose comme trois cents femmes entre 1959 et 1961.

— Sont-ils prêts à mourir pour une Cuba libre ?

— Merde, oui. Flash dit que vu la vie qu'il mène, à chaque réveil, de se savoir encore vivant, c'est un miracle.

Kemper sourit.

— C'est l'attitude que tu devrais adopter, Dougie.

— Ce qui veut dire ?

— Ce qui veut dire qu'il y a une très belle petite église pour gens de couleur à la sortie de Meridien. Elle s'appelle la Première-

Baptiste de la Pentecôte, et elle a un beau cimetière tout tendu de mousse juste à côté.

Lockhart se boucha une narine et souffla la morve par terre.

— Et alors quoi, putain ? Vous êtes quoi, un connaisseur d'églises Négro ?

Kemper tira son accent traînant pour un effet maximum :

— Dis à tes garçons de ne pas toucher à cette église.

— Merde, mec, comment espérez-vous qu'un Blanc qui se respecte réagisse à quelque chose comme ça ?

— En disant : « Oui, m'sieur, oui, monsieur Boyd. »

Lockhart se mit à bégayer. Kemper fredonna *We Shall Overcome — Nous vaincrons.*

— Oui, m'sieur ; oui, monsieur Boyd, dit Lockhart.

Flash arborait une coupe Mohawk. Juan arborait un gros renflement testiculaire — des mouchoirs ou du papier roulé en boule remplissaient l'espace où ses noisettes avaient accoutumé jadis de résider.

Le stand de tir était un terrain vague adjacent à un parc à caravanes. Des hommes du Klan en tenue d'apparat tiraient sur des boîtes de conserve tout en biberonnant bières et Jack Daniel's.

Ils touchaient une boîte sur quatre à trente mètres. Flash et Juan faisaient mouche à tout coup à distance double.

Ils tiraient au vieux M-1, entre chien et loup. De meilleurs fusils avec viseurs télescopiques les rendraient invincibles.

Dougie Frank circulait. Kemper regardait tirer les Cubains.

Flash et Juan se mirent torse nu, se servant de leur chemise pour chasser les moustiques. Les deux hommes portaient des cicatrices de torture sur tout le torse.

Kemper siffla et fit signe à Lockhart : Envoie-les par ici, tout de suite.

Dougie Frank regroupa les deux hommes. Kemper s'appuya contre un vieux Ford cinq cents kilos. Le plateau était bourré d'armes et de bouteilles d'alcools.

Les deux hommes s'approchèrent. Kemper commença, gentil et courtois.

Sourires et courbettes à la cantonade. Poignées de main. Flash et Juan enfilèrent leur chemise — signe de respect à l'égard du Grand Bwana Blanc.

Kemper coupa court aux gracieusetés.

— Je m'appelle Boyd. J'ai une mission à vous proposer.

— *Si, trabajo*, dit Flash. *Qui en el...*

Juan lui fit signe de se taire.

— Quel genre de mission ?

Kemper essaya l'espagnol.

— *Trabajo muy importanto. Para Matar et grande puto Fidel Castro.*

Flash se mit à rebondir sur place. Juan l'agrippa et l'immobilisa.

— Ce n'est pas une plaisanterie, monsieur Boyd ?

Kemper sortit sa pince porte-billets.

— Combien vous faudrait-il pour vous convaincre ?

Ils se pressèrent tout contre lui. Kemper étala un éventail de billets de cent.

— Je hais Fidel Castro tout autant que n'importe quel patriote cubain. Renseignez-vous auprès de M. Banister ou de votre ami Laurent Guery à mon sujet. Je vous paierai de ma poche jusqu'à ce que nous disposions de nos soutiens financiers, et si nous réussissons à avoir Castro, je vous garantis de grosses primes.

L'argent les hypnotisait. Kemper porta l'estocade finale.

Il glissa un billet de cent à Flash, un autre à Juan. Un à Flash, un à Juan, un à Flash...

Canestel referma la main :

— Nous vous croyons.

Kemper piqua une bouteille à l'arrière du camion. Flash battit une mesure de mambo sur l'aile arrière.

— Gardez-en un peu pour nous, les Blancs ! hurla un mec du Klan.

Kemper prit une gorgée. Flash prit une gorgée. Juan siffla la moitié de la bouteille à la régalade.

L'heure-cocktail céda place au moment faisons-connaissance.

Kemper acheta quelques vêtements à Flash et Juan. Ils sortirent leur équipement de la cahute de Lockhart.

Kemper appela son agent de change à New York. Vendez quelques actions, dit-il, et envoyez-moi cinq mille dollars.

L'homme dit, pourquoi ? Kemper dit, j'engage quelques sous-fifres.

Flash et Juan avaient besoin d'un logement. Kemper coinça son petit copain le réceptionniste en lui demandant de réviser sa politique RESERVE AUX BLANCS.

L'homme accepta. Flash et Juan emménagèrent au Seminole Motel.

Kemper appela Pete à La Nouvelle-Orléans. Il lui dit, on se fait une petite audition DESCENDEZ-LE-FIDEL.

Tempêtes sous deux crânes.

Kemper établit un budget de cinquante bâtons par tireur et deux cents bâtons pour les frais généraux. Pete suggéra une indemnité de licenciement : dix plaques par tireur non sélectionné.

Kemper accepta. Pete dit, faisons notre numéro de recrutement à Blessington. Santos peut loger Sam G. et Johnny au Breakers Motel.

Kemper accepta. Pete dit, il nous faut un Espingo porte-chapeau — sans liens avec la CIA ou le Cadre. Kemper dit, nous en trouverons un.

Pete dit, mes gars sont plus braves que tes gars.

Kemper dit, non, ce n'est pas vrai.

Flash et Juan eurent envie de boire. Kemper les emmena au « Skyline Lounge ».

Le barman dit, y sont pas blancs. Kemper lui glissa vingt dollars. Le barman dit, maintenant, ils le sont.

Kemper prit des Martini. Juan but du I.W. Harper. Flash but rhum Meyers et Coke.

Flash parlait espagnol. Juan traduisait. Kemper apprit les rudiments de la prostitution d'esclaves.

Flash kidnappait les filles. Laurent Guery les faisait devenir accro à la horse algérienne. Juan débourrait les vierges et essayait de les pervertir, qu'elles prennent leur pied au sexe de tout-venant.

Kemper écoutait. Les horreurs s'en allaient leur chemin, cloisonnées, non pertinentes.

Juan disait que ses couilles lui manquaient. Il réussissait

toujours à bander et à baiser, mais lui manquait l'expérience totale de vider son pis.

Flash fulminait contre Fidel. Kemper songea : Je ne le hais pas, cet homme. Pas du tout.

Tous les six étaient vêtus de treillis amidonnés, la peau camouflée au noir de fumée. C'était une idée de Pete : déguisons nos candidats-tireurs en fouteurs de trouille.

Nestor avait bâti un champ de cibles derrière le parc de stationnement du Breakers. Kemper qualifia l'ouvrage de chef-d'œuvre du bric et broc.

On y trouvait cibles montées sur poulies et chaises piquées dans une cabane-bistrot démolie. L'armement de l'examen de passage avait fait les beaux jours de la CIA : fusils M-1, assortiment de pistolets et .30 .06 avec lunette de visée.

Teo Paez avait fabriqué des cibles Castro bourrées de paille. Elles étaient de taille réelle et très réalistes — y compris barbes et cigares.

Laurent Guery s'était invité à la petite fête. Teo dit qu'il s'était cassé de France *rapidamente.* Nestor dit qu'il avait essayé de descendre Charles de Gaulle.

Les juges s'étaient installés sous un auvent. S. Trafficante, J. Rosselli, et S. Giancana — recroquevillés dans leur siège, avec whisky à l'eau et jumelles.

Pete faisait l'armurier. Kemper, le maître de cérémonie.

— Nous avons six hommes parmi lesquels vous devez faire votre choix, messieurs. Vous allez financer cette opération, et je sais que le dernier mot vous reviendra quant à celui qui sera partant. Pete et moi vous proposons des équipes de trois, avec Nestor Chasco, que vous connaissez, comme troisième homme dans tous les cas de figure. Avant que nous commencions, je veux insister sur le fait que ces hommes sont loyaux, sans peur, et pleinement conscients des risques encourus. S'ils sont capturés, ils se suicideront plutôt que de révéler le nom de ceux qui auront monté l'opération.

Giancana tapota sa montre.

— Je suis en retard. On ne pourrait pas démarrer le spectacle ?

Trafficante tapota la sienne.

— Accélérez le mouvement, vous voulez bien, Kemper ? On m'attend à Tampa.

Kemper acquiesça. Pete plaça Fidel n° 1 à dix-sept mètres. Les hommes chargèrent leur revolver et se mirent en position de combat, tir à deux mains.

— Feu ! dit Pete.

Chino Cromajor fit sauter la casquette de Castro. Rafael Hernandez-Brown le dé-cigara. Cesar Ramos lui sectionna les deux oreilles.

L'écho des détonations disparut. Kemper jaugea les réactions.

Santos avait l'air de s'ennuyer. Sam s'agitait sur son siège. Johnny affichait une légère perplexité.

Juanita Chacon visa à hauteur de bas-ventre et fit feu. Fidel n° 1 perdit sa virilité.

Juan et Flash tirèrent par deux fois. Fidel y perdit bras et jambes.

Laurent Guery applaudit. Giancana consulta sa montre.

Pete plaça Fidel n° 2 à deux cents mètres. Les tireurs épaulèrent leur M-1 démodé.

Les juges levèrent leurs jumelles.

— Feu ! dit Pete.

Cromajor fit sauter les deux yeux de Castro. Hernandez-Brown lui trancha les deux pouces.

Ramos toucha son cigare. Juanita le castra.

Flash lui fit exploser les jambes à hauteur des genoux. Juan plaça une balle dans le mille, plein cœur.

— Cessez le feu ! hurla Pete.

Les tireurs abaissèrent leur arme et s'alignèrent en position de repos.

— C'est impressionnant, dit Giancana, mais nous ne pouvons pas nous permettre de partir à moitié préparés sur quelque chose d'aussi gros.

— Je dois dire que je suis d'accord avec Mo, dit Trafficante.

— Vous devez nous donner un peu de temps pour réfléchir à la question, dit Rosselli.

Kemper fut pris de nausée. Sa poussée d'énergie-défonce se transformait en truc dégueulasse.

Pete tremblait.

74

Washington, D.C., 24 janvier 1962.

Littell enferma l'argent sous clé dans le coffre de son bureau. Ses honoraires d'un mois : six mille dollars en liquide.

— Vous n'avez pas compté, dit Hoffa.

— J'ai confiance en vous.

— J'aurais pu me tromper.

Littell bascula son fauteuil en arrière et releva les yeux sur Hoffa.

— C'est peu probable. En particulier si vous vous êtes donné la peine de me l'apporter en mains propres.

— Vous vous seriez senti mieux si vous étiez venu jusqu'à la boutique par ce putain de froid ?

— J'aurais pu attendre le 1er du mois.

Hoffa se percha sur le rebord du bureau. Son pardessus était trempé de neige fondue.

Littell déplaça quelques chemises. Hoffa prit en main son presse-papiers en cristal.

— Est-ce que vous êtes venu pour un petit laïus d'encouragement ?

— Non. Mais si vous en avez un, je suis tout ouïe.

— Que dites-vous de ceci : Vous allez gagner et Bobby va perdre. La guerre sera longue et pénible, et vous allez gagner à l'usure, tout simplement.

Jimmy serra le presse-papiers entre ses doigts.

— Je pensais que Kemper Boyd devrait vous faire passer une copie de mon dossier au ministère de la Justice.

Littell secoua la tête.

— Il refusera de le faire, et je ne le lui demanderai pas. Il a les Kennedy et Cuba et Dieu seul sait quoi d'autre, soigneusement enveloppés dans de jolis petits paquets bien proprets dont il est le seul à connaître la logique. Il y a des limites qu'il ne franchira pas, et vous et Bobby Kennedy en êtes une.

— Les limites, ça va, ça vient. Et en ce qui concerne Cuba, je pense que Carlos est le seul mec de l'Organisation qui en ait encore quelque chose à foutre. Je crois que Santos, Mo et les autres tirent la gueule et sont morts d'ennui devant tout ce qui touche à cette foutue ringarde d'île à la noix.

Littell rectifia sa cravate.

— Bien. Parce que, *moi aussi*, tout m'ennuie à mourir, excepté de vous garder ainsi qu'à Carlos une longueur d'avance sur Bobby Kennedy.

Hoffa sourit.

— Vous aimiez bien Bobby dans le temps. J'ai entendu dire que vous l'admiriez beaucoup.

— Les limites, ça va, ça vient, Jimmy. Vous l'avez dit vous-même.

Hoffa reposa le presse-papiers.

— C'est bien vrai. Tout comme il est vrai, bordel de merde, que j'ai besoin d'un petit avantage sur Bobby. Et c'est *vous* qui avez tout foutu en l'air au cours de la mise sur écoute de Kennedy que Pete Bondurant avait montée pour moi à l'époque, en 58.

Littell força une grimace en sourire.

— Je ne savais pas que vous le saviez.

— C'est une évidence. Il devrait aussi être évident, bordel de merde, que je vous pardonne.

— Et tout aussi évident que vous aimeriez remettre ça.

— C'est bien vrai.

— Appelez Pete, Jimmy. Il ne m'est pas d'une grande utilité, mais c'est le meilleur spécialiste vivant en extorsion et chantage.

Hoffa se pencha au-dessus du bureau. Ses jambes de pantalon remontèrent, révélant des chaussettes de sport blanches bon marché.

— Je veux que vous soyez également dans le coup.

75

Los Angeles, 4 février 1962.

Pete se frotta le cou. Il était tout noué et plein de courbatures — il avait volé en classe touriste sur un siège conçu pour des avortons.

— Je saute quand tu me dis de sauter, Jimmy, mais traverser tout le pays en avion pour le café et les gâteaux, c'est pousser un peu loin.

— Je pense que c'est à L.A. qu'il faut monter le coup.

— Monter quel coup ?

Hoffa épongea un peu de crème d'éclair sur sa cravate.

— Tu le verras bien assez tôt.

Pete entendit du bruit dans la cuisine.

— Qui est-ce qui farfouille par là ?

— C'est Ward Littell. Assieds-toi, Pete. Tu me rends nerveux.

Pete laissa tomber son sac à vêtements. La maison puait le cigare — Hoffa en laissait la jouissance aux Camionneurs en visite pour des soirées porno.

— Littell, eh merde. C'est un emmerde dont je me passerais bien.

— Allons. L'histoire ancienne, c'est de l'histoire ancienne.

Histoire récente : c'est *ton* avocat qui a volé *tes* registres de la Caisse...

Littell entra. Hoffa leva les mains, en grand pacificateur.

— Soyez gentils, les mecs. Je ne vous aurais pas réunis sous le même toit sans bonne raison.

Pete se frotta les yeux.

— Je suis un mec occupé, et j'ai pris un vol de nuit pour cette

565

petite bavette à tailler autour d'un petit déjeuner. Donnez-moi une bonne raison pour laquelle je devrais me repayer encore un autre putain de boulot, sinon, je reprends la direction de l'aéroport.

— Dis-lui, Ward, dit Hoffa.

Littell se réchauffa les mains autour d'une tasse de café.

— Bobby Kennedy se montre d'une dureté inacceptable avec Jimmy. Nous voulons constituer un dossier peu flatteur sur Jack avec enregistrements à l'appui et nous en servir comme moyen de pression pour faire lâcher Bobby. Si je n'étais pas intervenu, l'opération Shoftel aurait pu marcher. Je suis d'avis qu'il faudrait essayer à nouveau, et je pense que nous devrions recruter une femme que Jack trouverait suffisamment intéressante pour entretenir avec elle une liaison suivie.

Pete roula les yeux au ciel.

— Vous voulez aller faire chanter le président des Etats-Unis ?

— Oui.

— Toi, moi et Jimmy ?

— Toi, moi, Fred Turentine et la femme que nous ferons entrer dans l'affaire.

— Et tu t'embarques là-dedans comme si tu croyais qu'on peut se faire confiance.

Littell sourit.

— Nous haïssons tous les deux Jack Kennedy. Et je pense que nous connaissons assez de notre linge sale respectif pour étayer un pacte de non-agression.

Pete se sentit pousser une petite chair de poule qui lui hérissa la peau.

— Nous ne pouvons pas informer Kemper. Il nous cafterait à la seconde.

— Je suis d'accord. Kemper doit rester hors circuit pour cette fois.

Hoffa eut un renvoi.

— Je vous regarde tous les deux en train de vous bouffer du regard, et je commence à me sentir, moi, hors de ce putain de circuit, même si c'est moi qui le finance, le putain de circuit en question.

— Lenny Sands, dit Littell.

566

Hoffa lâcha une giclée de miettes d'éclair.

— Qu'est-ce que Lenny le Juif a à branler avec quoi que ce soit, bordel de merde ?

Pete regarda Littell. Littell regarda Pete. Leurs ondes cérébrales se tissèrent en trame quelque part au-dessus du plateau de pâtisseries.

Hoffa en eut le souffle littéralement coupé. Son regard alla se perdre quelque part du côté de la planète Mars. Pete fit avancer Littell vers la cuisine et referma la porte.

— Tu penses que Lenny a ses entrées à Hollywood et qu'il connaît tous les petits secrets. Tu te dis qu'il pourrait bien connaître une femme qu'on pourrait utiliser comme appât.

— Exact. Et s'il n'assure pas sur ce coup, au moins, on est bien à Los Angeles.

— Qui est le meilleur endroit au monde où se dénicher des femmes reines de l'arnaque et du chantage.

Littell but une gorgée de café.

— Exact. Et Lenny a été mon informateur dans le temps. Je le tiens, et s'il ne coopère pas, je serre jusqu'à ce qu'il accepte.

Pete fit craquer quelques jointures.

— C'est un homo. Il a suriné cet affranchi dans une allée derrière un bar à pédés.

— C'est Lenny qui te l'a dit ?

— Ne prends pas un air aussi blessé. Les gens ont cette tendance à me raconter des trucs alors qu'ils n'en ont pas envie.

Littell largua sa tasse dans l'évier. Hoffa arpentait le sol devant la porte.

— Lenny connaît Kemper, dit Pete. Et je crois qu'il est très proche de la femme Hughes, celle qui a eu une liaison avec Kemper.

— Lenny ne présente aucun danger. Si les choses en venaient au pis, on peut toujours lui passer les poucettes sur le coup Tony Iannone.

Pete se massa le cou.

— Qui d'autre sait ce que nous avons l'intention de faire ?

— Personne. Pourquoi ?

— Je me demandais si ça ne se savait pas comme le loup blanc dans toute l'Organisation.

Littell secoua la tête.

567

— Toi, moi et Jimmy. C'est tout le circuit.

— Alors, que ça reste comme ça. Lenny est comme cul et chemise avec Sam G., et Sam a la réputation de piquer sa crise quand on asticote un peu son Lenny.

Littell s'appuya contre le fourneau.

— D'accord. Et je ne dirai rien à Carlos et tu ne diras rien ni à Trafficante, ni aux autres mecs de l'Organisation avec lesquels toi et Kemper trafiquez. Gardons la chose bien contenue.

— D'accord. Quelques-uns des mecs en question nous ont laissés, le bec dans l'eau, Kemper et moi, à propos d'une affaire, il y a deux semaines de ça. Ça ne m'encourage pas beaucoup à aller leur raconter quoi que ce soit.

Littell haussa les épaules.

— Ils découvriront le fin mot de l'histoire au bout du compte, et ils seront satisfaits des résultats que nous aurons obtenus. Bobby leur court sur le haricot, eux aussi, et je pense qu'on peut affirmer sans crainte que Giancana trouvera parfaitement justifié tout ce que nous aurons dû faire subir à Lenny.

— J'aime bien Lenny, dit Pete.

— Moi aussi, mais les affaires sont les affaires.

Pete dessina des symboles de dollars sur le fourneau.

— Question argent : Quel est l'ordre de grandeur ?

— Vingt-cinq mille par mois, dit Littell, y compris tes frais et le salaire de Fred Turentine. Je sais que tu auras besoin de voyager dans le cadre de ton boulot pour la CIA, et ça ne pose pas problème, ni à Jimmy, ni à moi. J'ai placé personnellement des écoutes pour le Bureau, et je pense qu'entre toi, moi et Turentine, nous serons capables de couvrir toutes les bases.

Hoffa cogna à la porte.

— Pourquoi vous ne sortez pas, les mecs, pour venir me parler, à *moi* ? J'en ai plein le dos de ce petit tête-à-tête de merde !

Pete dirigea Littell vers le fond de la pièce, direction la buanderie.

— Ça paraît correct. On se trouve la femme, on colle des mouchards dans quelques crèches et on baise Jack Kennedy là où *ça* fait mal.

Littell dégagea son bras.

— Il faudra consulter en détail les rapports de Lenny pour

L'Indiscret. On pourrait avoir une piste pour la femme de cette manière.

— A *moi* de faire ça. Je pourrais peut-être réussir à jeter un coup d'œil aux rapports que Howard Hughes garde dans son bureau.

— Fais-le aujourd'hui. Je serai à l'Ambassador jusqu'à ce qu'on ait mis cette affaire sur pied.

La porte se mit à branler — Jimmy avait les tétons qui titillaient.

— Je veux faire entrer M. Hoover sur cette affaire, dit Littell.

— *Tu es complètement fou ?*

Littell sourit, avec condescendance, modèle lèche-moi-le-cul.

— Il hait les Kennedy comme toi et moi. Je veux rétablir le contact, lui refiler quelques enregistrements et me le garder au chaud comme moyen de pression pour aider Jimmy et Carlos à sortir de leur pétrin.

Pas *si* fou que ça.

— Tu sais que c'est un voyeur, Pete. Sais-tu ce qu'il donnerait pour avoir le président des Etats-Unis en train de baiser sur une bande ?

Hoffa fit une entrée en trombe dans la cuisine. Sa chemise était semée de giclures de beignet — toutes les couleurs de l'arc-en-ciel.

Pete fit un clin d'œil.

— Je commence à ne plus te haïr tant que ça, Ward.

Le bureau d'affaires de Hughes était aujourd'hui marqué ACCES RESERVE. Des nervis mormons flanquaient la porte et vérifiaient les identités à l'aide d'un machin étrange à balayage.

Pete traînait à côté de la grille du parc de stationnement. Le garde lui gonflait les oreilles.

— Nous autres non-mormons appelons cet endroit le Château Dracula. M. Hughes, nous l'appelons « le Comte », et nous appelons Duane Spurgeon — c'est le chef mormon — Frankenstein, pas'qu'il est en train de mourir du cancer et on dirait à le voir qu'il est déjà mort. Je me souviens de l'époque où ce bâtiment n'était pas rempli de fêlés de la religion et que M.

Hughes arrivait en personne, et qu'il n'avait pas cette énorme phobie des microbes et puis tous les projets complètement cinglés pour racheter Las Vegas, et qu'il ne se faisait pas faire de transfusions comme Bella Lugosi...

— Larry...

— ... et qu'il parlait aux gens, pour de vrai, vous savez ? Aujourd'hui, les seuls à qui il parle, à part les mormons, c'est M. J. Edgar Hoover en personne et Lenny, le mec de *L'Indiscret*. Et vous savez pourquoi *moi*, je parle autant ? Parce que je tiens à mon poste à la grille toute la journée et que je me récupère des ragots, et que les seuls non-mormons que je vois, c'est le concierge philippin et la Japonaise du standard téléphonique. M. Hughes est encore capable de mener des affaires à bien, cependant, faut bien le reconnaître. J'ai entendu dire qu'il avait fait sacrément remonter le prix qu'on lui offrait pour se dessaisir de la TWA, alors quand il aura le pognon, il pourra le faire déposer directement sur un compte qu'il détient, quelque chose comme un fonds de milliards et de milliards : « Rachat Vegas. »

Larry se retrouva hors d'haleine. Pete sortit un billet de cent dollars.

— Ils gardent les rapports de Lenny le Dénicheur dans la salle d'archives, exact ?

— Exact.

— Il y en a neuf autres comme celui-là si tu m'y fais entrer.

Larry secoua la tête.

— C'est impossible, Pete. Il n'y a pratiquement là-dedans que du personnel mormon. Certains des mecs sont mormons *et* ex-FBI, et c'est M. J. Edgar Hoover qui a personnellement aidé à les choisir.

— Lenny est à L.A. à plein-temps maintenant, exact ? dit Pete.

— Exact. Il a déménagé de Chicago. On raconte qu'il rédige *L'Indiscret* sous forme de feuille ronéotée à diffusion restreinte, ou quelque chose comme ça.

Pete lui tendit le billet de cent entre deux doigts.

— Trouve-moi son adresse.

Larry consulta son rolodex et en sortit une fiche.

— C'est 831, Nord Kilkea. D'ici, ce n'est pas si loin que ça.

Un camion de l'hôpital vint se ranger.

— Qu'est-ce que c'est que ça ? dit Pete.

— Du sang frais pour le Comte, murmura Larry. Garanti pur mormon.

Le nouveau coup qui s'annonçait faisait du bien, mais c'était strictement du second plan. Le coup essentiel devait être DESCENDRE FIDEL.

Santos et compagnie l'avaient étouffé dans l'œuf. Ils avaient eu l'air de s'ennuyer, comme si la Cause n'était plus que peau de balle.

POURQUOI ?

Il avait rendu leur liberté à ses tireurs. Kemper avait ramené ses gars au Mississippi.

Laurent Guery les avait accompagnés. Kemper avait tapé dans son fonds d'actions personnelles pour financer l'opération. Kemper se comportait de manière bizarroïde ces temps derniers, et ça faisait un moment.

Pete s'engagea vers Kilkea. Le 831 était une bâtisse standard de quatre apparts, courante à Hollywood-Ouest.

Un bâtiment style espagnol, un étage, modèle standard. Deux apparts standard par niveau. Avec portes standard en verre biseauté qui faisaient baver le cambrio standard.

Il n'y avait pas de garage sur l'arrière — les locataires devaient se garer en bordure de trottoir. La Packard de Lenny était invisible.

Pete se rangea et monta sur le perron. Les quatre portes avaient du ballant à la jonction avec leur huisserie.

La rue était morte. Le perron était d'un silence de mort. La boîte aux lettres de la cage d'escaliers gauche portait « L. Sands ».

Pete fit sauter la serrure avec son canif. Une lumière intérieure lui sauta à la figure.

Lenny avait l'intention de ne pas rentrer à la nuit tombée. Il pourrait rôder dans la crèche à sa guise quatre bonnes heures.

Pete verrouilla la porte derrière lui. La crèche s'étendait de part et d'autre d'un couloir — peut-être cinq pièces au total.

Il inspecta la cuisine, le coin-repas, et la chambre. L'appart était chouette et tranquille — Lenny s'abstenait de tout animal de compagnie ou de petit mignard mignon à demeure.

Un bureau était rattaché à la chambre. De la taille d'un cagibi — un bureau et une rangée de classeurs occupaient tout l'espace au sol.

Pete inspecta le tiroir supérieur. Joli foutoir à l'intérieur — Lenny y avait entassé à ras bord des chemises elles-mêmes déjà bourrées.

Les chemises contenaient des torchonneries U.S. 100 p. 100 de première qualité.

Des torchonneries publiées par *L'Indiscret* et des tuyaux sur des torchonneries non publiées. Des torchonneries qui remontaient à début 59 : le hit-parade de la Torchonnerie, le plus beau de tous les temps.

Crapotages d'engnôlés, crapotages d'encamés, crapotages homos. Crapotage lesbo, crapotage nympho, crapotages de mélanges raciaux. Crapotage politique, crapotages d'inceste, crapotage d'abus sexuels sur enfants. Un seul problème pour le crapotage en question : les crapoteuses femelles étaient bien trop crapoteusement connues.

Pete repéra quelques crapotages qui ne cadraient pas : un rapport bien crapoteux en date du 12 septembre 1960. Un mémo-éditorial de *L'Indiscret* était attaché à la page.

Lenny,

Je ne vois pas ça comme article de tête ou quoi que ce soit. Si ça s'était conclu par une arrestation et un procès, d'accord. Super. Mais ça n'a pas été le cas. Toute l'affaire me paraît un peu biaisée. En plus, la fille est une inconnue.

Pete lut le rapport. Biaisé ? — Sans déc.

Lenny Sands le Crapoteur, mot pour mot :

J'ai appris que la splendide rouquine danseuse et chanteuse Barb Jahelka (attraction centrale dans le spectacle de son ex-mari Joey Jahelka, *Swingin' Dance Revue*) avait été arrêtée le 26 août pour participation à une entreprise de chantage visant Rock Hudson.

Il s'agissait d'une opération photo. Hudson et Barb étaient

au lit au domicile de Rock à Beverly Hills lorsqu'un homme s'est faufilé en douce jusque-là et a réussi à prendre plusieurs clichés grâce à une pellicule infrarouge. Quelques jours plus tard, Barb exigeait de Hudson qu'il lui remît dix mille dollars sinon les photographies seraient diffusées partout.

Rock appela le détective privé Fred Otash. Otash appela les services de police de Beverly Hills, lesquels arrêtèrent Barb Jahelka. Hudson se sentit le cœur tendre et refusa de porter plainte. Ça me plaît bien pour le numéro du 24/9/60. Rock a la cote ces temps derniers, et Barb est un vrai régal (j'ai des photos d'elle en bikini que nous pourrions utiliser). Tenez-moi au courant, que je puisse mettre l'article en forme.

Biaisé ? — sans charre, Sherlock.

Rock Hudson était une choute convaincue sans aucun goût pour la chatte. Fred Otash était ex-flic et petit toutou d'Hollywood. Visez-moi le *post-scriptum* biaisé : le numéro de téléphone d'Otash griffonné à même le rapport.

Pete attrapa le téléphone et composa le numéro. Un homme répondit :

— Otash.

— C'est Pete Bondurant, Freddy.

Otash poussa un sifflement.

— Il faut que ce soit intéressant. La dernière fois que tu as passé un coup de fil par pure sociabilité, ç'a été jamais.

— Ce n'est pas aujourd'hui que je vais commencer.

— On dirait bien qu'on est en train de parler pognon. Si c'est ton argent en échange de mon temps, j'écoute.

Pete consulta le rapport.

— En août 60, on prétend que tu as aidé Rock Hudson à se sortir de la panade. Je pense, moi, qu'il s'agissait d'un coup monté. Je t'offre mille dollars si tu me racontes toute l'histoire.

— Va jusqu'à deux mille et rajoute un démenti officiel, dit Otash.

— Deux mille. Et si je me retrouve complètement coincé, je dirai que j'ai obtenu l'information ailleurs.

Un drôle de bruit retentit sur la ligne. Pete l'identifia : Freddy en train de se tapoter les dents d'un crayon.

— Okay, le Français.

— Okay, et puis ?

— Okay. T'as raison. Le coup était le suivant : Rock avait peur d'être reconnu publiquement comme une tante. Alors il a concocté une petite machination avec Lenny Sands. Lenny a fait entrer dans la partie Barb Jahelka et son ex-mari Joey, et Barb et Rock se sont collés dans les draps. Joey a organisé une pseudo-effraction et pris quelques photos. Barb, un pseudo-chantage avec argent à la clé, et Rock m'a passé le pseudo-coup de fil pour que je règle l'affaire.

— Et toi, t'as pseudo appelé la police de Beverly Hills.

— Exact. Ils ont collé à Barb une inculpation pour extorsion, puis Rock s'est montré soudain pseudo-sentimental et il a laissé tomber sa plainte. Lenny avait rédigé toute l'histoire pour *L'Indiscret*, mais pour une raison quelconque, l'article n'a jamais été publié. Lenny a essayé de refiler son récit à la presse officielle, mais personne n'a voulu y toucher, parce que la moitié de ce foutu pays sait que Rock est homo.

Pete soupira.

— Votre petite escapade vous a menés nulle part.

Otash soupira.

— C'est exact. Rock a payé Barb et Joey deux bâtons chacun, et maintenant, c'est moi que tu paies deux bâtons de rab rien que pour te raconter toute cette bien triste histoire.

Pete éclata de rire.

— Parle-moi donc un peu de Barb Jahelka pendant que tu y es.

— Très bien. A la manière dont je vois Barb, je dirais qu'elle est en train de s'encanailler dans le mauvais sens du terme, mais elle ne le sait pas. Elle est intelligente, elle a de l'allure, et elle sait qu'elle n'est pas la prochaine Patti Page. Je crois qu'elle vient d'un trou perdu dans le Wisconsin, et je crois qu'elle a fait six mois de ferme-prison pour détention de marijuana il y a cinq ou six ans de ça. Elle a eu dans le temps une liaison avec Peter Lawford...

Le beau-frère de Jack.

« ... et elle traite son ex-mari Joey, qui n'est qu'une merde, exactement comme il doit être traité. Il faudrait ajouter qu'elle aime bien prendre son pied, et je parie qu'elle te dirait que le danger lui plaît, mais à mon avis, elle n'a jamais été testée de ce côté-là. Si tu t'intéresses aux lieux qu'elle fréquente, essaie le

" Reef Club " à Ventura. Aux dernières nouvelles, Joey avait monté là un genre de spectacle de twist d'occasion.

— Elle te plaît bien, Freddy, dit Pete. On te lit à livre ouvert.

— Tout comme toi. Et tant que c'est notre quart d'heure de vérité, permets-moi de recommander chaudement cette fille pour n'importe quelle affaire de chantage que tu pourrais avoir en tête.

Le « Reef Club » n'était que bouts de bois échoués et récupérés et faux coquillages. La clientèle : essentiellement des étudiants et des branchés à la petite semaine.

Pete se colla à une table juste en bordure de la piste de danse. La *Swingin' Twist Revue* de Joe devait débuter dans dix minutes.

Les haut-parleurs au mur barattaient leur musique. Des fêlés de twist battaient des bras et cognaient du cul. La table de Pete vibrait au point de lui faire tomber la belle mousse qui couronnait son verre de bière.

Il avait appelé Karen Hiltscher avant de quitter L.A. Les Sommiers du Shérif avaient une collante au nom d'une certaine Barbara Jane (Lindscott) Jahelka.

Elle était née le 18 novembre 1931 à Tunnel City, dans le Wisconsin. Elle avait un permis de conduire californien en règle. Elle était tombée pour une histoire de joint vers juillet 57.

Elle avait fait six mois dans une prison du comté. On la soupçonnait d'avoir suriné une vrille dans la prison du palais de justice. Elle avait été mariée — 3 août 1954-24 janvier 1958 à : Joseph Dominic Jahelka, né le 16 janvier 1923 à New York. Condamnation dans l'Etat de New York : détournement de mineure, escroquerie, fabrication de fausses ordonnances de dilaudid.

Joey Jahelka était probablement un toxico esclave de sa came. Il en baverait probablement pour tout le dilaudid qu'il venait de rapporter à L.A.

Pete but une gorgée de bière. La hi-fi beuglait de la musique de jungle. Un haut-parleur beugla :

— Mesdames et messieurs, le « Reef Club » est heureux de vous présenter pour votre plaisir twisteur — Joey Jahelka et sa *Swingin' Twist Revue* !!!

Personne n'acclama l'annonce. Personne n'applaudit. Personne n'arrêta de siffler.

Un trio bondit sur scène. Arborant jupes calypso et smokings désassortis. Pete vit les étiquettes des boutiques pendouiller, accrochées au tissu.

Ils se mirent en place. Les twisteurs et les clients attablés les ignorèrent. Un morceau de juke-box vint se mélanger à leur air d'ouverture.

Un lycéen jouait du sax ténor. Le batteur était un pachuco poids coq. Le guitariste correspondait au descriptif que les Sommiers donnaient de Joey.

Le petit tas graillonneux roupillait à moitié. Ses chaussettes pendouillaient à défaut d'élastique bien au-dessous des chevilles.

Ils jouaient fort, de la musique merdique. Pete sentit le cérumen de ses oreilles qui commençait à s'émietter.

Barb Jahelka vint se glisser contre le micro. Barb dégoulinait par tous les pores d'une sensualité saine. Barb n'avait rien de la camée d'une sous-caste du show-biz.

Barb la Grande. Barb la Longiligne. Et cette crinière bouffante d'un rouge étincelant ne devait rien à aucune saloperie de teinture.

Visez-moi cette robe moulante au décolleté plongeant. Visez-moi ces talons qui lui font dépasser le mètre quatre-vingts.

Barb chanta. Barb avait l'organe faiblard. Son groupe la noyait complètement chaque fois qu'elle essayait de sortir une note un peu haute.

Pete contempla le spectacle. Barb chanta. Barb DANSA — *L'Indiscret* aurait qualifié ça de CHAUDE, CHAUDE, CHAUDE-LA-VILLE.

Quelques twisteurs mâles cessèrent de twister pour se coller les quinquets sur cette grande rouquine classe. Une fille donna un coup de coude à son partenaire — arrête de reluquer cette nana !

Barb chantait, voix faiblarde et monocorde. Barb offrait des rotations de hanches uniques, à écraser toute concurrence !

Elle laissa tomber ses chaussures. Elle se mit à jouer des hanches au point de faire sauter les coutures le long d'une jambe.

Pete surveillait ses yeux. Pete tapota l'enveloppe dans sa poche.

Elle avait lu le mot. L'argent allait la faire mordre à

l'hameçon. Elle donnerait la came à Joey et le presserait d'aller se faire voir ailleurs.

Pete grillait cigarette sur cigarette. Barb laissa échapper un sein et le remit en place avant que les fanas de twist ne remarquent la chose.

Barb sourit — oops ! — éblouissant !

Pete passa l'enveloppe à une serveuse. Vingt dollars pour une transmission garantie.

Barb dansa. Pete lui envoya quelque chose qui ressemblait à une prière : S'il te plaît, sois capable de PARLER.

Il savait qu'elle serait en retard. Il savait qu'elle fermerait la boîte et le laisserait mariner dans son jus un petit moment. Il savait qu'elle appellerait Freddy O. pour un rapide passage en revue de son pedigree.

Pete attendait dans une cafétéria ouverte la nuit. Il avait mal à la poitrine — Barb l'avait entortillé au point qu'il avait grillé deux paquets de cigarettes.

Il avait appelé Littell une heure auparavant. Il lui avait dit, on se retrouve chez Lenny à 3 heures — je crois que j'ai peut-être trouvé notre femme.

Il était 1 h 10. Il avait peut-être appelé Littell un chouïa prématurément.

Pete sirotait son café et consultait sa montre toutes les secondes ou presque. Barb Jahelka entra et le repéra.

Sa jupe et son chemisier faisaient juste assez sainte-nitouche. L'absence de maquillage faisait un chouette effet sur son visage.

Elle s'assit en face de lui.

— J'espère que vous avez téléphoné à Freddy, dit Pete.

— C'est bien ce que j'ai fait.

— Qu'est-ce qu'il vous a dit ?

— Qu'il n'irait jamais vous chercher des crosses. Et que vos partenaires se font toujours de l'argent.

— C'est tout ce qu'il a dit ?

— Il a dit que vous connaissiez Lenny Sands. J'ai appelé Lenny, mais il n'était pas chez lui.

Pete repoussa son café.

577

— Aviez-vous l'intention de tuer la gouine que vous avez surinée ?

Barb sourit.

— Non. Je voulais qu'elle cesse de me tripoter, et je ne voulais pas passer le restant de ma vie à payer.

Pete sourit.

— Vous ne m'avez pas demandé de quoi il s'agissait.

— Freddy m'a déjà offert son interprétation, et vous me payez cinq cents dollars pour bavarder avec vous. Et, à propos, Joey vous dit, « merci pour la dose ».

Une serveuse traînait alentour. Pete la chassa.

— Pourquoi restez-vous avec lui ?

— Parce qu'il n'a pas toujours été drogué. Parce qu'il s'est arrangé pour qu'on s'occupe de quelques mecs qui avaient fait du mal à sa sœur.

— Ce sont de bonnes raisons.

Barb alluma une cigarette.

— La meilleure raison, c'est que j'aime profondément la maman de Joey. Elle est sénile, et elle croit que nous sommes toujours mariés. Elle croit que les mômes de la sœur de Joey sont nos mômes.

Pete se mit à rire.

— Supposez qu'elle meure ?

— Alors le jour de l'enterrement sera le jour où je dirai adieu à Joey. Il faudra qu'il se trouve une nouvelle chanteuse et un nouveau chauffeur pour le conduire à ses tests-nalline [1].

— Je parie que ça vous brisera le cœur.

Barb souffla des ronds de fumée.

— Quand c'est fini, c'est fini. C'est un concept que les camés ne comprennent pas.

— Vous le comprenez, vous.

— Je sais. Et vous êtes en train de penser que c'est un drôle de truc qu'une femme comprenne ça.

— Pas nécessairement.

Barb écrasa sa cigarette.

---

1. Abrégé de N-allynomorphine hydrochloride, drogue qui sert à dépister les drogués ; injectée sous la peau d'un consommateur de drogues, elle provoque chez ce dernier des nausées tout en transformant ses pupilles.

— De quoi s'agit-il ?

— Pas tout de suite.

— Quand ?

— Bientôt. D'abord, parlez-moi de vous et de Peter Lawford.

Barb joua avec son cendrier.

— Ç'a été bref et dégueulasse, et j'ai rompu quand Peter a commencé à m'empoisonner la vie en me pressant de coucher avec Frank Sinatra.

— Ce que vous n'aviez pas envie de faire.

— Exact.

— Lawford vous a-t-il présentée aux Kennedy ?

— Non.

— Pensez-vous qu'il ait parlé de vous aux Kennedy ?

— Peut-être.

— Vous avez entendu ce qui se dit sur Kennedy et les femmes ?

— Bien sûr. Pete disait qu'il était « insatiable » et une fille que je connaissais à Vegas m'a fait quelques confidences.

Pete sentit une odeur d'huile solaire. Les rouquines et la puissance des projecteurs de scène...

— Qu'est-ce que nous allons faire de tout ça ? dit Barb.

— Je vous verrai à la boîte demain et je vous le dirai.

Littell le retrouva devant l'immeuble de Lenny. Lenny l'Oiseau de nuit avait ses lumières allumées à 3 h 20 du matin.

— La femme est super, dit Pete. Tout ce qu'il nous faut maintenant, c'est que Lenny nous serve de façade pour la présentation.

— Je veux la rencontrer.

— Tu la verras. Il est seul ?

Littell acquiesça.

— Il est rentré avec un levé il y a deux heures. Le garçon vient de partir.

Pete bâilla — il n'avait pas dormi depuis plus de vingt-quatre heures.

— On se le fait.

— Au bon flic et au méchant flic ?

— Exact. En alternance. Comme ça, il sera toujours entre deux chaises.

Ils montèrent le perron. Pete sonna. Littell se vissa une méchante expression toute fripée sur le visage.

Lenny ouvrit.

— Ne me dis pas. Tu as oublié...

Pete le repoussa dans l'appartement. Littell reclaqua la porte et mit le verrou.

Lenny le Chic serra son peignoir. Lenny l'Illuminé jeta la tête en arrière et rit.

— Je croyais qu'on était quittes, Ward. Et je croyais que tu ne traînais tes guêtres que du côté de Chicago.

— Nous avons besoin d'aide, dit Littell. Et tout ce que tu as à faire, c'est de présenter un homme à une femme et de rester motus et bouche cousue sur le sujet.

— Sinon?

— Sinon, on te remet à qui de droit pour le meurtre de Tony Iannone.

— Faisons ça en gens civilisés, soupira Pete.

— Pourquoi? dit Littell. Nous avons affaire à une petite pédale sadique qui a tué un homme et lui a sectionné le nez d'un coup de dents.

Lenny soupira.

— On m'a déjà fait le coup du duo. Le numéro n'a rien de bien neuf.

— Nous allons essayer de le rendre intéressant.

— Cinq bâtons, Lenny, dit Pete. Tout ce que tu auras à faire, c'est de présenter Barb Jahelka à un autre de tes amis.

Littell fit craquer ses jointures.

— Laisse tomber, Ward, dit Lenny. Les manières de grosse brute, ça ne te va pas.

Littell le gifla. Lenny lui retourna sa gifle.

Pete se plaça entre les deux hommes. Ils avaient l'air ridicule tous les deux — l'allure de pseudo-durs avec le nez ensanglanté.

— Allez, vous deux. Conduisons-nous en civilisés.

Lenny s'essuya le nez.

— Ton visage a l'air différent, Ward. Ces cicatrices, oh, c'est tellement toi-oi-oi.

Littell s'essuya le nez.

— Tu n'as pas eu l'air surpris quand Pete a parlé de Barb Jahelka.

Lenny éclata de rire.

— C'est parce que j'étais encore sous le choc à l'idée de vous voir jouer tous les deux dans la même partie.

— Ce n'est pas une vraie réponse, dit Littell.

Lenny haussa les épaules.

— Et que dis-tu de ceci ? Barb est dans le bizness, et tout le monde dans le bizness connaît tout le monde.

Pete changea de tactique : un beau lob pour tromper l'adversaire.

— Nomme-moi quelques hôtels où Jack emmène ses femmes.

Lenny tressaillit. Pete fit craquer ses pouces, deux fois plus fort.

— Nomme quelques hôtels.

Lenny la Choute couina :

— Tout ça, c'est te-e-ellement drôle ! Hé ! si on appelait Kemper Boyd pour une partie carrée !

Littell le gifla. Lenny lâcha quelques larmes — bravade pédé, adieu.

— Nomme quelques hôtels, dit Pete. Ne m'oblige pas, *moi*, à être méchant avec toi.

Lenny se prit à zézayer.

— Le El Encanto à Santa Barbara, l'Ambassador-East à Chicago, et le Carlyle à New York.

Littell poussa Pete dans le couloir — loin des oreilles de Lenny.

— Hoover a des mouchards placés au El Encanto et à l'Ambassador-East. Les directeurs attribuent les chambres à ceux qu'il leur désigne.

Pete murmura :

— Il a tout compris. Il sait ce que nous voulons, alors allons-y pour le final.

Ils retournèrent dans le salon. Lenny sifflait du Bacardi extra à la régalade.

Littell donna l'impression qu'il allait baver. Hoffa avait dit qu'il avait arrêté de picoler depuis dix mois. Le chariot à alcools de Lenny était radioactif — rhum, scotch et toutes sortes de délicieuses saloperies.

581

Lenny descendait le raide à deux mains.

— *Jack, voici Barb. Barb, voici Jack*, dit Pete.

Lenny s'essuya les lèvres.

— Je dois l'appeler « monsieur le Président » maintenant.

— Quand l'as-tu vu pour la dernière fois ?

Lenny toussa.

— Il y a quelques mois. A la maison de plage de Peter Lawford.

— Est-ce qu'il passe toujours chez Lawford quand il est à L.A. ?

— Oui. Peter organise des soirées magnifiques.

— Invite-t-il des femmes libres ?

— Comme si-i-i-i, voyons, gloussa Lenny.

— Est-ce qu'il t'invite ?

— D'ordinaire, oui, mon cher cœur. Le président aime à rire, et ce que le président aime, le président obtient.

Pete intervint.

— Qui d'autre fréquente ses soirées ? Sinatra et sa clique de loulous ?

Lenny se resservit une nouvelle dose de raide. Littell se pourlécha les babines et regarda la bouteille d'un œil appréciateur.

— *Qui d'autre fréquente ses soirées* ? répéta Pete.

Lenny haussa les épaules.

— Des gens amusants. Frank venait dans le temps, mais Bobby a obligé Jack à le larguer.

Littell intervint.

— J'ai lu que Kennedy vient à Los Angeles le 18 février.

— C'est vrai, mon cher cœur. Et devine qui organise une belle soirée le 19 ?

— As-tu été invité, Lenny ?

— Oui.

— Est-ce que le Service secret passe les invités à la fouille ou au détecteur à métaux ?

Lenny tendit la main vers la bouteille. Dont Pete s'empara le premier.

— Réponds à la question de M. Littell, bon Dieu !

Lenny secoua la tête.

— Non. Tout ce que fait le Service secret, c'est manger, boire et discuter des pulsions sexuelles protéiformes de Jack.

— *Barb, voici Jack. Jack, voici Barb*, dit Pete.

Lenny soupira.

— Je ne suis pas un imbécile.

Pete sourit.

— Nous remontons tes honoraires à dix mille. Parce que nous savons que tu es bien trop intelligent pour aller parler de ça à quiconque.

Littell repoussa le chariot à alcools loin de sa vue.

— Ce qui plus précisément inclut Sam Giancana et tes amis de l'Organisation, Laura Hughes, Claire Boyd et Kemper Boyd, au cas excessivement peu probable où tu tomberais sur eux.

Lenny se mit à rire.

— Kemper n'est pas dans le coup ? Pas de cha-an-an-nce, ça ne me déplairait pas de me frotter la couenne avec *lui*.

— Ne prends pas ça à la légère, dit Pete.

— Ne crois pas que Sam te laissera filer sur l'affaire Tony.

— Ne crois pas que Sam aime toujours Jack, dit Pete. Ou qu'il lèverait le petit doigt pour l'aider. Sam a acheté à Jack la Virginie-Ouest et l'Illinois, mais c'était il y a bien longtemps, et depuis ce temps-là, Bobby se montre sacrément inamical à l'égard de l'Organisation.

Lenny vacilla et se cogna au chariot. Littell le rattrapa et l'immobilisa.

Lenny le repoussa.

— Sam et Bobby doivent être en train de concocter *quelque chose*, pas'que Sam a dit que l'Organisation donne un coup de main à Bobby pour Cuba, mais Bobby ne le sait pas, et Sam a dit : « On pense comme qui dirait qu'il faudrait lui dire. »

Pete eut un flash :

Les auditions DESCENDEZ-LE-FIDEL. Trois grossiums de l'Organisation, morts d'ennui, refusant de s'engager.

— Lenny, tu es ivre, dit Littell. Tu ne fais aucun...

Pete le coupa.

— Qu'est-ce que Giancana a dit d'autre au sujet de Bobby Kennedy et de Cuba ?

Lenny s'appuya contre la porte.

— Rien. J'ai juste entendu deux secondes de la conversation qu'il avait avec Butch Montrose.

— Quand ça ?

— La semaine dernière. Je suis allé à Chicago pour une soirée privée des Camionneurs.

— Oublie Cuba, dit Littell.

Lenny vacilla et montra le V de la victoire.

— *Viva Fidel* ! A bas l'insecte impérialiste américain !

Pete le gifla.

— *Barb, voici Jack*, dit Littell. Et souviens-toi de ce que nous ferons si tu nous trahis.

Lenny recracha un bout de bridge en or.

L'orchestre ne jouait pas dans le ton. Mais pas du tout. Pete se dit que les musiciens devaient s'être cramé la cervelle avec son dilaudid.

Le « Reef Club » balançait. Les fanas de twist faisaient vibrer le plancher.

Barb dansait presque chaste, quand on connaissait sa manière. Pete se dit que le coup qui s'annonçait l'avait distraite.

Littell réquisitionna d'autorité un box fermé. Barb leur fit signe en les voyant entrer.

Pete prit de la bière. Littell prit de la limonade. Les basses des amplis faisaient trembler leur table.

Pete bâilla. Il s'était pris une chambre au Statler et avait dormi toute la journée, jusqu'au milieu de la soirée.

Hoffa avait envoyé deux bâtons à Fred Otash. Littell avait rédigé une note pour Hoover qu'il lui avait adressée par l'intermédiaire du contact FBI de Jimmy.

La note disait, nous voulons installer des mouchards et des écoutes. La note disait, nous voulons baiser l'un de VOS PLUS GRANDS ENNEMIS.

Hoffa engagea les services de Fred Turentine. Il était prévu que Freddy installerait les tables d'écoute et collerait les mouchards là où c'était nécessaire.

Pete bâilla. La petite sortie de Lenny sur Bobby et Cuba ne cessait de lui tourner et retourner la tête.

Littell lui donna un coup de coude.

— Elle a tout ce qu'il faut.

— Plus le style.

— Elle est intelligente ?

— Bien plus intelligente que ma dernière partenaire extorsionniste.

Barb accéléra le *Frisco Twist* jusqu'à un crescendo. Le groupe de camés qui l'accompagnait continuait à jouer comme si elle n'était pas là.

Elle quitta la scène. Les clowns twisteurs la bousculèrent de proche en proche sur la piste de danse. Un taré en mal de libido la suivit et reluqua son décolleté de tout près.

Pete lui fit signe. Barb se glissa dans le box tout à côté de lui.

— Mademoiselle Lindscott, dit Pete, monsieur Littell.

Barb alluma une cigarette.

— En pratique, c'est « Jahelka ». Quand ma belle-mère mourra, je reprendrai le nom de Lindscott.

— J'aime bien « Lindscott », dit Littell.

— Je sais, dit Barb. Ça correspond mieux à ma figure.

— Avez-vous jamais travaillé comme actrice ?

— Non.

— Et la petite mascarade avec Lenny Sands et Rock Hudson ?

— Tout ce que j'avais à faire, c'était de rouler la police et passer la nuit au poste.

— Le risque encouru valait-il deux mille dollars ?

Barb éclata de rire.

— Comparés à quatre cents dollars pour trois numéros de twist par soir, tous les soirs de la semaine ?

Pete repoussa sa bière et ses bretzels.

— Vous vous ferez bien plus de deux mille dollars avec nous.

— Pour quoi faire ? A part coucher avec un homme de pouvoir, je veux dire ?

Littell se pencha vers elle.

— C'est un travail à haut risque, mais seulement temporaire.

— Et alors ? Le twist est temporaire et mortellement ennuyeux.

Littell sourit.

— Si vous rencontriez le président Kennedy, et si vous vouliez l'impressionner, comment joueriez-vous cela ?

Barb souffla des ronds de fumée parfaits.

— Je jouerais ça, innocente et drôle.

— Et vous seriez habillée comment ?

585

— A talons plats.

— Pourquoi?

— Les hommes aiment bien les femmes qu'ils dominent du regard.

Littell se mit à rire.

— Que feriez-vous avec cinquante mille dollars?

Barb se mit à rire.

— J'attendrais que le twist passe.

— Supposons que votre nom apparaisse?

— Alors je me dirais que vous êtes bien pis que celui que nous faisons chanter et je la fermerais.

— Ça n'en viendra pas jusque-là, dit Pete.

— *Qu'est-ce* qui n'en viendra pas là? dit Barb.

Pete lutta contre une envie pressante de la toucher.

— Vous serez en sécurité. C'est l'un de ces coups à haut risque qui se règlent gentiment et en douceur.

Barb se pencha vers lui, tout près.

— Dites-moi de « quoi » il s'agit. Je sais ce qu'il en est, mais je veux *vous* entendre le dire.

Elle lui frôla la jambe. A ce contact, Pete sentit son corps tout entier trembler.

— Il s'agit de vous et de John Kennedy, dit Pete. Vous le rencontrerez au cours d'une soirée au domicile de Peter Lawford dans deux semaines. Vous porterez un microphone, et si vous êtes aussi douée que je le crois, ce ne sera qu'un début.

Barb leur prit leurs mains à tous deux et les serra. Son expression disait : Pincez-moi, je rêve?

— Est-ce que j'ai l'air d'un faire-valoir juste bon à attirer des clients au Parti républicain?

Pete éclata de rire. Littell éclata de rire, plus fort.

DOCUMENT EN ENCART : 18/2/62. *Transcription mot à mot d'une communication téléphonique du FBI — ENREGISTREE A LA DEMANDE DU DIRECTEUR — DESTINATAIRE UNIQUE : LE DIRECTEUR — Interlocuteurs : Directeur J. Edgar Hoover, Ward J. Littell.*

JEH. — Monsieur Littell ?

WJL. — Oui, monsieur.

JEH. — Votre communiqué était bien hardi.

WJL. — Je vous remercie, monsieur.

JEH. — Je n'avais pas idée que vous fussiez employé par M. Hoffa et M. Marcello.

WJL. — Depuis l'année dernière, monsieur.

JEH. — Je ne ferai aucun commentaire sur l'ironie de la chose.

WJL. — Je la qualifierais de manifeste, monsieur.

JEH. — Que c'est bien à propos. Suis-je dans l'erreur en présumant que c'est à Kemper Boyd, l'homme aux dons d'ubiquité et aux activités déjà multiples, que vous devez cet emploi ?

WJL. — Non, monsieur. Vous vous trompez.

JEH. — Je n'ai aucune rancune à l'égard de M. Marcello et de M. Hoffa. J'ai considéré dès le départ la croisade insensée contre eux par le Prince des Ténèbres comme du plus mauvais aloi.

WJL. — Ils le savent bien, monsieur.

JEH. — Suis-je dans l'erreur en présumant que vous avez souffert une apostasie en ce qui concerne les Frères ?

WJL. — Non, monsieur.

JEH. — Suis-je dans l'erreur en présumant que le Roi Jack et ses tendances marquées à la promiscuité sont la cible première de votre opération ?

WJL. — Non, monsieur, vous ne vous trompez pas.

JEH. — Et que l'effrayant Pete Bondurant est votre partenaire dans cette entreprise ?

WJL. — Non, monsieur.

JEH. — Je ne ferai aucun commentaire sur l'ironie de la chose.

WJL. — Monsieur, nous donnez-vous votre approbation ?

JEH. — Je vous la donne. Et vous avez droit, vous personnellement, à tout mon étonnement.

WJL. — Je vous remercie, monsieur.

JEH. — L'équipement est-il en place ?

WJL. — Oui, monsieur. Jusqu'ici, nous n'avons pu équiper que le Carlyle, et jusqu'à ce que notre pion fasse contact avec la cible et nous facilite les choses en s'engageant plus avant, nous ne savons pas réellement où l'accouplement aura lieu.

JEH. — Si accouplement il y a.

WJL. — Oui, monsieur.

JEH. — Votre note mentionnait certains hôtels.

WJL. — Oui, monsieur. Le El Encanto et l'Ambassador-East. Je sais que notre cible aime à emmener des femmes dans ces hôtels, et je sais que le Bureau dispose de mouchards à demeure aux deux endroits.

JEH. — Oui, bien que le Prince des Ténèbres aime aujourd'hui à folâtrer dans les suites présidentielles.

WJL. — Je n'avais pas songé à cela, monsieur.

JEH. — Je demanderai à des hommes de confiance du Bureau d'installer l'équipement et de se mettre à l'écoute. Et je partagerai mes enregistrements avec vous, si vous m'adressez copies de vos propres enregistrements du Carlyle.

WJL. — Naturellement, monsieur.

JEH. — Avez-vous envisagé d'équiper la maison de plage du premier beau-frère ?

WJL. — C'est impossible, monsieur. Fred Turentine ne peut pas s'introduire dans la place pour installer les microphones.

JEH. — Quand votre pion doit-il rencontrer le Roi des Ténèbres ?

WJL. — Demain soir, monsieur. A la maison de plage que vous venez de mentionner.

JEH. — Est-elle séduisante ?

WJL. — Oui, monsieur.

JEH. — J'espère qu'elle est futée, qu'elle ne se laisse pas abattre et qu'elle sera imperméable au charme du jeune garçon.

WJL. — Je pense qu'elle fera superbement l'affaire, monsieur.

JEH. — Je suis tout à fait impatient de l'entendre sur bande.

WJL. — Je ne vous ferai suivre que les meilleures transcriptions, monsieur.

JEH. — Vous avez droit à toute mon admiration. Kemper Boyd a été bon professeur.

WJL. — Vous de même, monsieur.

JEH. — Je ne ferai aucun commentaire sur l'ironie de la chose.

WJL. — Bien, monsieur.

JEH. — Je sais qu'en temps et heure, vous viendrez me demander quelque service. Je sais que vous me tiendrez au fait des transcriptions et que vos demandes seront judicieuses et opportunes.

WJL. — En effet, monsieur.

JEH. — Je vous ai méjugé et sous-estimé. Et je suis heureux que nous soyons à nouveau collègues.

WJL. — Moi également, monsieur.

JEH. — Je vous souhaite le bonjour, monsieur Littell.

WJL. — Bonne journée, monsieur.

76

Meridien, 18 février 1962.

Il fut réveillé par des coups de feu. Des hurlements de rebelles le firent plonger vers son arme.

Kemper roula au bas du lit. Il entendit des couinements de freins sur la grand-route — des hommes du Klan non-Lockhart ou de simples bons vieux pedzouilles en train de tirer et de cavaler.

On avait passé le mot.

Il y a un Fédé qui aime les Négros en ville. Le Seminole Motel est bourré de ses mignons grenouillards ou espingos.

Les coups de feu lui collaient la trouille. Le cauchemar qu'ils avaient interrompu était bien pis.

Jack et Bobby le tenaient sous le feu des projecteurs. Ils disaient, J'accuse[1] — nous savons que vous êtes liés à la Mafia/CIA et ce depuis 59.

Le cauchemar était littéral et direct. L'origine en était le coup de fil de Pete de la semaine précédente.

Pete avait discuté des auditions DESCENDEZ-LE-FIDEL. Il dit qu'il avait élaboré une théorie expliquant pourquoi l'Organisation avait dit non à l'attentat.

Pete disait que Sam G. était peut-être bien prêt à révéler un secret à Bobby. Hé, monsieur le Ministre de la Justice, l'Organisation est votre alliée dans la Cause cubaine depuis trois ans.

Pete avait relevé une piste qui le suggérait avec force. Pete pense que Sam pourrait demander très bientôt à quelqu'un de

---

1. En français dans le texte. *(N.d.T.)*

590

cracher le morceau. Pete pense que Sam veut placer Bobby dans une position gênante pour obtenir un cessez-le-feu dans la guerre contre la Mafia.

Pete avait dit, je vais vérifier.

Kemper se leva et avala à sec trois dexédrine. La théorie de Pete s'emballa sous l'effet de la came et Kemper la prit à son compte.

Bobby veut que ce soit *moi* qui lui fasse visiter JM/Wawe très bientôt. Il croit que mes attaches avec la CIA remontent à mai 61. JM/Wave est plein de mes collègues d'*avant les Cochons* — et d'exilés cubains bien au courant des figures du crime organisé.

Kemper se rasa et s'habilla. La dexédrine fit effet, très vite. Il entendit des bruits sourds dans la chambre voisine — Laurent Guery occupé tôt le matin à faire ses séries de pompes.

John Stanton avait tiré quelques ficelles. Laurent, Flash et Juan s'étaient vu accorder des cartes vertes des services d'Immigration et de Naturalisation. Nestor Chasco avait emménagé au Meridien et rejoint le groupe. Le Seminole Motel était maintenant QG du Cadre « annexe ».

Kemper avait liquidé pour vingt mille dollars d'actions. Guy Banister avait versé une somme équivalente. La brigade BUTER CASTRO était maintenant indépendante et totalement autonome.

Le jour, il prenait les rapports sur les droits de vote. La nuit, il orchestrait des séances d'entraînement à l'assassinat.

Il s'était gagné les faveurs de quelques Nègres du cru. La Première-Baptiste de la Pentecôte comptait maintenant 84 p. 100 de déposants.

Quelques ploucs avaient secoué un peu durement le pasteur. Il les avait retrouvés et leur avait cassé les jambes à coups de chevron.

Dougie Frank avait coupé en deux son stand de tir. Le Cadre Annexe s'entraînait sept soirs par semaine.

Ils tiraient sur cibles fixes et cibles mobiles. Ils faisaient des randos de reconnaissance dans les bois. Les missions d'infiltration cubaine allaient bientôt commencer.

Grâce à Juan et Flash, il parlait l'espagnol presque couramment. Il pourrait se teindre les cheveux, se grimer le visage et aller à Cuba sous le masque d'un Latino.

Il pourrait s'approcher. Il pourrait tirer.

Ils aimaient tous beaucoup parler. Ils buvaient du tord-boyaux après l'entraînement et bavassaient jusqu'au milieu de la nuit.

Ils élaborèrent un genre de patois en trois langues. Ils se racontaient des histoires sanguinolentes autour du feu de camp en se passant les bouteilles à la cantonade.

Juan décrivit sa castration. Chasco raconta ses missions d'élimination sur ordre de Batista.

Flash revoyait Playa Giron en gros plan. Laurent voyait Paris et le massacre complètement étouffé — les gendarmes avaient tabassé deux cents Algériens avant de balancer leurs cadavres dans la Seine en octobre dernier.

Lui pourrait s'approcher. *Lui* pourrait tirer. L'Anglo-Saxon à la peau claire pourrait être cubain.

La dexédrine toucha plein pot. Le café froid lui rajouta un mordant pas désagréable.

La date affichée par sa Rolex lui sauta à la figure. Joyeux Anniversaire — tu as quarante-six ans et tu ne les parais pas.

DOCUMENT EN ENCART : 21/2/62. *Transcription partielle, de microphone à poste d'écoute mobile — Trancrite par : Fred Turentine — Copies texte/bande à : P. Bondurant, W. J. Littell.*

19 février 1962, 21 h 14 : L. Sands et Barb Jahelka pénètrent dans la maison (la cible et l'entourage sont arrivés à 20 h 3). Le bruit de la circulation sur l'Autoroute de la côte Pacifique explique les signaux brouillés et de longues interruptions. La visite de B. Jahelka a été minutée avec contrôle de l'enregistrement à l'écoute.

CODE INITIALES :
BJ — Barb Jahelka. LS — Lenny Sands. PL — Peter Lawford. HI 1 — Homme Inconnu n°1. HI 2 — Homme inconnu n°2. FI 1, 2, 3, 4, 5, 6, 7 : Femmes inconnues n°1 à n°7. JFK — John F. Kennedy. RFK — Robert F. Kennedy. (Note : je pense que HI 1 et 2 sont des agents du Service secret.)

21. 14-21. 22 : Embrouillé.

21. 23-21. 26 : Voix qui se chevauchent. La voix de BJ transparaît : essentiellement des banalités de présentations. (Je pense qu'on la présentait aux FI n°s 1 à 7.) Rires haut perchés à noter sur les enregistrements.

21. 27-21. 39 : BJ et PL.

PL *(conversation en cours).* — Tu ne passes pas inaperçue dans cette foule, Barb.
BJ. — Ma beauté ou ma taille ?
PL. — Les deux.
BJ. — Qu'est-ce que tu racontes comme conneries !
FI 3. — Salut, Peter.
PL. — Salut, poupée.
FI 6. — Pete, j'adore la coiffure du président.
PL. — Tire dessus. Lui ne te mordra pas.
FI 3, FI 6 : Rires.

593

BJ. — Ce sont des filles du spectacle ou des racoleuses ?

PL. — La blonde décolorée est barmaid au « Sip n' Surf » à Malibu. Les autres font partie de la revue qui passe aux « Dunes ». Tu vois la brunette aux beaux poumons ?

BJ. — Je la vois.

PL. — Elle joue de la flûte de peau dans l'orchestre féminin de Frank Sinatra.

BJ. — Très drôle.

PL. — Pas drôle du tout, parce que Bobby a obligé Jack à laisser tomber Frank. Frank s'était fait installer un héliport chez lui à Palm Springs pour permettre à Jack de venir lui rendre visite, mais cette petite merde de justicier de Bobby a obligé Jack à lui battre froid, rien que parce qu'il connaît quelques gangsters. Regarde-le. Tu ne trouves pas qu'il a l'air d'une petite merde malfaisante ?

BJ. — Il a des dents de cheval.

PL. — Qui ne touchent jamais à une femme.

BJ. — Est-ce que tu voudrais dire que c'est une pédale ?

PL. — Je sais de bonne source qu'il ne baise que son épouse, qu'il ne broute pas et qu'il n'enfile Ethel qu'à seule fin de procréer. Tu ne trouves pas qu'il a l'air d'une petite merde malfaisante ?

FI 2. — Peter ! Je viens de rencontrer le président sur la plage !

PL. — C'est gentil, ça. Tu lui as sucé la pine ?

FI 2. — T'es un porc.

PL. — Ouink ! Ouink !

BJ. — Je crois que j'ai besoin d'un verre.

PL. — Je crois plutôt que tu as besoin d'une lobotomie. Vraiment, Barb. Je voulais juste que tu couches une fois avec Frank.

BJ. — Il n'est pas mon genre.

PL. — Il aurait pu t'aider. Il t'aurait débarrassée de cette petite merde malfaisante qu'est Joey.

BJ. — Joey et moi avons une histoire. Je le quitterai quand le moment sera venu.

PL. — Tu m'as quitté trop tôt. Frank était complètement toqué de toi, poupée. Il avait pressenti que tu cachais des choses, et je sais de bonne source qu'il a engagé un détective privé pour essayer de découvrir les choses en question.

BJ. — T'a-t-il dit ce qu'il avait découvert ?

PL. — Maman, c'est là le mot clé, poupée. Maman, c'est le foutu...

FI 1. — Oh ! Seigneur, Peter, je viens de rencontrer le président Kennedy !

PL. — C'est gentil, ça. Tu lui as sucé la pine ?

BJ, FI 1, FI 7 : Embrouillé.

Pl. — Ouink ! ouink ! Je suis un des cochonnets du président !

21. 40-22. 22 : Embrouillé. BJ (debout près de la chaîne hi-fi) parle à FI 1, 3, 7. (Il aurait fallu lui dire d'éviter les appareils bruyants et les tourne-disques.)

22. 36-22. 41 : BJ aux toilettes (bruit de lavabo et de chasse d'eau).

22. 42-22. 49 : Embrouillé.

22. 50-23. 4 : BJ et RFK.

BJ *(conversation en cours)*. — ... ce n'est rien qu'une mode, et il faut sauter sur l'occasion avant que le cap ne soit passé, et ensuite tirer son épingle du jeu avant que ça ne meure de sa belle mort de manière à ne pas passer pour une perdante.

RFK. — Alors je crois qu'on pourrait dire que le twist, c'est comme la politique.

BJ. — On pourrait. L'opportunisme en est certainement le dénominateur commun.

RFK. — Je sais que cela paraît banal, mais vous ne parlez pas comme une ex-danseuse de revue.

BJ. — En avez-vous rencontré beaucoup de celles-là ?

RFK. — Un nombre appréciable, oui.

BJ. — A l'époque où vous enquêtiez sur les gangsters ?

RFK. — Non. Lorsque mon frère me présentait à elles.

BJ. — Avaient-elles un dénominateur commun ?

RFK. — Oui. La disponibilité.

BJ. — Je crois reconnaître que je suis d'accord sur ce point.

RFK. — Sortez-vous avec Lenny Sands ?

BJ. — Sans qu'il soit question de liaison. Il m'a simplement amenée à la soirée.

RFK. — Et comment a-t-il qualifié le rassemblement de ce soir ?

BJ. — Il n'a pas annoncé « Viens te joindre au harem », si c'est ce que vous voulez dire.

RFK. — Vous avez donc remarqué la forte proportion de femmes présentes par rapport aux hommes.

BJ. — Vous le savez très bien, monsieur Kennedy.

RFK. — Appelez-moi Bob.

BJ. — Très bien, Bob.

RFK. — Je présume tout simplement que dans la mesure où vous connaissez Peter et Lenny, vous savez ce qu'il en est sur un certain plan.

BJ. — Je crois que je vous suis.

RFK. — Je le sais très bien. J'en fais simplement état parce que je connais Lenny depuis longtemps, et il me paraît bien triste et nerveux ce soir, et je ne l'ai encore jamais vu comme ça. Je hais l'idée que Peter l'ait obligé à...

BJ. — Je n'aime pas Peter. J'ai eu une brève liaison avec lui il y a plusieurs années de cela, et j'ai rompu parce que, en réalité, il ne valait pas mieux qu'un larbin et un maquereau. Je suis venue à cette soirée parce que Lenny avait besoin d'être accompagné et je me suis dit que ce serait une manière agréable de passer une soirée d'hiver un peu fraîche au bord de la plage et peut-être avoir l'occasion de rencontrer le ministre de la Justice et le président des Etats-Unis.

RFK. — Je vous en prie. Il n'était pas dans mes intentions de vous offenser.

BJ. — Vous ne m'avez pas offensée.

RFK. — Lorsque je me fais arnaquer pour me retrouver à des soirées comme celle-ci, je m'aperçois que je vérifie toutes les anomalies possibles d'un point de vue de sécurité. Lorsque l'anomalie se révèle être une femme, vous voyez ce que je veux dire.

BJ. — Vu les femmes présentes, il est agréable d'être une anomalie.

RFK. — Je m'ennuie et j'ai dépassé ma limite de deux verres. Habituellement, je ne me montre pas aussi indiscret avec les personnes que je viens de rencontrer.

BJ. — Vous voulez en entendre une bonne ?

RFK. — Naturellement.

BJ. — Qu'a dit Pat Nixon à propos de son mari ?

RFK. — Je ne sais pas.

BJ. — Richard était déjà un bien étrange compagnon de lit bien avant d'entrer en politique.

RFK *(riant)*. — Seigneur, elle est bien bonne. Il faudra que je la raconte à...

Embrouillé (passage d'un avion). Le reste de la conversation BJ — RFK est inaudible, brouillé par les parasites.

23. 5-23. 12 : Bruit de chaîne hi-fi et bruit de voiture indiquant que BJ traverse la maison et que des gens quittent la soirée.

23. 13-23. 19 : BJ parlant directement dans le microphone. (Dites-lui de ne plus faire cela. C'est trop risqué du point de vue sécurité.)

BJ. — Je viens de sortir sur la galerie qui donne sur la plage. Je suis seule, et je chuchote pour que les gens n'entendent pas ce que je dis ou qu'ils croient que je suis cinglée. Je n'ai pas encore rencontré le Grand Chef, mais j'ai remarqué qu'il m'avait remarquée parce qu'il a donné un coup de coude à Peter comme pour lui dire, qui est la rouquine ? Il fait un froid de canard, mais j'ai déniché un manteau de vison dans un placard et je suis bien, j'ai chaud et c'est agréable. Lenny est ivre, mais je crois qu'il essaie de prendre du bon temps. Il est en train de tailler le bout de gras avec Dean Martin. Le Grand Chef est dans la chambre de Peter en compagnie de deux blondes. J'ai vu Bobby il y a quelques minutes. Il s'empiffrait devant le frigo comme s'il mourait de faim. Les hommes du Service secret sont occupés à feuilleter une pile de *Play-Boy*. On voit sans problèmes ce qu'ils sont en train de penser, bon sang, qu'est-ce que je suis content que ce ne soit pas ce vieux Dick Nixon sans imagination qui ait été élu. Quelqu'un est en train de fumer du hasch sur la plage, et je réfléchis très sérieusement à la manière dont je vais jouer le coup. Je pense qu'il finira par me trouver, j'ai entendu Bobby dire aux hommes du Service secret que le Grand Chef ne voulait pas partir avant une 1 heure du matin. Ce qui me laisse un peu de temps. Lenny a dit que Peter lui avait montré mon infâme dépliant central du *Nugget Magazine* de novembre 1956. Il mesure à peu près un mètre quatre-vingts, un mètre quatre-vingt-deux ; avec des talons plats, il me dépassera de quelques centimètres. Je dois dire que les raclures d'Hollywood mises à part, c'est un de ces moments qui font le sujet des journaux intimes des jeunes filles. J'ai également décliné trois invitations à danser le twist, je me suis dit que ça risquait d'arracher mon microphone. Vous avez entendu? La porte de la chambre derrière moi vient de se refermer, et les deux blondes sont sorties en douce en gloussant. Je vais la fermer maintenant.

23. 20-23. 27 : Silence (des bruits de vague indiquent que BJ est restée sur la galerie côté plage).
23. 28-23. 40 : BJ et JFK.

JFK. — Salut.

BJ. — Seigneur.

JFK. — Difficilement, mais merci quand même.

BJ. — Que diriez-vous de, bonsoir, monsieur le Président?

JFK. — Que diriez-vous de, bonsoir, Jack?

BJ. — Bonsoir, Jack.

JFK. — Comment vous appelez-vous?

BJ. — Barb Jahelka.

JFK. — Vous ne ressemblez pas à une Jahelka.

BJ. — C'est Lindscott, en fait. Je travaille avec mon ex-mari, aussi ai-je gardé mon nom de mariage.

JFK. — Est-ce que Lindscott est irlandais?

BJ. — C'est un abâtardissement anglo-allemand.

JFK. — Les Irlandais sont tous des bâtards. Des bâtards, des excentriques et des ivrognes.

BJ. — Je peux vous citer?

JFK. — Après ma réélection. Mettez ça dans votre vade-mecum John F. Kennedy, juste à côté de « Ne demandez pas ce que votre pays peut faire pour vous ».

BJ. — Puis-je vous poser une question?

JFK. — Bien sûr.

BJ. — Est-ce que le fait d'être président des Etats-Unis est véritablement le meilleur putain de pied qu'on puisse prendre sur cette terre?

JFK *(rire contenu)*. — Véritablement. Tous les seconds rôles de la pièce valent à eux seuls le prix de l'entrée.

BJ. — Par exemple?

JFK. — Lyndon Johnson le Rustaud. Charles de Gaulle, qui se promène avec un bâton dans le cul depuis 1910. Et cette choute qui n'est jamais sortie de son placard, J. Edgar Hoover. Tous ces fêlés d'exilés cubains auxquels mon frère a affaire et dont 80 p. 100 ne sont que des raclures de bas étage. Harold MacMillan, qui est une définition vivante de...

HI 2. — Excusez-moi, monsieur le Président.

JFK. — Oui ?

HI 1. — Vous avez un appel.

JFK. — Répondez, je suis occupé.

HI 2. — C'est le gouverneur Brown.

JFK. — Dites-lui que je le rappellerai.

HI 1. — Bien, monsieur.

JFK. — Alors, Barb, avez-vous voté pour moi ?

BJ. — J'étais en tournée, et je n'ai donc pas eu l'occasion de voter.

JFK. — Vous auriez pu voter par correspondance.

BJ. — Je n'y ai pas pensé.

JFK. — Qu'est-ce qui est le plus important, le twist ou ma carrière ?

BJ. — Le twist.

JFK *(rire contenu)*. — Excusez ma naïveté. Quand on pose une question stupide...

BJ. — C'était plus du genre, à question sincère, réponse sincère.

JFK. — C'est exact. Vous savez, mon frère est d'avis que vous êtes superqualifiée pour cette soirée.

BJ. — Il se comporte comme si, lui aussi, s'encanaillait.

JFK. — Très perspicace.

BJ. — Votre frère n'a jamais gagné un centime au poker.

JFK. — Ce qui est l'une de ses forces. Et maintenant, que se passera-t-il lorsque votre danse imbécile sera passée de mode ?

BJ. — J'aurai économisé suffisamment d'argent pour installer ma sœur dans une franchise Bob's Big Boy à Tunnel City, dans le Wisconsin.

JFK. — J'ai remporté la victoire au Wisconsin.

BJ. — Je le sais. Ma sœur a voté pour vous.

JFK. — Et vos parents ?

BJ. — Mon père est décédé. Ma mère hait les catholiques, elle a donc voté pour Nixon.

JFK. — Vote partagé. Ce n'est pas si mal. A propos, voilà un très joli vison.

BJ. — Je l'ai emprunté à Peter.

JFK. — Alors, c'est l'une des six mille fourrures que mon père a offertes à mes sœurs.

599

BJ. — J'ai appris l'attaque qu'a eue votre père par les journaux. Ça m'a attristée.

JFK. — Il ne faut pas. Il est trop malfaisant pour mourir. Et à propos, est-ce que vous voyagez avec la revue dont Peter m'a parlé ?

BJ. — Constamment. En fait, je pars le 27 pour une fiesta sur la côte Est.

JFK. — Voudriez-vous laisser votre itinéraire au standard de la Maison-Blanche ? Je me disais que nous pourrions dîner ensemble si nos emplois de temps le permettent.

BJ. — J'aimerais beaucoup. Et je téléphonerai.

JFK. — S'il vous plaît. Et emportez le vison. Vous lui faites des choses dont ma sœur n'a jamais été capable.

BJ. — Je ne pourrais pas.

JFK. — J'insiste. Vraiment. Il ne lui manquera pas.

BJ. — Très bien, en ce cas.

JFK. — Il n'est pas dans mes habitudes de faire des descentes chez les gens, mais je veux que vous ayez ce manteau.

BJ. — Merci, Jack.

JFK. — Je vous en prie. Et malheureusement, je dois passer quelques coups de fil. Et je le regrette.

BJ. — A la prochaine fois, alors.

JFK. — Oui. C'est ainsi qu'il faut voir les choses.

HI 1. — Monsieur le Président ?

JFK. — Ne raccrochez pas, j'arrive.

23. 41-0. 23 : Silence (bruits de vagues qui indiquent que BJ est restée sur la galerie).
0. 3-0. 9 : Voix confuses et bruits de musique (de toute évidence, départs des invités pendant l'intervalle).
0. 10 : BJ et LS quittent la soirée. La bande enregistrée est close à 0. 11 le 20 février 1962.

DOCUMENT EN ENCART : 4/3/62. *Transcription — microphone — chambre du Carlyle Hotel — Etablie par : Fred Turentine — Copies bande/texte à : P. Bondurant, W. J. Littell.*

BJ a téléphoné au poste d'écoute pour dire qu'elle retrouvait la cible pour « dîner ». Elle a reçu pour instruction d'ouvrir et de fermer à deux reprises la porte de la chambre pour activer le micro. Démarrage de l'enregistrement à 20. 9. Code initiales : BJ — Barb Jahelka. JFK — John F. Kennedy.

20. 9-20. 20 : Activité sexuelle (voir enregistrement. Bonne qualité de son — Voix distinctes.)
20. 21-20. 33 : Conversation.

JFK. — Oh, Seigneur !

BJ. — Hmmm.

JFK. — Glisse-toi un peu sur le côté. Je veux me soulager le dos.

BJ. — Ça va, comme ça ?

JFK. — Mieux.

BJ. — Tu veux que je te masse le dos ?

JFK. — Non. Il n'y a rien que tu puisses faire que tu n'aies déjà fait.

BJ. — Merci. Et je suis contente que tu m'aies appelée.

JFK. — Je t'ai permis d'échapper à quoi ?

BJ. — Deux spectacles à la « Rumpus Room », à Paissac, dans le New Jersey.

JFK. — Oh, Seigneur !

BJ. — Pose-moi une question.

JFK. — Très bien. Où est ce manteau de vison que je t'ai donné ?

BJ. — Mon ex-mari l'a vendu.

JFK. — Et tu l'as laissé faire ?

BJ. — C'est un jeu que nous jouons.

JFK. — Qu'est-ce que tu veux dire ?

BJ. — Il sait que je vais bientôt le quitter. Je suis en dette avec lui, aussi profite-t-il de ces petits avantages chaque fois qu'il en a l'occasion.

JFK. — C'est une grosse dette, alors ?

BJ. — Très grosse.

JFK. — Tu as éveillé ma curiosité. Raconte-moi.

BJ. — Il s'agit d'un petit problème qui remonte aux environs de 1948 à Tunnel City, dans le Wisconsin.

JFK. — J'aime bien le Wisconsin.

BJ. — Je sais. Tu y as remporté la victoire.

JFK *(riant)*. — Tu es comique. Pose-moi une question.

BJ. — Quel est le plus foireux des tarés dans le monde politique américain ?

JFK *(riant)*. — Cette pédale de placard de J. Edgar Hoover, qui prendra sa retraite le 1ᵉʳ janvier 1965.

BJ. — Je n'ai rien entendu à ce propos.

JFK. — Ça viendra.

BJ. — Je comprends. Il faut d'abord que tu sois réélu.

JFK. — Tu apprends vite. Parle-moi un peu plus de Tunnel City, Wisconsin, en 1948.

BJ. — Pas maintenant.

JFK. — Pourquoi ?

BJ. — Je joue au supplice de Tantale avec toi, pour que nous puissions prolonger notre petit moment.

JFK *(riant)*. — Tu connais les hommes.

BJ. — Oui.

JFK. — Qui t'a appris ? Au départ, je veux dire.

BJ. — La population adolescente mâle tout entière de Tunnel City, Wisconsin. Ne prends pas un air aussi scandalisé. Le nombre total de garçons était de onze.

JFK. — Continue.

BJ. — Non.

JFK. — Pourquoi ?

BJ. — Deux secondes après que nous avons fait l'amour, tu as consulté ta montre. Je suis en train de me dire que le seul moyen de te garder au lit, c'est de te dévider mon autobiographie par étapes.

JFK *(riant)*. — Tu pourras apporter ta contribution à mes Mémoires. Tu pourras dire que John F. Kennedy courtisait les femmes grâce au service des chambres à coups de club-sandwichs et de parties de jambes en l'air rapides.

BJ. — Le club-sandwich était super.

JFK *(riant)*. — Tu es comique et tu es cruelle.

BJ. — Pose-moi une question.

JFK. — Non. A toi de m'en poser une.

BJ. — Parle-moi de Bobby.

JFK. — Pourquoi ?

BJ. — Il m'a paru bien souçonneux à mon égard lors de la soirée de Peter.

JFK. — Il est soupçonneux en général, parce qu'il patauge dans les égouts de la légalité à cause de Jimmy Hoffa et de la Mafia, et ça commence à le tarauder. Comme une sorte de maladie professionnelle du policier qu'il se serait gagnée au fil de son activité. Un jour, c'est Jimmy Hoffa et les escroqueries foncières en Floride. Le lendemain, c'est la déportation de Carlos Marcello. Maintenant, c'est Hoffa et l'affaire des taxis de la Test Fleet du Tennessee, et ne me demande pas de quoi il s'agit, parce que je ne suis pas homme de loi et je ne partage pas le besoin viscéral de Bobby à vouloir à tout prix poursuivre et éradiquer.

BJ. — Il est plus dur que toi, n'est-ce pas ?

JFK. — Oui. Et comme je l'ai dit à une fille il y a plusieurs années, il est sincèrement passionné et généreux.

BJ. — Tu es à nouveau en train de consulter ta montre.

JFK. — Il faut que j'y aille. On m'attend aux Nations unies.

BJ. — Bonne chance, en ce cas.

JFK. — Je n'en aurai pas besoin. L'Assemblée générale n'est qu'un ramassis de connards. Si nous remettions ça bientôt, Barb ? Je me suis bien amusé.

BJ. — Moi aussi. Et merci pour le club-sandwich.

JFK *(riant).* — Il y en a encore là où j'ai pris celui-là.

Un claquement de porte désactive le micro. Transcription close à 20. 21 le 3 mars 1962.

DOCUMENT EN ENCART : 9/4/62. *Transcription microphone — chambre du Carlyle Hotel — Etablie par : Fred Turentine — Copies blandes / texte à : P. Bondurant, W. Littell.*

BJ a téléphoné au poste d'écoute à 16. 20. Elle a dit qu'elle retrouvait la cible à « dîner » à 17. 30. Démarrage de l'enregistrement à 18. 12. Code initiales : BJ — Barb Jahelka. JFK — John F. Kennedy.

18. 13-18. 25 : Activité sexuelle (voir enregistrement. Bonne qualité de son, voix distinctes.)
18. 14-18. 32 : Conversation.

BJ. — Oh, Seigneur.

JFK. — La dernière fois, c'est moi qui avais dit ça.

BJ. — Cette fois-ci était mieux.

JFK *(riant)*. — C'est ce que j'ai pensé aussi. Mais je me suis dit que le club-sandwich a manqué de pep's.

BJ. — Pose-moi une question.

JFK. — Qu'est-ce qui s'est passé à Tunnel City, Wisconsin, en 1948 ?

BJ. — Je suis sidérée que tu te souviennes.

JFK. — Ça ne fait qu'un mois ou à peu près.

BJ. — Je sais. Mais ce n'était rien d'autre qu'une remarque banale.

JFK. — Banale mais aguicheuse et qui laisse à penser.

BJ. — Merci.

JFK. — Barb.

BJ. — Très bien. Le 9 mai, j'ai laissé tomber Billy Krenger. Billy s'est acoquiné avec Tom McCandless, Fritzie Schott et Johnny Coates. Ils ont décidé de me donner une leçon. Mais je n'étais pas en ville. Mes parents m'avaient emmenée à une convention religieuse à Racine. Ma sœur Margaret était restée à la maison. Elle était très rebelle et elle n'avait pas encore compris que les conventions religieuses étaient un excellent endroit où rencontrer des garçons.

JFK. — Continue.

BJ. — A suivre.

JFK. — Oh, Seigneur. Je déteste les mystères non résolus.

BJ. — La prochaine fois.

JFK. — Comment sais-tu qu'il y aura une prochaine fois ?

BJ *(riant)*. — Je sais le genre d'intérêt que je suis capable d'éveiller et de soutenir.

JFK. — Tu es douée, Barb. Tu es sacrément douée.

BJ. — Je veux voir s'il est possible de connaître un homme par petites doses, à raison d'une heure une fois par mois.

JFK. — Tu n'aurais jamais d'exigences malencontreuses à mon égard, je me trompe ?

BJ. — Non. Tu ne te trompes pas.

JFK. — Dieu te bénisse.

BJ. — Est-ce que tu crois en Dieu ?

JFK. — Uniquement pour mes apparitions en public. Maintenant, pose-moi une question.

BJ. — As-tu quelqu'un à ta disposition qui te trouve des femmes ?

JFK *(riant)*. — Pas vraiment. Kemper Boyd est probablement ce qui se fait de plus ressemblant à ta description, mais il me met un peu mal à l'aise et je n'ai pas vraiment fait appel à lui depuis l'investiture.

BJ. — Qui est Kemper Boyd ?

JFK. — Un avocat du ministère de la Justice. Il te plairait. Il est beau comme un pirate et plutôt dangereux.

BJ. — Es-tu jaloux de lui ? Est-ce pour cela qu'il te met mal à l'aise ?

JFK. — Il me met mal à l'aise parce que son seul grand regret, c'est qu'il ne soit pas un Kennedy, ce qui est un regret bien dur à respecter. Il a affaire à quelques-uns de ces exilés de bas étage pour le Groupe d'Etudes de Bobby, et je pense que, par certains côtés, il n'est pas meilleur qu'eux. Il a simplement fréquenté la fac de droit de Yale, il s'est collé à moi et s'est révélé utile.

BJ. — Les maquereaux se gagnent toujours les bonnes grâces de l'autorité. Seigneur, regarde Peter.

JFK. — Kemper n'a rien d'un Peter Lawford, je dois lui reconnaître cela. Peter n'a pas d'âme à vendre, et Kemper a vendu la sienne à un prix bien élevé. Et il ne le sait même pas.

BJ. — Comment ça ?

JFK. — Je ne peux pas entrer dans les détails, mais il a jeté aux orties la femme à laquelle il était fiancé pour se gagner des faveurs, la mienne et celle de ma famille. Tu comprends, il est né avec une cuillère d'argent dans la bouche, mais son père a perdu toute sa fortune et s'est suicidé. Il vit comme un fantasme un peu trouble et nauséabond avec moi, et une fois que tu as compris ça, le bonhomme devient difficile à encaisser.

BJ. — Parlons d'autre chose.

JFK. — Que dirais-tu de Tunnel City, Wisconsin, en 1948 ?

BJ. — A suivre.

JFK. — Merde.

BJ. — J'aime le suspense.

JFK. — Pas moi. Je détestais les films à suivre quand j'étais gamin.

BJ. — Tu devrais installer une horloge au mur ici. Comme ça, tu ne seras plus obligé de regarder ta montre à la dérobée.

JFK. — Tu es comique. Passe-moi mon pantalon, tu veux bien ?

BJ. — Tiens.

Un claquement de porte désactive le micro. Transcription close à 18. 33 le 8 avril 1962.

77

Miami, 15 avril 1962.

Le flic était en retard. Pete tuait le temps en griffonnant distraitement sur des fiches de courses.

Il dessinait petits cœurs et flèches. Il écrivait des mots prononcés par Lenny et Barb, il les soulignait pour les accentuer.

Les mots étaient forts. Le brouhaha de la station de taxis lui passait au-dessus de la tête, comme s'il baignait dans un putain de silence total.

Les paroles de Lenny avaient donné naissance à une théorie. L'Organisation veut que Bobby K. sache qu'elle l'aide dans l'affaire de Cuba. Bobby n'a pas encore été mis au courant. S'il savait, il aurait viré Kemper Boyd avec pertes et fracas. S'il savait, il aurait coupé net tout lien connu Mafia-CIA.

L'Organisation sait que Bobby ne veut pas qu'on descende Fidel. C'est pour cette raison qu'elle a refusé de financer l'équipe de tireurs engagés pour l'attentat.

Sa théorie avait mijoté des semaines durant. Il fournissait en armes les camps d'exilés et Kemper bossait au Mississippi, occupé à ses deux boulots bien distincts. Kemper était partant pour épiler le Barbu jusqu'à son dernier poil, plutôt deux fois qu'une — que la Mafia n'ait pas donné son aval ne semblait pas le soucier le moins du monde.

Barb était partante pour rafraîchir la Belle Coupe du Beau Jack.

Le flic était en retard. Pete laissa filer ses pensées sur Barb, en surmultipliée.

Les mots de Barb s'entassaient — sur bande et par écrit. Il en avait mémorisé les meilleurs.

Fred Turentine avait la charge du poste d'écoute correspondant au mouchard du Carlyle — un appartement non loin de la 76ᵉ et de Madison. Une bibliothèque bandes/textes — BARB BAISE JACK — était en train de se monter. Le stratagème Hoover manigancé par Littell avait réussi. Les Fédés avaient collé des écoutes aux suites présidentielles du El Encanto et de l'Ambassador-East.

M. Hoover était leur collègue en extorsion. Les Fédés inspectaient la suite du Carlyle une fois par semaine — gardons les micros de la chambre bien planqués.

Jack K. était un rigolo au pieu, le roi des six minutes. Jack K. était une putain de grande gueule.

Jack qualifiait les exilés cubains de « raclures ». Jack qualifiait Kemper Boyd d'arriviste social pathétique.

Le flic était en retard. Pete dessina d'autres cœurs, d'autres flèches.

Il avait une nouvelle théorie. Visez un peu : Barb parle à Jack et à MOI.

Barb dit qu'elle ne quittera pas Joey Jahelka — « parce qu'il s'est arrangé pour qu'on s'occupe des hommes qui avaient fait mal à sa sœur ». Barb refuse de raconter à Jack toute l'histoire.

Barb laisse sous-entendre que toute l'affaire s'est produite en mai 48.

Barb sait que *lui* va écouter les bandes et lire les transcriptions. Barb veut que ce soit *lui* qui remplisse les blancs. Jack n'insistera pas trop pour obtenir des réponses — elle n'est que l'une de ses trois millions de baiseuses régulières.

Barb sait qu'*il* est ex-flic. Barb sait que *lui* saura trouver s'il le veut.

Il avait appelé la police d'Etat du Wisconsin. Il avait demandé à Guy Banister de démarrer des demandes de renseignements fédés. Il avait suffi de quarante-huit heures.

11/5/48 :
Margaret Lynn Lindscott est violée à la chaîne, à Tunnel City, Wisconsin. Elle identifie ses agresseurs : William Kreuger, Thomas McCandless, Fritz Schott, et John Coates. Aucune plainte n'avait été déposée. Les quatre garçons avaient des alibis à toute épreuve.

14/1/52 :

William Krenger est abattu par balle à Milwaukee. « L'homicide-agression » reste non résolu.

4/7/52 :

Thomas McCandless est abattu par balle à Chicago. Le « meurtre présumé par professionnel » reste non résolu.

23/1/54 :

Fritz Schott disparaît. On retrouve un corps décomposé près de Des Moines — peut-être le sien, peut-être pas. On retrouve trois douilles à proximité. Le « meurtre présumé par arme à feu » reste non résolu.

John Coates est vivant et se porte bien. Il est flic à Norman, Oklahoma.

Pete déverrouilla son bureau et en sortit la revue. Et voilà Barb à vingt-cinq ans — une Miss Nugget belle et sexy.

Barb séduit Joey Jahelka, qui a des liens dans la Mafia. Barb obtient de lui qu'il fasse partir des contrats sur les hommes qui avaient violé sa sœur.

John Coates était toujours vivant. La Mafia ne descendait pas les flics sans une énorme provocation.

Barb la Reconnaissante avait épousé Joey. Barb la Reconnaissante portait sa dette.

Le flic était en retard. Pete examina la photo centrale sur trois pages — pour la dix millionième fois.

Ils lui avaient passé les seins à l'aérographe. Ils lui avaient poudré ses taches de rousseur. La photo ne montrait rien de son intelligence ni de son je-ne-sais-quoi[1].

Pete rangea la revue. Pete se remit à griffonner sur une nouvelle fiche d'affectation de course.

Il appelait Barb une fois par semaine. Il lui balançait de petits contrôles amoureux — Jack ne te botte pas *vraiment*, quand même, si ?

Non, il ne la bottait pas. Ce qui la bottait, c'était l'allure — Jack n'était rien d'autre qu'une érection de six minutes et quelques petits rires.

L'entreprise de chantage-extorsion suivait son cours. Turen-

---

1. En français dans le texte. *(N.d.T.)*

tine était venu à L.A. pour une petite vérif sur Lenny Sands. Freddy avait dit que Lenny était réglo. On pouvait compter sur lui. Il n'irait jamais cafter l'opération.

Il se passait et se repassait les bandes de Barb. Et se faisait redéfiler la petite sortie de Lenny presque aussi souvent.

Trois contributeurs essentiels, membres de la Mafia, avaient abandonné la Cause cubaine. Littell disait que Carlos Marcello était le seul grossium de l'Organisation qui s'y intéressait encore. Pourquoi ?

Tant qu'à deviner, il répondait ARGENT.

Pete avait collé sa truffe au sol pendant deux mois d'affilée. Sa théorie infusa longuement.

Il se jouait sans cesse des correspondances théoriques, qui avec qui. Il reliait sans cesse Cause cubaine et personnel de l'Organisation. La semaine précédente, il avait fait un grand saut en avant, un saut théorique.

Novembre 1960 :

Wilfredo Olmos Delsol est vu en train de parler à des agents pro-castristes. Wilfredo Olmos Delsol a été *récemment* vu en train de :

Conduire une nouvelle voiture. Porter de nouvelles fringues. S'afficher avec de nouvelles femmes.

Il avait engagé un flic de Miami pour filer Delsol. Le flic avait remis son rapport.

Delsol avait retrouvé des Cubains douteux six soirs d'affilée. Leurs plaques minéralogiques étaient des fausses : faux numéros/ fausses origines.

Le flic avait filé les hommes jusqu'à leurs crèches. Les crèches en question étaient louées sous des noms de toute évidence faux. Les Cubains étaient des agents pro-castristes sans moyens visibles d'existence.

Le flic avait mis la main sur un indic de la compagnie des téléphones. Il l'avait payé cinq cents dollars en lui disant de voler les quittances récentes de Delsol.

Le flic disait que son indic avait réussi. Le flic était en retard avec la marchandise.

Pete griffonnait. Il dessinait des petits cœurs, il dessinait des petites flèches, ad-putain-d'infinitum.

Le sergent Carl Lennertz fit son apparition avec une heure entière de retard. Pete le dirigea *illico* vers le parc de stationnement.

Ils échangèrent des enveloppes. La transaction prit deux secondes, pas une de plus.

Lennertz décolla aussitôt. Pete ouvrit son enveloppe et en sortit deux feuilles de papier.

L'homme de la Florida Bell avait fourni. Delsol avait, quatre mois durant, passé des coups de fil douteux.

Il avait appelé Santos et Sam à leur numéro personnel, sur liste rouge. Il avait appelé six associations qui servaient de couverture à des groupes pro-castristes, vingt-neuf fois au total.

Pete sentit son pouls crépiter/claquer/craquer.

Il roula jusqu'au domicile de Delsol. L'Impala, payée avec le fric tout neuf du *puto*, était garée sur la pelouse en façade.

Il l'emplafonna délibérément avec sa voiture. Il taillada les pneus avec son canif. Il coinça un fauteuil de jardin dans la poignée de la porte d'entrée. Il arracha le cordon d'un climatiseur extérieur et l'enroula autour du poing droit.

Il entendit un bruit d'eau qui coulait et de la musique dans la maison.

Pete fit le tour par l'arrière de la maison. La porte de la cuisine était entrouverte.

Delsol faisait la vaisselle. Ce taré faisait claquer sa lavette au rythme d'un mambo.

Pete lui fit signe. Delsol lui fit signe de ses mains ensavonnées — entre !

Une petite radio était perchée sur le bord de l'évier. Perez Prado martelait inlassablement son *Cherry Pink and Apple Blossom White*.

Pete entra.

— *Hola, Pedro*, dit Delsol.

Pete lui colla un pain, à l'improviste. Delsol se plia en deux. Pete fit tomber la radio dans l'évier.

L'eau se mit à bouillonner. Pete balança un coup de pied dans le cul de Delsol qu'il envoya balader jusque dans l'évier, avec de l'eau jusqu'aux coudes.

Delsol hurla. Il sortit les bras de l'eau et se dégagea en poussant un hurlement affreux.

La vapeur jaillissait, envahissant la cuisine — visez-moi ce mini-champignon atomique.

Pete fourra la lavette dans la bouche de Delsol. Dont les bras n'étaient qu'une brûlure rouge écrevisse sans l'ombre d'un poil.

— Tu passes ton temps à appeler Trafficante, Giancana et des pro-castristes. On t'a vu avec des Cubains gauchistes, et tu claques des paquets de fric.

Delsol l'envoya se faire voir. Visez-moi ce doigt d'honneur rouge comme un pétard, « Va te faire foutre ».

— Je pense que la plupart des membres de l'Organisation ont laissé tomber la Cause et je veux savoir pourquoi. Tu me rassembles tous les petits morceaux, sinon je te colle la figure dans l'eau.

Delsol recracha son bout de lavette. Pete lui enserra les deux mains avec le cordon du climatiseur, et d'un coup de revers, le renvoya dans sa mousse.

Delsol pivota latéralement. L'eau pleine de jus l'éclaboussa sur tout le corps.

Il hurla et dégagea les bras. Pete le traîna jusqu'au frigo et lui colla les deux mains dans les glaçons.

Reprends-toi, enfoiré — va pas tomber en état de choc.

Pete balança quelques glaçons dans un saladier. Delsol dénoua le cordon de ses dents et y colla les deux mains en les agitant.

L'eau de l'évier bouillonnait à grosses bulles. Pete alluma une cigarette pour faire passer la puanteur de chairs brûlées.

Delsol s'affala dans un fauteuil. Sa poussée de rythme cardiaque s'apaisa — le *puto* irradiait de résistance physique.

— Alors ? dit Pete.

Delsol enserra le saladier de ses genoux. Des glaçons en jaillirent et tombèrent au sol.

— Alors ? dit Pete.

— Eh bien, tu as tué mon cousin. Et tu pensais que je resterais toujours loyal ?

Sa voix était à peine plus forte qu'un murmure. Les Espingos résistaient à la douleur comme pas un.

— Ce n'est pas la réponse que je voulais.

— Je pensais que c'était une bonne réponse pour un mec qui a tué son propre frère par erreur.

Pete empoigna un couteau de cuisine.

— Dis-moi ce que je veux entendre.

Delsol lui adressa un double doigt d'honneur. Visez-moi ces deux doigts dressés à la « Va te faire foutre » en train de partir en lambeaux jusqu'aux jointures.

Pete poignarda le fauteuil. La lame déchira une couture de pantalon à moins d'un centimètre des couilles de Delsol.

Delsol dégagea le couteau et le laissa tomber au sol.

— Alors ? dit Pete.

— Alors, je suppose que je dois te répondre.

— Continue, dans ce cas. Ne m'oblige pas à me donner tant de mal.

Delsol sourit. Delsol affichait un putain de machisme épique.

— Tu avais raison, Pedro. Giancana et M. Santos ont abandonné la Cause.

— Et Carlos Marcello ?

— Non. Il n'est pas avec eux. Il est toujours enthousiaste.

— Et Heshie Ryskind ?

— Il n'est pas non plus avec eux. J'ai entendu dire qu'il était très malade.

— Santos soutient toujours le Cadre.

Delsol eut un petit sourire suffisant. Des cloques commençaient à gonfler sur ses bras.

— Je pense qu'il ne va pas tarder à retirer son soutien. Je suis certain que ça arrivera.

Pete enchaînait cigarette sur cigarette.

— Qui d'autre a trahi le Cadre ?

— Je ne considère pas que ce que j'ai fait soit une trahison. L'homme que tu étais jadis ne l'aurait pas non plus considéré comme trahison.

Pete balança sa cigarette dans l'évier.

— Contente-toi de répondre à mes questions. Je ne veux pas entendre tes commentaires superflus.

— Très bien, dit Delsol. Je suis tout seul là-dedans.

— Là-dedans ?

Delsol frissonna. Une énorme ampoule qu'il avait au cou claqua dans une giclure de sang.

— Oui. Et c'est bien ce que tu pensais.

— Explique-moi, en ce cas.

Delsol contempla ses mains.

— Je veux dire que M. Santos et les autres sont passés dans le camp de Fidel. Ils se contentent de feindre l'enthousiasme pour la Cause, pour impressionner Robert Kennedy et d'autres personnages officiels et puissants. Ils espèrent tous que Kennedy sera mis au courant de leur soutien et qu'il essaiera de leur faire un peu moins mal à l'avenir. Raul Castro leur vend de l'héroïne, à très bas prix. En échange, ils lui ont donné des renseignements sur le mouvement Exilés.

Héroïne égalait ARGENT. Sa théorie était confirmée de A jusqu'à Z.

— Continue. Je sais que ce n'est pas fini.

Delsol s'offrit un petit numéro de visage impassible. Pete le fixa des yeux. Et soutint le regard, encore, encore, encore...

Delsol cligna des yeux.

— C'est vrai, ce n'est pas fini. Raul est en train d'essayer de convaincre Fidel de laisser M. Santos et les autres rouvrir leurs casinos à La Havane. M. Santos et M. Sam ont promis qu'ils tiendraient Raul informé de l'évolution de JM/Wave et qu'ils essaieraient de prévenir les Cubains de toute tentative d'assassinat sur Fidel.

Confirmation supplémentaire. Encore des ennuis en puissance. Santos et Sam pourraient obliger Boyd à dissoudre sa brigade de tireurs d'élite.

Delsol examina ses bras. Ses tatouages étaient calcinés, réduits à d'étranges barbouillis.

— Ce n'est pas tout.

— Si. C'est tout.

Pete soupira.

— Il y a ton propre rôle. Tu as été recruté parce que les procastristes savaient que le Cadre avait tué ton cousin. Ils se sont dit que tu étais vulnérable. Tu as eu ton rôle à jouer dans cette histoire, et ç'a quelque chose à voir avec l'héroïne, et si tu ne me le dis pas, je vais recommencer à te faire mal.

— Pedro…

Pete s'accroupit devant le fauteuil.

— *L'héroïne. Parle-m'en.*

Delsol se signa. Le saladier plein de glaçons glissa et se fracassa au sol.

— Une cargaison cubaine arrive par vedette rapide. Deux cents livres, pure. Il y aura des pro-castristes pour la garder. Et je suis censé la remettre à M. Santos.

— Quand ?

— La nuit du 4 mai.

— Où ?

— La côte du Golfe en Alabama. Un endroit appelé Orange Beach.

Pete en eut la chair de poule. Delsol perçut immédiatement sa trouille.

— Tu dois faire comme si tout ça n'était jamais arrivé, Pedro. Tu dois faire comme si toi-même, tu n'avais jamais vraiment cru dans la Cause. Nous ne devons pas nous mêler des affaires de ces hommes-là, qui sont tellement plus puissants que nous.

Boyd prit la nouvelle froidement. Pete embuait toute la cabine à force de hurler.

— Nous pouvons encore faire en sorte que notre marché-casinos marche. Nous pouvons envoyer ton équipe, lui faire descendre Castro et déclencher un putain de chaos. Peut-être que les choses s'arrangeront et que Santos honorera sa parole, peut-être qu'elles ne s'arrangeront pas. Au plus petit putain de minimum, nous pouvons au moins dessouder Fidel Castro.

— Non, dit Boyd. Le marché est mort, et le Cadre est fini. Envoyer mes hommes de façon précipitée ne servirait qu'à les faire tuer.

Pete dégonda la porte d'un coup de pied.

— Qu'est-ce que tu veux dire, NON ?

— Je veux dire qu'il faudrait récupérer nos pertes. Nous devrions nous refaire en peu avant que quelqu'un aille parler à Bobby de l'Organisation et de l'Agence.

La porte se fracassa sur le trottoir. Les piétons la contournaient au passage. Un petit môme sauta dessus et cassa la vitre en deux.

— L'héroïne ?

Boyd était calme.

— Il y en a deux cents livres, Pete. On la laisse reposer pendant cinq ans avant de la revendre outre-mer. Toi, moi et Nestor. On se fera au moins trois millions de dollars par tête.

Pete en eut le vertige. Visez-moi ça : ce tremblement de terre, 9,9 en intensité, et strictement intérieur.

DOCUMENT EN ENCART : 25/4/62. *Transcription microphone —*
Chambre de l'Hôtel Carlyle — Transcrite par Fred Turentine — Copies
bande/texte à : P. Bondurant, W. Littell.

BJ a téléphoné au poste d'écoute à 15 h 8. Elle a annoncé
qu'elle retrouvait la cible pour « dîner » à 17 heures. Elle a reçu
pour instructions d'ouvrir et de refermer par deux fois la porte
de la chambre pour activer le micro. L'enregistrement démarre
à 17 h 23. Code initiales : BJ — Barb Jahelka. JFK — John F.
Kennedy.

17. 24-17. 33 : Activité sexuelle (voir enregistrement.
Bonne qualité de son. Voix distinctes.)
17. 34-17. 41 : Conversation.

JFK. — Merde, mon dos.
BJ. — Laisse-moi t'aider.
JFK. — Non, ça va.
BJ. — Arrête de regarder ta montre. Nous venons tout juste
de finir.
JFK *(riant).* — Il faudrait vraiment que je la fasse installer
au mur, cette horloge.
BJ. — Et dis au chef de faire attention à ce qu'il fabrique. Il
n'était pas terrible, son club-sandwich.
JFK. — C'est vrai. La dinde était sèche et le bacon pâteux.
BJ. — Tu avais l'air distrait, Jack.
JFK. — Quelle intelligence.
BJ. — Le poids du monde sur tes épaules ?
JFK. — Non, mon frère. Il est sur le sentier de la guerre à
propos de mes amis et des femmes que je vois, et il se comporte
comme un colossal emmerdeur.
BJ. — Par exemple ?
JFK. — Il s'est lancé à la chasse aux sorcières. Frank
Sinatra connaît quelques gangsters, alors Frank a dû
disparaître. Les femmes auprès desquelles Peter m'arrange le
coup sont toutes des boudins, porteuses de gonorrhée, et toi, tu
es trop bien élevée et trop consciente de tes effets pour n'être
qu'une bunny twisteuse, aussi es-tu suspecte par principe.

617

BJ *(riant).* — Qu'est-ce qui vient ensuite ? Puis-je m'attendre à voir des hommes du FBI en train de me suivre ?

JFK *(riant).* — Il y a peu de risques. Bobby et Hoover se haïssent bien trop pour collaborer sur quelque chose d'aussi délicat. Bobby est submergé de travail, aussi est-il ombrageux, et Hoover est ombrageux parce que c'est une pédale nazie qui hait tous les hommes aux appétits normaux. Bobby dirige la Justice, il pourchasse les gangsters et lève le gibier pour ma politique cubaine. Il baigne jusqu'au cou au milieu de déchets de l'existence complètement psychopathes et Hoover le combat pied à pied sur des points de protocole chaque fois qu'il en a l'occasion. Et c'est moi qui me ramasse le plus gros de ses frustrations. Dis, et si on échangeait nos deux boulots ? Toi, tu serais le président des Etats-Unis et moi, je twisterais où ça déjà, l'endroit où tu passes sur scène ?

BJ. — Au « Del's Den » à Stanford, dans le Connecticut.

JFK. — Exact. Qu'est-ce que tu en dis, Barb ? On fait l'échange ?

BJ. — Marché conclu. Et quand j'aurai pris mes fonctions, je virerai J. Edgar Hoover et j'ordonnerai à Bobby de prendre des vacances.

JFK. — Tu réfléchis comme une Kennedy, maintenant.

BJ. — Comment ça ?

JFK. — Je vais faire en sorte que ce soit Bobby qui limoge Hoover.

BJ. — Arrête de regarder ta montre.

JFK. — Tu devrais me la cacher la prochaine fois.

BJ. — C'est ce que je ferai.

JFK. — Il faut que je parte. Passe-moi mon pantalon, veux-tu ?

BJ. — Il est tout froissé.

JFK. — C'est de ta faute.

Un claquement de porte désactive le micro. Fin de transcription : 17 h 42 le 2 avril 1962.

DOCUMENT EN ENCART : 25/4/62, 26/4/62, 1/5/62. *Extraits d'écoutes dans le cadre du Programme Grands Criminels — postes de Los Angeles, Chicago et Newark — Marqué : CONFIDENTIEL/TOP-SECRET/DESTINATAIRE UNIQUE : LE DIRECTEUR.*

Los Angeles, 25/4/62. Emplacement : *cabine publique du Rick-Rack Restaurant.* Numéro demandé : MA-24691 (cabine publique du *Restaurant de Mike Lyman*). Demandeur : Steven « Steve la Raclure » De Santis (Voir Dossier PGC n° 814.5 — Bureau de Los Angeles). Personne appelée : Homme inconnu (« Billy »). Six minutes quatre secondes de conversation non pertinente précèdent ce qui suit.

SDS. — Et Frank, il a fallu qu'il ouvre sa grande gueule et Mo l'a cru. Jack, c'est mon pote, bla-bla-bla. Lenny le Juif m'a dit qu'il avait bourré la moitié des putains d'urnes du comté de Cook.

HI. — Tu dis Frank comme si tu connaissais le gars personnellement.

SDS. — C'est le cas, mon con. Je l'ai rencontré un jour dans les coulisses de l'Hôtel Dune.

HI. — Sinatra, c'est un tas. Il fréquente l'Organisation, il discute avec les mecs de l'Organisation, mais c'est rien qu'un débile sorti d'Hoboken, dans le New Jersey.

SDS. — C'est un débile qui devrait payer, Billy.

HI. — Il devrait. Chaque fois que ce merdaillon de Bobby tombe à bras raccourcis sur l'Organisation, Frankie devrait se prendre un coup dans les noisettes. Il devrait payer double pour ce que ce sale con de Bobby est en train de faire subir à Jimmy et aux Camionneurs, et triple pour cette petite balade à travers le Guatemala qu'Oncle Carlos a été obligé de s'offrir.

SDS. — Les Kennedy devraient payer.

HI. — Dans le meilleur des mondes, ils paieraient.

SDS. — Ils n'ont pas le sens de la gratitude, bordel.

HI. — Ils n'ont aucun sens, point. Je veux dire par là, Joe Kennedy et Raymond Patriarca, ça remonte à loin tous les deux.

SDS. — Aucun sens.

HI. — Aucun putain de sens, bordel.

Suit une conversation non pertinente.

Chicago, 26/4/62. Emplacement : *cabine publique du Club des Elans du quartier Nord.* Numéro demandé : BL-40808 (cabine publique du *Restaurant Saparito's Trattoria*). Demandeur : Dewey Di Pasqualo, dit « le Canard » (voir Dossier SCG n° 709.9, Bureau de Chicago). Personne appelée : Retro Saparito dit « Pete Sap », « Pete la Matraque ». Quatre minutes et vingt-neuf secondes de conversation non pertinente précèdent ce qui suit.

DDP. — Ce qu'il y a de pire que la chtouille et la vérole, c'est les Kennedy. Ils sont en train d'essayer de réduire l'Organisation en petites merdes de rien du tout. Bobby a installé des brigades anti-rackets à travers tout le pays. C'est tous des enculés qu'on peut pas acheter, pas moyen...

PS. — Jack Kennedy a mangé dans mon restaurant une fois. J'aurais dû l'empoisonner, cet empaffé.

DDP. — Couin, couin. T'aurais dû.

PS. — Commence pas ton numéro de canard avec moi, espèce de tas.

DDP. — Tu devrais inviter Jack et Bobby et tous les mecs des brigades anti-rackets chez toi, pour les empoisonner tous.

PS. — Je devrais. Hé, tu connais ma serveuse, Deeleen ?

DDP. — Bien sûr. Je me suis laissé dire qu'elle jouait du pipeau de peau avec les meilleurs.

PS. — Effectivement. Et elle s'est fait Jack Kennedy. Elle a dit qu'il avait une toute petite quéquette, genre piccolo.

DDP. — Les Irlandais, y z'ont rien dans le calbard. C'est bien connu.

PS. — C'est les Italiens qui ont les plus grosses.

DDP. — Et les meilleures.

PS. — J'ai entendu dire que Mo était monté comme un mulet.

DDP. — Qui te l'a dit ?

PS. — Mo en personne.

Suit une conversation non pertinente.

Newark, 1/5/62 : Cabine publique du *Lou's Lucky Lounge*.
Numéro demandé : MU-69441 (cabine publique au *Ruben's
Delicatessen*, New York). Demandeur : Herschel « Heshie »
Ryskind (voir Dossier PGC n° 887.8, Bureau de Dallas).
Personne demandée : Morris Milton Weinshank (voir Dossier
PGC n° 400.5, Bureau de New York). Trois minutes et une
seconde de conversation non pertinente précèdent ce qui suit.

MMW. — Nous regrettons tous que tu sois malade, Hesh.
T'as toute notre sympathie et nous prions tous pour toi.

HR. — Je veux vivre assez longtemps pour voir Sam G.
botter le petit cul de poids coq tout décharné de Sinatra et
l'expédier à Palerme. Sinatra et quelques merdeux de la CIA
ont convaincu Sam et Santos que Jack K. était cachère. Sers-toi
de ton ciboulot et réfléchis, Morris. Réfléchis à Ike, à Harry
Truman et à FDR. Est-ce qu'ils vous ont collé dans des
emmerdes pareils ?

MMW. — Non.

HR. — Je sais que c'est Bobby, l'instigateur. Pas Jack. Mais
Jack connaît les règles. Jack sait qu'on ne lance pas ses chiens
enragés à l'attaque sur des gens qui ont rendu service.

MMW. — Sam croyait que Frank pouvait tirer les ficelles
avec les Frères. Il croyait qu'il pourrait obtenir de Jack qu'il
rappelle Bobby.

HR. — Frank rêvait. La seule chose que Frank puisse tirer,
c'est sa queue. Tout ce que veulent Frank et ce Boyd, le mec de
la CIA, c'est d'aller téter la grosse bite des Kennedy.

MMW. — Jack et Bobby ont une jolie coiffure.

HR. — Et quelqu'un devrait leur faire une raie à la dum-dum
calibre .45.

MMW. — Quels cheveux. Achète-toi une putain de perruque.

Suit une conversation non pertinente.

DOCUMENT EN ENCART : 1/5/62. *Note personnelle : de Howard Hughes à J. Edgar Hoover.*

Cher Edgar,

Duane Spurgeon, mon ordonnance en chef et conseiller juridique, est malade, en phase terminale. J'ai besoin d'un remplaçant qui prendra ses fonctions immédiatement. Naturellement, je préférerais un homme de loi moralement irréprochable avec une expérience au FBI. Pourriez-vous me recommander quelqu'un ?

Cordialement,

Howard.

78

Washington, D.C., 2 mai 1962.

Leur banc faisait face au Lincoln Memorial. Gouvernantes et bambins trottinaient alentour.

— La femme est tout à fait bien, dit Hoover.

— Merci, monsieur.

— Elle attire le Roi Jack dans ses filets provocateurs.

Littell sourit.

— Effectivement, monsieur.

— Le Roi Jack a fait état à deux reprises de ma retraite forcée. Avez-vous dit à la femme de l'aiguillonner dans cette direction ?

— Oui, monsieur.

— Pourquoi ?

— Je voulais accroître votre enjeu personnel dans l'opération.

Hoover rectifia le pli de son pantalon.

— Je vois. Et je ne peux pas mettre votre logique en défaut.

— Nous voulons convaincre l'homme d'atténuer la violence de ses attaques à l'égard de mes clients et de mes amis. Et s'ils sont tous les deux convaincus que vous disposez des copies des bandes, cela devrait pratiquement suffire à les convaincre de vous garder.

Hoover acquiesça.

— Je ne peux pas mettre votre logique en défaut.

— Je préférerais ne pas rendre les enregistrements publics, monsieur. Je préférerais de loin voir tout ceci se régler en coulisses.

Hoover tapota sa mallette.

— Est-ce la raison pour laquelle vous m'avez demandé de vous rendre temporairement les bandes ?

— Oui, monsieur.

— Vous ne me faites pas confiance pour les tenir bien au frais ?

Littell sourit.

— Je veux que vous soyez à même de nier de manière absolue au cas où Robert Kennedy ferait entrer en jeu des enquêteurs extérieurs à l'Agence. Je veux que toutes les bandes soient conservées dans le même endroit, afin qu'elles puissent être détruites si nécessaire.

Hoover sourit.

— Et de sorte que, si les choses devaient en arriver à la toute dernière extrémité, Pete Bondurant et Fred Turentine puissent être reconnus comme les seuls et uniques responsables de toute la machination ?

— Oui, monsieur, dit Littell.

Hoover fit fuir un oiseau venu se percher là.

— Qui finance tout ceci ? M. Hoffa ou M. Marcello ?

— J'aimerais mieux ne pas répondre, monsieur.

— Je vois. Et je ne peux pas mettre en défaut votre désir de tenir les choses secrètes.

— Je vous remercie, monsieur.

— Supposez que la diffusion au public se révèle nécessaire ?

— En ce cas, je m'exécuterais fin octobre, juste avant les élections au Congrès.

— Oui. Ce serait le moment le plus opportun.

— Oui, monsieur. Mais, ainsi que je l'ai dit, je préférerais ne pas...

— Ce n'est pas la peine de vous répéter, je ne suis pas sénile.

Le soleil perça au travers d'une batterie de nuages. Littell laissa percer une petite suée.

— Oui, monsieur.

— Vous le haïssez, n'est-ce pas ?

— Oui.

— Vous n'êtes pas le seul. Le PGC a fait installer écoutes et mouchards privés dans quatorze lieux critiques où se retrouvent les membres du crime organisé. Il y a beaucoup de ressentiment dans l'air à l'égard des Kennedy dans ce que nous récupérons. Je n'en ai pas informé les frères, et je n'en ai pas l'intention.

— Je n'en suis pas surpris, monsieur.

— Je me suis sélectionné quelques extraits merveilleusement

vitupérants. Ils sont hilarants, par leur familiarité et leurs épithètes impies.

— Oui, monsieur.

Hoover sourit.

— Dites-moi ce que vous pensez.

Littell sourit.

— Que vous avez confiance en moi. Que vous avez confiance en moi parce que je les hais autant que vous-même les haïssez.

— Vous ne vous trompez pas, dit Hoover. Et par le ciel, Kemper ne serait-il pas blessé s'il entendait le jugement porté par le Roi Jack sur sa personnalité ?

— Il le serait. Dieu merci, il n'a pas la moindre idée que cette opération existe.

Une petite fille passa en sautillant. Hoover sourit en faisant un signe de la main.

— Howard Hughes a besoin d'un nouveau bras droit. Il m'a demandé quelqu'un possédant vos qualifications, et c'est vous que j'ai recommandé.

Littell agrippa le banc.

— Je suis honoré, monsieur.

— A juste titre. Vous devez également savoir que Howard Hughes est un homme très perturbé qui n'a avec la réalité que des rapports très ténus. Il ne communique que par téléphone, et je pense qu'il y a des chances plus que raisonnables pour que vous ne vous voyiez jamais face à face.

Le banc trembla. Littell croisa les mains autour d'un genou.

— Dois-je l'appeler ?

— Il vous appellera, et je vous conseillerais d'accepter sa proposition. Le personnage a le projet stupide, si tant est qu'il soit exploitable, d'acheter, d'ici quelques années, tous les hôtels-casinos de Las Vegas, et je pense que l'idée est pleine de possibilités sur le plan de la collecte des renseignements. J'ai donné à Howard les noms de vos autres clients et il a été tout à fait impressionné. Je pense que le poste est à vous ; il suffit que vous demandiez.

— Je le veux, dit Littell.

— Naturellement que vous le voulez, dit Hoover. Toute votre vie s'est passée à vivre affamé, et vous êtes finalement parvenu à réconcilier vos désirs et votre conscience.

79

Orange Beach, 4 mai 1962.

C'est au clair de lune de 3 heures du matin qu'ils conduiraient l'opération. C'était un moindre mal — l'obscurité totale signifiait la SURPRISE.

Pete quitta la chaussée goudronnée. Il aperçut devant lui des dunes de sable — bien hautes et bien grosses.

Nestor passa les jambes par-dessus Wilfredo Delsol. Wilfredo la Momie était saucissonné en tuyau de poêle au sparadrap et fourré entre les sièges avant et arrière.

Boyd faisait le gué. Delsol respirait difficilement par le nez. Ils l'avaient enlevé chez lui, au passage, en quittant Miami.

Pete passa sur quatre roues motrices. La Momie rebondit et se cogna aux jambes de Nestor.

La Jeep sautait entre les dunes. Boyd examina leur effaceur de traces — des dents de râteau attachées à un tubage métallique.

Nestor toussa.

— La plage fait huit cents mètres. Je l'ai parcourue deux fois.

Pete freina et coupa le moteur. Le bruit des vagues leur arriva avec force.

— Ecoutez ça, dit Boyd. Avec un peu de chance, ils ne nous entendront pas.

Ils sortirent. Nestor creusa un trou et enterra Delsol dans le sable jusqu'aux narines.

Pete couvrit la Jeep d'une bâche. Elle était beige clair et ne détonnait pas avec les dunes de sable.

Nestor mit en place le truc à râtisser. Boyd fit l'inventaire de la quincaillerie.

Ils disposaient de .45 et de mitraillettes équipés de silencieux.

Ils disposaient d'une tronçonneuse, d'une bombe à retardement et de deux livres de plastic explosif.

Ils se passèrent le visage au noir de fumée. Ils chargèrent leurs sacs.

Ils se mirent en marche. Nestor traînait le râteau. Marques de pneus et empreintes de pas disparurent.

Ils traversèrent la chaussée goudronnée et remontèrent une route d'accès parallèle — sur à peu près cinq cents mètres. La bande de sable entre route et ligne de vagues avait à peu près deux cents mètres de large.

— La police d'Etat ne patrouille jamais par ici, dit Nestor.

Pete regarda aux jumelles infrarouges. Il repéra des tas indistincts à troix cents mètres, sur la bande de sable.

— Approchons-nous, dit Boyd.

Pete s'étira — son gilet pare-balles était trop serré.

— Il y a neuf ou dix hommes juste au-dessus du sable à l'ouest. Il faudrait s'approcher à la limite des vagues en espérant que ce foutu bruit de vagues nous couvre.

Nestor se signa. Boyd se remplit les mains et la bouche — deux .45 et un poignard de chasse.

Pete se sentit des tremblements de tremblement de terre — puissance 9,9, 9, 9, putain de 9.

Ils descendirent jusqu'au sable mouillé. Ils se baissèrent, cul au sol, et avancèrent en rampant en crabe. Pete avait la tête pleine de cette idée qui le mettait en joie : JE SUIS LE SEUL A SAVOIR CE QUE CECI SIGNIFIE.

Boyd marchait en éclaireur. Les formes prirent forme. Les vagues qui s'écrasaient fournissaient une couverture antibruit.

Les formes étaient des hommes endormis. Un insomniaque s'était assis — visez-moi ce rougeoiement de cigarette.

Ils s'approchèrent.

Plus près. Encore plus près.

Très très près.

Pete entendit des ronflements. Un homme gémit en espagnol.

Ils chargèrent.

Boyd abattit l'homme à la cigarette. Les lueurs au sortir des canons éclairèrent une ligne de sacs de couchage.

Pete fit feu. Nestor fit feu. Les claquements sourds des silencieux se chevauchaient.

La lumière était bonne, maintenant — les éclairs de poudre crachés par quatre armes.

Le duvet d'oie se mit à exploser. Des hurlements retentirent, hauts et clairs, avant de se changer en petits gargouillis discrets.

Nestor éclaira de plus près à l'aide d'une torche. Pete vit neuf sacs de couchage de l'Armée de Terre, pulvérisés et trempés de sang.

Boyd mit de nouveaux chargeurs et abattit les hommes à bout portant, en pleine figure. Le sang jaillit et toucha la torche de Nestor dont le faisceau s'ombra d'un rouge pâle.

Pete haletait, en quête d'un peu d'air. Des plumes ensanglantées lui étaient soufflées jusque dans la bouche.

Nestor gardait le faisceau bien stable. Boyd se mettait à genoux et tranchait les gorges. D'un geste lent et profond — jusqu'à sectionner trachées artères et moelles épinières.

Nestor traînait les corps à l'écart.

Pete retournait les sacs de couchage et les bourrait de sable.

Boyd leur redonnait forme en tapant de-ci, de-là. Le simulacre avait belle allure — les hommes du bateau verraient des hommes assoupis.

Nestor traîna les corps jusqu'à une poche de mer laissée par la marée. Boyd apporta la tronçonneuse.

Pete la démarra d'un coup de cordon. Boyd étira les macchabées pour le tranchage.

La lune passa, basse dans le ciel. Nestor fournit l'éclairage d'appoint.

Pete sciait, accroupi. Les dents de la chaîne accrochèrent immédiatement un os de jambe.

Nestor tira le pied de l'homme, bien tendu. Les dents ronronnèrent, plus de problème.

Pete sectionna une filée de bras. La scie n'arrêtait pas de retomber dans le sable. Lambeaux de peau et tendons lui giclaient à la figure, pan-pan-pan.

Pete découpait les membres. Boyd sectionnait les têtes à l'aide du poignard. Un grand coup de taille, une traction sur la chevelure, et voilà le boulot.

Personne ne disait rien.

Pete continuait à scier. Il avait mal aux bras. Des fragments d'os faisaient sauter le moteur entraîné par courroie.

Ses mains glissaient. La lame rebondit, les dents déchirèrent l'estomac d'un mort.

Pete sentit une odeur de bile. Il laissa tomber la tronçonneuse et dégueula à s'en vider l'estomac.

Boyd prit le relais. Nestor alimentait la poche de mer en morceaux de cadavres. Les requins bataillaient pour manger.

Pete descendit jusqu'à la limite des vagues. Ses mains tremblaient — il lui fallut une éternité pour allumer une cigarette.

La fumée lui fit du bien. La fumée tua les mauvaises odeurs.

EST-CE QU'ILS NE SAVENT PAS CE QUE ÇA SIGNIFIE...

Le sciage s'arrêta. Un silence de mort fut la seule musique à accompagner les battements fous de son propre cœur.

Pete retourna jusqu'à la poche de mer. Les requins fouettaient l'eau et bondissaient, le corps à moitié sorti dans les airs.

Nestor chargea les mitraillettes. Boyd était dévoré de tics, incapable de tenir en place — à cran, complètement remonté, à en juger par la mesure habituelle de Boyd, le beau matou indifférent.

Ils s'accroupirent derrière un banc de sable. Personne ne parlait. Pete avait la tête méchamment prise par Barb.

L'aube se leva juste après 5 h 30. La plage était d'une paisible banalité. Le sang près des sacs de couchage n'avait rien que de très banal, quelques résidus ramenés par les vagues.

Nestor ne quittait pas ses jumelles. Il eut son premier contact à 6 h 12.

— Je vois le bateau. Il est à deux cents mètres.

Boyd toussa et cracha.

— Delsol a dit qu'il y aurait six hommes à bord. Il faut qu'ils soient pratiquement descendus avant que nous ouvrions le feu.

Pete entendit un bourdonnement de moteur.

— Ça se rapproche. Nestor, va te mettre là-bas.

Nestor partit au pas de course et s'accroupit près des sacs de couchage. Le bourdonnement se changea en grondement. Une vedette rapide battit la crête des vagues avant de se laisser glisser en dérapage sur le rivage.

C'était un vieux tas de boue avec double moteur hors bord, sans pont inférieur.

Nestor se mit à faire des signes. A hurler :

— *Bienvenidos ! Viva Fidel !*

Trois hommes sautèrent du bateau. Trois hommes restèrent à

bord. Pete fit signe à Kemper : A BORD, pour toi, A TERRE, pour moi.

Boyd balança une rafale en direction du bateau. Le pare-brise explosa et souffla les hommes contre les moteurs. Pete descendit son trio d'une seule rafale serrée.

Nestor s'avança jusqu'aux cadavres. Il leur cracha à la figure et leur offrit le coup de grâce d'une balle dans la bouche.

Pete partit au pas de course et sauta à bord. Boyd fit le tour côté moteurs et finit les trois siens d'une balle dans la tête.

L'héroïne était enveloppée sous emballage triple et fourrée dans des sacs en toile. Le poids à lui seul était étonnant.

Nestor plaqua le plastic tout près des moteurs. Le mouvement d'horlogerie était réglé pour 7 h 15.

Pete déchargea la came.

Nestor balança les sacs de couchage et ses trois morts à bord. Boyd les scalpa.

— C'est pour Playa Giron, dit Nestor.

Pete attacha la barre à l'aide d'une corde fixée aux montants et fit faire demi-tour au bateau. La boussole indiquait « sud/sud-est ». Le bateau resterait sur le cap — sauf vents de tempête ou raz de marée.

Boyd mit les moteurs en marche. Les deux hélices démarrèrent à la première traction. Ils bondirent à terre et regardèrent le bateau qui s'éloignait en dérapages.

Il exploserait à trente-cinq kilomètres au large.

Pete frissonna. Boyd plaça les scalps dans son paquetage. Orange Beach avait un air absolument virginal.

Santos Jr. allait appeler. Il dirait, Delsol m'a baisé sur le coup. Il dirait, Pete, trouve-moi cet enculé.

Santos n'entrerait pas dans les détails. Il ne dirait pas que le coup en question avait rapport aux cocos et que c'était une trahison directe du Cadre.

Pete attendait le coup de fil à Tiger Kab. Il s'installa au standard — Delsol ne s'était jamais représenté.

Les demandes de taxis s'accumulaient. Les chauffeurs n'arrêtaient pas de répéter : Où est Wilfredo ?

Il est planqué, à l'abri dans une crèche. Nestor le garde. Il y a une livre de hasch pur offerte à tous les regards.

Boyd avait emporté le reste de la came avec lui, au Mississippi. Boyd était tendu, un petit, tout petit peu à cran, comme s'il avait franchi une limite en tuant.

Pete sentait la phrase clé, dans sa tête et dans sa chair. EST-CE QUE VOUS NE SAVEZ PAS QUI NOUS AVONS BAISE ?

Ils avaient surveillé Delsol deux semaines d'affilée. Il ne les avait pas trahis. Le rendez-vous came aurait été annulé, le cas contraire.

Il se trouve dans sa pseudo-planque. Camé jusqu'aux yeux — Nestor lui avait dessiné des pointillés sur les bras à coups de piqouze. Il est complètement cramé à la horse — en attente de ce foutu coup de fil.

Il était 16 h 30. Ils s'étaient taillés d'Orange Beach neuf heures et demie auparavant.

Les demandes de taxis arrivaient. Les téléphones sonnaient sans cesse, quelques secondes entre chaque sonnerie. Ils étaient en retard pour les prises à domicile, avec douze taxis de sortie — Pete avait envie de hurler ou de se coller une balle dans la tête.

Teo Paez mit sa main en coupe sur son téléphone de bureau.

— Ligne n° 2, Pete. C'est M. Santos.

Pete décrocha, lentement, normal, l'air de rien.

— Salut, Patron.

Santos prononça les paroles attendues. Santos y alla de sa réplique, exactement au bon moment.

— Wilfredo Delsol m'a baisé. Il se planque, et je veux que tu le retrouves.

— Qu'est-ce qu'il a fait ?

— *Ne pose pas de questions. Contente-toi de trouver. Et tu commences tout de suite.*

Nestor le fit entrer. Il avait transformé le salon en porcherie-minute pour camé.

Visez-moi la seringue offerte à tous les regards. Visez-moi les gâteries à piqouze écrabouillées dans la moquette. Visez-moi ces résidus de poudre blanche sur toutes les surfaces planes et dures.

Et visez-moi le Wilfredo Olmos Delsol : défoncé à la came sur son canapé en velours peluche.

Pete l'abattit d'une balle dans la tête. Nestor lui sectionna trois doigts qu'il déposa dans un cendrier.

Il était 17 h 20. Jamais Santos n'avalerait qu'il ait pu chercher-trouver en une heure tout rond. Ils avaient du temps devant eux pour étoffer le mensonge.

Nestor se cassa — Boyd avait du travail à lui confier au Mississippi. Pete se calma les nerfs à grandes inspirations plus une douzaine de cigarettes.

Il visualisa le tableau. Il mit les derniers détails au net dans sa tête. Il enfila ses gants et passa à exécution.

Il vira le frigo au sol.

Il taillada le canapé jusqu'aux ressorts.

Il éventra les murs du salon en simulacre d'une recherche frénétique de came.

Il fit chauffer quelques cuillères à came.

Il fit quelques lignes d'héroïne à sniffer sur une table basse au-dessus en verre.

Il trouva un tube de rouge à lèvres au rebut et en barbouilla quelques filtres de mégots.

Il taillada Delsol au couteau de cuisine. Il lui crama les couilles à l'aide d'une lampe à souder trouvée dans la chambre.

Il plongea les mains dans le sang de Delsol et écrivit « Traître » sur le mur du salon.

Il était 20 h 40.

Pete partit au pas de course jusqu'à une cabine téléphonique. Une vraie trouille donna à son interprétation tout son jus.

Delsol est mort — torturé — j'ai eu un tuyau sur sa planque — il était défoncé — de la came partout — la crèche est complète-ment retournée — je crois qu'il se payait une virée avec quelques putes — Santos, dites-moi, de quoi s'agit-il, bordel de merde ?

80

Washington, D.C., 7 mai 1962.

Littell passa quelques coups de fil, pour affaires. M. Hoover lui avait offert un brouilleur pour que ses appels restent privés.

Il appela Jimmy Hoffa d'une cabine publique. Jimmy était profondément mouchardophobe.

Ils discutèrent de l'affaire de fraude des taxis Test Fleet. Jimmy dit, y a qu'à soudoyer quelques jurés.

Littell dit qu'il lui enverrait une liste de membres de jurys. Il dit à Hoffa d'envoyer des hommes de paille proposer les pots-de-vin.

Jimmy dit, comment ça tourne, notre affaire de chantage ?

Littell répondit : TOUT TOURNE SUR DES ROULETTES. Baby Jimmy dit, il n'y a qu'à presser Jack tout de suite !!!

Littell dit, soyez patient. Nous le presserons au moment le plus opportun.

Jimmy piqua une rogne en guise d'au revoir. Littell appela Carlos Marcello à La Nouvelle-Orléans.

Ils discutèrent de l'affaire de déportation. Littell insista sur la nécessité d'obtenir des reports tactiques.

— On gagne sur le gouvernement fédéral en en frustrant les membres. On les épuise et on les oblige à faire aller et venir les avocats sur son affaire. On les met à bout de patience et de ressources, et on les bloque à accumuler report sur report.

Carlos comprit. Carlos posa une dernière question en guise d'au revoir, vraiment stupide.

— Est-ce que je peux déduire de mes impôts mes dons à la Cause cubaine ?

— C'est regrettable, mais c'est non, dit Littell.

Carlos coupa la communication. Littell appela Pete à Miami. Pete décrocha à la première sonnerie.

— Bondurant à l'appareil.

— C'est moi, Pete.

— Ouais, Ward. J'écoute.

— Quelque chose ne va pas ? Tu as l'air agité.

— Tout va bien. Pourquoi ? Quelque chose ne va pas dans notre marché ?

— Tout va bien. Mais je pense à Lenny, néanmoins, et je ne peux pas m'enlever de l'idée qu'il est trop près de Sam à mon gré.

— Tu crois qu'il irait cracher le morceau à Sam ?

— Pas exactement. Ce que je crois, c'est...

Pete l'interrompit aussitôt.

— Ne me dis pas ce que tu crois. C'est toi le chef de piste sur ce coup, alors contente-toi de me dire ce que tu veux.

— Appelle Turentine, dit Littell. Demande-lui de prendre l'avion pour L.A. et de coller une écoute sur le téléphone de Lenny comme précaution supplémentaire. Barb est là-bas aussi. Elle passe à Hollywood, un truc qui s'appelle le « Rabbit's Foot Club ». Demande à Freddy d'aller jeter un œil sur elle pour voir si elle tient bien le coup.

— Ça me paraît bien, dit Pete. En plus, il y a d'autres petites choses que je ne veux pas que Sam fasse faire à Lenny.

— De quoi parles-tu ?

— Des trucs cubains. Ça ne t'intéresserait pas.

Littell consulta son calendrier. Il vit que les dates de remise de ses ordonnances au tribunal couraient jusqu'au mois de juin.

— Appelle Freddy, Pete. Il ne faut pas traîner là-dessus.

— Je le verrai peut-être à L.A. Un changement de décor, ça me ferait du bien.

— Vas-y. Et fais-moi savoir quand l'écoute sera en place.

— Compte sur moi. A bientôt, Ward.

Littell raccrocha. Le brouilleur clignota et interrompit le cours de ses réflexions.

Hoover l'acceptait maintenant. Leur petite cour réciproque était maintenant terminée. Hoover était revenu à sa sécheresse habituelle.

Hoover s'attendait à le voir supplier.

S'il vous plaît, faites qu'Helen Agee soit réadmise à la fac de droit. S'il vous plaît, faites que mon ami gauchiste sorte de prison.

Jamais il ne supplierait.

Pete était nerveux. Il avait l'intuition que Kemper Boyd obligeait Pete à faire des choses qui échappaient à son contrôle.

Boyd faisait collection d'acolytes. Boyd se sentait aussi à l'aise avec les tueurs cubains que les pauvres Nègres. Le brillant de Kemper avait séduit Pete. Le foutoir cubain les avait poussés bien au-delà de leurs domaines respectifs.

Carlos disait qu'ils avaient passé un marché avec Santos Trafficante. Les bénéfices potentiels à la clé faisaient doucement rire Carlos. Qui ajoutait que jamais Santos ne leur verserait autant d'argent.

Carlos avait pris le foutoir cubain à pleins bras. Carlos disait que Sam et Santos voulaient réduire leurs pertes.

Pertes nettes. Gains nets. Bénéfices potentiels.

Il avait les livres de la Caisse. Il lui fallait se trouver du temps, sans obstacles sur sa route, et mettre au point une stratégie pour les exploiter.

Littell fit pivoter son fauteuil et regarda par la fenêtre. Des effloraisons couleur cerise frôlaient la vitre — assez proches pour qu'il pût les toucher.

Le téléphone sonna. Littell enclencha le haut-parleur.

— Oui ?

— Howard Hughes à l'appareil.

Littell faillit glousser. Pete lui avait raconté des histoires hilarantes sur Dracula...

— Ward Littell, monsieur Hughes. Je suis très heureux de pouvoir vous parler.

— On le serait à moins, dit Hughes. M. Hoover m'a fait part de vos remarquables qualifications, et j'ai dans l'intention de vous offrir deux cent mille dollars par an pour le privilège de vous prendre à mon emploi. Je n'exigerai pas de vous que vous veniez à Los Angeles. Nous communiquerons uniquement par lettre et par téléphone. Votre tâche spécifique sera de prendre en charge toutes les écritures et le dossier concernant ma plainte contre dépossession de la TWA qui se traîne péniblement, et de m'aider à acheter des hôtels-casinos à Las Vegas grâce aux bénéfices que j'espère avoir accumulés lorsque je consentirai finalement à céder la TWA. Vos contacts italiens seront inconstestablement d'une valeur inestimable à cet égard, et j'attends de vous que vous vous mettiez au mieux avec les élus de l'Etat du Nevada afin de m'aider à mettre sur pied une politique qui m'assurera que mes hôtels resteront à l'abri des Nègres et des microbes...

Littell écouta.

Hughes poursuivit.

Littell n'essaya même pas de répondre.

81

Los Angeles, 10 mai 1962.

Pete tenait la torche. Freddy replaça le boîtier du cadran. Le travail avançait lentement, à vous coller des nerfs à se mordre les ongles...

Freddy était en train de merdoyer avec quelques fils en vrac.

— Je hais les téléphones de la Pacific Bell. Je hais les boulots de nuit, je déteste travailler dans le noir. Je hais les téléphones de chambres, parce que ces foutus cordons s'emmêlent tout le temps derrière le foutu lit.

— Arrête de te plaindre. Contente-toi de faire le boulot.

— Mon tournevis se coince sans arrêt. Est-ce que tu es vraiment *sûr* que Littell veut qu'on colle une écoute sur les deux postes?

— Contente-toi de le *faire*, dit Pete. Deux postes et un boîtier de réception à l'extérieur. On le planquera près de l'allée à voitures. Arrête de te plaindre, et nous pourrons être sortis d'ici dans vingt minutes.

Freddy s'écorcha le pouce.

— Et merde. Je hais les téléphones de la Pacific Bell. Et Lenny, il a pas besoin de téléphoner de son domicile pour nous cafter. Il peut toujours nous cafter en personne, ou à partir d'une cabine.

Pete serra plus fort la poignée de la torche. Le faisceau se mit à danser et rebondir.

— Bordel de merde, tu vas arrêter de te plaindre sinon je te fourre ce putain de truc dans le cul.

Freddy tressaillit et se cogna à une étagère. Un dossier de coupures de *L'Indiscret* vola sous le choc.

637

— Très bien, très bien. T'es à cran depuis qu'on est descendus d'avion, alors je le dirais qu'une fois. *Les téléphones de la Pacific Bell, c'est la merde.* Quand tu colles une écoute sur leurs lignes, la moitié du temps, ceux qui appellent entendent des clic. Putain, mais c'est inévitable. Et qui est-ce qui va se coller au contrôle de la boîte de réception ?

Pete se frotta les yeux. Il se payait une migraine plus ou moins marquée depuis la nuit où il avait tué Wilfredo Delsol.

— Littell peut avoir quelques Fédés pour surveiller la boîte. Il suffit de la relever à quelques jours d'intervalle.

Freddy pencha une lampe au-dessus du téléphone.

— Va surveiller la porte. Je ne peux pas travailler quand je te sens au-dessus de moi.

Pete entra dans le salon. Son mal de crâne battait juste entre les deux yeux.

Il siffla deux aspirines. Qu'il fit descendre au cognac de Lenny, directement à la bouteille.

La gnôle descendit sans problème. Pete s'en offrit une deuxième dose.

Son mal de tête baissa de régime. Les veines au-dessus de ses yeux cessèrent de battre.

Santos avalait la mascarade jusque-là. Santos n'avait jamais précisé la *manière* dont Delsol l'avait baisé.

Santos avait dit que Sam G. s'était fait baiser lui aussi. Il n'avait pas parlé de came chourée ou des quinze morts. Il n'avait pas dit que certaines grosses têtes de l'Organisation faisaient gentil-gentil avec Fidel Castro.

Il avait dit qu'il lui fallait se séparer du Cadre.

— Pour le moment, uniquement, Pete. J'ai entendu dire que les Fédéraux allaient mettre la pression. Je veux me sortir des stupéfiants pendant un moment.

Le bonhomme venait tout juste d'importer deux cents livres de H. Et il parlait de se retirer, sans ciller, les yeux dans les yeux.

Santos lui montra un rapport de police. Les flics de Miami avaient avalé la mascarade. C'était à leurs yeux une sinistre tuerie pour une histoire de came — perpétrée par de présumés exilés cubains.

Boyd et Nestor étaient repartis au Mississippi. La came était planquée dans quarante coffres de dépôt.

Ils avaient repris leur entraînement DESSOUDER-CASTRO. Ils se fichaient bien que l'Organisation trouve maintenant Fidel à son goût. Ils ne semblaient pas savoir qu'il existait des hommes capables de les obliger à arrêter.

Ils ne portaient pas la peur vissée jusqu'au fond des tripes.

Lui, si.

Ils ne savaient pas qu'on ne baise pas l'Organisation.

Lui, si.

Il avait toujours fait de la lèche aux hommes qui disposaient d'un pouvoir VERITABLE. Il n'enfreignait jamais les règles qu'ils établissaient. Il était obligé de faire ce qu'il faisait — mais il n'en connaissait pas les RAISONS.

Santos jurait vengeance. Santos disait qu'il retrouverait les voleurs de came — quel qu'en fût le prix, quelle qu'en fût la difficulté.

Boyd pensait qu'ils allaient pouvoir vendre la came. Boyd avait tort. Boyd disait qu'il allait cafter les liens Mafia-Agence. Boyd disait qu'il serait à même d'apaiser la furie de Bobby.

Il ne le ferait pas. Il ne pouvait pas le faire. Il ne pourrait jamais courir le risque d'entamer son image de marque auprès des Kennedy.

Pete s'offrit un nouveau verre. Trois coups avaient suffi pour sécher un tiers de la bouteille.

Freddy sortit, chargé de tout son attirail.

— Allons-y. Je te ramène à ton hôtel.

— Vas-y, toi. Je veux marcher un peu.

— Où ça ?

— Je ne sais pas.

Le « Rabbit's Foot Club » était une fournaise — quatre murs emprisonnant fumée et air rance. Des twisteurs qui n'avaient pas l'âge légal occupaient en maîtres la piste de danse — grosse infraction à la réglementation sur l'alcool.

Joey et ses gars jouaient, à moitié dans les vaps. Barb chantonnait en sourdine un air imbécile. Une racoleuse solitaire à la fesse triste était assise au bar.

Barb le repéra. Elle sourit et se mélangea dans les paroles de sa chanson.

Le seul box semi-privé de la salle était occupé. Deux Marines et deux lycéennes — mûrs à point pour se faire virer.

Pete leur dit de se barrer. Ils s'exécutèrent, en voyant son gabarit. Les filles laissèrent sur la table leurs boissons, rhum et jus de fruits.

Pete s'assit et se mit à siroter les verres placés devant lui. Son mal de tête diminua encore d'un cran. Barb termina sur un *Twilight Time* faiblard.

Quelques twisteurs applaudirent. L'orchestre se dispersa direction les coulisses. Barb se dirigea droit vers sa table.

Pete se glissa tout près d'elle.

— Je suis surprise, dit Barb. Ward avait dit que tu étais à Miami.

— Je me suis dit que j'allais faire un petit saut et voir comment ça se passait.

— Tu veux dire que tu pensais venir me surveiller ?

Pete secoua la tête.

— Tout le monde est d'avis qu'on peut compter sur toi. Freddy Turentine et moi, on est venus jeter un œil sur Lenny.

— Lenny est à New York, dit Barb. Il est parti rendre visite à une amie.

— Une femme du nom de Laura Hughes ?

— Je crois bien. Une richarde qui habite la 5e Avenue.

Pete jouait avec son briquet.

— Laura Hughes est la demi-sœur de Jack Kennedy. Elle a été fiancée à ce Kemper Boyd dont Jack t'a parlé. Boyd était le mentor de Ward Littell au FBI. Mon ancienne petite amie Gail Hendee a couché avec Jack pendant la lune de miel du monsieur. Et Lenny a donné des cours de diction à Jack en 46.

Barb prit l'une des cigarettes de Pete.

— Tu veux dire que tout ça est bien trop joliment imbriqué pour qu'on en discute.

Pete lui donna du feu.

— Je ne sais plus ce que je raconte.

Barb rejeta les cheveux en arrière.

— Est-ce que Gail Hendee travaillait avec toi à monter des coups d'arnaque ?

— Oui.

— Des arnaques au divorce ?

640

— C'est ça.

— Est-ce qu'elle était aussi douée que moi ?

— Non.

— Est-ce que tu étais jaloux qu'elle ait couché avec Jack Kennedy ?

— Non. Tant que Jack ne m'avait pas baisé personnellement.

— Qu'est-ce que tu racontes ?

— Que j'avais un intérêt personnel à la baie des Cochons.

Barb sourit. Les lumières du bar faisaient scintiller ses cheveux.

— Est-ce que tu es jaloux de Jack et de moi ?

— Si je n'avais pas entendu les bandes, j'aurais pu l'être.

— Qu'est-ce que tu racontes ?

— Qu'il n'y a rien de vrai dans ce que tu lui offres.

Barb éclata de rire.

— L'agent du Service Secret est très gentil. Il me raccompagne toujours à l'endroit où j'habite. La dernière fois, on s'est arrêtés pour une pizza.

— Et tu veux dire que ça, c'était vrai ?

— Uniquement quand je le compare à une heure passée avec Jack.

Le juke-box se mit à cracher. Pete tendit le bras et arracha la prise.

— Tu as fait chanter Lenny pour l'obliger à participer à ce coup, dit Barb.

— Il a l'habitude qu'on le fasse chanter.

— Tu es nerveux. Tu cognes du genou contre la table, et tu ne t'en rends même pas compte.

Pete cessa. Son foutu pied commença à s'agiter de tics, en compensation.

— Est-ce que tu es effrayé par ce que nous faisons ? dit Barb.

Pete immobilisa ses deux genoux.

— Il s'agit d'autre chose.

— Parfois je me dis que tu me tueras quand tout ceci sera terminé.

— Nous ne tuons pas les femmes.

— Tu as tué une femme, un jour. Lenny me l'a dit.

Pete tressaillit.

641

— Et toi, tu as fait gentil-gentil avec Joey pour qu'il fasse descendre les mecs qui avaient violé ta sœur.

Elle ne tiqua pas. Elle ne bougea pas. Elle n'afficha pas le plus petit putain de signe de trouille.

— J'aurais dû savoir que ce serait toi, celui qui allait se préoccuper de ça.

— Qu'est-ce que tu racontes ?

— Que je voulais voir si Jack se souciait assez de moi pour mener son enquête comme tu as fait.

Pete haussa les épaules.

— Jack est un homme occupé.

— Toi aussi.

— Est-ce que ça te tracasse encore de savoir que Johnny Coates est toujours vivant ?

— Uniquement lorsque je pense à Margaret. Uniquement lorsque je me dis qu'elle ne laissera plus jamais un homme la toucher.

Pete sentit le sol se dérober sous ses pieds.

— Dis-moi ce que tu veux, dit Barb.

— C'est toi que je veux, dit Pete.

Ils prirent une chambre au Hollywood-Roosevelt. Les clignotements de la marquise du « Chinois » de Grauman miroitaient à leur fenêtre.

Pete s'emmêla les pieds en ôtant son pantalon. Barb ôta sa robe longue de twisteuse. Quelques faux brillants tombèrent au sol — Pete s'y meurtrit les pieds.

Barb chassa d'un coup de pied son étui d'arme sous le lit. Pete tira les couvertures. L'odeur de parfum rassis qui collait aux draps le fit éternuer.

Elle leva les bras et ôta son collier. Il vit le chaume de poils poudré de blanc, à l'endroit où elle se rasait.

Il lui épingla les poignets contre le mur. Elle vit ce qu'il voulait et le laissa la goûter là.

Un goût âcre. Elle plia les bras afin qu'il pût tout en avoir.

Il lui toucha les tétons. Il sentit la sueur qui lui coulait des épaules.

Elle redressa le buste, poussant ses seins vers lui. Les grosses veines, les grosses taches de rousseur ne ressemblaient à rien qu'il eût déjà vu. Il les embrassa, il les mordit, il poussa Barb de sa bouche jusque dans le mur.

Le souffle de Barb fut pris de folie. Son pouls battait aux lèvres de Pete qui laissa glisser les mains le long des jambes de Barb, avant de mettre un doigt en elle.

Barb le repoussa. Elle alla jusqu'au lit en trébuchant et s'allongea par le travers. Il lui écarta les jambes et s'agenouilla au sol dans leur étau.

Il lui caressa le ventre, les bras, les pieds. Il sentait le pouls battre au moindre endroit qu'il touchait. Elle avait le corps marbré de grosses veines, qui cognaient en rythme au sortir de sa chevelure rousse comme de ses taches de rousseur.

Pete enfonça les hanches au creux du matelas. Le mouvement le rendit si dur qu'il en eut mal.

Il goûta la toison de Barb. Il toucha des doigts les plis et les replis qui s'y cachaient. Il affola les battements de cœur de Barb, de petites morsures, de petits fouinements.

Barb riait et se débattait pour fuir de sa bouche. Elle faisait de drôles de petits bruits complètement fous.

Il jouit sans même qu'elle le touchât. Il se prit à trembler et à sangloter sans jamais cesser de la goûter.

Elle eut un spasme de tout le corps. Elle mordit les draps. Elle s'apaisait pour mieux rejaillir, de spasmes en convulsions, encore, encore et encore. Son dos se tendit en arc et se fracassa contre le matelas jusqu'à en écraser les ressorts du sommier.

Il ne voulait pas que cela finît. Il ne voulait pas perdre le goût d'elle.

82

Meridien, 12 mai 1962.

Le climatiseur eut un court-circuit et rendit l'âme. Kemper se réveilla en sueur, congestionné.

Il engloutit quatre dexédrines. Il commença immédiatement à échafauder des mensonges.

Je ne vous ai pas parlé des liens existants parce que :

Je ne le savais pas moi-même. Je ne voulais pas que Jack ait à souffrir. Je n'ai découvert la chose que récemment, et j'ai pensé qu'il valait mieux ne pas remuer l'eau qui dort.

La Mafia et la CIA ? — J'ai été complètement ahuri quand j'ai appris.

Les mensonges sonnaient faiblard. Bobby allait enquêter, remonter la piste et retrouver les liens qui étaient les siens depuis 59.

Bobby avait appelé la veille au soir.

— Retrouvez-moi à Miami demain, avait-il dit. Je veux que vous me fassiez visiter JM/Wave.

Pete avait appelé depuis L.A. quelques minutes plus tard. Il avait entendu une femme qui fredonnait un air de twist en bruit de fond.

Pete dit qu'il venait de parler à Santos. Santos lui avait ordonné de se lancer à la poursuite des braqueurs de came.

— Il a dit, trouve-les, Kemper. Il a dit, *ne les tue en aucun cas*. Apparemment, il n'avait pas l'air tellement tracassé que je puisse apprendre que la livraison était financée par Castro.

Kemper lui dit de remonter de toutes pièces une nouvelle mascarade côté médecine légale. Pete dit, je pars pour La Nouvelle-Orléans et je me mets au boulot. Appelle-moi au Olivier House Hotel ou au bureau de Guy Banister.

Kemper se prépara un panaché de came et le sniffa. Laurent obligait les Cubains à leur séance de gymnastique quotidienne, tous les matins.

Flash et Juan lui arrivaient à la poitrine. Nestor aurait pu trouver place dans son paquetage.

Nestor avait suriné un péquenot la veille. Tout ce que le bonhomme avait fait, c'était de lui froisser son aile. Nestor avait une trouille post-braquage à hurler.

Nestor s'était taillé. Le bouseux avait survécu. Flash dit que Nestor avait volé une vedette rapide et mis cap sur Cuba.

Nestor avait laissé un petit mot. Qui disait : Gardez-moi ma part. Je reviendrai quand Castro sera mort.

Kemper se doucha et se rasa. Sa petite sniffette de remontant faisait danser le rasoir.

Les mensonges refusaient de venir.

Bobby portait lunettes sombres et chapeau. Kemper était parvenu à le convaincre d'inspecter JM/Wave *incognito*.

Le ministre de la Justice, avec lunettes de soleil et feutre à petit rebord mesquin. Le ministre de la Justice, truand d'occase.

Ils se promenèrent. L'accoutrement de Bobby lui valait d'étranges regards. Des mecs sous contrat le saluaient au passage.

Les mensonges refusaient de venir.

La tournée d'inspection se fit à un rythme paisible. Bobby tenait sa voix célèbre étouffée, réduite à un murmure. Quelques Cubains le reconnurent et jouèrent le jeu.

Kemper lui montra en détail la section Propagande. Un officier d'encadrement déversa ses statistiques. Personne ne dit que Jack Kennedy était une femmelette irrésolue.

Personne ne lâcha de noms de la Mafia. Personne ne laissa sous-entendre qu'il connaissait Kemper Boyd avant l'invasion de la baie des Cochons.

Bobby apprécia les projets de reconnaissance aérienne. Il fut impressionné par la salle des communications.

Les mensonges refusaient de venir. Les détails refusaient de coller à la trame de la vraisemblance.

Ils firent le tour de la section Cartographie. Chuck Rogers

645

s'approcha, allègre, prêt à saluer. Kemper dirigea Bobby loin de lui.

Bobby se rendit aux toilettes et ressortit aussi vite en tempêtant, offusqué. On avait gribouillé quelques remarques anti-Kennedy au-dessus des urinoirs.

Ils allèrent jusqu'à la cafétéria de l'université Miami. Bobby leur offrit café et pâtisseries.

Des étudiants chargés de leur plateau passaient à côté de leur table. Kemper s'obligea à ne pas gigoter — la dexédrine montait en houle particulièrement forte.

Bobby s'éclaircit la gorge.

— Dites ce que vous avez dans la tête.

— Quoi?

— Dites que les escarmouches côtières et la collecte de renseignements ne suffisent pas. Dites-moi que nous avons besoin d'assassiner Fidel Castro pour la trois centième fois et videz votre sac une bonne fois pour toutes.

Kemper sourit.

— Nous avons besoin d'assassiner Fidel Castro. Et je vais mémoriser votre réponse, de sorte que vous n'aurez pas à la répéter.

— Vous connaissez ma réponse, dit Bobby. Je déteste me répéter, et je déteste ce chapeau. Comment Sinatra se débrouille-t-il?

— Il est italien.

Bobby désigna du doigt quelques étudiantes en short court.

— Est-ce qu'il n'y a pas un règlement sur les tenues vestimentaires par ici?

— Le règlement dit, aussi peu que possible.

— Il faudra que je le dise à Jack. Il pourrait faire une conférence aux étudiants.

Kemper éclata de rire.

— Je suis heureux de constater que vous commencez à avoir l'esprit plus large.

— Plus sagace, peut-être.

— Et plus précisément désapprobateur?

— Touché.

Kemper but une gorgée de café.

— Qui voit-il en ce moment?

— Des minettes. Et une danseuse de twist que Lenny Sands lui a présentée.

— Et qui n'est pas une minette ?

— Disons qu'elle est intellectuellement surqualifiée pour une danse à la mode à l'engouement bon marché.

— Vous l'avez rencontrée ?

Bobby acquiesça.

— Lenny l'a amenée chez Peter Lawford à Los Angeles. J'ai eu l'impression qu'elle pensait toujours avec quelques longueurs d'avance comparée à la majorité des gens, et Jack ne cesse de m'appeler du Carlyle pour me dire à quel point elle est d'une intelligence brillante, ce qui n'est pas l'élément que Jack commente d'ordinaire chez une femme.

Lenny, le twist, L.A., — petite triade qui le laissait perplexe.

— Comment s'appelle-t-elle ?

— Barb Jahelka. Jack était au téléphone avec elle ce matin. Il dit qu'il l'a appelée à 5 heures du matin, heure de L.A., et elle est malgré tout parvenue à répondre avec drôlerie et brio.

Pete avait appelé de L.A. la nuit dernière. Une femme fredonnait *Let's Twist Again*.

— Et qu'est-ce qui, chez elle, n'a pas votre agrément ?

— Probablement rien que le fait qu'elle ne se comporte pas comme la plupart des petits coups rapides de Jack.

Pete était un spécialiste du chantage et de l'extorsion. Lenny était un rampant du show-biz de L.A.

— Pensez-vous qu'elle soit dangereuse d'une façon ou d'une autre ?

— Pas exactement. Je me montre simplement soupçonneux parce que je suis Procureur général des Etats-Unis, et la suspicion va de pair avec la fonction. Pourquoi vous en soucier ? Nous avons déjà offert à cette femme deux minutes de plus que ce qu'elle mérite.

Kemper écrasa son gobelet à café.

— Je me contentais de détourner la conversation loin de Fidel.

Bobby éclata de rire.

— Bien. Et non, vous et vos amis exilés ne pouvez pas l'assassiner.

Kemper se leva de table.

— Voulez-vous continuer la visite encore un peu ?

— Non. Une voiture doit venir me chercher. Voulez-vous que je vous dépose à l'aéroport ?

— Non. J'ai quelques coups de fil à passer.

Bobby ôta ses lunettes de soleil. Une étudiante le reconnut et se mit à couiner.

Kemper réquisitionna d'autorité un bureau vacant de JM/Wave. Le standard le mit en communication directe avec les Sommiers du LAPD.

Un homme décrocha.

— Sommiers. Officier Graham.

— Dennis Payne, s'il vous plaît. Dites-lui qu'il s'agit de Kemper Boyd, un appel à longue distance.

— Ne quittez pas, s'il vous plaît.

Kemper se mit à griffonner sur un bloc. Payne vint en ligne en toute hâte.

— Monsieur Boyd, comment allez-vous ?

— Je vais bien, Sergent. Et vous-même ?

— Couci-couça, plutôt pas mal. Et je parierais que vous avez un service à me demander.

— Effectivement. J'ai besoin que vous recherchiez une collante, sexe féminin, race blanche, au nom de Barbara Jahelka, orthographe probable : J.A.H.E.L.KA. Age probable, entre vingt-deux et trente-deux ans, et je crois qu'elle habite à Los Angeles. Il me faudrait également un numéro de téléphone sur liste rouge. Au nom de Lenny Sands ou de Leonard J. Seidlewitz. Et vraisemblablement dans le secteur d'Hollywood-Ouest.

— C'est enregistré, dit Payne. Vous ne quittez pas, okay ? Ça pourrait prendre quelques minutes.

Kemper resta en ligne. Son sniff de remontant lui donnait de légères palpitations.

Pete n'avait pas précisé ce qui l'occupait à L.A. Lenny était de ceux qu'on pouvait toujours faire chanter, il était toujours prêt à lâcher ses petits secrets.

Payne revint en ligne.

— Monsieur Boyd ? Nous avons deux positifs.

Kemper prit un stylo.

— Continuez.

— Le numéro de Sands est OL- 53980, et la fille a un délit au casier pour possession de marijuana. C'est la seule Barbara Jahelka que nous ayons dans nos dossiers, et sa DDN correspond à ce que vous m'avez dit.

— Les détails de l'affaire ?

— Elle a été arrêtée en juillet 57. Elle a fait six mois ferme et tenu jusqu'au bout deux années de mise à l'épreuve.

Les renseignements n'étaient pas significatifs.

— Voudriez-vous rechercher d'éventuels problèmes plus récents ? Des fiches d'interrogation de terrain ou des arrestations qui n'ont pas donné suite à des inculpations ?

— D'accord, dit Payne. Je contacterai les services du shérif et nos autres tribunaux locaux. Si la fille a eu des ennuis depuis 57, nous le saurons.

— Merci, Sergent. J'apprécie le geste.

— Donnez-moi une heure, monsieur Boyd. Je devrais avoir quelque chose d'ici là ou rien du tout.

Kemper coupa la communication. Le standard le mit en ligne avec le numéro de Lenny à L.A.

Il sonna trois fois. Kemper entendit de faibles déclics — dérivations d'écoute — et raccrocha.

Pete était un spécialiste de l'extorsion. Pete était un spécialiste des écoutes et des mouchards. Le collègue en écoutes et mouchards de Pete était le célèbre Fred Turentine.

Le frère de Freddy était propriétaire d'une boutique de réparation de télés à L.A. C'est là que Freddy travaillait entre deux boulots de mise sous écoute.

Kemper appela les renseignements de L.A. Une opératrice lui donna le numéro. Qu'il transmit au standard de JM/Wave en demandant à la fille de lui établir la communication.

La ligne sifflait et craquait. Un homme décrocha à la première sonnerie.

— Télés Turentine. Bonjour.

Kemper feignit un grommellement de raclure de bas étage.

— Freddy est là ? Ici, c'est Ed. Ch'suis l'ami de Freddy et de Pete Bondurant.

L'homme toussa.

— Freddy est à New York. Il était ici il y a encore quelques jours, mais il est reparti.

— Merde. Faut que je lui envoie quelque chose. Est-ce qu'il a laissé une adresse ?

— Ouais. Attendez... voyons voir... ouais, c'est le 94 Est 76ᵉ Rue, New York. Le numéro, c'est MU-60197.

— Merci, dit Kemper. Je vous suis reconnaissant.

L'homme toussa.

— Saluez Freddy pour moi. Dites-lui que son grand frère lui recommande de ne pas s'attirer des ennuis.

Kemper raccrocha. Le bureau se mit à chalouper, passant de net à flou.

Turentine était logé près de la 76ᵉ et Madison. L'Hôtel Carlyle était au coin nord-est.

Kemper demanda le standard et donna à la fille, une nouvelle fois, le numéro de Lenny.

Elle le remit en communication. Il entendit trois sonneries et trois minuscules déclics d'écoute.

— Résidence de M. Sands, répondit une voix de femme.

— Suis-je bien au service d'appel de M. Sands ?

— Oui, monsieur. Et M. Sands peut être joint à New York. Le numéro est MU-62433.

Le numéro de Laura.

Kemper coupa et redemanda le standard.

— Oui, monsieur Boyd, dit la fille.

— Donnez-moi New York, s'il vous plaît. Le numéro est MU-60197.

— Raccrochez, s'il vous plaît, monsieur. Toutes mes lignes sont occupées, mais je vous établis votre communication dans une seconde.

Kemper s'appuya sur le bouton de coupure. Les pièces s'emboîtaient — indirectement, instinctivement...

Le téléphone sonna. Il arracha le combiné du berceau.

— Oui ?

— Comment ça, « Oui » ? C'est *vous* que l'opératrice a connecté à *moi*.

Kemper essuya une ligne de sueur qui lui barrait le front.

— C'est exact. Etes-vous Fred Turentine ?

— C'est bien ça.

— Je m'appelle Kemper Boyd. Je travaille avec Pete Bondurant.

Le silence s'étira, une bonne mesure de trop.

— Donc vous cherchez Pete ?

— En effet.

— Eh bien... Pete est à La Nouvelle-Orléans.

— C'est vrai. J'oubliais.

— Bien... Pourquoi vous pensiez qu'il était là-bas ?

— Oh, rien qu'une intuition.

— Intuition, de la merde. Pete a dit qu'il ne donnait ce numéro-ci à personne.

— C'est votre frère qui me l'a donné.

— Ben... merde... il était pas censé...

— Merci, Fred. Je vais appeler Pete à La Nouvelle-Orléans.

La ligne fut coupée. Turentine raccrocha : il s'était fait avoir en finesse. Une finesse à en crever. Et une trouille à en crever.

Kemper regarda l'aiguille des secondes faire le tour du cadran de sa montre. Ses manches de chemise étaient trempées au point d'être transparentes.

Pete ferait une chose pareille. Pete ne ferait pas une chose pareille. Pete était son partenaire, ça remontait à loin, tous les deux, c'était une preuve de...

Rien du tout.

Les affaires étaient les affaires. Jack s'était mis entre eux deux. Appelons ça le Twist du Triangle, twist comme coup tordu : Jack, Pete, et Barb quelque chose.

Kemper appela le standard. L'opératrice lui redonna le LAPD.

Payne répondit.

— Sommiers.

— C'est Kemper Boyd, Sergent.

Payne se mit à rire.

— Une heure à la seconde près.

— Avez-vous découvert autre chose ?

— Ouais. Les services de police de Beverly Hills ont arrêté la fille Jahelka pour tentative de chantage en août 60.

Seigneur Dieu...

— Des détails ?

— La fille et son ex-mari ont essayé de faire cracher Rock Hudson avec des photos de sexe.

— Entre Hudson et la fille ?

— C'est bien ça. Ils ont exigé de l'argent, mais Hudson a prévenu la police. La fille et son ex ont été arrêtés, mais Hudson a retiré sa plainte.

— Ça n'est pas très net, dit Kemper.

— Encore moins que vous ne le pensez, dit Payne. Un de mes amis des services de police de Beverly Hills m'a dit que toute l'affaire était une sorte de coup monté destiné à établir la réputation de Rock Hudson comme chasseur de chattes, alors qu'en réalité, c'est une sorte d'homo. Il a entendu une rumeur comme quoi c'était *L'Indiscret* qui était derrière tout ça.

Kemper reposa le combiné. Ses petites palpitations lui coupèrent presque le souffle.

LENNY...

Il prit un vol de correspondance à 13 h 45, direction La Guardia. Il se prit quatre dexédrines qu'il fit passer de deux Martini en vol.

Le vol prit trois heures et demie. Kemper déchiqueta ses napperons de cocktails et consulta sa montre toutes les minutes ou presque.

Ils atterrirent à l'heure. Kemper prit un taxi devant le terminal. Il dit au chauffeur de passer devant le Carlyle et de le déposer à la 64e et à la 5e.

La circulation se traînait à cette heure de pointe. La course jusqu'au Carlyle dura une heure entière.

Le 94 Est 76e Rue était à cinquante mètres de l'hôtel. Un emplacement idéal pour l'appartement qui ferait office de poste d'écoute.

Le taxi vira à l'ouest et le déposa devant l'immeuble de Laura. Le portier était occupé par un locataire.

Kemper entra dans le hall au pas de course. Une vieille dame lui garda l'ascenseur en attente.

Il appuya sur le « 10 ». La vieille dame recula. Il vit l'arme qu'il tenait à la main et essaya de se rappeler de l'avoir dégainée.

Il la fourra dans sa ceinture. La vieille dame se cacha derrière un énorme sac à main. L'ascenseur prit une éternité pour monter.

La porte s'ouvrit. Laura avait refait la décoration de l'entrée — un changement total, style français provincial.

Kemper la traversa. L'ascenseur monta comme une flèche derrière lui. Il entendit des rires sur la terrasse.

Il courut en direction du bruit. Il se prenait les pieds dans les tapis juxtaposés. Il franchit le dernier couloir au sprint en renversant deux lampes et une table en bout.

Ils étaient debout. Verre à la main, cigarette entre les doigts. A les voir, on aurait presque pu croire qu'ils ne respiraient pas.

Laura, Lenny et Claire.

Ils avaient drôle d'allure. A les voir, on aurait presque pu croire qu'ils ne le connaissaient pas.

Il vit son arme sortie. Il vit la détente à mi-course.

Il dit quelque chose à propos d'une tentative de chantage sur Jack Kennedy.

Claire dit : « Papa ? » comme si elle n'était pas tout à fait sûre.

Il mit Lenny en joue.

— Papa, s'il te plaît, dit Claire.

Laura laissa tomber sa cigarette. Lenny lui balança sa cigarette à la figure d'une pichenette et sourit.

L'extrémité lui brûla le visage. Les cendres roussirent sa veste. Il raffermit sa prise sur son arme et appuya sur la détente.

L'arme s'enraya.

Lenny sourit.

Laura hurla.

Le hurlement de Claire lui fit tourner les talons et détaler.

83

La Nouvelle-Orléans, 12 mai 1962.

Les conneries affluaient des deux côtés. Le bureau de Banister était submergé de machins d'extrême droite.

Guy disait que le Klan avait bombardé quelques églises. Pete disait que Heshie Ryskind avait un cancer.

L'équipe DESSOUDER-CASTRO dirigée par Boyd était l'élite de l'élite. Dougie Frank Lockhard était un trafiquant d'armes d'élite.

Pete disait que Wilfredo Delsol avait baisé Santos Jr. sur une affaire de came. Le baiseur s'était fait baiser en retour par un ou plusieurs inconnus.

Banister sirotait du bourbon. Pete laissait filer sa mascarade. Dis, Guy, qu'est-ce que tu as entendu, *toi*, à ce sujet?

Guy dit qu'il avait entendu que dalle. Sans charre, Sherlock — ce genre de réponse, c'est que du vent, du baratin peau-de-balle.

Pete était vautré dans un fauteuil et jouait avec un grand Jack Daniel's. Il se prenait de petites gorgées en guise de médicament pour soulager sa migraine.

Il faisait chaud à La Nouvelle-Orléans. Le bureau absorbait la chaleur comme une éponge. Guy, assis derrière son bureau, pelait la sueur de son front à la lame d'un cran d'arrêt.

Les pensées de Pete ne cessaient de dériver vers Barb. Il était incapable de tenir une réflexion non-Barb pendant plus de six secondes.

Le téléphone sonna. Banister fouilla au milieu des entassements de déchets divers sur son bureau et s'en saisit.

— Ouais?... ouais, il est ici. Ne quittez pas. Une seconde.

Pete se leva et dégagea le combiné du désordre.

— Qui est à l'appareil?

— C'est Fred. Et va pas piquer une putain de crise pour ce que je vais te dire.

— Alors, contente-toi de te calmer.

— On peut pas se calmer quand on a un putain de trauma-tisme crânien. On peut pas se calmer...

Pete s'éloigna jusqu'au bout de la pièce, téléphone en main. Le cordon était tiré à rompre.

— Calme-toi, Freddy. Dis-moi simplement ce qui s'est passé.

Freddy reprit son souffle.

— Okay. Kemper Boyd a appelé le poste ce matin. Il a dit qu'il te cherchait, mais je savais qu'il mentait. Alors, il est venu — en personne — il y a une heure de ça. Il a frappé à la porte, on aurait dit un cinglé. Je ne l'ai pas laissé entrer, et je l'ai vu pratiquement assommer une vieille dame et monter dans le taxi d'où elle était en train de sortir.

Le cordon du téléphone faillit s'arracher. Pete recula et lui donna un peu de mou.

— Et c'est tout ?

— Putain que non, c'est pas tout !

— Freddy, qu'est-ce que tu ra...

— Je suis en train de te dire que Lenny est passé quelques minutes plus tard. Je l'ai laissé entrer parce que je me suis dit qu'il savait ce que Boyd mijotait. Il m'a défoncé le crâne d'un coup de chaise et il a tout passé à sac. Il a volé les bandes et toutes les transcriptions écrites et il s'est tiré. Je me suis réveillé après, merde — je ne sais pas, une demi-heure. Je suis passé devant le Carlyle et j'ai vu toutes ces voitures de police devant. Pete, Pete, Pete...

Ses jambes le lâchèrent. Le mur le retint.

— Pete, c'était Lenny. Il a défoncé la porte à coups de pied et il a retourné la suite Kennedy. Il a arraché les microphones, et puis il s'est échappé, putain, par l'escalier de secours. Pete... Pete... Pete...

— Pete, on est baisés.

— Pete, ça ne pouvait être que Lenny...

— Pete, j'ai effacé toutes les empreintes dans le poste et j'ai déménagé tout mon équipement et...

La communication fut coupée — Pete tressaillit et arracha le cordon du mur.

Boyd savait qu'il était à La Nouvelle-Orléans. Boyd allait prendre le premier vol disponible pour descendre sur place.

Leur coup était grillé. Boyd et Lenny étaient entrés en collision et avaient tout fait foirer d'une manière ou d'une autre.

Les Fédés étaient au courant maintenant. Le Service secret était au courant. Boyd ne pouvait aller voir Bobby et lui expliquer — ses liens avec la Mafia l'avaient compromis.

Boyd viendrait ici. Boyd savait qu'il résidait dans l'hôtel de l'autre côté de la rue.

Pete sirotait son bourbon et passait toutes les chansons de twist du juke-box. Une serveuse se pointait régulièrement pour le resservir.

Un taxi allait s'arrêter. Boyd allait en sortir. Il intimiderait l'employé de la réception et obtiendrait gain de cause : l'accès à la chambre 614.

Boyd trouverait un petit mot. Il obéirait aux instructions. Il emporterait le magnétophone et l'apporterait jusqu'ici, à son box au « Ray Becker's Tropics ».

Pete surveillait la porte. Chaque morceau de twist lui ramenait Barb avec un peu plus de force.

Il l'avait appelée à L.A. deux heures auparavant. Il lui avait appris que leur arnaque était à l'eau. Il lui dit de descendre jusqu'à Ensenada et de se planquer au Playa Rosada.

Elle lui dit qu'elle ferait ce qu'il voulait.

— Nous deux, c'est toujours partant, n'est-ce pas ? dit-elle.

— Oui, avait-il répondu.

Il faisait chaud dans le bar. La Nouvelle-Orléans détenait le brevet question chaleur. Des orages de tonnerre vous tombaient dessus et mouraient de leur belle mort avant même qu'on ait pu ciller.

Boyd fit son entrée. Pete vissa un silencieux à son Magnum qu'il plaça sur le siège voisin.

Boyd transportait le magnétophone dans une valise. Il tenait un .45 automatique collé contre la jambe.

Il s'approcha. Il s'assit face à Pete et posa la valise au sol.

Pete montra la valise du doigt.

— Sors l'appareil. Il marche sur piles et il y a déjà une bande en place, alors tout ce que tu as à faire, c'est de le mettre en marche.

Boyd secoua la tête.

— L'arme que tu as sur les genoux, pose-la sur la table.

Pete s'exécuta.

— Maintenant, décharge-la, dit Boyd.

Pete s'exécuta. Boyd ôta le chargeur de son propre calibre et enveloppa les deux armes dans la nappe.

Boyd avait l'air sale et hagard. Kemper Boyd l'Inélégant — une grande première.

Pete sortit un .38 à canon court de sa ceinture.

— C'est cloisonné, Kemper. Ça n'a rien à voir avec les autres affaires que nous avons en route.

— Je m'en fiche.

— Ce ne sera plus le cas quand tu auras entendu cette bande.

Ils disposaient d'une longue rangées de boxes pour eux seuls. Si les choses tournaient mal, il pourrait le tuer et s'échapper par la porte du fond.

— Tu as franchi la limite, Pete. Tu savais que la limite existait, elle était là et tu l'as franchie.

Pete haussa les épaules.

— Nous n'avons pas fait de mal à Jack, et Bobby est trop intelligent pour faire entrer la police dans l'affaire. Nous pouvons sortir d'ici et nous remettre aux affaires.

— Et avoir confiance l'un dans l'autre.

— Je ne vois pas pourquoi ce serait impossible. Jack, c'est le seul truc qui se soit jamais mis entre nous deux.

— Crois-tu honnêtement que ce soit aussi simple ?

— Je pense que tu peux faire en sorte que ça le soit.

Boyd détacha les fermetures de la valise. Pete posa l'appareil sur la table et appuya sur « Play ».

Son bout de bande recollée se mit à tourner. Pete augmenta le volume pour couvrir le bruit du juke-box.

Jack Kennedy dit : « Kemper Boyd est probablement ce qui s'en rapproche le plus, mais il me met légèrement mal à l'aise. »

Barb Jahelka dit : « Qui est Kemper Boyd ? »

Jack : « C'est un avocat du ministère de la Justice. »

Jack : « Son seul regret dans la vie, c'est de ne pas être un Kennedy. »

Jack : « Il est simplement allé à la fac de droit de Yale, il s'est collé à mes basques, et... »

Boyd tremblait. Boyd avait perdu toute sa bonne éducation et n'allait pas tarder à déjanter.

Jack : « Il a jeté la femme à laquelle il était fiancé pour se gagner mes faveurs. »

Jack : « Il est en train de vivre quelque fantasme malsain et nauséeux. »

Boyd frappa l'appareil à poings nus. Les bandes plièrent, craquèrent, volèrent en miettes.

Pete le laissa frapper et frapper, jusqu'à en avoir les mains en sang.

84

Meridien, 13 mai 1962.

L'avion zigzagua sur son axe à l'atterrissage et s'immobilisa sur un dérapage. Kemper s'arc-bouta contre le siège devant lui.

Sa tête palpitait. Ses mains palpitaient. Il n'avait pas dormi depuis une trentaine d'heures.

Le copilote coupa les moteurs et ouvrit la porte passagers. Soleil et air surchauffé envahirent la cabine.

Kemper descendit et marcha jusqu'à sa voiture. Les pansements qui enveloppaient ses doigts suintaient de sang.

Pete l'avait convaincu de ne pas recourir aux représailles. Pete avait dit que c'était Ward Littell qui avait monté toute l'affaire d'extorsion.

Il se rendit au motel. La route lui parvenait brouillée après une trentaine d'heures d'alcool et de dexédrine.

Le parc de stationnement était plein. Il se gara en double file à côté de la Chevy de Flash Elorde.

Le soleil tapait deux fois plus chaud qu'il n'aurait dû. Claire ne cessait de répéter : « Papa, s'il te plaît. »

Il alla à sa chambre. La porte s'ouvrit brutalement à l'instant où il la touchait.

Un homme le tira à l'intérieur. Un homme lui balaya les jambes de sous lui. Un homme le jeta le nez au sol et le menotta.

Un homme dit : Nous avons trouvé des stupéfiants ici.

Un homme dit : Et des armes illégales.

Un homme dit : Lenny Sands s'est suicidé à New York la nuit dernière. Il a loué une chambre d'hôtel bon marché, s'est entaillé les veines et écrit « Je suis un homosexuel » en lettres de sang sur le mur, au-dessus du lit. L'évier et la cuvette des toilettes étaient remplis de fragments calcinés de bandes magnétiques de toute évidence récupérées à partir d'une table d'écoute installée dans la suite de la famille Kennedy au Carlyle Hotel.

Kemper se débattit des quatre fers. Un homme lui marcha sur la figure et le fit tenir tranquille.

Un homme dit : Sands avait été vu plus tôt dans la journée en train de cambrioler la suite en question. Les services de police de New York ont repéré un poste d'écoute quelques maisons plus loin. On y avait essuyé toutes les empreintes, tout était nettoyé, et la location était faite de toute évidence sous un faux nom, mais ceux qui avaient occupé la place avaient laissé derrière eux une grande quantité de bande magnétique vierge.

Un homme dit : C'est vous qui dirigiez l'opération de chantage.

Un homme dit : Nous tenons vos Cubains et le Français Guery. Ils refusent de parler, mais ils tombent pour possession d'armes.

Un homme dit : Suffit.

L'Homme : le Procureur général Robert F. Kennedy.

Un homme le traîna jusque dans un fauteuil. Un homme lui ôta une menotte et la referma sur le pied de lit. La pièce était pleine de Fédés favoris de Bobby — six ou sept hommes en costumes d'été bon marché.

Les hommes sortirent et refermèrent la porte derrière eux. Bobby s'assit sur le bord du lit.

— Soyez maudit, Kemper. Soyez maudit pour ce que vous avez essayé de faire à mon frère.

Kemper toussa. Sa vision vacillait. Il voyait deux lits et deux Bobby.

— Je n'ai rien fait du tout. J'ai essayé de démolir toute l'opération.

— Je ne vous crois pas. Je ne crois pas que votre éclat dans l'appartement de Laura ait été autre chose que l'aveu de votre culpabilité.

Kemper tressaillit. Les menottes lui entaillèrent les poignets et firent couler le sang.

— Croyez ce que vous voulez, espèce de petite merde chaste de mes deux. Et dites à votre frère que personne ne l'a jamais plus aimé en étant moins payé en retour que moi.

Bobby se rapprocha.

— Votre fille Claire vous a dénoncé. Elle m'a dit que vous étiez agent contractuel de la CIA depuis plus de trois ans. Elle a déclaré que l'Agence vous avait très précisément recommandé de diffuser de la propagande anti-castriste auprès de mon frère. Elle a déclaré que Lenny Sands lui avait dit que vous aviez joué un rôle actif dans la subornation de figures du crime organisé pour qu'ils participent à des activités secrètes de la CIA. J'ai pris tout ceci en considération et j'en ai conclu que certains de mes soupçons de départ étaient avérés. Je pense que M. Hoover vous a envoyé pour espionner ma famille, et je vais le confronter le jour où mon frère l'obligera à démissionner.

Kemper serra les poings. Des os disloqués se fendirent. Bobby se leva et se plaça assez près pour lui cracher à la figure.

— Je vais couper tous les liens entre Mafia et CIA. Je vais interdire toute participation du crime organisé au projet cubain. Je vais vous chasser du ministère de la Justice et de la CIA, je vais vous faire rayer du barreau comme avocat, et je vais vous poursuivre en justice, vous et vos amis franco-cubains pour possession d'armes et de stupéfiants.

Kemper se mouilla les lèvres et parla, la bouche pleine de salive.

— Si vous déconnez avec mes hommes ou si vous essayez de me poursuivre en justice, je dis tout. En public. Je crache le morceau sur tout ce que je sais de votre famille dégueulasse. Je salirai le nom des Kennedy avec assez d'ordureries vérifiables pour qu'il en reste entaché à jamais.

Bobby le gifla.

Kemper lui cracha à la figure.

DOCUMENT EN ENCART : 14/5/62. *Transcription mot à mot d'une conversation téléphonique FBI — ENREGISTREE A LA DEMANDE DU DIRECTEUR — DESTINATAIRE UNIQUE : LE DIRECTEUR — Interlocuteurs : Directeur J. Edgar Hoover, Ward J. Littell.*

WJL. — Bonjour, monsieur.

JEH. — Bonjour. Et il est inutile de me demander si je suis au courant, parce que j'en sais probablement plus de cette histoire que vous.

WJL. — Oui, monsieur.

JEH. — J'espère que Kemper a des économies. Etre rayé du barreau peut se révéler un prix cher à payer, et je doute qu'un homme ayant ses goûts puisse vivre confortablement sur une pension du FBI.

WJL. — Je suis certain que Petit Frère ne portera pas plainte contre lui.

JEH. — Naturellement qu'il ne portera pas plainte.

WJL. — Kemper a servi de porte-chapeau.

JEH. — Je ne ferai aucun commentaire sur l'ironie sous-jacente.

WJL. — Bien, monsieur.

JEH. — Lui avez-vous parlé ?

WJL. — Non, monsieur.

JEH. — Je serais curieux de savoir ce qu'il fait. L'idée d'un Kemper C. Boyd sans le couvert d'un service de police est tout à fait surprenante.

WJL. — Je pense que M. Marcello lui trouvera du travail.

JEH. — Oh ? Comme gratteur de dos de la Mafia ?

WJL. — Comme provocateur cubain, monsieur. M. Marcello est resté fidèle à son engagement pour la Cause.

JEH. — En ce cas, c'est un imbécile. Fidel Castro est installé à demeure. Mes sources me disent que le Roi des Ténèbres cherchera vraisemblablement à normaliser les relations avec lui.

WJL. — Le Roi des Ténèbres est grand partisan des apaisements, monsieur.

JEH. — N'essayez pas de me flatter bassement. Il se peut que

662

vous ayez subi votre apostasie concernant les Frères, mais vos convictions politiques restent toujours suspectes.

WJL. — Quoi qu'il puisse en être, monsieur, je ne renonce pas. Je vais penser à autre chose. Je n'ai pas renoncé concernant le Roi.

JEH. — Bravo, bravo. Mais sachez, je vous prie, que je ne souhaite pas être informé de vos projets.

WJL. — Bien, monsieur.

JEH. — Mlle Jahelka a-t-elle repris sa vie normale ?

WJL. — Cela ne saurait tarder, monsieur. Elle est en ce moment en vacances au Mexique avec un de nos amis franco-canadiens.

JEH. — J'espère qu'ils ne procréeront pas. Ils produiraient des rejetons mentalement déficients.

WJL. — Oui, monsieur.

JEH. — Bonne journée, monsieur Littell.

WJL. — Bonne journée, monsieur.

DOCUMENTS EN ENCART : datés consécutivement — *Extraits d'écoutes FBI — Marqués :* « *TOP SECRET / CONFIDENTIEL — DESTINATAIRE UNIQUE : LE DIRECTEUR —* AUCUNE TRANSMISSION A AUCUN PERSONNEL EXTERIEUR AU MINISTERE DE LA JUSTICE. »

Chicago, 10/6/62. BL-48869 (*Boutique de Tailleur — chez Celano*) à AX-89600 (*domicile de John Rosselli*) (Dossier PGC n° 902-5, Bureau de Chicago). Interlocuteurs : John Rosselli, Sam « Mo », « Momo », « Mooney » Giancana (Dossier n° 480-2). Conversation en cours — neuf minutes écoulées.

SG. — Ainsi, ce putain de Bobby a trouvé tout seul.

JR. — Ce qui, franchement, ne me surprend pas.

SG. — On lui donnait un coup de main, Johnny. Bien sûr, c'était essentiellement pour la forme. Mais la seule putain de grande vérité dans toute l'histoire, c'est qu'on lui donnait un coup de main, à lui et à son frère.

JR. — On était bons avec eux, Mo. On était gentils. Et ils n'ont pas arrêté de nous baiser, nous baiser, nous baiser.

SG. — Y a une sorte de putain de chantage qui s'est, s'est, s'est — c'est quoi le mot déjà qui veut dire déclencher ?

JR. — Qui s'est précipité, Mo. C'est ça le mot que tu cherches.

SG. — Exact. Y a un chantage merdique qui a précipité la découverte du truc par Bobby. On raconte que Jimmy et Pete le Français étaient dans le coup. Quelqu'un s'est montré imprudent, et Lenny le Petit Juif s'est suicidé.

JR. — On ne peut pas reprocher à Jimmy et à Pete d'avoir essayé de baiser les Kennedy.

SG. — Non, on ne peut pas.

JR. — Et on apprend par-dessus le marché que Lenny était pédé. Tu peux croire une chose pareille ?

SG. — Qui aurait cru ça ?

JR. — Il était juif, Mo. La race juive a un pourcentage d'homos supérieur à celui des Blancs normaux.

SG. — C'est vrai, ça. Mais Heshie Ryskind n'a rien d'une pédale. Il s'est fait tailler quelque chose comme soixante mille pipes.

JR. — Heshie est malade, Mo. Il est vraiment malade.

SG. — Je voudrais bien que les Kennedy attrapent sa putain de maladie. Les Kennedy et Sinatra.

JR. — Sinatra nous a roulés dans la farine. Il disait qu'il avait de l'influence auprès des Frères.

SG. — C'est un inutile. La Belle Coupe a viré son cul de Rital de la liste des invités de la Maison-Blanche. Demander à Frank de plaider notre cause auprès des Frères est inutile.

Suit une conversation non pertinente.

Cleveland, 4/8/62. BR-18771 (*Sal's River Lounge*) à BR-40811 (*cabine publique du Bartolo's Ristorante*). Interlocuteurs : John Michael D'Allesio (Dossier PGC n° 180-4, Bureau de Cleveland), Daniel Versace dit « Dan l'Ane » (Dossier n° 206-9, Bureau de Chicago). Conversation en cours — neuf minutes écoulées.

DV. — Les bruits, c'est juste que des bruits. Faut que tu considères la source et tu juges à partir de là.

JMD. — Danny, t'aimes les bruits ?

DV. — Tu sais bien que oui. Tu sais que j'aime bien une

bonne rumeur autant que n'importe qui, et je ne me tracasse pas particulièrement de savoir si elle est vraie ou pas.

JMD. — Danny, j'ai une rumeur bien brûlante.

DV. — Alors, raconte. Joue pas à ton putain d'allumeur de quéquettes.

JMD. — La rumeur, c'est que J. Edgar Hoover et Bobby Kennedy se haïssent.

DV. — C'est ça, ta rumeur ?

JMD. — C'est pas fini.

DV. — Je l'espère. La vendetta Hoover-Bobby, c'est du réchauffé.

JMD. — La rumeur, c'est que les mecs des brigades anti-rackets de Bobby sont en train de dénicher des indics. La rumeur dit que Bobby ne veut pas laisser Hoover s'approcher de près ou de loin de ses putains de projets. En plus, j'ai entendu dire que ce putain de Comité McClellan se remet en selle pour une nouvelle session. Ils s'apprêtent à baiser à nouveau l'Organisation dans les grandes largeurs. Bobby travaille à convaincre un informateur essentiel. Quand les sessions du Comité vont commencer, ce mec est censé débarquer comme une putain d'attraction vedette.

DV. — J'ai entendu de meilleures rumeurs, Johnny.

JMD. — Va te faire foutre.

DV. — Je préfère les rumeurs genre sexuel. Tu n'aurais pas entendu quelques bonnes petites saloperies sexuelles ?

JMD. — Va te faire foutre.

Suit une conversation non pertinente.

La Nouvelle-Orléans, 10/10/62. KL-40909 (*cabine téléphonique du Habana Bar*) à CR-88107 (*cabine téléphonique du Town & Country Motel*). Note : Carlos Marcello (pas de dossier existant au PGC) est propriétaire du *Town & Country*. Interlocuteurs : Leon « PDP [1] » Broussard (dossier PGC n° 88-6, Bureau de La Nouvelle-Orléans) et homme non identifié (présumé cubain).

---

1. Pas de Deuxième Prénom. (*N.d.T.*)

LB. — Donc tu ne devrais pas perdre espoir. Tout n'est pas perdu, mon ami.

HNI. — J'ai comme l'impression que si.

LB. — Ce n'est simplement pas vrai. Je sais pour un fait certain qu'Oncle Carlos est encore très fervent croyant.

HNI. — Il est bien le seul, dans ce cas. Il y a quelques années, beaucoup de ses compatriotes étaient aussi généreux qu'il l'est resté. C'est troublant de voir ainsi des amis puissants abandonner la Cause.

LB. — Comme John F. Kennedy. F comme foutriquet.

HNI. — Oui. Sa trahison est le pire exemple. Il continue à interdire une seconde invasion.

LB. — Le foutriquet s'en fiche. Mais je vais te dire ceci, mon ami, Oncle Carlos ne s'en fiche pas, lui.

HNI. — J'espère que tu as raison.

LB. — Je sais que j'ai raison. Je sais de bonne source qu'Oncle Carlos finance une opération qui pourrait faire voler toute l'affaire cubaine en morceaux.

HNI. — J'espère que tu as raison.

LB. — Il subventionne un groupe de mecs qui veulent dessouder Castro. Trois Cubains et un ex-para français. Le chef est un ancien de la CIA et du FBI. Oncle Carlos dit que le mec accepterait de mourir rien que pour réussir le coup.

HNI. — J'espère que c'est vrai. Tu comprends, la Cause s'est maintenant éparpillée dans toutes les directions. Il y a des centaines de groupes d'exilés aujourd'hui. Certains sont financés par la CIA, d'autres, non. Je déteste dire une chose pareille, mais beaucoup de ces groupes sont pleins de fêlés et d'indésirables. Je pense qu'une action directe est nécessaire, et avec le nombre de factions aux intérêts contradictoires, ce sera difficile à accomplir.

LB. — La première chose à accomplir, c'est de couper les couilles aux frères Kennedy. L'Organisation a été d'une putain de générosité à l'égard de la Cause jusqu'à ce que Bobby Kennedy devienne complètement cinglé et tranche dans le vif tous les putains de liens existants.

HNI. — Il est difficile d'être optimiste par les temps qui courent. Il est difficile de ne pas se sentir impuissant.

Suit une conversation non pertinente.

666

Tampa, 16/10/62. OL-49777 (domicile de *Robert Paolucci, dit*
« *Gros Bob* », dossier PGC n° 19.3, Bureau de Miami) à GL-
18041 (domicile de *Thomas Richard Scavone*, dossier n°80.0,
Bureau de Miami). Interlocuteurs : Paolucci et Scavone.
Conversation en cours — trente-huit minutes écoulées.

RP. — Je sais que tu connais le plus gros de l'histoire.

TS. — Ben, tu sais comment c'est. Tu ramasses de petits
morceaux ici et là. Ce que je sais très précisément, c'est que Mo
et Santos ont pas parlé à leurs contacts castristes depuis le
braquage.

RP. — Question braquage, c'était quelque chose. Une
quinzaine de morts, bordel de merde. Santos a dit que les
braqueurs avaient probablement dirigé le bateau vers la haute
mer avant de le faire sauter. Deux cents livres, Tommy. Tu
peux estimer la valeur de revente d'un truc pareil, putain ?

TS. — Ça dépasse tout, Bobby. Tout ce qu'on peut imaginer,
bordel.

RP. — Et c'est là-bas, quelque part.

TS. — Exactement ce que je me disais.

RP. — Deux cents livres. Et quelqu'un a tout le paquet.

TS. — J'ai entendu dire que Santos ne renoncera pas.

RP. — C'est bien vrai. Pete le Français a effacé le mec Delsol,
mais c'était rien que le sommet de l'iceberg. J'ai entendu dire
que Santos avait demandé à Pete d'ouvrir l'œil, tu comprends,
comme qui dirait pas officiellement. Ils sont tous les deux
convaincus que des exilés espingos complètement givrés sont
derrière le braquage, et Pete le Grenouillard est à leur
recherche.

TS. — J'ai rencontré certains de ces exilés.

RP. — Moi aussi. C'est tous des putains de givrés.

TS. — Tu sais ce que je déteste chez eux ?

RP. — Quoi ?

TS. — Qu'ils se croient aussi blancs que les Italiens.

Suit une conversation non pertinente.

La Nouvelle-Orléans, 19/10/62. BR-88107 (domicile de *Leon « PDP » Broussard*, dossier PGC n° 88.6, Bureau de La Nouvelle-Orléans) à *Suite 1411 de l'Adolphus Hotel à Dallas, Texas.* (Les registres de l'hôtel indiquent que la suite a été louée par Herschel Meyer Ryskind (dossier n° 16.0, Bureau de Phoenix).

Conversation en cours — trois minutes écoulées.

LB. — T'as toujours eu un faible pour les suites d'hôtel, Hesh. Une suite dans un hôtel, plus une pipe, ç'a toujours été ton idée du paradis sur terre.

HR. — Me parle pas de paradis, Leon. Tu me fais mal à la prostate.

LB. — Je pige. T'es malade, alors tu ne veux pas penser à ce qu'il y a après, tout là-bas.

HR. — C'est ce qu'il y a après tout ici qui me trotte dans la tête, Leon. Et tu as raison. Et je t'ai appelé pour tailler le bout de gras parce que t'as toujours le nez fourré dans les ennuis des autres, et je me suis dit que tu pourrais me refiler quelques potins sur quelques-uns des gars avec des ennuis pires que les miens. Ça me remonterait le moral.

LB. — Je vais essayer, Hesh. Et t'as le bonjour de Carlos, à propos.

HR. — Commençons par lui. Dans quel genre d'ennuis ce gros tas de Rital complètement fêlé s'est-il encore fourré ?

LB. — Y a rien de bien neuf, je dois dire. Et je dois dire aussi qu'il a toujours suspendu au-dessus de sa tête ce machin de déportation et que ça le rend givré.

HR. — Dieu merci, il a cet avocat avec lui !

LB. — Ouais, Littell. Le mec travaille aussi pour Jimmy Hoffa. Oncle Carlos dit qu'il hait tellement les Kennedy qu'il accepterait probablement de travailler gratis.

HR. — Je me suis laissé dire que le mec, c'était le genre paperassier. Il obtient des délais, des reports les uns après les autres.

LB. — T'as absolument raison. Oncle Carlos dit que l'action intentée contre lui par le Service fédéral des Impôts ne passera pas en justice avant la fin de l'année prochaine. Littell épuise littéralement tous ces putains d'avocats du ministère de la Justice.

HR. — Carlos est optimiste, alors ?

LB. — Absolument. Tout comme Jimmy, à ce que j'ai pu entendre. Le problème avec les problèmes de Jimmy, c'est qu'il a dix putains de milliers de grands jurys à ses trousses. Mon sentiment, c'est que tôt ou tard, quelqu'un va réussir à obtenir une condamnation. Et peu importe le talent d'avocat de ce Littell.

HR. — Ça, ça me rend heureux. Jimmy Hoffa est un mec qui a des ennuis approximativement de la taille des miens. Tu t'imagines ? Se retrouver à Leavenworth et se faire embourber le cul par un schwartze ?

LB. — Perspective pas très agréable.

HR. — Le cancer non plus, espèce de merdaillon goy.

LB. — Nous sommes avec toi, Hesh. Tu es dans nos prières.

HR. — Qu'elles aillent se faire foutre, tes prières. Refile-moi quelques cancans. Tu sais pourquoi j'ai appelé.

LB. — Bon.

HR. — Bon, quoi ? Leon, tu me dois de l'argent. Tu sais que je vais mourir avant de pouvoir récupérer mon bien. Donne à un vieillard mourant le réconfort de quelques cancans satisfaisants.

LB. — Bon. J'ai entendu des bruits qui courent.

HR. — Tels que ?

LB. — Tels que cet avocat, Littell, il travaille aussi pour Howard Hughes. On raconte que Hughes veut acheter tous ces hôtels de Las Vegas, et j'ai entendu dire — mais attention, Hesh, rien d'officiel — que Sam G. mourait d'envie à l'idée de trouver un moyen pour participer à l'opération.

HR. — Et Littell n'en sait rien ?

LB. — C'est exact.

HR. — Putain, mais qu'est-ce que j'aime cette putain de vie qui est la nôtre. On s'ennuie jamais, bordel de merde.

LB. — Tu as absolument raison. Pense à tous ces potins qu'on se récupère dans cette grande famille qui est la nôtre.

HR. — Je ne veux pas mourir, Leon. Toutes ces conneries, c'est bien trop bon pour y renoncer.

Suit une conversation non pertinente.

Chicago, 19/11/62. BL-48869 (*Boutique de Tailleur — chez Celano*) à AX-89600 (domicile de *John Rosselli*, dossier PGC n° 902.5, Bureau de Chicago). Interlocuteurs : John Rosseli, Sam « Mo », « Momo », « Mooney » Giancana dossier 480.2).

Conversation en cours — deux minutes écoulées.

JR. — Sinatra est un bon à rien.

SG. — Il est moins que bon à rien.

JR. — Les Kennedy refusent même de prendre ses coups de téléphone.

SG. — Personne ne hait ces enculés d'Irlandais plus que moi.

JR. — Sauf peut-être Carlos et son avocat. C'est comme si Carlos savait que tôt ou tard, il allait être à nouveau déporté. C'est comme s'il se voyait à nouveau au Salvador, en train de se nettoyer le cul de toutes les épines de cactus qu'il aura ramassées.

SG. — Carlos a ses problèmes. Moi, j'ai les miens. Les mecs des brigades anti-rackets de Bobby me collent au cul comme jamais les Fédés habituels ne l'avaient fait. J'aimerais me prendre un marteau de carrossier et lui défoncer le crâne, à ce putain de Bobby.

JR. — Et à son frère.

SG. — A son frère tout particulièrement. Ce mec, c'est rien d'autre qu'un traître qui se fait passer pour un héros. C'est rien d'autre qu'un cajoleur de cocos déguisé en loup.

JR. — Il a quand même obligé Khrouchtchev à reculer, Mo. Il faut que je lui reconnaisse ça. Krouchtchev les a déménagés, ces foutus missiles.

SG. — Ça, c'est de la connerie. Pour apaiser le peuple, avec un beau glaçage au sucre. Un mec de la CIA que je connais m'a dit que Kennedy a passé un petit marché en douce avec Krouchtchev. D'accord, il a déménagé les missiles. Mais mon gars de la CIA m'a dit que Kennedy a été obligé de promettre qu'il n'envahirait plus jamais Cuba, bordel de merde. Pense un peu à ça, Johnny. Pense à nos casinos et fais-leur signe au revoir, pour toujours, putain de merde.

JR. — On dit que Kennedy doit s'adresser à des survivants de la baie des Cochons au cours de l'Orange Bowl en décembre. Pense à tous les mensonges qu'il va leur raconter.

SG. — Un patriote cubain devrait le descendre. Un patriote cubain que ça gêne pas de mourir.

JR. — Je me suis laissé dire que Kemper Boyd entraîne des mecs comme ça pour descendre Castro.

SG. — Kemper Boyd, c'est un pédé. Il a les yeux rivés à la mauvaise cible. Castro, c'est rien d'autre qu'un bouffeur de tacos qui sait baratiner des conneries.

Suit une conversation non pertinente.

DOCUMENT EN ENCART : 20/11/62. *Sous-titre du* Des Moines Register :

HOFFA NIE TOUTE ACCUSATION DE CORRUPTION

DOCUMENT EN ENCART : 17/12/62. *Grand titre du* Cleveland Plain-Dealer :

HOFFA ACQUITTE DANS L'AFFAIRE DE TEST FLEET

DOCUMENT EN ENCART : 12/1/63. *Sous-titre du* Los Angeles Times :

HOFFA SOUS EXAMEN POUR CORRUPTION DU JURY DE TEST FEET

DOCUMENT EN ENCART : 10/5/63. *Manchette et sous-titre du* Dallas Morning-News :

HOFFA INCULPE
LE CHEF DES CAMIONNEURS ACCUSE DE CORRUPTION DE JURY

DOCUMENT EN ENCART : 25/6/63. *Manchette et sous-titre du* Chicago Sun-Times :

DOCUMENT EN ENCART : 29/7/63. *Extrait d'écoutes FBI — Marqué — « TOP-SECRET/CONFIDENTIEL — DESTINATAIRE UNIQUE : LE DIRECTEUR —* AUCUNE TRANSMISSION A AUCUN MEMBRE EXTERIEUR AU MINISTERE DE LA JUSTICE. »

Chicago, 28/7/63. BL-488869 (*Boutique de tailleur « Chez Celano »*) à AX-89600 (domicile de *John Rosselli,* dossier PGC n° 902.5, Bureau de Chicago). Interlocuteurs : John Rosselli, Sam « Mo », « Momo », « Mooney » Giancana (dossier 480.2). Conversation en cours — dix-huit minutes écoulées.

SG. — Je suis fatigué, putain, cruellement fatigué par tout ça.

JR. — Sammy, je te comprends.

SG. — Le FBI m'a placé sous surveillance vingt-quatre heures sur vingt-quatre. Bobby est passé par-dessus Hoover pour donner l'ordre. Je me retrouve sur un putain de terrain de golf et qu'est-ce que je vois ? Ces putains de G-men en train de tirer la tronche dans le rough et sur les fairways, et pour ce que j'en sais, ils ont aussi dû coller des mouchards dans les putains de bunkers.

JR. — Je te comprends, Mo.

SG. — Je suis cruellement fatigué par tout ça. Tout comme Jimmy et Carlos. Et comme tous les affranchis avec qui je discute.

JR. — Jimmy va tomber. Je le vois comme un nez au milieu d'une figure. J'ai aussi entendu dire que Bobby s'était déniché une balance de première. Je ne connais pas les détails, mais...

SG. — Je les connais, moi. Il s'appelle Joe Valachi. Il faisait le soldat pour Vito Genovese. Il était à Atlanta, quelque chose comme dix ans à perpète pour trafic de stupéfiants.

JR. — Je crois que j'ai dû le rencontrer un jour.

SG. — Dans le Milieu, tout le monde rencontre tout le monde au moins une fois.

JR. — C'est bien vrai.

SG. — Et comme je te disais avant que tu m'interrompes, Valachi était à Atlanta. Il a pété un boulon et il a tué un autre détenu, parce qu'il croyait que Vito l'avait envoyé pour qu'il le descende. Il avait tort, mais Vito a effectivement lancé un contrat sur sa tête, parce que le mec que Valachi a effacé était un bon ami à Vito.

JR. — Ce Valachi, c'est un taré de première.

SG. — Et c'est un taré qui a les foies, en plus. Il a supplié pour qu'on le mette sous protection fédérale, et Bobby a battu Hoover sur le fil et est arrivé le premier. Ils ont passé un marché. Valachi obtient une protection sa vie durant et, en échange, il mange le morceau sur l'Organisation, un putain de caftage en masse. On dit que Bobby va le mettre aux premières loges de son putain de Comité McClellan nouvellement ressuscité, en septembre ou quelque chose comme ça.

JR. — Oh, putain. *Mon*, c'est mauvais, ça.

SG. — C'est pire que mauvais. C'est probablement le pire de tous les putains de trucs qui sont jamais tombés sur l'Organisation. Valachi, ça fait quarante ans qu'il est affranchi. Est-ce que tu sais tout ce qu'il sait ?

JR. — Oh, putain !

SG. — Arrête de dire, oh putain, espèce de stupide enfoiré.

Suit une conversation non pertinente.

DOCUMENT EN ENCART : 10/9/63. *Note personnelle — de Ward J. Littell à Howard Hughes.*

Cher monsieur Hughes,

Veuillez, je vous prie, considérer la présente comme une requête officielle d'ordre professionnel, une requête que je ne vous soumets qu'en tout dernier ressort. J'espère que les cinq mois que je viens de passer à votre emploi vous ont convaincu que je ne présenterais jamais quelque requête que ce soit hors procédure normale si je n'estimais pas qu'elle fût absolument vitale pour vos intérêts.

J'ai besoin de 250 000 dollars. Cet argent sera destiné à faire échouer les procédures officielles engagées à votre endroit et à garantir à M. J. Edgar Hoover de pouvoir conserver son poste comme directeur du FBI.

J'estime que le maintien de M. Hoover dans sa position actuelle de directeur est un élément essentiel de nos projets concernant Las Vegas. Veuillez, je vous prie, me faire part de votre décision dès que possible et veuillez, je vous prie, garder ce communiqué dans le secret le plus absolu.

Respectueusement,

Ward J. Littell.

DOCUMENT EN ENCART : 12/9/63. *Note personnelle — de Howard Hughes à Ward J. Littell.*

Cher Ward,

Votre plan, pour détournés qu'en eussent été les termes, m'a impressionné par sa justesse. La somme que vous souhaitez vous sera transmise prochainement. Veuillez je vous prie justifier cette dépense par des résultats positifs le plus rapidement possible.

Cordialement,

H. H.

Cinquième partie

CONTRAT

Septembre-Novembre 1963

DOCUMENT EN ENCART : 13/9/63. *Mémorandum du ministère de la Justice — Du Procureur général Robert F. Kennedy au Directeur du FBI, J. Edgar Hoover.*

Cher monsieur Hoover,

Le président Kennedy cherche à établir une normalisation des relations avec la Cuba communiste et il s'inquiète de l'étendue des sabotages et attaques incessantes perpétrés par des exilés cubains le long des côtes de l'île, très précisément des actions violentes entreprises par des groupes d'exilés non soutenus par la CIA et stationnés en Floride et sur la côte du Golfe.

Ces actions de francs-tireurs doivent cesser. Le président veut que son ordre soit mis à exécution immédiatement en le classant comme priorité absolue pour le ministère de la Justice et le FBI. Les agents en poste en Floride ou sur la côte du Golfe ont pour mission de commencer dès à présent à se saisir de tou l'armement disponible en s'attaquant à tous les camps d'exilés qui ne sont pas de manière explicite soutenus par la CIA ou approuvés par mémorandums de politique étrangère clairement établis.

Ces attaques doivent commencer immédiatement. Veuillez, je vous prie, me retrouver à mon bureau à 15 heures cet après-midi afin de discuter des détails des opérations et de passer en revue la liste de mes sites-cibles initiaux.

Cordialement,

Robert F. Kennedy.

85

Miami, 15 septembre 1963.

La cabane du standard était bardée de planches. Le papier peint orange et noir était déchiré, transformé en bandelettes-souvenirs.

Adios, Tiger Kab.

La CIA avait retiré sa demi-participation. Jimmy Hoffa avait largué sa moitié à lui, combine pour lui éviter de payer des impôts. Il avait dit à Pete de vendre les taxis pour se récupérer un peu de menue monnaie.

Pete dirigeait la vente-liquidation organisée sur le parc de stationnement. Des télés destinées à amorcer l'acheteur étaient posées sur tous les capots à rayures tigrées.

Pete les avait branchées sur un groupe électrogène portatif. Deux douzaines d'écrans beuglaient les infos : une église de Négros à Birmingham s'était fait bombarder une heure auparavant.

Quatre Négrillons s'étaient vaporisés. Kemper Boyd, prends note.

Des badauds encombraient le parc de stationnement. Pete empochait le liquide et contresignait les bordereaux de vente.

Au revoir, Tiger Kab. Merci pour les souvenirs.

Réductions du financement et ralentissement progressif des activités de l'Agence rendaient la vente inévitable. JM/Wave continuait obstinément à survivre, moins un paquet de personnel.

Le Cadre était dissous. Santos disait qu'il se retirait des stupéfiants — le mensonge le plus épique de tous les temps.

L'ordre officiel était tombé en décembre dernier. Joyeux Noël — votre escadron-came d'élite est *kaput*.

Teo Paez dirigeait une écurie de putes à Pensacola. Fulo Machado était dans la débine quelque part. Ramon Guttierez anti-castrisait à l'extérieur de La Nouvelle-Orléans.

Chuck Rogers avait perdu son statut de contractuel. Nestor Chasco était à Cuba, mort ou vivant.

Kemper Boyd continuait à diriger son escouade DESSOUDEZ-CASTRO.

Le Mississippi était devenu un terrain trop brûlant. Les problèmes de droits civiques s'accumulaient, une véritable escalade, et polarisaient les gens du cru.

Boyd avait déménagé son escouade à Sun Valley, Floride. Ils avaient pris possession d'un groupe d'apparts préfabriqués. Et cette ancienne villégiature pour Camionneurs avait ainsi fini par se trouver des occupants.

Ils avaient installé un stand de tir et un parcours de reconnaissance. Ils restaient rivés à leur problème de TUER FIDEL. Ils avaient infiltré Cuba à neuf reprises — les deux Blancs Boyd et Guery inclus.

Ils avaient ramené cent scalps cocos. Ils n'avaient jamais revu Nestor. Jamais ils ne s'étaient approchés de Castro.

La came était toujours planquée au Mississippi. La « Chasse » aux braqueurs suivait toujours son cours plus ou moins sporadique.

Pete ne cessait de suivre de fausses pistes. Sa peur prenait parfois des proportions méchantes. Il avait *à moitié* convaincu Santos et Sam que les braqueurs s'étaient taillés à Cuba.

Santos et Sam n'en gardaient pas moins des soupçons persistants. Ils n'arrêtaient pas de répéter, où est passé ce mec, Chasco ? — il s'était carapaté de la scène des exilés en quatrième vitesse.

Il ne cessait de poursuivre de fausses pistes. Il organisait ses poursuites en synchro avec le programme de la tournée de Barb.

Langley l'avait envoyé chercher des armes. Ses circuits lui fournissaient une bonne couverture pour ses poursuites.

Sa peur prenait parfois des proportions méchantes. Les migraines étaient revenues. Il engloutissait des panachés de came pour se procurer un sommeil instantané et sans rêve.

679

Il avait paniqué en mars dernier. Il s'était retrouvé bloqué à Tuscaloosa, en Alabama — avec le programme prévu pour Barb annulé à la dernière minute.

Les orages inondaient les routes. L'aéroport avait fermé. Il s'était rendu dans un bar favorable aux exilés et avait travaillé à atténuer sa migraine au bourbon. Deux Espingos à l'allure de minables commencèrent à jouer aux merdeux — en parlant d'héroïne, trop fort.

Il cadra ses bonshommes : Deux piquouzards, à la clientèle de minus. Il vit le moyen de faire taire sa peur, tout de suite, une bonne fois pour toutes.

Il les fila jusqu'à leur tanière à camés. C'était Envapé-Central : des Espingos vautrés sur des matelas comme des tas de merde, des Espingos en train de se piquouzer, des Espingos en train de se chourer des shooteuses dégueulasses à même le sol.

Il les avait tués. Tous. Il en avait cramé le filetage de son silencieux, à descendre tous ces camés de sang-froid. Il avait arrangé la scène pour faire croire à un massacre entre Espingos camés.

Il appela Santos, étouffé par la trouille, la gorge sèche.

Il dit qu'il était tombé sur une boucherie. Il dit qu'un mourant avait avoué être l'auteur du braquage. Il dit, lisez les journaux de Tuscaloosa — ça va faire la une demain.

Il avait pris l'avion pour rejoindre Barb, à l'étape suivante de sa tournée. Ni les journaux, ni la télé n'avaient parlé des meurtres. Santos dit : « Continue à chercher. »

Les camés étaient morts à moitié comateux. Chuck disait que Heshie Ryskind se mourait — le H le faisait partir doucement sur un petit nuage indolore.

Bobby Kennedy avait nettoyé les écuries l'année dernière. Il avait déclenché une série de petits départs non indolores.

Des mecs sous contrat s'étaient fait virer par charrettes entières. Bobby avait saqué tous les contractuels soupçonnés d'entretenir des liens avec le crime organisé.

Il avait négligé de virer Pete Bondurant.

Mémo à Bobby K. :

S'il vous plaît, virez-moi. S'il vous plaît, sortez-moi du circuit des exilés. S'il vous plaît, débarrassez-moi de cette horrible mission « Cherche et trouve ».

C'était inconcevable. Santos pourrait peut-être dire : Prends un peu de repos. Sans attaches CIA, tu ne vaux plus rien.

Santos pourrait peut-être dire : Travaille pour moi. Santos pourrait peut-être dire : Regarde Boyd — Carlos l'a gardé à son service.

Il pouvait supplier. Il pouvait dire, je ne hais plus Castro comme je le haïssais. Il pouvait dire, je ne le hais pas autant que Kemper le hait — parce que je n'ai pas eu droit à la chute qu'il s'est payée.

Ma fille ne m'a pas trahi. L'homme que j'idolâtrais ne m'a pas ridiculisé sur bande magnétique. Je n'ai pas transféré la haine que j'avais pour cet homme sur un Espingo barbu à la grande gueule.

Boyd est engagé, jusqu'au cou. Moi, je marche sur un nuage. De ce côté-là, on est comme Bobby et Jack.

Boyd dit : Allez, les exilés, allez. Il est sérieux. Jack refuse de donner le feu vert à une seconde occasion.

Jack a passé un marché en secret avec Krouchtchev. Il est en train de se débarrasser doucement de la guerre Castro d'une manière pas trop provocatrice.

Il veut être réélu. Langley pense qu'il larguera la guerre aux oubliettes au début de son second mandat.

Jack pense que Fidel est imbattable. Il n'est pas le seul. Même Santos et Sam G. ont fait de la lèche au salopard pendant un moment.

Carlos disait que le braquage de la came avait fait virer à l'aigre leur petite amourette coco. Les frères Castro, Sam et Santos étaient aujourd'hui en permanence à Taille-la-Ville.

Personne n'avait la came. Tout le monde était baisé.

Les chalands se promenaient dans le parc de stationnement. Un vieux balançait des coups de pied dans les pneus. Les ados trouvaient super-chouette la peinture à rayures tigrées.

Pete se tira une chaise à l'ombre. Quelques clowns appartenant aux Camionneurs dispensaient gratis bières et boissons non alcoolisées. Ils vendirent quatre voitures en cinq heures — pas terrible, mais pas mal.

Pete essaya de somnoler. Une migraine commença à lui battre le crâne.

Deux civils traversèrent le parc de stationnement et se

dirigèrent droit sur lui. La moitié de la foule renifla une odeur d'ennuis et se carapata direction Flagler.

Les télés furent volées au passage. La vente proprement dite était probablement illégale.

Pete se leva. Les deux hommes le coincèrent en lui montrant leur plaque FBI.

Le plus grand des deux dit :

— Vous êtes en état d'arrestation. Ceci est un lieu de rencontre entre exilés cubains et il n'est pas autorisé, et vous êtes un habitué connu de l'endroit.

Pete sourit.

— Cet endroit est mort de sa belle mort. Et je suis sous contrat avec la CIA.

Le petit Fédé décrocha ses menottes.

— Nous ne sommes pas dénués de sympathie. Nous n'aimons pas les communistes plus que vous.

Le grand soupira.

— Ce n'était pas l'idée de M. Hoover. Disons simplement qu'il a été obligé de s'aligner. C'est un ordre valable à tous les échelons, et je ne pense pas que vous restiez longtemps en détention.

Pete tendit les bras. Les menottes étaient trop petites pour ses poignets.

Les badauds restants disparurent. Un gamin chopa un poste télé et se défila.

— Je ne ferai pas de problèmes, dit Pete.

La cage de détention provisoire était bourrée au triple de sa capacité. Pete partageait la surface au sol avec une centaine de Cubains qui faisaient la gueule.

On les avait fourrés dans un trou puant. Neuf mètres au carré. Pas de chaises, pas de bancs — rien que quatre murs en ciment et une rigole à pisse sur toute la périphérie.

Les Cubains baragouinaient en anglais et espagnol. Esgourdez-moi ce qui en ressortait, en bilingue : Jack la Belle Coupe avait envoyé les Fédés attaquer la Cause.

Hier, des descentes avaient eu lieu dans six camps d'entraînement. On avait saisi les armes. Et arrêté en masse des « soldats » cubains.

C'était en quelque sorte la première salve. Jack avait décidé de frapper fort et vite sur tous les exilés qui n'avaient pas le soutien de la CIA.

Lui était CIA. Et s'était fait boucler malgré tout. Les Fédés avaient monté un plan à la va-vite et s'étaient lancés, à moitié préparés.

Pete s'appuya contre le mur et ferma les yeux. Barb lui apparut, twistant.

C'était bon, avec elle, chaque fois. Chaque fois, c'était différent. Chaque lieu était différent — deux êtres sans cesse en déplacement qui se raccrochaient l'un à l'autre là où ils pouvaient.

Bobby n'avait jamais cherché à passer Barb sur le grill. Barb pensait qu'on avait étouffé le coup. Elle disait que Jack les Deux minutes ne lui manquait pas.

Elle avait donné à sa sœur ses honoraires de maîtresse-chanteuse. Margaret Lynn Lindscott était maintenant propriétaire d'une franchise Bob's Big Boy.

Ils s'étaient retrouvés à Seattle, Pittsburgh et Tampa. Ils s'étaient retrouvés à L.A., Frisco et Portland.

Il faisait du transport d'armes. Elle était la vedette d'un spectacle de danse minable. Il poursuivait des tueurs/voleurs de came qui n'existaient pas.

Elle disait, tes peurs me rongent. Il lui dit, je vais essayer de les faire moins fortes. Elle lui dit, non, ne fais pas ça — ça te rend moins effrayant.

Il dit qu'il avait fait une bourde, une bourde stupide. Il dit qu'il ne savait pas pourquoi il l'avait faite.

Elle dit, tu as voulu t'obliger à sortir du Milieu, par la force.

Il fut incapable de la contredire.

Barb avait un automne très chargé qui l'attendait. Des engagements de longue durée étaient prévus dans les boîtes de nuit de Des Moines et Sioux City, ainsi qu'une grande tournée au Texas jusqu'à Thanksgiving.

Elle rajouta des spectacles-déjeuners à son escarcelle. Le twist commençait à se mourir — Joey voulait en exprimer jusqu'à la dernière goutte.

683

Il avait rencontré Margaret à Milwaukee. Elle était douce, elle était humble, effrayée par pratiquement n'importe quoi.

Il lui avait proposé de tuer le violeur. Barb avait dit, non.

Il avait dit, pourquoi ? Barb avait répondu, tu n'en as pas vraiment envie.

Il fut incapable de la contredire.

Il avait Barb. Boyd avait sa haine : Jack K. et le Barbu réduits à une obsession unique, foireuse, qui envahissait tout. Littell avait des amis puissants.

Comme Hoover. Comme Hughes. Comme Hoffa et Marcello.

Ward haïssait Jack tout autant que Kemper. Bobby les avait baisés tous les deux — mais ils l'avaient court-circuité pour haïr Grand Frère.

Littell était le nouveau maréchal de Dracula. Le Comte voulait qu'il rachète tout Las Vegas et débarrasse la ville de tous ses microbes.

Le regard de Littell était facile à lire.

J'ai des amis. J'ai des projets. J'ai mémorisé les livres comptables de la Caisse.

La cage à préventive puait. La cage à préventive résonnait de haine pour John F. Kennedy.

Un garde entrouvrit la porte et fit sortir des hommes pour les laisser téléphoner.

— Acosta, Aguilar, Arredondo... hurla-t-il.

Pete se prépara. Une pièce de dix *cents* lui suffirait pour contacter Littell à D.C.

Littell pourrait lui magouiller une ordonnance fédérale de relaxe. Littell pourrait tuyauter Kemper sur les descentes dans les camps d'exilés.

— Bondurant ! hurla le garde.

Pete s'avança. Le garde le dirigea sur la passerelle vers une batterie de téléphones.

Guy Banister l'y attendait. Il tenait à la main un stylo et un formulaire pour arrestation arbitraire.

Le garde retourna à la cellule. Pete signa, par trois fois.

— Je suis libre de partir ?

Banister avait l'air de jubiler.

— C'est exact. L'ASC ne savait pas que tu étais Agence, alors je l'ai informé.

— Qui t'a appris où j'étais ?

— J'étais parti à Sun Valley. Kemper m'a remis un petit mot pour toi, alors je suis passé à la société de taxis pour te le remettre. Des gamins étaient occupés à voler des enjoliveurs. Ils m'ont dit que le Grand Gringo s'était fait arrêter.

Pete se frotta les yeux. Un mal de crâne, intensité quatre aspirines, commença à cogner.

Banister sortit une enveloppe :

— Je ne l'ai pas ouverte. Et Kemper avait l'air bigrement pressé que je fasse la commission.

Pete s'empara de l'enveloppe.

— Je suis content que tu sois un ex-Bureau, Guy. Y aurait peut-être fallu que je reste ici un moment.

— T'agite donc pas comme ça, mon grand. J'ai comme l'impression que toutes ces conneries à la Kennedy sont sur le point de finir.

Pete prit un taxi à la station. Des vandales avaient désossé les voitures-tigres, juste bonnes pour les pièces.

Il lut le mot. Boyd allait droit au but.

> Nestor est ici. J'ai un tuyau comme quoi on l'a vu mendier de l'argent pour s'offrir des armes à Coral Gables. Ma source me dit qu'il se planque à la 46ᵉ et Collins (l'appartement sur garage de couleur rose au coin sud-ouest).

Le mot signifiait : TUE-LE. Ne laisse pas Santos arriver à lui le premier.

Il se prit bourbon et aspirine pour sa migraine.

Il se prit son Magnum et son silencieux pour le boulot.

Il se prit quelques brochures pro-castristes qu'il laisserait délibérément près du cadavre.

Il prit la voiture jusqu'à la 46ᵉ et Collins. Il emportait avec lui une révélation étrange et surprenante : Tu pourrais peut-être bien laisser Nestor te convaincre de ne rien faire.

685

L'appartement sur garage, couleur rose, était bien là, comme prévu. La Chevy 58 en bordure de trottoir ressemblait tout à fait à une caisse dans le style Nestor.

Pete se rangea.

Pete se prit les chocottes.

Vas-y, fais-le — tu as tué au moins trois cents hommes.

Il monta et frappa à la porte.

Personne ne répondit.

Il frappa à nouveau. Il tendit l'oreille, à l'affût de bruits de pas et de murmures.

Il n'entendit rien. Il fit sauter la serrure à l'aide de son canif et entra.

Des bruits de culasse de fusil à pompe résonnèrent : KA-CHOOK. Une main invisible appuya sur un interrupteur.

Et voilà Nestor, ligoté à une chaise. Et voilà deux tas de lard, deux gros bras armés de fusils à pompe Ithaca.

Et voilà Santos Trafficante avec un pic à glace.

86

La Nouvelle-Orléans, 15 septembre 1963.

Littell ouvrit sa mallette. Des liasses de billets en tombèrent.

— Combien ? dit Marcello.

— Un quart de million de dollars, dit Littell.

— Où l'as-tu eu ?

— A un client.

Carlos nettoya une partie de son bureau. Dans toute la pièce s'entassaient des colifichets en masse de style italien.

— Tu veux dire que tout ça, c'est pour moi ?

— Je dis que c'est à vous d'en rajouter autant.

— Et qu'est-ce que tu dis d'autre ?

Littell vida l'argent sur le bureau.

— Je dis qu'en tant qu'avocat, je ne peux pas faire plus que je ne peux. Avec John Kennedy au pouvoir, Bobby vous aura tous autant que vous êtes tôt ou tard. Je dis également qu'éliminer Bobby serait un acte futile, parce que Jack saurait instinctivement qui en est l'auteur et qu'il se vengerait en conséquence.

L'argent avait une odeur. Hughes avait récupéré de vieux billets.

— Mais Lyndon Johnson n'aime pas Bobby. Il lui mettrait des bâtons dans les roues rien que pour que ça serve de leçon à ce foutu gamin.

— C'est exact. Johnson hait Bobby de la même haine que M. Hoover. Et comme M. Hoover, il ne vous en veut en rien. Ni à vous. Ni à vos autres amis.

Marcello éclata de rire.

— LBJ a emprunté de l'argent aux Camionneurs un jour. C'est le mec raisonnable, c'est bien connu.

— Tout comme M. Hoover. Et M. Hoover est également très mal à l'aise à l'idée que Bobby envisage de faire passer Joe Valachi à la télé. Il craint énormément que les révélations de Valachi n'endommagent grandement son prestige et détruisent pratiquement tout ce que vous et vos autres amis avez bâti.

Carlos se monta un petit gratte-ciel en billets. Les liasses se dressaient sur son sous-main.

Littell fit dégringoler l'échafaudage.

— Je pense que M. Hoover veut que cela arrive. Je pense qu'il le sent venir.

— Nous y pensons tous. Impossible de se retrouver ensemble dans une pièce sans qu'un des gars ramène ça sur le tapis.

— Il est possible de faire en sorte que cela se produise. Et il est possible de faire en sorte que personne ne sache jamais que nous sommes impliqués.

— Donc tu es en train de me dire...

— Je suis en train de dire que c'est tellement gros, tellement audacieux que nous ne serons très vraisemblablement jamais soupçonnés. Je suis en train de dire que même si nous le sommes, les pouvoirs en place comprendront bien que la chose ne pourra jamais être prouvée de manière irréfutable. Je suis en train de dire que se constituera alors un consensus de dénégations à tous les échelons. Je suis en train de dire que les gens voudront se souvenir de l'homme comme de quelqu'un qui n'était pas, d'une image plus que d'une réalité. Je suis en train de dire que nous leur offrirons une explication, et les pouvoirs en place la préféreront à la vérité, même s'ils ne sont pas dupes.

— Fais-le, dit Marcello. Fais en sorte que cela arrive.

87

Sun Valley, 18 septembre 1963.

L'escouade partageait son territoire avec les gators et les mouches de sable. Kemper avait surnommé l'endroit « le Paradis Perdu de Hoffa ».

Flash installait les cibles. Laurent faisait des levers au banc avec des parpaings en guise de fonte. Juan Canestel manquait à l'appel — avec un entraînement au tir prévu à 8 heures du matin.

Personne ne l'avait entendu partir. Juan était enclin à de bien étranges balades ces temps derniers.

Kemper observait Laurent Guery à l'exercice. Le bonhomme était capable de lever cent cinquante kilos sans même piquer une suée.

La poussière se soulevait en tourbillons sur la route. Le Boulevard des Camionneurs était devenu un stand de tir.

Flash écoutait son transistor. Qui crachait ses mauvaises nouvelles au milieu des parasites.

Personne n'avait été arrêté dans l'affaire de la bombe qui avait incendié une église de Birmingham. Le Comité McClellan, remis au goût du jour, se préparait à présenter ses audiences à la télévision.

On avait retrouvé une femme étranglée par une cordelette aux abords de Lake Weir. La police n'avait aucune piste et demandait l'aide de la population.

Juan manquait toujours — une heure de retard. Pete était absent depuis trois jours.

Il avait reçu le tuyau sur Nestor grâce à un coup de fil quatre jours auparavant. Le tuyauteur était un exilé, un tireur qui travaillait en solo. Il avait laissé à Guy Banister un mot à faire passer à Pete.

Guy avait appelé pour dire que la commission était faite. Il dit qu'il avait trouvé Pete en détention, à la prison fédérale. En laissant sous-entendre que le FBI allait lancer de nouvelles descentes.

Une tempête avait coupé l'alimentation de leur installation téléphonique deux jours auparavant. Pete ne pouvait pas appeler Sun Valley.

Kemper était allé la veille jusqu'à une cabine téléphonique en bordure de la route inter-Etats. Il avait appelé l'appartement de Pete à six reprises sans obtenir de réponse.

La mort de Nestor Chasco n'avait jamais fait la une. Pete aurait largué le cadavre dans quelque recoin digne d'intérêt.

Pete avait dû faire en sorte que le meurtre retombe sur les pro-castristes. Pete se serait assuré que Trafficante fût mis au courant.

Son coup de fouet matinal à la dexédrine fit effet. Il prenait dix cachets pour démarrer sa journée au quart de tour — l'accoutumance avait pris des proportions importantes.

Juan et Pete manquaient à l'appel. Juan traînait beaucoup avec Guy Banister ces temps derniers — petites virées à boire du côté de Lake Weir tous les deux jours ou à peu près.

L'absence de Pete ne collait pas. Celle de Juan était douteuse, sans plus ni moins. Son coup de fouet aux amphétamines lui dit, fais quelque chose.

Juan conduisait une T-Bird rouge pomme d'api. Flash l'avait baptisée la « Violmobile ».

Kemper parcourait Lake Weir, vitesse de croisière. La ville était petite, avec rues en quadrillage — la Violmobile serait facile à repérer.

Il inspectait les rues latérales et les bars près de la grand-route. Il alla vérifier chez Karl et sa « Kustom Kar Shop » et fit le tour de tous les parcs de stationnement le long de l'arête principale.

Il ne repéra pas Juan. Il ne repéra pas la T-Bird personnalisée de Juan.

Juan pouvait attendre. Ce truc de Pete était plus pressant.

690

Kemper se rendit à Miami. Les pilules commençaient à faire leur effet inverse — il ne cessait de bâiller et de partir dans les vaps au volant.

Il s'arrêta à la 46e et Collins. Cet appartement sur garage, couleur rose, était bien là où le tuyauteur avait dit qu'il serait.

Un flic de la circulation s'approcha. Kemper remarqua un panneau « Stationnement interdit » au coin.

Il descendit sa vitre. Le flic lui colla un chiffon puant dans la figure.

Il avait la sensation qu'une guerre chimique se déroulait en lui.

L'odeur était à la lutte avec ses pilules-réveil. L'odeur pouvait être du chloroforme ou du liquide à embaumer les cadavres. L'odeur signifiait qu'il était peut-être mort.

Son pouls disait, NON — tu es vivant.

Ses lèvres le brûlaient. Son nez le brûlait. Il avait un goût de sang au chloroforme.

Il essaya de cracher. Ses lèvres refusaient de s'écarter. Il recracha le sang par le nez.

Il étira la bouche. Il sentit un tiraillement sur les joues. Comme du sparadrap qui se serait détaché.

Il aspira une goulée d'air. Il essaya de remuer bras et jambes.

Il essaya de se lever. Un lourd contrepoids le retint, rivé sur place.

Il gigota. Des pieds de chaise raclèrent le bois du sol. Il essaya de libérer ses bras et se brûla la peau aux cordes.

Kemper ouvrit les yeux.

Un homme éclata de rire. Une main tint levé un carton sur lequel étaient collés des Polaroïd.

Il vit Teo Paez, éventré, démembré. Il vit Fulo Machado, suriné dans les deux yeux. Il vit Ramon Guttierez, la peau brûlée par la poudre à l'impact de balles de gros calibre dans la tête.

Les photos disparurent. La main fit pivoter son cou. Kemper eut droit à un lent panorama sur 180 degrés.

Il vit une pièce minable et deux gros mecs dans une embrasure de porte. Il vit Nestor Chasco — épinglé au mur opposé, paumes des mains et chevilles transpercées de pics à glace.

Kemper ferma les yeux. Une main le gifla. Une grosse et lourde vague lui entailla les lèvres.

Kemper ouvrit les yeux. Des mains firent pivoter sa chaise sur 360 degrés.

Ils avaient enchaîné Pete. Ils l'avaient doublement menotté et entravé à un fauteuil. Ils avaient boulonné le fauteuil directement au sol.

Un chiffon lui arriva dans la figure. Kemper en aspira les vapeurs délibérément.

Il entendait des histoires filtrées par une longue chambre d'écho. Il discerna trois voix différentes, en train de raconter.

Nestor s'est approché de Castro à deux reprises. Il faut lui rendre cette justice.

Un môme aussi duraille — quelle pitié de le dessouder.

Nestor a dit qu'il avait acheté un aide de Castro. L'aide disait que Castro envisageait de descendre Kennedy. L'aide disait, c'est quoi, ce Kennedy? D'abord, il nous envahit, ensuite il se retire — on dirait une connasse qui n'arrive pas à se décider.

C'est Fidel la connasse. L'aide a dit à Chasco que jamais plus il ne travaillerait avec l'Organisation. Il pense que Santos l'a baisé sur le coup de la livraison d'héroïne. Il ne savait pas que c'était Nestor et nos petits gars ici présents les responsables.

Bondurant a pissé dans son froc. Regarde, on voit la tache.

Santos et Mo n'ont pas été gentils. Et je dois dire que Nestor est parti comme un brave.

Ça m'ennuie, tout ça. Je dois dire que ça me les gonfle, d'attendre comme ça.

Je dois dire qu'ils seront bientôt de retour. Je dois dire qu'ils vont vouloir faire un peu de mal à ces deux-là.

Kemper sentit sa vessie qui le lâchait. Il prit une profonde inspiration et s'obligea à sombrer dans l'inconscience.

Il rêvait qu'il était en train de bouger. Il rêvait qu'on l'avait nettoyé et qu'on lui avait changé ses vêtements. Il rêvait qu'il avait entendu le féroce Pete Bondurant sangloter.

Il rêvait qu'il pouvait respirer. Il rêvait qu'il pouvait parler. Il ne cessait de maudire Jack et Claire pour l'avoir renié.

Il se réveilla dans un lit. On avait ôté son caleçon souillé.

Il sentit des brûlures de cordes sur ses poignets. Il sentit des fragments de sparadrap collés sur son visage.

Il entendit des voix une pièce plus loin — Pete et Ward Littell.

Il essaya de se lever. Ses jambes refusèrent de répondre. Il s'assit sur le lit et cracha ses poumons.

Littell entra. Avec un air d'autorité — ce complet en gabardine lui donnait de l'étoffe.

— Il y a un prix, dit Kemper.

Littell acquiesça.

— C'est exact. Il s'agit de quelque chose que j'ai mis au point avec Carlos et Sam.

— Ward...

— Santos est d'accord, lui aussi. Et toi et Pete, vous pouvez garder ce que vous avez volé.

Kemper se leva. Ward le soutint.

— Qu'est-ce que nous devons faire ?

— Tuer John Kennedy, dit Littell.

88

Miami, 23 septembre 1963.

1933 à 1963. Trente années d'écoulées et deux situations parallèles.

Miami, 33. Giuseppe Zangara essaie d'abattre le Président Franklin D. Roosevelt. Il rate son coup — et tue le maire de Chicago Anton Cermak.

Miami, 63. Un défilé motorisé Kennedy est prévu pour le 18 novembre.

Littell sillonnait au ralenti Biscayne Boulevard. Chaque pouce de terrain lui disait quelque chose.

Carlos lui avait raconté l'histoire Zangara la semaine dernière.

— Giuseppe était un putain de fêlé. Des gars à nous de Chicago l'avaient payé pour dessouder Cermak et porter le chapeau. Ce mec voulait mourir, mourir, et son putain de vœu a été exaucé. Frank Nitti a pris soin de sa famille après qu'il a été exécuté.

Il avait rencontré Carlos, Sam et Santos. Il avait marchandé pour Pete et Kemper. Ils avaient discuté en détail du problème du mec qui porterait le chapeau.

Carlos voulait un gauchiste. Il était d'avis qu'un assassin de gauche allait galvaniser le ressentiment anti-castriste. Trafficante et Giancana y étaient opposés et emportèrent la décision.

Ils avaient ajouté à la contribution de Howard Hughes une somme équivalente. En spécifiant une exigence : comme pigeon, nous voulons un mec de droite.

Ils voulaient toujours faire de la lèche à Fidel. Ils voulaient regarnir la réserve de came de Raul Castro et effectuer un

694

rapprochement tardif. Ils voulaient signifier, c'est nous qui avons financé l'attentat — maintenant, vous voulez bien nous rendre nos casinos ?

Leur cadrage de la situation était bien trop tarabiscoté. Et politiquement, très naïf.

Son cadrage à lui, en comparaison, était bien moins ambitieux, presque minimaliste.

L'attentat peut être accompli. Ses organisateurs comme les tireurs peuvent s'en tirer. La croisade anti-Mafia de Bob peut être réduite à néant.

Au-delà, les résultats escomptés étaient imprévisibles, et verraient très vraisemblablement leur résolution sous des formes d'une ambiguïté absolue.

Littell se dirigea vers le centre ville de Miami. Il nota les itinéraires éventuels du défilé automobile — de larges avenues avec grande visibilité.

Il vit de grands immeubles avec parcs de stationnement sur l'arrière. Il vit des panneaux « Bureaux à louer ».

Il vit des blocs résidentiels décrépits. Il vit des panneaux « Maisons à louer » et une boutique d'armes.

Il voyait le défilé lui passer devant les yeux. Il voyait la tête de l'homme exploser.

Ils se retrouvèrent au Fontainebleau. Pete passa toute la pièce à la fouille, à la recherche de mouchards éventuels, avant qu'ils ne prononcent un mot.

Kemper prépara les boissons. Ils s'assirent autour d'une table près du bar avec évier.

Littell détailla le plan.

— Nous amenons le pigeon à Miami, avant le 1er octobre. Nous lui faisons louer une petite maison bon marché à la limite du centre ville, près de l'itinéraire annoncé ou présumé du défilé présidentiel — *et* un bureau directement sur l'itinéraire — une fois que celui-ci sera déterminé. J'ai parcouru toutes les grandes artères qui relient l'aéroport au centre ville ce matin. Et je dirais que nous avons un large choix de maisons et de bureaux à louer à notre disposition.

Pete et Kemper ne disaient rien. Ils donnaient encore l'impression d'être en état de choc, comme après un barrage d'artillerie.

— L'un de nous se colle aux basques du pigeon entre le moment où nous l'aurons fait venir ici et le matin du défilé. Il y a une boutique d'armes près de son bureau et de sa maison, et l'un de vous va la cambrioler et voler plusieurs fusils et pistolets. Des brochures d'incitation à la haine et autres morceaux de choix compromettants sont disposés dans la maison, et notre homme les manipule pour y laisser ses empreintes...

— Viens-en à l'attentat proprement dit, dit Pete.

Littell figea l'instant : trois hommes à une table et un silence à entendre une mouche voler.

— C'est le jour du défilé, dit-il. Nous tenons notre homme au bureau sur l'itinéraire de la parade. Il a avec lui un fusil provenant du cambriolage de la boutique, ses empreintes figurent sur la crosse et l'affût. La voiture de Kennedy passe. Nos deux tireurs légitimes font feu à partir de deux postes séparés, sur le toit, et tuent le président. L'homme qui détient en otage notre pigeon fait feu sur la voiture de Kennedy et rate son coup. Il laisse le fusil sur place et abat le pigeon avec un revolver volé. Il s'échappe et, dans sa fuite, laisse tomber le revolver dans une bouche d'égout. La police retrouve les armes et les compare à la déclaration de vol. Elle les place comme pièces à conviction en se disant qu'ils sont face à un complot qui a réussi de justesse et qui s'est éclairci bien malgré lui à la dernière seconde. On enquêtera sur le mort, en essayant de bâtir un dossier de conspiration contre ses relations connues.

Pete alluma une cigarette et toussa.

— Tu as dit, « s'échappe » comme si tu pensais que de se sortir de là, c'était l'affaire de deux temps trois mouvements.

Littell parla lentement.

— Il y a des rues latérales perpendiculaires à chaque grande artère que j'ai qualifiée de « probable pour le défilé ». Elles sont toutes accessibles à partir de l'autoroute en moins de deux minutes. Nos tireurs légitimes feront feu par-derrière. *Ils tireront deux balles au total* — et tout le monde aura d'abord l'impression qu'il s'agit de ratés d'allumage ou de pétards. Les hommes du Service secret ne sauront pas exactement d'où les coups de feu seront partis. Ils seront encore occupés à réagir lorsqu'il y aura une fusillade. Des *détonations multiples* — tirées par notre pseudo tireur et par l'homme qui le garde — vont retentir. L'immeuble sera pris d'assaut et on découvrira un cadavre. Ils seront distraits par ce qui s'est produit, et perdront une minute ou deux. Tous nos hommes auront le temps de rejoindre leur voiture et de s'éloigner.

— C'est beau, dit Kemper.

Pete se frotta les yeux.

— Je n'aime pas le côté fêlé de droite dans l'affaire. A croire qu'on en est arrivés là sans être capables de trouver un biais quelconque pour aider la Cause.

Littell claqua la table.

— *Non*. Trafficante et Giancana veulent un mec de droite. Ils pensent qu'ils arriveront à bâtir une trêve avec Castro, et si c'est ça qu'ils veulent, nous devrons nous y plier. Et souvenez-vous, ils vous ont *effectivement* épargnés.

Kemper se resservit. Ses yeux étaient toujours injectés de sang, à cause du chloroforme.

— Je veux que ce soit mes hommes qui tirent. Ils ont la haine et ce sont tous des tireurs d'élite.

— D'accord, dit Pete.

Littell acquiesça.

— Nous les paierons chacun vingt-cinq mille dollars. Le reste de l'argent servira à couvrir les frais et nous partagerons la différence en trois.

Kemper sourit.

— Mes hommes sont plutôt extrémistes de droite. Il faudrait être très discrets sur le fait que nous comptons faire porter le chapeau à un de leurs compatriotes extrémistes.

Pete se prépara un cocktail : deux aspirines et Wild Turkey.

— Il faut trouver le moyen de connaître l'itinéraire de la parade.

— C'est ton travail, dit Littell. C'est toi qui as les meilleurs contacts dans la police de Miami.

— Je m'y mets. Et si je trouve quelque chose qui tienne debout, je commencerai à établir les grandes lignes de la logistique.

Kemper toussa.

— Le problème clé, c'est le pigeon. Une fois que ça, ce sera réglé, on aura fait le plus gros.

Littell secoua la tête.

— Non. Le problème clé, c'est de couper court à une enquête du FBI sur une grande échelle.

Pete et Kemper prirent un air perplexe. Ils n'avaient pas réfléchi à ce niveau-là.

Littell parla très lentement.

— Je pense que M. Hoover sait que ça va arriver. Il a fait installer des mouchards privés dans Dieu sait combien de lieux de rencontre de la Mafia, et il m'a déclaré qu'il se ramassait ainsi une masse de haine à l'égard de Kennedy qui grandissait chaque jour. Il n'en a pas informé le Service secret, sinon aucun défilé présidentiel n'aurait été prévu jusqu'à la fin de l'automne.

Kemper acquiesça.

— Hoover veut que ça se produise. Ça se produit, il est heureux que ça se soit produit, et il se trouve qui plus est chargé de l'enquête. Ce qu'il nous faut, c'est une « oreille » en place pour qu'il mette le voile sur l'enquête ou qu'il l'expédie sans ménagement.

Pete acquiesça.

— Il nous faut un porte-chapeau qui soit lié au FBI.

— Dougie Frank Lockhart, dit Kemper.

89

Miami, 27 septembre 1963.

Il aimait à passer du temps en solitaire, à jouer avec l'idée. Boyd disait qu'il faisait la même chose.

Pete prépara bourbon et aspirine. Il mit en marche le climatiseur de fenêtre et rafraîchit le salon à bonne température. Il apaisa sa migraine et refit quelques nouveaux pronostics, en calculant ses chances.

Les chances qu'ils avaient de tuer Jack la Belle Coupe. Les chances que Santos les fasse tuer, Kemper et lui, marché ou pas marché.

Les chances ne penchaient ni d'un côté, ni de l'autre. Son salon prit un reflet de peinture d'hôpital plutôt merdique.

Littell adorait le pedigree de Dougie Frank. Le connard était d'extrême droite, les mains bien salies par ses crapotages FBI.

— Il est parfait, dit Littell. Si M. Hoover se voit forcé de mener une enquête, il mettra l'étouffoir sur Lockhart et ses relations connues immédiatement. S'il ne le fait pas, il court le risque que soit révélée au grand jour la politique raciste du Bureau.

Lockhart se planquait à Puckett, dans le Mississippi. Littell dit : Allez là-bas et recrutez-le.

Pete avait fait un tour dans la salle de brigade des services de police de Miami la nuit précédente. Il avait vu trois cartes d'éventuels itinéraires de défilé. Elles étaient punaisées à un tableau de liège, comme une putain d'affiche au grand jour.

Il les avait mémorisées. Les trois itinéraires passaient devant leur boutique d'armes et leurs panneaux « A louer ».

699

Boyd dit qu'il était plus impressionné qu'effrayé.

Pete dit, je sais ce que tu veux dire.

Il ne dit pas, j'aime cette femme. Si je meurs, j'aurais fait tout ce chemin et je l'aurais perdue pour rien.

90

Miami, 27 septembre 1963.

Quelqu'un avait posé un magnétophone sur sa table basse. Quelqu'un avait placé une enveloppe scellée tout à côté.

Littell ferma la porte et réfléchit à toutes les solutions possibles.

Pete et Kemper savent que tu es ici. Jimmy et Carlos savent que tu t'installes toujours au Fontainebleau. Tu es descendu à la cafétéria prendre ton petit déjeuner et tu es resté absent moins d'une demi-heure.

Littell ouvrit l'enveloppe et en sortit une feuille de papier. L'écriture en capitales de M. Hoover expliquait cette entrée subreptice.

Jules Schiffrin est décédé à l'automne 1960, période qui coïncide avec votre absence du service actif. Sa résidence a été vandalisée et certains registres volés.

Joseph Valachi a beaucoup travaillé comme transitaire de la Caisse de Retraite. Il est actuellement interrogé par un collègue qui a toute ma confiance. Robert Kennedy ne sait pas que cet interrogatoire est en cours.

La bande magnétique ci-jointe contient des informations que M. Valachi refusera de révéler à M. Kennedy, au Comité McClellan et, en vérité, à quiconque. Je sais en confiance que M. Valachi gardera le silence. Il lui a été fait clairement comprendre que la qualité et la durée de sa ré-installation aux bons soins du FBI y étaient subordonnées.

Détruisez ce mot, je vous prie : Je vous prie d'écouter la bande et de la placer en lieu sûr. J'ai parfaitement conscience que cette bande présente un potentiel stratégique illimité. Il ne faudrait la divulguer à Robert Kennedy qu'en accompagnement de mesures d'une grande témérité.

Littell brancha la machine et mit en place la bobine jointe. Ses mains étaient du beurre — la bobine ne cessait de glisser de l'axe d'entraînement.

Il appuya sur le bouton « Play ». Le montage de bande se mit à crachoter et siffler.

— Reprends tout, Joe. Comme je te l'ai déjà dit, doucement, sans précipitation.

— Okay, doucement et sans précipitation. Doucement et sans précipitation, pour la seizième foutue...

— Allons, Joe.

— Okay. Doucement et sans précipitation pour les connards du poulailler. Joseph P. Kennedy Sr. était le financier reconnu de la Caisse de Retraite centrale des Camionneurs, qui prête de l'argent à toutes sortes de mauvaises gens et à quelques gens honnêtes à de très hauts taux d'intérêts. J'ai beaucoup travaillé comme transitaire, entre la Caisse et les clients. Il m'est arrivé d'aller déposer du liquide dans les coffres de dépôt individuels des gens.

— Tu veux dire qu'ils te donnaient le droit d'accéder à leurs coffres personnels ?

— Exact. Et j'allais régulièrement à la banque de Joe Kennedy. C'est la branche principale de la Security First-National à Boston. Compte n° 811512404. Quelque chose comme quatre-vingt-dix ou cent coffres de dépôt bourrés de liquide. Raymond Patriarca pense qu'il doit y avoir pas loin de cent millions de dollars, et Raymond doit le savoir, pas'que lui et Joe l'Irlandais, ça remonte à pas mal de temps tous les deux. Je dois dire que l'idée d'un Bob Kennedy grand pourfendeur des rackets me fait rigoler. Je crois que la pomme est tombée sacrément loin de l'arbre, pas'que l'argent à Joe Kennedy a financé un sacré nombre des affaires de l'Organisation. Je dois dire aussi que le vieux Joe est le seul Kennedy à être au courant pour l'argent. On ne va pas raconter à tout le monde : « J'ai cent millions de dollars en liquide de côté dont mes fils le président et le ministre de la Justice ne connaissent pas l'existence. » Et aujourd'hui Joe a eu une attaque, alors peut-être bien qu'il n'a pas les idées très claires. On aimerait bien comme qui dirait voir cet argent servir à quelque chose et pas simplement dormir là, ce qui pourrait peut-être bien arriver si le vieux Joe casse sa pipe ou devient sénile et oublie son existence. Il faudrait aussi que j'ajoute que tous les mecs importants de l'Organisation savent à quel point Joe est mouillé, mais ils ne peuvent pas aller secouer les puces au Bobby en le menaçant de tout révéler sans se coller leurs propres roubignolles dans le hachoir à viande.

La bande arriva à bout de course. Littell appuya sur « Stop » et resta assis, parfaitement immobile.

Il réfléchit à toutes les solutions possibles. Il se plaça du point de vue de Hoover et énonça ses pensées à haute voix, à la première personne.

Je suis proche de Howard Hughes. Je lui ai trouvé Ward Littell. Littell a demandé à Hughes de l'argent afin d'aider à garantir ma position comme directeur du FBI.

Jack Kennedy envisage de me virer. J'ai fait installer personnellement des mouchards dans les lieux fréquentés par la Mafia. J'ai pu ainsi constater l'atmosphère de haine envahissante à l'égard de Kennedy.

Littell examina les choses dans sa propre perspective.

Hoover possédait des données insuffisantes. Lesquelles données ne le conduiraient pas à extrapoler jusqu'à un attentat effectif.

J'ai dit à Pete et Kemper : « M. Hoover sait que ça va arriver. » Dans mon esprit, c'était au sens métaphorique.

La bande et le petit mot impliquaient une action effective. M. Hoover qualifiait la bande d' « accessoire en juste complément d'une grande témérité ».

Il disait par là, JE SAIS.

La bande était un moyen d'humilier Bobby. La bande était un moyen pour s'assurer le silence de Bobby. La bande devait être portée à la connaissance de Bobby avant la mort de Jack.

La mort de Jack serait la finalité logique de l'humiliation de Bobby. Ainsi, Bobby ne chercherait pas à établir la preuve du complot d'assassinat. Bobby saurait qu'ainsi faisant, il entacherait à jamais le nom des Kennedy.

Bobby allait présumer que l'homme venu lui délivrer son

humiliation avait connaissance préalable de la mort de son frère. Bobby serait impuissant à passer à l'action en se fondant sur cette présomption.

Littell reprit le point de vue de Hoover.

Bobby Kennedy a brisé le cœur de Littell. La haine des Kennedy nous lie. Littell ne résistera pas au désir pressant de meurtrir Bobby. Littell voudra que Bobby sache qu'il avait aidé à mettre sur pied l'assassinat de son frère.

C'était là une réflexion à la Hoover, complexe, vindicative et psychologiquement dense. Un seul fil logique manquait à la trame.

Tu n'es pas encore sorti à découvert. Et il est à présumer que tes financiers non plus.

Kemper et Pete n'en ont rien fait. Kemper n'a pas encore abordé le plan prévu avec ses tireurs.

Hoover *pressent* que tu te diriges avec force vers un attentat. La bande, c'est ton « accompagnement » — *si tu arrives le premier.*

Il y a un second complot à l'œuvre. M. Hoover en est très précisément au courant.

Littell resta parfaitement immobile. Les petits bruits de l'hôtel crurent en intensité.

Il se trouvait incapable de verrouiller définitivement la conclusion logique. Il ne pouvait l'évaluer à rien de plus qu'une intuition.

M. Hoover le connaissait — comme personne ne l'avait connu, ou ne le connaîtrait — jamais. Il sentit monter en lui une vague d'amour hideuse pour cet homme.

91

Le taré avait revêtu un drap au monogramme du Klan. Pete lui refilait bourbon légal et mensonge.

— Cette affaire, c'est tout toi, Dougie. C'est ton nom qu'elle porte écrit, en toutes lettres.

Lockhart rota.

— Je savais bien que t'avais pas roulé jusqu'ici à une heure du matin pour partager une bouteille avec moi.

La cahute puait, comme une litière de chat. Dougie schlinguait la Wildroot Cream Oil. Pete se tenait dans l'embrasure de la porte — toujours ça de pris, pour écarter la puanteur.

— C'est trois cents la semaine. C'est un boulot officiel pour l'Agence, et donc tu n'auras pas à t'en faire pour les descentes des Fédés.

Lockhart bascula en arrière dans son fauteuil-relax La-Z-Boy.

— Ces descentes ont été lancées à l'aveuglette. J'ai entendu dire qu'un bon nombre de gars de l'Agence se sont retrouvés embarqués dans l'affaire.

Pete fit craquer ses pouces.

— Nous avons besoin que tu regroupes un certain nombre d'hommes du Klan. L'Agence veut mettre sur pied une filée de têtes de pont en Floride du Sud, et nous avons besoin d'un Blanc pour conduire le mouvement.

Lockhart se cura le nez.

— On dirait Blessington qui redémarre à zéro. On dirait aussi tout un putain de gros battage, qui conduira à quoi ? A se retrouver le putain de bec dans l'eau, pas'qu'on nous aura laissés

705

tomber, comme une certaine invasion dont on se souvient tous les deux.

Pete se prit une gorgée à la bouteille.

— Tu ne peux pas toujours faire l'histoire, Dougie. Parfois, le mieux que tu puisses te trouver, c'est de faire de l'argent.

Dougie se frappa la poitrine.

— J'ai fait l'histoire récemment.

— C'est vrai, ça ?

— C'est vrai. C'est moi qui ai bombardé l'église baptiste de la 16ᵉ Rue à Birmingham, en Alabama. Et tout le tintouin inspiré par les communistes qu'on entend monter tous les jours ? Ben, j'dois dire que j'en suis l'inspirateur.

La cahute était doublée de papier aluminium. Visez-moi ce poster de Martin Luther le Noiraud collé sur le mur du fond.

— Je te fais ça à quatre cents dollars la semaine et les frais, jusqu'à la mi-novembre. Tu auras ta maison et ton bureau personnels à Miami. Et si tu pars tout de suite avec moi, je te rajoute une prime.

— Je suis partant, dit Lockhart.

— Va te nettoyer, dit Pete. Tu ressembles à un Négro.

Le trajet de retour se fit lentement. Les orages avaient transformé la route en une longue piste à escargots.

Dougie Frank ronfla pendant le déluge. Pete prit les informations et un programme de twist à la radio.

Un commentateur en rajoutait sur Joe Valachi en train de chanter sa chanson. Valachi avait surnommé la Mafia « Cosa Nostra ».

Valachi était une super vedette télé. Un journaliste classait ses indices d'écoute parmi les « grands succès ». Valachi déballait les truands de la côte Est à s'en faire péter le troufignon.

Un reporter avait parlé à Heshie Ryskind — terré dans quelque pavillon de cancéreux à Phoenix. Hesh avait qualifié Cosa Nostra de « fantasme goy ».

Le programme de twist lui arriva chargé de parasites. Barb chantait en doublette dans la tête de Pete et étouffait le gazouillis de Chubby Checker.

Ils s'étaient parlé au téléphone juste avant qu'il ne quitte Miami. Barb dit, qu'est-ce qu'il y a — on dirait que tu as peur à nouveau.

Il dit, je ne peux pas te répondre. Quand tu l'apprendras, tu sauras.

Elle dit, est-ce que cela nous fera du mal?

Il dit, non.

Elle dit, tu mens.

Il fut incapable de la contredire.

Elle partait pour le Texas dans quelques jours. Joey les avait engagés pour une tournée de huit semaines à travers tout l'Etat.

Il la rejoindrait pour les week-ends. Il jouerait à l'amoureux transi, à la porte des coulisses, jusqu'au 18 novembre.

Ils arrivèrent à Miami à midi. Lockhart soigna sa gueule de bois à coups de beignets glacés au sucre arrosés de café.

Ils firent des circuits en boucle dans tout le centre ville. Dougie signalait les panneaux « A louer ».

Pete tournait en rond. La recherche d'une maison et d'un bureau faisait bâiller Dougie.

Pete rétrécit ses choix à trois bureaux et trois maisons. Pete dit, Dougie, à toi de choisir.

Dougie choisit vite. Dougie voulait se coller dans les toiles.

Il se choisit une maison en stuc aux abords de Biscayne. Il se choisit un bureau sur Biscayne — au beau milieu des trois itinéraires de parade.

Les deux propriétaires exigèrent des dépôts de garantie. Dougie sortit quelques billets de sa liasse pour faux frais et paya trois mois de loyer d'avance.

Pete resta hors de vue. Les propriétaires ne le virent jamais.

Il suivit des yeux Dougie qui emportait son barda dans la maison — ce connard à la crinière carotte qui allait se gagner une célébrité mondiale.

92

Miami, 29 septembre-20 octobre 1963.

Il mémorisa le petit mot d'Hoover. Il cacha le bout de bande magnétique. Il parcourut les trois itinéraires une douzaine de fois par jour trois semaines durant. Il ne dit pas à Pete ni à Kemper qu'un autre attentat était peut-être en préparation.

La presse annonça le planning des visites du président pour l'automne. Elle mettait l'accent sur trois grands défilés motorisés, à New York, Miami et au Texas.

Littell envoya un petit mot à Bobby. Il y faisait état de ses attaches avec James R. Hoffa et demandait à Bobby dix minutes de son temps.

Il envisagea toutes les conséquences possibles pendant près d'un mois avant de passer à l'action. Le trajet à pied qui le mena jusqu'à la boîte où il posta sa lettre lui fit le même effet que son cambriolage de la maison de Jules Schiffrin — en mille fois plus intense.

Littell emprunta Biscayne Boulevard. Au volant de sa voiture, il chronométra chaque feu tricolore.

Kemper avait cambriolé la boutique d'armes une semaine auparavant. Il avait volé trois fusils équipés de lunettes de visée et deux revolvers. Il portait des gants aux empreintes de doigtiers visiblement craquelés — chipés à Dougie Frank Lockhart.

Kemper surveilla l'armurerie le lendemain. Des inspecteurs quadrillaient le quartier, les techniciens passaient la poudre et relevaient les empreintes. Les gants de Dougie et leurs doigtiers fissurés étaient maintenant du domaine des archives scientifiques.

Les gants avaient été pressés sur toutes les surfaces du bureau et de la maison de Dougie.

Pete laissa Dougie câliner les fusils à pleines mains. Il y déposa ses empreintes sur les crosses et les canons.

Kemper vola trois voitures en Caroline du Sud. Il les avait fait repeindre et équiper de fausses plaques minéralogiques. Deux d'entre elles étaient affectées aux tireurs. La troisième était réservée à l'homme chargé d'assassiner Dougie.

Pete fit entrer un quatrième homme dans la partie. Chuck Rogers accepta de jouer le rôle de leur porte-chapeau.

Rogers et Lockhart étaient de carrure et de faciès similaires. L'attribut le plus distinctif de Dougie était sa chevelure roux carotte.

Chuck se teignit les cheveux en roux. Chuck se mit à déverser sa haine de Kennedy à travers tout Miami.

Il déblatérait, à tort et à travers, de tavernes en salles de billard. Il cracha sa furie dans une patinoire, un stand de tir, et d'innombrables magasins de spiritueux. Il était payé pour fulminer non-stop jusqu'au 15 novembre.

Littell passa devant le bureau de Dougie. Chaque nouveau circuit lui donnait une nouvelle brillante idée qui servirait à embellir son plan.

Il lui faudrait se trouver quelques gamins turbulents sur l'itinéraire du défilé. Il lui faudrait leur donner quelques pétards en leur disant d'y aller à cœur joie.

Ce qui épuiserait à force l'escorte du Service secret. Ils seraient complètement blindés à tout bruit ressemblant à une détonation.

Kemper était occupé à élaborer quelques petits souvenirs de Dougie Frank. La psychopathologie de Lockhart se résumerait à quelques détails.

Kemper défigura des photographies de JFK et sculpta des croix gammées sur des poupées à l'effigie de Jack et Jackie. Kemper barbouilla de matières fécales une douzaine de doubles pages de revues consacrées aux Kennedy.

Les enquêteurs trouveraient le tout dans le placard de la chambre à coucher de Dougie.

Actuellement en cours de rédaction : le journal politique de Dougie Frank Lockhart.

Typographie hasardeuse, à deux doigts, avec corrections manuscrites à l'encre. Le texte raciste était véritablement une horreur.

Le journal était une idée de Pete. Dougie avait dit qu'il avait bombardé l'église baptiste de la 16e Rue — une cause célèbre toujours non résolue. Pete voulait établir un lien entre l'attentat Kennedy et les quatre enfants noirs morts.

Dougie raconta à Pete toute l'histoire. Pete nota des détails cruciaux dans le journal.

Ils ne parlèrent pas à Kemper de ce petit embellissement. Kemper avait une bien étrange affection pour les gens de couleur.

Pete gardait Dougie séquestré à son domicile. Il le nourrissait de pizzas à emporter, marijuana et alcool. Dougie paraissait apprécier les conditions d'hébergement.

Pete dit à Dougie que sa mission pour l'Agence avait été ajournée. Il lui raconta une histoire à dormir debout sur la nécessité de rester hors de vue.

Kemper déménagea ses hommes à Blessington. Le FBI faisait des descentes sur les camps non-CIA — loger son équipe à Sun Valley était risqué.

Les hommes prirent leurs quartiers au Breakers Motel. Ils s'entraînaient au 30.06 toute la journée, tous les jours de la semaine. Leurs fusils étaient identiques aux fusils volés par Kemper.

Les tireurs n'étaient pas au courant de l'attentat. Kemper les informerait six jours auparavant — juste à temps pour mettre en scène une répétition générale à Miami.

Littell passa devant la maison de Dougie. Pete disait qu'il passait toujours par l'allée et ne se montrait jamais à ses voisins.

Il leur faudrait planquer des stupéfiants à son domicile. Il leur faudrait développer le pedigree de Dougie et faire de l'assassin incendiaire d'église un camé.

Kemper avait pris un verre avec l'ASC de Miami la veille. Ils étaient vieux amis à l'époque au Bureau — la rencontre ne détonnerait pas comme anormale.

L'homme qualifiait le défilé motorisé d' « emmerde ». Il disait de Kennedy qu'il était « difficile à protéger ». Il disait que le Service secret laissait la foule s'approcher trop près de lui.

Kemper dit : Des menaces ? Des fêlés du citron qui seraient sortis de leur trou ?

L'homme dit, non.

Leur unique coup de bluff un peu risqué tenait la rampe. Personne n'avait signalé le pseudo-Dougie à la grande gueule.

Littell retourna au Fontainebleau. Il se demanda combien de temps Pete et Kemper survivraient à JFK.

93

Blessington, 21 octobre 1963.

Les officiers d'entraînement formaient un cordon juste à l'intérieur de la grille d'entrée. Ils portaient des visières de protection sur le visage et étaient armés de fusils de chasse chargés au gros sel.

Les demandeurs d'asile claquaient la clôture. La route d'entrée était encombrée de tas de boue et de Cubains privés de tout.

Kemper observa l'escalade des événements. John Stanton l'avait appelé pour le prévenir que les descentes passaient de méchantes à abominables.

Le FBI avait attaqué quatorze camps d'exilés la veille. La moitié des Cubains de la côte du Golfe cherchaient asile sous la protection de la CIA.

La clôture se mit à vaciller. Les responsables de l'entraînement levèrent leurs armes.

Il y avait vingt hommes à l'intérieur, soixante à l'extérieur. Seules quelques mailles de grillage faiblard et un brin de barbelés les séparaient.

Un Cubain escalada la clôture et s'accrocha aux barbelés placés au sommet. Un des officiers le souffla de son poste — une décharge de gros sel le décrocha en lui lacérant la poitrine.

Les Cubains avaient ramassé des pierres et empoignaient des morceaux de chevrons. Les hommes sous contrat prirent des postures défensives. Une énorme clameur bilingue monta dans l'air.

Littell était en retard. Pete était en retard, lui aussi — la migration avait probablement bloqué la circulation.

712

Kemper descendit jusqu'au ponton à bateaux. Ses hommes tiraient sur des bouées flottant à trente mètres du rivage.

Ils portaient des bouchons d'oreilles pour étouffer le bruit de la grille. Ils avaient l'air de mercenaires de haut vol, affûtés tel un rasoir.

Ils les avaient fait rentrer juste à l'heure, au quart de poil. Ils disposaient du camp à leur guise — John Stanton avait tiré quelques ficelles en souvenir du bon vieux temps.

Les douilles dégringolaient sur le ponton. Laurent et Flash touchaient dans le mille. Juan ratait et tirait dans les vagues.

Il leur avait parlé de l'attentat la veille au soir. L'audace du coup leur fit passer des frissons.

Il n'avait pas pu résister. Il voulait voir leurs visages s'illuminer.

Laurent et Flash s'étaient illuminés, heureux. Juan s'était illuminé, mal à l'âme.

Juan se comporte de manière furtive. Juan se taille sans permission trois soirs d'affilée.

La radio avait signalé une nouvelle femme retrouvée morte. Elle avait été battue jusqu'à l'inconscience et étranglée d'une cordelette. Les flics du cru étaient en plein désarroi.

La victime n° 1 avait été retrouvée près de Sun Valley. La victime n° 2 avait été retrouvée près de Blessington.

Le boucan à la grille doubla de volume, tripla. Les cartouches au gros sel explosaient.

Kemper se mit des bouchons d'oreilles et regarda ses hommes tirer. Juan Canestel l'observait.

Flash fit sauter une bouée en l'air. Laurent l'épingla au rebond. Juan aligna trois ratés, nets et clairs.

Quelque chose ne tournait pas rond.

La police d'Etat fit dégager les Cubains. Des pies les escortèrent jusqu'à la grand-route.

Kemper roulait derrière le convoi. Une file de cinquante voitures. Le tir de barrage à cartouches de gros sel avait fait voler les pare-brises et déchiqueté la toile des décapotables.

C'était une solution à courte vue. John Stanton prophétisait le chaos chez les exilés — en sous-entendant bien pis.

Pete et Ward avaient appelé pour dire qu'ils seraient en retard. Il dit, bien — j'ai une course à faire. Ils remirent leur rendez-vous à 14 h 30 aux Breakers.

Il leur communiquerait les dernières nouvelles de Stanton. Il insisterait pour dire qu'il ne s'agissait que d'hypothèses, et rien d'autre.

Le troupeau de voitures se traînait — les deux files, direction la sortie, étaient chargées, pare-chocs contre pare-chocs. Deux pies roulaient en pointe pour garder les Cubains en bon ordre.

Kemper s'engagea sur une piste de côte en zigzag. C'était le seul raccourci pour rejoindre Blessington — rien que des chemins de terre.

La poussière se mit à voler. Une légère bruine la changea en giclures de boue. La Violmobile le doubla, plein pot, dans un virage sans visibilité.

Kemper mit les essuie-glace. Le crachin s'éclaircit jusqu'à être translucide. Il vit des fumées de pots d'échappement devant lui — et pas de Violmobile.

Juan est distrait. Il n'a pas reconnu ma voiture.

Kemper arriva au centre ville de Blessington. Il passa, vitesse de croisière, devant les Breakers, Al's Dixie Diner, et tous les lieux que fréquentaient les exilés, de chaque côté de la route.

Pas de Violmobile.

Il quadrilla les rues latérales. Il fit des circuits systématiques — trois blocs à gauche, trois blocs à droite. Bon sang, ça vient — où est cette T-Bird rouge pomme d'api ?

La voilà...

La Violmobile était garée devant le Larkhaven Motel. Kemper reconnut les deux voitures garées à côté d'elle.

La Buick de Guy Banister. La Lincoln de Carlos Marcello.

Le Breakers Motel faisait face à l'autoroute. La fenêtre de Kemper faisait face à un point de contrôle, tout juste installé, de la police d'Etat.

Il vit des flics détourner les voitures sur une rampe de descente. Il vit des flics forcer des Latins à sortir à la pointe du fusil.

Les flics vérifiaient : identités et nationalités. Les flics confisquaient les véhicules et arrêtaient les Latinos sans faire le détail.

Kemper contempla le spectacle une heure durant. Les poulets d'Etat embarquèrent trente-neuf Latinos.

Ils rassemblèrent les hommes dans des camions de la prison. Ils entassèrent les armes confisquées en une grosse pile.

Il avait fouillé la chambre de Juan une heure auparavant.

Sans trouver de cordelettes. Sans trouver de petits souvenirs de pervers. Il n'avait absolument rien vu de compromettant.

Quelqu'un pressa longuement la sonnette de porte. Kemper se dépêcha d'ouvrir pour interrompre le boucan.

Pete entra.

— Tu as vu ce qui se passait là-dehors ?

Kemper acquiesça.

— Ils essayaient d'entrer de force dans le camp il y a quelques heures de ça. Le chef des officiers-formateurs a appelé la police d'Etat.

Pete regarda par la fenêtre.

— On a là une belle troupe de Cubains qui font la gueule.

Kemper tira les rideaux.

— Où est Ward ?

— Il arrive. Et j'espère que tu ne nous as pas fait faire tout le chemin jusqu'ici rien que pour nous montrer quelques putains de chevaux de frise.

Kemper alla jusqu'au bar et versa un petit bourbon à Pete.

— John Stanton m'a appelé. Il a dit que Jack Kennedy avait ordonné à Hoover de lâcher les chiens. Le FBI a fait des descentes dans vingt-neuf camps non-Agence en l'espace des dernières quarante-huit heures. Tous les exilés non-Agence en captivité cherchent à se mettre sous la protection de l'Agence.

Pete sécha son verre. Kemper lui en resservit une dose.

— Stanton dit que Carlos a avancé l'argent pour constituer un fonds de cautions. Guy Banister a essayé de faire libérer sous caution quelques-uns de ses exilés chouchous, mais les Services d'Immigration et de Naturalisation ont placé un avis de déportation sur la tête de tous les citoyens cubains en détention.

Pete balança son verre sur le mur. Kemper reboucha la bouteille.

— Stanton dit que toute la communauté d'exilés vire cinglée.

Il dit qu'on parle beaucoup d'un attentat sur Kennedy. Il dit qu'on parle vraiment beaucoup d'un attentat *précis* qui aurait lieu pendant le défilé de Miami.

Pete frappa le mur. Son poing s'écrasa, fissurant le mur jusqu'à la plinthe. Kemper se recula et parla lentement, avec douceur.

— Aucun membre de notre équipe ne s'est mis à découvert, donc ce n'est pas là que les rumeurs ont pris naissance. Et Stanton dit qu'il n'a pas informé le Service secret, ce qui implique que ça ne le dérangerait pas de voir Jack mort.

Pete s'écorcha les jointures jusqu'à l'os. Il balança un crochet gauche au mur — des éclats de plâtre volèrent.

Kemper se recula, *loin* derrière.

— Ward a dit que Hoover sentait que ça allait arriver. Il avait raison, car sinon, Hoover aurait bloqué les descentes par le FBI et il aurait informé son réseau de vieilles connaissances rien que pour baiser Bobby — sauf s'il voulait alimenter la haine contre Jack.

Pete agrippa la bouteille. Pete s'aspergea les doigts et les essuya aux voilages.

Le tissu passa du beige au rouge. Le mur était à moitié démoli.

— Pete, écoute. Il existe des moyens pour que nous...

Pete le colla contre la fenêtre.

— Non. Ça, c'est le seul truc dont on ne pourra pas se retirer. Ou on le tue, ou on ne le tue pas, et ils nous tueront probablement même si nous arrivons à le descendre.

Kemper se dégagea. Pete laissa retomber les voilages.

Les exilés sautaient du bas-côté de l'autoroute. Les flics leur tombaient dessus armés d'aiguillons électriques à bétail.

— Regarde-moi ça, Kemper. Regarde-moi ça et dis-moi qu'on peut contenir ce putain de truc.

Littell passa devant la fenêtre. Pete ouvrit la porte et le tira littéralement dans la pièce.

Il ne réagit pas. L'homme qui détestait qu'on le touche se contentait de rester là, comme un mollasson.

Kemper ferma la porte.

— Ward, qu'est-ce qu'il y a ?

Littell serrait sa mallette contre lui. Il ne cilla même pas devant les dégâts dans la chambre.

— J'ai parlé à Sam. Il a dit que l'attentat de Miami est hors course, parce que son contact auprès de Castro lui a appris que Castro n'adresserait plus jamais la parole à aucun membre de l'Organisation, quelles que soient les circonstances. Ils ont renoncé à toute idée de rapprochement. J'ai toujours pensé que c'était tiré par les cheveux, et apparemment aujourd'hui, Sam et Santos sont d'accord.

— C'est complètement cinglé, tout ce truc, dit Pete.

Kemper lut le visage de Littell : NE M'ENLEVEZ PAS ÇA.

— Est-ce que *nous* sommes toujours dans la course ?

— Je le pense, dit Littell. J'ai discuté avec Guy Banister et je crois que j'ai réussi à échafauder quelque chose.

Pete donnait l'impression d'être prêt à exploser.

— Alors, dis-le-nous, Ward. Nous savons que tu es le plus intelligent et le plus fort maintenant, alors dis-nous.

Littell rectifia la position de sa cravate.

— Banister a vu une copie d'un mémo présidentiel. Il était passé de Jack à Bobby et à M. Hoover, puis jusqu'à l'ASC de La Nouvelle-Orléans qui l'a laissé filtrer à Guy. Le mémo disait que le président envoyait un émissaire personnel pour discuter avec Castro en novembre, et que de nouvelles coupes claires étaient prévues dans le financement de JM/Wave.

Pete égoutta le sang qu'il avait sur les mains.

— Je ne pige pas le rapport avec Banister.

Littell balança sa mallette sur le lit.

— C'était une coïncidence. Guy et Carlos sont liés de près, et Guy est un avocat manqué, et frustré. Nous discutons de temps en temps, et il a simplement mentionné le mémo. Sans plus. Tout ce à quoi ça se rapporte, c'est que j'ai le sentiment que M. Hoover sent qu'il y a un attentat qui se prépare. Dans la mesure où aucun n'est allé à découvert, je pense que — *peut-être* — il existe un deuxième attentat qui se prépare. Je pense également à l'éventualité que Banister soit au courant — et c'est pour *cela* que Hoover a laissé filer le mémo dans sa direction.

Kemper montra la fenêtre.

— Tu as vu ce point de contrôle ?

— Naturellement, dit Littell.

— Ça, c'est Hoover à nouveau, dit Kemper. C'est lui qui laisse les descentes se dérouler pour maintenir la haine à l'égard

717

de Jack à son degré maximum. John Stanton m'a appelé, Ward. Il existe censément une demi-douzaine, six douzaines ou deux douzaines d'autres putains de tentatives d'assassinat qui se préparent, comme il est plus qu'indéniable que toute la putain de métaphysique de l'assassinat est déjà là-dehors à l'œuvre.

Pete le gifla.

Kemper dégaina son calibre.

Pete dégaina le sien.

— Non, dit Littell, TRES DOUCEMENT.

Pete laissa retomber son arme sur le lit.

Kemper laissa tomber la sienne.

— Assez, dit Littell, TRES DOUCEMENT.

La pièce grésillait, bourdonnait. Littell déchargea les armes et les enferma dans sa mallette.

Pete parla, presque en un murmure :

— Banister m'a fait sortir de prison sous caution le mois dernier. Il a dit : « Ces conneries à la Kennedy sont sur le point de finir », comme s'il avait un putain de don de prémonition.

Kemper parla de la même voix :

— Juan Canestel se comporte de manière bizarre ces temps derniers. Je l'ai pris en filature il y a quelques heures de ça, et j'ai repéré sa voiture garée près de celles de Banister et de Carlos Marcello. C'était sur cette même route, devant un autre motel.

— Le Larkhaven ? dit Littell.

— C'est exact.

Pete suçota le sang de ses jointures.

— Comment savais-tu ça, Ward ? Et si Carlos est dans le coup pour le second attentat, est-ce que Santos et Mo annulent le nôtre ?

Littell secoua la tête.

— Je pense que nous sommes toujours dans la course.

— Qu'est-ce que c'est que cette histoire Banister ?

— C'est tout nouveau pour moi, mais ça colle. Tout ce que je sais avec certitude, c'est que je retrouve Carlos au Larkhaven Motel à 17 heures. Il m'a dit que Santos et Mo lui avaient donné carte blanche, avec deux recommandations expresses.

Kemper se frotta le menton. La gifle lui avait laissé le visage rouge vif.

— Qui sont ?

— Que nous remettions un nouveau programme sur pied, qui ne soit pas Miami, et que nous nous trouvions un pigeon de gauche qui portera le chapeau. Il n'y a aucune chance de trêve avec Castro, alors ils veulent qu'on fasse passer le tueur comme *pro*-Fidel.

Pete donna un coup de pied dans le mur. Une gravure de paysage tomba au sol.

Kemper avala une dent branlante. Pete montra l'autoroute.

Les flics s'équipaient de pied en cap comme pour une émeute. Les flics passaient les hommes à la fouille à poil en plein jour.

— Regardez-moi ça, dit Kemper. Tout ça, c'est la petite partie d'échecs de M. Hoover.

— T'es cinglé, dit Pete. Il n'est pas doué à ce *point-là*, putain.

Littell lui éclata de rire à la figure.

94

Blessington, 21 octobre 1963.

Carlos avait préparé un plateau à alcools. L'agencement en était incongru — Hennessy XO et verres de motel dans leur emballage papier.

Littell prit la chaise. Carlos prit le fauteuil. Le plateau était disposé sur une table basse entre eux.

— Ton équipe n'est plus partante, Ward. Nous allons utiliser quelqu'un d'autre. Il a passé tout l'été à mettre ça sur pied, et l'un dans l'autre, c'est une meilleure affaire.

— Guy Banister ? dit Littell.

— Comment savais-tu ? Est-ce qu'un petit oiseau te l'a dit ?

— Sa voiture est dehors. Et il y a toujours certaines choses qu'on a tendance à savoir.

— Tu prends ça plutôt bien.

— Je n'ai pas le choix.

Carlos jouait avec une boîte à cigares.

— Je viens de l'apprendre. Il y a un moment que la chose a été lancée, ce qui, à mon avis, augmente ses chances de succès.

— Où ?

— Dallas, le mois prochain. Guy a obtenu le soutien de quelques richards d'extrême droite. Il a un porte-chapeau depuis un long moment, un tireur pro et un Cubain.

— Juan Canestel.

Carlos éclata de rire.

— Dans le genre « qui a tendance à savoir », t'es très brillant.

Littell croisa les jambes.

— C'est Kemper qui a compris. Et à mon humble avis, vous

720

ne devriez pas faire confiance à des psychopathes qui conduisent des voitures de sport rouge vif.

Carlos mordit le bout de son cigare.

— Guy est un mec capable. Il a à sa disposition un pigeon modèle coco qui fait le boulot sur l'un des itinéraires du défilé, deux véritables tireurs et quelques flics pour tuer le pigeon. Ward, tu ne peux pas reprocher à un mec d'avoir concocté le même plan d'une manière totalement indépendante de toi, bordel de merde.

Il se sentait calme. Carlos ne pouvait pas le briser. Il lui restait toujours une chance d'estropier Bobby à vie.

— J'aurais bien aimé que ce soit toi, Ward. Je sais que tu tiens personnellement à voir cet homme mort.

Il se sentait en sécurité. Il se sentait hostile à Pete et Kemper.

— Je n'ai pas été très content de voir Mo et Santos faire de la lèche à Castro. Ward, tu aurais dû me voir quand je l'ai appris.

Littell sortit son briquet. En or massif — cadeau de Jimmy Hoffa.

— Vous voulez en arriver à quelque chose, Carlos. Vous êtes sur le point de dire : « Ward, tu es trop précieux pour qu'on te fasse courir des risques », et vous allez m'offrir un verre, même si vous savez que je n'ai pas bu une goutte d'alcool depuis plus de deux ans.

Marcello se pencha vers l'avant. Littell lui alluma son cigare.

— Tu n'es pas trop précieux pour qu'on te fasse courir des risques, mais tu es bien trop précieux pour qu'on te punisse. Tout le monde est d'accord sur ce point, et tout le monde est également d'accord sur le fait que Boyd et Bondurant, c'est une autre putain de paire de manches.

— Je ne veux malgré tout pas de ce verre.

— Et pourquoi donc ? Tu n'as pas volé deux cents livres d'héroïne et tu n'as pas chié sur tes partenaires. Tu as pris part à une tentative de chantage dont tu aurais dû nous parler, mais putain, c'est rien d'autre qu'une petite malversation de rien.

— Je ne veux malgré tout pas de ce verre, dit Littell. Et j'apprécierais beaucoup que vous me disiez exactement ce que vous voulez que je fasse entre maintenant et Dallas.

Carlos brossa quelques cendres de son gilet.

— Je veux que toi, Pete et Kemper n'alliez pas mettre de bâtons dans les roues de Guy ni le nez dans le plan qu'il a élaboré.

Je veux que tu relâches Lockhart et que tu le renvoies au Mississippi. Je veux que Pete et Kemper rendent ce qu'ils ont volé.

Littell serra son briquet en or.

— Que va-t-il leur arriver ?

— Je ne sais pas. C'est pas à moi de répondre, bordel.

Le cigare puait. Un climatiseur lui renvoyait la fumée dans la figure.

— Ça aurait marché, Carlos. On aurait tout fait pour que ça marche.

Marcello lui fit un clin d'œil.

— Les affaires, ça se traite toujours en termes d'affaires. Tu ne commences pas à faire ton numéro de pleureuse pleine de regrets quand les choses refusent de tourner comme tu veux.

— Je n'obtiens pas le droit de le tuer. Ça, c'est un regret.

— Tu vivras avec ça. Et ton plan a aidé Guy à monter une diversion.

— Quelle diversion ?

Carlos posa un cendrier sur son estomac.

— Banister est allé parler à un fêlé du nom de Milteer de l'affaire de Miami, sans nommer aucun des participants. Guy sait que Milteer parle à tort et à travers et qu'il a toujours à ses basques une balance des services de police de Miami qui le surveille. Il espère que Milteer va cracher le morceau à l'indic, qui mangera le morceau à son condé, et le défilé de Miami va se retrouver annulé d'une manière ou d'une autre en détournant toute l'attention de Dallas.

Littell sourit.

— C'est tiré par les cheveux. On croirait que ça sort droit de *Terry et les Pirates*.

Carlos sourit.

— Tout comme ton histoire à propos des registres des Camionneurs. Tout comme l'idée de croire comme tu l'as fait que je ne savais pas ce qui s'était passé depuis le départ.

Un homme sortit de la salle de bains. Il tenait un revolver, chien armé.

Littell ferma les yeux.

— Tout le monde est au courant, sauf Jimmy, dit Carlos. On t'a fait filer par des détectives depuis la putain de minute où tu m'as fait passer la frontière. Ils sont tous au courant de tes livres codés et des recherches que tu as faites à la Bibliothèque du Congrès. Je sais que tu as des projets pour ces fameux livres, et fiston, dis-toi que tu as maintenant des associés.

Littell ouvrit les yeux. L'homme enveloppa son arme d'un oreiller.

Carlos servit deux verres.

— Tu vas nous arranger le coup auprès de Howard Hughes. Nous allons lui vendre Las Vegas et l'enculer dans les grandes largeurs en lui tirant la plus grosse part des bénéfices. Tu vas nous aider à transformer les registres comptables de la Caisse en bel et bon argent bien légitime, et bien plus que Jules Schiffrin n'en avait jamais rêvé.

Il se sentait en apesanteur. Il essaya de retrouver dans sa mémoire un *Je vous salue Marie* et fut incapable d'en retrouver les paroles.

— A Las Vegas et à de nouveaux arrangements mutuels.

Littell se força à avaler le liquide. La brûlure exquise le fit sangloter.

95

Meridien, 4 novembre 1963.

Les pavés d'héroïne pesaient dans le coffre, et faisaient chasser les roues arrière. Une simple vérification par un flic de la circulation lui vaudrait trente ans à la prison de Parchman.

Il avait vidé son butin du coffre de la banque. Un peu de poudre s'était renversée sur le sol — suffisamment pour calmer toute la campagne du Mississippi pendant des semaines.

Santos voulait récupérer sa came. Santos avait renié sa parole dans le marché qu'ils avaient passé. Santos avait laissé filé quelques implications.

Santos pourrait te faire tuer. Santos pourrait te laisser vivre. Santos pourrait te taquiner en faisant ainsi surseoir à l'exécution.

Kemper s'arrêta à un feu. Un homme de couleur lui fit signe.

Kemper lui rendit son salut. L'homme était un diacre pentecôtiste — très sceptique quant à John F. Kennedy.

L'homme disait toujours : « Je n'ai pas confiance en ce garçon. »

Le feu passa au vert. Kemper écrasa l'accélérateur.

Sois patient, monsieur le Diacre. Ce garçon n'a plus que dix-huit jours à vivre.

Son équipe n'était plus dans la course. Remplacée par celle de Banister. Juan Canestel et Chuck Rogers étaient passés dans le camp de Guy.

L'attentat avait été reprogrammé au 22 novembre, à Dallas. Juan et un pro d'origine corse allaient tirer de deux endroits différents. Il était prévu que Chuck et deux flics de Dallas tuent le pigeon.

C'était le même plan que celui de Littell, avec quelques embellissements. Il illustrait la même métaphysique de l'air du temps, Tuons Jack.

Littell avait dissous l'équipe. Lockhart retourna à ses petites occupations du Klan. Pete avait pris le premier vol pour le Texas afin d'être avec sa femme. Il était prévu que sa *Swingin' Twist Revue* passe le jour J.

Littell lui avait laissé campo. Quelque instinct de retour aux sources le ramena à Meridien.

Un grand nombre des gens du cru se souvenaient de lui. Quelques gars de couleur lui firent un accueil chaleureux. Quelques pedzouilles lui offrirent des regards méchants en le raillant.

Il prit une chambre dans un motel. Il s'attendait à moitié à voir des tueurs de la Mafia frapper à la porte. Il mangeait ses trois repas par jour au restaurant et se promenait dans la campagne.

Le crépuscule tomba. Kemper franchit les limites de la ville de Puckett. Il vit un panneau ridicule encadré de projecteurs : Martin Luther King devant une école de formation communiste.

La photo insérée avait l'air trafiquée. Quelqu'un avait dessiné des cornes de démon au Révérend.

Kemper prit à l'est. Il atteignit le chemin en lacet qui conduisait à l'ancien stand de tir de Dougie Lockhart.

Des chemins de terre le menèrent jusqu'en bordure. Les douilles claquaient sous ses pneus.

Il éteignit ses phares et sortit. Tout était silencieux, une vraie bénédiction — pas de fusillade ni de hurlements de rebelles.

Kemper dégaina son calibre. Le ciel était noir d'encre — il ne distinguait pas les silhouettes des cibles.

Les douilles craquaient et glissaient sous ses pieds. Kemper entendit des bruits de pas.

— Qui est là ? Qui est-ce qui se permet de venir sur ma propriété ?

Kemper mit les phares. Dont les faisceaux illuminèrent Dougie Lockhart en plein.

— C'est Kemper Boyd, fils.

Lockhart s'écarta de la lumière des phares.

— Kemper Boyd, dont l'accent se fait de plus en plus sirupeux au fur et à mesure qu'il descend vers le sud. Tu as des talents de caméléon, Kemper. Est-ce qu'on te l'a jamais dit ?

Kemper mit pleins phares. Illuminant tout le stand de tir.

— Dougie, lave donc ton drap — t'as une allure abominable.

Lockhart poussa un grand cri :

— Patron, tu m'as collé sous les projecteurs ! Patron, faut que j'avoue tout — c'est bien moi qui ai bombardé c't'église de Négros à Birmingham !

Il avait les dents cariées, des boutons sur la figure. Son haleine à la gnôle de contrebande portait à une bonne dizaine de mètres.

— Tu as vraiment fait ça ? dit Kemper.

— Aussi sûr que je suis là à cuire sous ta lumière, Patron. Aussi sûr que les Négros…

Kemper lui tira dans la bouche. Le chargeur entier lui dégagea la tête.

96

Washington, D.C., 19 novembre 1963.

Bobby le fit attendre.

Littell était assis à l'extérieur de son bureau. Le petit mot de Bobby mettait l'accent sur la ponctualité et se terminait par un bel effet de style : « Je serai toujours prêt à consacrer dix minutes de temps à n'importe quel avocat de Jimmy Hoffa. »

Il était ponctuel. Bobby était occupé. Une porte les séparait.

Littell attendait. Il se sentait suprêmement calme.

Marcello ne l'avait pas brisé. Bobby était un enfant à certains égards. Marcello l'avait salué d'une courbette lorsqu'il s'était contenté d'un seul verre.

Le vestibule du bureau était lambrissé et spacieux. Il était tout proche du bureau de M. Hoover.

La réceptionniste l'ignorait. Il décompta temps et événements jusqu'à cet instant.

6/11/63 : Kemper rend la came. Trafficante refuse sa poignée de main.

6/11/63 : Carlos Marcello appelle. Il dit : « Santos a un boulot pour toi », en refusant de préciser plus avant.

7/11/63 : Sam Giancana appelle. Il dit : « Je pense que nous pouvons trouver du travail à Pete. M. Hughes hait les mal-blanchis, et Pete a des talents quand il s'agit de stupéfiants. »

7/11/63 : Il transmet le message à Pete. Pete comprend qu'ils le laissent vivre.

Si tu travailles pour nous. *Si* tu déménages à Vegas. *Si* tu vends de l'héroïne aux Négros du coin.

8/11/63 : Jimmy Hoffa appelle, aux anges. Il ne semble pas se soucier du fait qu'il a de gros ennuis avec la justice.

Sam lui a parlé de l'attentat. Jimmy l'apprend à Heshie Ryskind. Heshie s'installe dans le meilleur hôtel de Dallas — pour jouir de l'événement en gros plan.

Heshie amène son entourage : Dick Contino, infirmières et racoleuses. Pete lui fait sa piquouze de came deux fois par jour.

L'entourage de Heshie n'y comprend plus rien. Pourquoi aller se déraciner jusqu'à Dallas lorsqu'on est si près de passer de vie à trépas ?

8/11/63 : Carlos lui adresse une coupure de presse. Elle dit : ASSASSINAT D'UN CHEF DU KLAN — UNE ENIGME QUI DEROUTE LE SUD PROFOND.

Les flics soupçonnent des rivaux du Klan. Lui soupçonne Kemper Boyd.

Carlos y joint un petit mot. Carlos dit que son procès en déportation se déroule tout à fait bien.

8/11/63 : M. Hughes lui adresse un mot. Bébé Howard veut Las Vegas comme la plupart des enfants veulent de nouveaux jouets.

Il lui a répondu. En lui promettant de visiter le Nevada et de lui établir un rapport de ses notes de recherche avant Noël.

9/11/63 : M. Hoover appelle. Il dit que ses mouchards privés ont relevé une furie brûlante chez les mouchardés — le grand show Joe Valachi terrifie les mafieux d'une côte à l'autre.

La source infiltrée de Hoover dit que Bobby interroge Valachi en privé. Valachi refuse de discuter des livres comptables de la Caisse. Bobby est furieux.

10/11/63 : Kemper appelle. Il dit que le stratagème tiré par les cheveux de Guy a réussi : le défilé motorisé de Miami a été annulé.

12/11/63 : Pete appelle. Il signale de nouvelles descentes sur les camps et des rumeurs d'attentats en préparation.

15/11/63 : Jack parade à travers New York. Adolescentes et femmes mûres s'agglutinent à sa voiture comme des mouches.

16/11/63 : Les journaux de Dallas annoncent l'itinéraire du défilé. Barb Jahelka a une place assise au premier rang — elle a un numéro de prévu à midi dans une boîte de Commerce Street.

Un interphone bourdonna. La voix de Bobby trancha au milieu des parasites :

— Je vais recevoir M. Littell maintenant.

La réceptionniste lui tint la porte. Littell entra, chargé de son magnétophone.

Bobby était derrière son bureau. Il avait fourré les mains dans les poches sans faire le moindre mouvement d'invite — les avocats de la Mafia n'avaient droit qu'à des politesses d'occasion.

Le bureau était joliment décoré. Le costume de Bobby était du prêt-à-porter sac à patates.

— Votre nom semble familier, monsieur Littell. Nous sommes-nous déjà rencontrés ?

J'ETAIS VOTRE PHANTOME. JE BRULAIS D'ETRE PARTIE PRENANTE DE VOTRE VISION.

— Non, monsieur Kennedy.

— Je vois que vous avez apporté un magnétophone.

Littell posa l'appareil par terre.

— Effectivement.

— Jimmy serait passé aux aveux de ses manières malfaisantes ? M'avez-vous apporté une confession, en quelque sorte ?

— En un sens. Cela vous dérangerait-il de l'écouter ?

Bobby consulta sa montre.

— Je suis à votre disposition pour les neuf minutes à venir.

Littell brancha sa machine à une prise au mur. Bobby faisait sonner la menue monnaie qu'il avait dans les poches.

Littell appuya sur « Play ». Joe Valachi se mit à parler. Bobby s'appuya contre le mur derrière son bureau.

Littell était debout devant le bureau. Bobby avait les yeux rivés sur lui. Ils restèrent absolument immobiles, sans un battement de cils, sans le plus petit tressaillement.

Joe Valachi exposa son acte d'accusation. Bobby entendit les preuves à l'appui. Il ne ferma pas les yeux ni ne réagit d'aucune manière visible.

Littell piqua une suée. L'absurde concours de regards se poursuivit.

La bande se dévida de la bobine. Bobby décrocha le téléphone posé sur son bureau.

— Contactez l'agent spécial Conroy à Boston. Demandez-lui de se rendre à la branche principale de la Security First-National Bank et de découvrir à qui appartient le compte numéro 811512404. Demandez-lui d'examiner les coffres de dépôt et de me rappeler immédiatement. Demandez-lui d'activer les choses en priorité absolue. Ne me passez plus aucune communication jusqu'à ce qu'il me rappelle.

Sa voix ne tremblait pas. Pas une hésitation, forte et sûre, un bloc de fonte, un blindage d'acier, totalement étanche.

Bobby reposa le combiné. Le duel de regards se poursuivit. Le premier à cligner des yeux est un lâche.

Littell faillit glousser. Avec, comme épigramme : Les hommes de pouvoir sont des enfants.

Le temps passa. Littell décompta les minutes au rythme de ses battements de cœur. Ses lunettes commencèrent à glisser de son nez.

Le téléphone sonna. Bobby décrocha et écouta.

Littell resta parfaitement immobile et décompta quarante et une pulsations. Bobby jeta le téléphone contre le mur.

Et cligna des yeux.

Et tressaillit.

Et essuya ses larmes.

— Soyez maudit pour les souffrances que j'ai endurées à cause de vous, dit Littell.

97

Dallas, 20 novembre 1963.

Elle saura. Elle entendra la nouvelle, elle verra ton visage, elle saura que tu y as pris part.

Elle remontera à la source, la tentative de chantage. Tu n'as pas réussi à le compromettre, alors tu l'as tué.

Elle saura qu'il s'agit d'un attentat de la Mafia. Elle sait la manière dont ces mecs-là tranchent les liens dangereux. Elle t'en voudra de l'avoir amenée si près de quelque chose d'aussi gros.

Pete regarda Barb endormie. Leur lit sentait un mélange d'huile solaire et de sueur.

Il se rendait à Las Vegas. Il retournait à Howard « Dracula » Hughes. Ward Littell était leur nouvel entremetteur.

L'attendait du boulot de gros bras et de fourgueur de came. C'était une commutation de peine, en toute banalité : un emprisonnement à perpétuité au lieu de la mort.

Barb chassa les draps d'un coup de pied. Il remarqua de nouvelles taches de rousseur sur ses jambes.

Elle et Vegas iraient merveilleusement ensemble. Il virerait Joe de sa vie et lui arrangerait un numéro dans un spectacle permanent.

Elle serait avec lui. Elle serait toute proche de son travail. Elle se bâtirait la réputation d'une femme régul, capable de garder des secrets.

Barb se roula en boule au creux des oreillers. Les veines de ses seins s'étiraient en un drôle de motif.

Il la réveilla. Elle ouvrit les yeux immédiatement, alerte, comme toujours.

— Veux-tu m'épouser ? dit Pete.
— Bien sûr, dit Barb.

Un pot-de-vin de cinquante dollars les débarrassa de la prise de sang. Un billet de cent régla le problème de l'absence d'extrait de naissance.

Pete avait loué un smoking de taille 52 extra-long. Barb s'était dépêchée de passer au Kascade Klub et d'attraper sa seule et unique robe twist de couleur blanche.

Ils trouvèrent un pasteur dans l'annuaire. Pete se récupéra deux témoins vite fait : Jack Ruby et Dick Contino.

Dick dit qu'Oncle Hesh avait besoin d'un coup de piquouze. Et pourquoi est-il tellement excité ? — pour un mourant, il a l'air sacrément remonté.

Pete passa vite fait à l'Adolphus Hotel. Il colla à Heshie son plein d'héroïne et lui refila quelques tablettes de chocolat à boulotter. Heshie était d'avis que le smoking de Pete était la chose la plus drôle qu'il eût jamais vue. Il rit si fort qu'il faillit en arracher le tube de sa trachéotomie.

Dick les régala d'un cadeau de mariage : la suite nuptiale de l'Adolphus pour le week-end. Pete et Barb y apportèrent leurs affaires un heure avant la cérémonie.

L'arme de Pete tomba de sa valise. Le chasseur faillit en chier dans le froc.

Barb lui donna cinquante dollars de pourboire. Le môme quitta la suite sur une génuflexion. Une limo de l'hôtel les déposa à la chapelle.

Le pasteur était un engnôlé. Ruby avait amené ses caniches jappeurs. Dick y alla de quelques morceaux de circonstance sur sa boîte à soufflets.

Ils prononcèrent leur serment de mariage dans un rade non loin de Stemmons Freeway. Barb pleura. Pete lui serra si fort la main qu'elle fit la grimace.

Le pasteur offrit des alliances en faux or. L'alliance de Pete n'entrait pas à son annulaire. Le pasteur dit qu'il lui commanderait la taille mahousse — il commandait ses ustensiles à une boîte de vente par correspondance à Des Moines.

Pete laissa tomber l'alliance trop petite dans sa poche. Au passage, le baratin sur « Jusqu'à ce que la Mort Nous Sépare » le fit flageoler des genoux.

Ils s'installèrent à l'hôtel. Barb avait toujours le même refrain aux lèvres : Barbara Jane Lindscott Jahelka Bondurant.

Heshie leur fit livrer champagne et un panier-cadeau géant. Le môme qui assurait le service d'étage était tout excité — le président va passer par ici vendredi.

Ils firent l'amour. Le lit était énorme, tout rose et tout en fronces.

Barb s'endormit. Pete demanda à être réveillé à 20 heures — son épouse avait son numéro à 21 heures tapantes.

Il n'arriva pas à dormir. Il ne toucha pas la rôteuse — la gnôle commençait à lui faire l'effet d'une faiblesse.

Le téléphone sonna. Il se leva et prit le poste du petit salon.

— Ouais ?

— C'est moi, Pete.

— Ward, Seigneur. Comment as-tu eu ce...

— Banister vient de m'appeler. Il dit que Juan Canestel est absent de Dallas. J'envoie Kemper te retrouver, et je veux que tous les deux, vous lui mettiez la main dessus et que vous fassiez ce que vous avez à faire pour que vendredi ait bien lieu.

98

Dallas, 20 novembre 1963.

L'avion vint se ranger près d'un quai de chargement. Le pilote avait eu vent arrière depuis Meridien et avait effectué le trajet en moins de deux heures.

Littell avait pris toutes dispositions pour un charter privé. En disant au pilote de voler vitesse maxi. Le petit biplace avait branlé et secoué de toutes ses membrures — Kemper n'arrivait pas à y croire.

Il était 23 h 48. Ils étaient à trente-six heures du « *Go!* ».

Un appel de phares — le signal de Pete.

Kemper détacha sa ceinture. Le pilote coupa les gaz et lui ouvrit la porte.

Kemper sauta au sol. Le reflux d'air des hélices faillit l'aplatir au sol.

La voiture vint se ranger près de lui. Kemper monta. Pete mit pleins gaz et traversa toute une filée de pistes d'atterrissage pour avions de tourisme.

Un avion à réaction passa au-dessus de leurs têtes dans un grand *whoosh*. Love Field avait l'air d'appartenir à un autre monde.

— Qu'est-ce que Ward t'a dit? demanda Pete.

— Que Juan est livré à lui-même. Et que Guy craint que Carlos et les autres ne croient qu'il a déconné.

— C'est ce qu'il m'a dit. Et je lui ai répondu que je n'aimais pas les risques que ça impliquait, à moins que quelqu'un ne dise à Carlos que nous lui avons donné un sérieux coup de main et évité à Banister de foutre tout l'attentat en l'air.

Kemper entrouvrit sa vitre. Ses foutues oreilles n'arrêtaient pas de claquer.

— Qu'est-ce que Ward a eu à dire à ça ?

— Il a dit qu'il parlerait à Carlos après l'attentat. *Si* nous mettons la main sur Canestel pour sauver ce putain de Grand Jour.

Un émetteur-récepteur se mit à crachoter. Pete baissa le son.

— C'est la voiture personnelle de J.D. Tippit. Lui et Rogers sont en train de chercher, et s'ils repèrent Juan, ce sera à *nous* de jouer. Tippit ne peut pas s'écarter de son secteur de patrouille, et Chuck ne peut rien faire qui risquerait de faire foirer sa participation à l'attentat.

Ils évitèrent des chariots à bagages. Kemper se pencha à la fenêtre et s'enfila trois dexédrines à sec.

— Où est Banister ?

— Il arrivera de La Nouvelle-Orléans par avion un peu plus tard. Il pense que Juan est un mec de confiance, et s'il arrive quelque chose et qu'ils le perdent, il fera passer Rogers à sa place, et il partira avec lui et l'autre tireur.

Ils savaient que Juan était instable. Ils ne l'avaient pas catalogué comme éventuel tueur sexuel. Le boulot était foireux et plein de trous, ça puait le travail d'amateur avec entraînement sur place la veille.

— Où va-t-on ?

— Chez Jack Ruby. Rogers dit que Juan aime bien se reluquer les putes qui bossent là. A toi d'entrer — Ruby ne te connaît pas.

Kemper éclata de rire.

— Ward a dit à Carlos de ne pas faire confiance aux psychopathes en voiture de sport rouge vif.

— C'est pourtant ce que tu as fait, dit Pete.

— J'ai eu quelques révélations depuis.

— Est-ce que tu voudrais dire des choses que je ne devrais pas savoir à propos de Juan ?

— Je dis que j'ai cessé de haïr Jack. Et ça ne me tracasse plus vraiment qu'ils le tuent ou pas.

Le « Carousel Club » était apathique, comme tous les milieux de semaine.

Une stripteaseuse s'effeuillait sur la piste. Deux flics en civil et une clique de radasses étaient assis aux tables en bordure de piste.

Kemper s'était installé près d'une sortie de secours. Il dévissa l'ampoule de la lampe posée sur sa table — il était dans l'ombre, de la taille à la racine des cheveux.

Il voyait les deux portes, entrée et arrière. Il voyait les tables en bordure de piste et de scène. La pénombre le rendait pratiquement invisible.

Pete était dehors, sur l'arrière, avec la voiture. Il ne voulait pas être vu par Jack Ruby.

L'effeuilleuse s'effeuillait au son d'André Kostelanetz. La hi-fi jouait à mauvaise vitesse. Ruby était assis en compagnie des flics dont il arrosait les verres avec sa flasque.

Kemper sirotait du scotch. Qui faisait démarrer la dexédrine au quart de tour. Il commença à se complaire à une nouvelle révélation : Tu as l'occasion de faire joujou avec l'attentat.

Un chien traversa la piste. L'effeuilleuse le chassa. Juan Cãnestel apparut dans l'entrée.

Il était seul. Il portait une veste Ike et des blue-jeans.

Il se dirigea droit vers la table des putes. Une hôtesse le fit s'installer.

Il avait augmenté la taille de sa prothèse, à voir le renflement. Visez-moi ce surin dans sa poche revolver gauche.

Il s'était enfoncé une cordelette roulée dans le ceinturon.

Juan offrit des verres à la cantonade. Ruby était en train de le baratiner. L'effeuilleuse joua de la hanche dans sa direction.

Les flics le reluquèrent de près. Ils avaient l'air pas commodes, pleins de haine pour les non-Anglos.

Juan porte toujours une arme. Ils pourraient bien le secouer rien que par principe.

Ils pourraient bien le coller au trou pour port d'arme. Ils pourraient le travailler au bidule en caoutchouc.

Lui pourrait bien trahir Banister. Le Service secret pourrait bien annuler le défilé.

Juan aimait boire. Il pourrait bien se présenter pour l'attentat avec une gueule de bois. Il pourrait bien appuyer trop vite sur la détente et rater Jack à un kilomètre.

Juan aimait parler. Il pourrait bien éveiller les soupçons entre maintenant et vendredi midi.

La cordelette dépassait du *devant* de son ceinturon.

Juan *est* un tueur sexuel. Juan tue avec ses couilles de rechange.

Juan baratinait les putes. Les flics ne cessaient de le reluquer des pieds à la tête.

L'effeuilleuse salua et partit en coulisses. Ruby annonça le dernier numéro. Juan porta son dévolu sur une brunette bien replète.

Ils vont sortir par la porte de devant. Pete ne les verra pas. Le contact enflammé entre les deux hommes pourrait bien compromettre la performance de Juan lors de l'attentat.

Kemper éjecta le chargeur de son calibre et le laissa tomber au sol. Il laissa une balle dans le canon — un petit coup de joujou supplémentaire avec l'attentat.

La brunette se leva. Juan se leva. Un flic secoua la tête.

La fille se dirigea vers la porte donnant sur le parc de stationnement. Juan la suivit.

Le parking donnait sur une allée. De chaque côté de l'allée s'alignaient les embrasures d'hôtels de passe.

Pete était juste à l'extérieur.

Juan et la fille disparurent. Kemper compta jusqu'à 20. Un homme chargé du ménage se mit à nettoyer les tables avec une lavette.

Kemper sortit. Une brume légère lui piqua les yeux.

Pete était en train de pisser derrière une benne-poubelle. Juan et la pute descendaient tranquillement l'allée. Ils se dirigeaient vers la deuxième embrasure de porte côté gauche.

Pete l'aperçut. Pete toussa.

— Kemper, qu'est-ce que tu...

Pete s'arrêta. Pete dit :

— Putain... c'est Juan...

Pete emprunta l'allée au pas de course. La deuxième porte sur la gauche s'ouvrit et se referma.

Kemper courut. Ils arrivèrent à la porte au sprint.

Un couloir central courait de l'arrière à l'avant de la bâtisse. Toutes les portes étaient fermées des deux côtés. Il n'y avait pas d'ascenseur — l'hôtel ne possédait qu'un rez-de-chaussée.

Kemper compta dix portes. Kemper entendit un couinement étouffé.

Pete commença à enfoncer les portes à coups de pied. Il frappait de tout son poids, gauche puis droite — un pivot et un coup du plat du talon arrachaient les portes de leurs gonds.

Le plancher tremblait. Les lumières s'allumaient. De vieux poivrots tristes et ensommeillés battaient en retraite, morts de trouille.

Six portes volèrent. Kemper enfonça la septième de l'épaule. Un plafonnier allumé éclaira l'affrontement.

Juan avait un couteau. La pute avait un couteau. Juan portait un godemiché sanglé au bas-ventre de ses blue-jeans.

Kemper visa la tête. Sa seule et unique balle s'égara loin de la cible.

Pete le poussa hors de son chemin. Pete visa bas et fit feu. Deux balles de Magnum éclatèrent les rotules de Juan.

Qui tourna sur lui-même et retomba sur la barre de lit. Sa jambe gauche pendait, comme sectionnée au genou.

La pute gloussa. La pute regarda Pete. Il se passa quelque chose entre eux.

Pete retint Kemper.

Pete laissa la pute trancher la gorge de Juan.

Ils roulèrent jusqu'à un stand à beignets et se prirent un café. Kemper sentit Dallas suinter au ralenti.

Ils avaient laissé Juan là-bas. Ils avaient marché jusqu'à la voiture. Ils s'étaient éloignés doucement, à lenteur réglementaire.

Ils n'avaient pas parlé. Pete n'avait pas mentionné son petit numéro de joujou avec le destin.

Cette décharge d'adrénaline bizarre faisait tout tourner au ralenti.

Pete alla jusqu'à une cabine téléphonique. Kemper le regarda qui enfilait ses pièces dans les fentes.

Il appelle Carlos à La Nouvelle-Orléans. Il plaide pour sa vie.

Pete lui tourna le dos et se pencha au-dessus du combiné.

Il est en train de raconter que Banister a déconné. Il est en train de raconter que Boyd a tué le spadassin auquel il n'aurait jamais dû faire confiance.

Il est en train de plaider sur un point précis. Il est en train de dire, faites participer Boyd à l'attentat — vous savez que c'est un mec compétent.

Il est en train de plaider la pitié.

Kemper sirota son café. Pete raccrocha et retourna à leur table.

— Qui as-tu appelé ?

— Ma femme. Je voulais juste lui dire que je serais en retard.

Kemper sourit.

— Ça ne coûte pas autant d'appeler ton hôtel.

— Dallas est une ville chic, dit Pete. Et les choses coûtent de plus en plus cher de nos jours.

Kemper laissa filer son accent traînant.

— Ça, pour sûr.

Pete écrasa son gobelet.

— Je peux te déposer quelque part.

— Je prendrai un taxi jusqu'à l'aéroport. Littell a dit au pilote du charter de m'attendre.

— Retour au Mississippi.

— La maison, c'est la maison, fils.

Pete lui fit un clin d'œil.

— Prends soin de toi, Kemper. Et merci pour la balade.

Son patio donnait sur un vallonnement de collines. La vue était sacrément jolie pour un motel à prix bradés.

Il avait demandé une exposition au sud. L'employé lui avait loué un bungalow à l'écart du bâtiment principal.

Le vol de retour avait été magnifique. Ce foutu ciel chatoyait de lumière, nom de Dieu.

Il s'était endormi pour ne se réveiller qu'à midi. La radio dit que Jack était arrivé au Texas.

Il avait appelé la Maison-Blanche et le ministère de la Justice. Des sous-fifres avaient fait barrage.

Son nom était sur une liste quelconque. Ils l'avaient envoyé paître au milieu de ses salutations.

Il avait appelé l'ASC de Dallas. L'homme refusa de lui parler.

Il avait appelé le Service secret. L'agent de service raccrocha.

Il arrêta de faire joujou avec son idée. Il s'installa sur le patio et se repassa toute la course, du départ jusqu'à l'arrivée.

Les ombres du jour colorèrent les collines en vert sombre. Son petit film en rediffusion ne cessait de prendre de l'ampleur au ralenti.

Il entendit un bruit de pas. Ward Littell s'approcha. Il portait un tout nouvel imperméable Burberry sur le bras.

— Je pensais que tu serais à Dallas, dit Kemper.

Littell secoua la tête.

— Je n'ai pas besoin de le voir. Et il y a quelque chose à L.A. que je dois voir absolument.

— J'aime bien ton costume, fils. Ça fait plaisir de te voir t'habiller avec une telle élégance.

Littell laissa tomber l'imperméable. Kemper vit l'arme, et son visage se barra d'un large rictus satisfait, prêt à avaler toutes les couleuvres.

Littell tira. L'impact fit tomber Kemper de son fauteuil.

La deuxième balle fit l'effet d'un CHUT MAINTENANT. Kemper mourut en pensant à Jack.

99

Beverly Hills, 22 novembre 1963.

Le chasseur lui donna son passe et indiqua le bungalow. Littell lui tendit mille dollars.

L'homme fut étonné. L'homme ne cessait de répéter :

— Et vous voulez juste le *voir* ?

Je veux voir le prix a payer.

Ils se tenaient près de la cabane du gardien. Le chasseur ne cessait de vérifier leurs arrières.

— Dépêchez-vous, dit-il. Vous devez être sorti de là avant que les mormons ne reviennent de leur petit déjeuner.

Littell s'éloigna. Sa tête courait avec deux heures d'avance, verrouillée sur l'heure du Texas.

Le bungalow était rose saumon et vert. La clé déverrouilla trois serrures à pêne.

Littell entra. La pièce en façade était remplie de réfrigérateurs médicaux et de supports de goutte-à-goutte intraveineux. L'air puait l'hamamélis et l'insecticide en bombe.

Il entendit couiner des enfants. Il identifia le bruit : un programme télé pour mômes.

Il suivit le bruit des couinements tout au long d'un couloir. Une horloge au mur affichait 8 h 9 — 10 h 9, heure de Dallas.

Les couinements se changèrent en pub vantant une nourriture pour chiens. Littell se colla contre le mur et regarda par l'embrasure de la porte.

Un sachet pour intraveineuse alimentait l'homme en sang. Lequel était en train de se piquer avec une seringue hypodermique. Il était allongé complètement nu, cadavérique, sur un lit d'hôpital à tête relevable.

Il rata une veine de la hanche. Il poignarda son pénis et enfonça le piston.

Ses cheveux lui touchaient les épaules. Ses ongles se recourbaient vers l'intérieur, à mi-chemin de toucher les paumes de ses mains.

La pièce sentait l'urine. Des bestioles flottaient dans un seau rempli de pisse.

Hughes dégagea l'aiguille. Son lit s'affaissait sous le poids d'une demi-douzaine de machines à sous démontées.

100

Dallas, 22 novembre 1963.

La came fit effet. Heshie se décrispa et réussit à sortir un semblant de sourire.

Pete essuya l'aiguille.

— Ça se passe à environ six blocs d'ici. Approchez votre fauteuil de la fenêtre aux environs de midi et quart. Vous pourrez voir passer les voitures.

Heshie cracha dans un Kleenex. Du sang lui dégoulina sur le menton.

Pete laissa tomber la télécommande sur ses genoux.

— Allumez-la à ce moment-là. Ils interrompront leur programme en cours quel qu'il soit pour diffuser un bulletin d'informations.

Heshie essaya de parler. Pete lui donna un peu d'eau.

— Ne vous endormez pas, Hesh. Ce n'est pas tous les jours que vous aurez un spectacle comme celui-là.

La foule s'entassait dans Commerce Street, du bord du ruisseau jusqu'aux devantures des boutiques. Des panneaux fabrication maison montaient à trois mètres de haut.

Pete descendit jusqu'à la boîte. Il fut obligé de se frayer un chemin centimètre par centimètre au milieu des spectateurs retranchés à leur poste.

Les fans de Jack refusaient de céder un pouce de terrain. Les flics passaient leur temps à rameuter des individus en pleine rue pour les renvoyer à leur morceau de trottoir.

743

De petits mômes chevauchaient les épaules de leur père. Un million de minuscules drapeaux à bout de petits bâtons voletaient au vent.

Il arriva à la boîte. Barb lui avait gardé une table près du stand de l'orchestre. Une foule pas très reluisante regardait le spectacle — peut-être une douzaine d'amateurs de déjeuners-picole au total.

Le groupe d'accompagnement massacrait un morceau à tempo rapide. Barb lui souffla un baiser. Pete s'assit et lui sourit son sourire « Chante-m'en une petite douce ».

Un grondement déchira l'air — IL ARRIVE IL ARRIVE IL ARRIVE !

Le groupe de musiciens déchira un crescendo qui n'était pas dans le ton. Joey et ses gars avaient l'air à moitié défoncés.

Barb enchaîna directement sur *Unchained Melody*. Tous les clients, barmaids et gugusses des cuisines se précipitèrent vers la porte.

Le grondement prit de l'ampleur. Un bruit de moteurs s'en détacha lentement — limousines et Harley-Davidson équipées parade.

Ils avaient laissé la porte ouverte. Il avait Barb pour lui seul et était incapable d'entendre la moindre des paroles de sa chanson.

Il la regarda. Il se fit ses propres paroles. Elle le tint suspendu, de ses yeux, de sa bouche.

Le rugissement diminua d'intensité. Pete se prépara, tous muscles tendus, pour cet énorme putain de hurlement.

Dans la même collection

Cet ouvrage a été réalisé par la
SOCIÉTÉ NOUVELLE FIRMIN-DIDOT
Mesnil-sur-l'Estrée
pour le compte des Éditions Payot & Rivages
en mai 1995